A SZÓCIKK SZERKEZETI ELEMEI

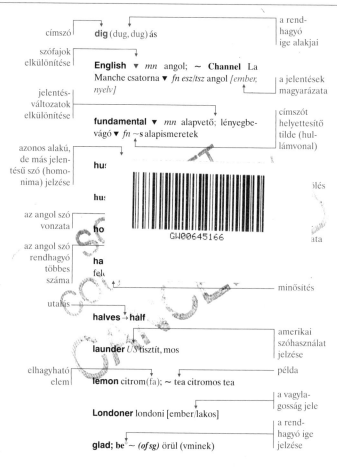

címszó — **dig** (dug, dug) ás

a rend-
hagyó
ige alakjai

szófajok
elkülönítése

English ▼ *mn* angol; ~ **Channel** La
Manche csatorna ▼ *fn esz/tsz* angol [*ember,
nyelv*]

a jelentések
magyarázata

jelentés-
változatok
elkülönítése

fundamental ▼ *mn* alapvető; lényegbe-
vágó ▼ *fn* ~**s** alapismeretek

címszót
helyettesítő
tilde (hul-
lámvonal)

azonos alakú,
de más jelen-
tésű szó (homo-
nima) jelzése

hus

hus

...lés

az angol szó
vonzata

ho

...ata

az angol szó
rendhagyó
többes
száma

ha
fel

minősítés

utalás — **halves** → **hálf**

launder *US* tisztít, mos

amerikai
szóhasználat
jelzése

elhagyható
elem

lemon citrom(fa); ~ **tea** citromos tea

példa

Londoner londoni [ember/lakos]

a vagyla-
gosság jele

glad; be ~ (*of sg*) örül (vminek)

a rend-
hagyó ige
jelzése

MAGYAR–ANGOL
ANGOL–MAGYAR
ZSEBSZÓTÁR

HUNGARIAN–ENGLISH
ENGLISH–HUNGARIAN
POCKET DICTIONARY

1828

MAGYAR
ANGOL

ANGOL
MAGYAR

ZSEBSZÓTÁR

HUNGARIAN–ENGLISH
ENGLISH–HUNGARIAN

POCKET DICTIONARY

Projektvezető szerkesztő
BERKÁNÉ DANESCH MARIANNE
Szerkesztők
NICHOLAS BODOCZKY, MIHÁLY ÁRPÁD, TÓTH ERZSÉBET
GRÁF ZOLTÁN BENEDEK, SZENTGYÖRGYI SZILÁRD
Lektorok
NICHOLAS BODOCZKY, TÓTH ERZSÉBET
Arculatterv
MOLNÁR ISTVÁN, KECSKÉS ZSOLT
Számítástechnikai munkatárs
GÁL ZOLTÁN
Borítóterv
ÉRDI JÚLIA
Termékmenedzser
KISS ZSUZSA
Tördelés
ÉLŐFEJ BT.
Nyomdai előállítás
Akadémiai Nyomda Kft., Martonvásár
Felelős vezető: REISENLEITNER LAJOS

ISBN 978 963 05 8117 2
Kiadja az Akadémiai Kiadó, Budapest
az 1795-ben alapított Magyar Könyvkiadók
és Könyvterjesztők Egyesülésének tagja
www.akademiaikiado.hu

Első kiadás: 2001
Második kiadás: 2004
Változatlan utánnyomás: 2007

A kiadásért felelős az Akadémiai Kiadó igazgatója
A szerkesztésért felelős: POMÁZI GYÖNGYI

Terjedelem: 27,25 (A/5) ív
Printed in Hungary

TARTALOM

esetében az angol jelentések mondatbeli használatát megkönnyíti, hogy megadjuk vonzatukat, különösen, ha az eltér a magyartól, pl.:

emlékszik (*vkire*/ *vmire*) remember (sy/sg)

A rendhagyó angol igéket felső köröcske (°) jelöli, ezek alakjait a Függelék tartalmazza. A rendhagyó főnevek többes számát a szócikkben megadjuk.

Több megfelelő felsorolása esetén vesszőt használunk, a pontosvessző nagyobb jelentéskülönbséget jelez.

Kifejezések

A szócikkben megtalálhatóak a címszóval alkotott leggyakoribb szókapcsolatok.

A magyar ábécé betűi

a (á)	gy	o (ó)	ü (ű)
b	h	ö (ő)	v
c	i (í)	p	w
cs	j	q	x
d	k	r	y
dz	l	s	z
dzs	ly	sz	zs
e (é)	m	t	
f	n	ty	
g	ny	u (ú)	

Az angol ábécé betűi

a	h	o	v
b	i	p	w
c	j	q	x
d	k	r	y
e	l	s	z
f	m	t	
g	n	u	

A, Á

a the
abba into that
abbahagy stop (doing sg); *[végleg]* give° up
abban in that
abból from/of that
ABC-áruház supermarket
ábécé alphabet
ablak window
ablaktörlő windscreen-wiper
abortusz abortion
ábra illustration, figure
ábránd fancy, dream
ábrándozik *(vmiről)* dream (of sg)
ábrázol *[rajzzal]* represent; *[szóval]* describe

ábrázolás delineation; *[szóval]* description
abroncs *[hordón]* (barrel) hoop; *[keréken]* tyre
abrosz tablecloth
acél steel
ács carpenter
ad give°; *[rádió/tv]* broadcast°; *[színház]* be° on/ playing
adag portion; *orv* dose
adagol portion/measure out; *[gépbe]* feed°
adás giving; *[rádió/tv]* broadcast(ing)
adásvételi szerződés contract of sale
adat data *esz/tsz*
adatbank data bank
adatbázis database
adatfeldolgozás data processing
adatgyűjtés collection of facts/data
adathordozó data carrier
adatlap data form/sheet
adatvédelem data protection

addig *[térben]* as far as that; *[időben]* till then, until then, meanwhile
adminisztráció administration
adó tax; *távk* radio station
adóbevallás tax return
adódik happen, come° about
adófizetés payment of taxes
adóhivatal tax/revenue office
adomány gift, donation
adományoz present, donate; *[kitüntetést]* award
adómentes tax-free
adós ▼ *mn* in debt *ut;* ~ (vkinek vmivel) owe (sy sg) ▼ *fn* debtor
adósság debt
adott given
adottság ability; *[körülmények]* conditions *tsz,* circumstances *tsz*
adózás taxation
adózik pay° tax(es)

advent Advent
áfa *röv* VAT, vat *[value added tax]*
áfamentes tevékenység exempt from VAT
áfás számla *kb.* invoice indicating the amount of VAT
afelől; ~ **érdeklődött, hogy ...** he inquired about/whether ...
afféle of that sort *ut*
áfonya blueberry
Afrika Africa
afrikai *mn, fn* African
ág *[gally]* branch; *[folyóé, tudományé]* branch; *[családé]* line (of descent)
agancs antlers *tsz*
ágaskodik *[ember]* stand° on tip-toe; *[ló]* rear
agg ▼ *mn* very old, aged ▼ *fn* old man (*tsz* men)
aggaszt worry
aggasztó worrying
agglegény bachelor
aggodalom anxiety, fear
aggódik (vkiért/vmiért)

ELŐSZÓ

Szótárunk az Akadémiai Kiadó folyamatosan fejlesztett és bővített nyelvi adatbázisából készült.

A szóanyag összeállításakor előre meghatározott irányt követve válogattunk a magyar és az angol nyelv szókészletéből: az alapszókincset, vagyis a mai beszélt nyelv leggyakoribb szavait, kifejezéseit, szókapcsolatait tartottuk fontosnak, így tehát szakkifejezések, az irodalmi nyelv választékosabb szavai nem, vagy csak kis számban szerepelnek a szótárban.

Munkánk során a magyar anyanyelvű felhasználók igényeit tartottuk szem előtt.

A szótárban irányonként 12 000 címszó és több mint 30 000 jelentés található.

A 2001-ben külön kötetben megjelent zsebszótárak most a könnyebb kezelhetőség kedvéért egy kötetben jelennek meg.

Budapesten, 2004. június 29-én

SZÓTÁRHASZNÁLATI TUDNIVALÓK

A szókészlet

A szókészlet összeállításakor a mindennapi élet legfontosabb témaköreinek alapszókincsét dolgoztuk fel. Szótárunk tartalmazza például a legismertebb állatok, növények, anyagok, ételek, a fő testrészek, mértékegységek, színek nevét, földrajzi kifejezéseket, a sport, a zene alapvető szókincsét s az ezekkel kapcsolatos igéket. Nagyobb hangsúlyt fektettünk az utazással kapcsolatos szavak, kifejezések körére.

A szócikk felépítése

A szócikk vastag betűvel nyomtatott címszóval kezdődik. A címszavak sorrendje az ábécé rendjét követi, de a magyar címszavaknál nem teszünk különbséget *a* és *á, e* és *é, i* és *í, o* és *ó, ö* és *ő, u* és *ú,* valamint *ü* és *ű* között. Az azonos alakú, de különböző jelentésű szavakat (homonimákat) külön címszóként kezeljük és felső számmal jelöljük meg, pl.:

csap[1] *fn* tap

csap[2] *ige [üt]* strike°; *[dob]* throw°

A címszó szófaját csak abban az esetben adjuk meg, ha azonos alakhoz több szófaj társul. Szócikken belül ugyanazon alak eltérő szófajú jelentéseit fekete háromszög (▼) választja el egymástól, pl.:

dán ▼ *mn* Danish ▼ *fn* *[ember]* Dane; *[nyelv]* Danish

A szócikk szövegében a címszót hullámvonal, tilde (~) helyettesíti.

elkövet commit; **mindent** ~ do° one's best

Angol rendhagyó alakok

A rendhagyó alakokat (melléknevek, határozószók középfokú és felsőfokú alakját, főnevek többes számát, igék múlt idejét és múlt idejű melléknévi igenevét) a címszó után zárójelben megadjuk.

well¹ *hsz* (*kfok* better, *ffok* best) jól

abide (abode, abode) lakik, tartózkodik (vhol)

A rendhagyó alakok címszóként is megtalálhatóak – utalással a szótári alakra.

abode → **abide**

A jelentés

A címszót angol nyelvi megfelelői követik. Ezek használati körének pontosítását segítik a minősítések (dőlt betűvel) és a magyarázatok (szögletes zárójelben dőlt betűvel, pl.:)

elzárás *[úté]* closing, blocking; *jog* custody

A szótárban használt minősítések és egyéb rövidítések listája hátul, a belső borítón található. Igék

worry (about sy/sg), be° anxious (for/about sy/sg)

agrár agrarian, agricultural

agresszív aggressive

agy brain

ágy bed

agyag clay

agyar tusk

ágyás (flower)bed

ágyaz make° the bed(s)

ágyék groin

ágynemű bedding, bedclothes *tsz*

agyondolgozza magát overwork, kill oneself with work

agyonlő shoot° sy dead

agyonüt strike° sy dead; ~**i az időt** kill time

agyonver beat° sy to death

agyrázkódás concussion (of the brain)

ágyú cannon

agyvelő brain

ahány as many as

ahányszor as often as

ahelyett instead (of that)

ahhoz *[térben]* to that; *átv* for it/that

ahogy(an) *[mód]* as; *[időben]* as soon as

ahol where

ahonnan from where

ahova where; ~ **mennek** the place they are going to

AIDS *röv* AIDS *[Acquired Immune Deficiency Syndrome]*

ajak lip

ajándék present, gift

ajándékoz (*vmit vkinek*) give° (sg to sy)

ajánl recommend; *[művet vkinek]* dedicate (to sy)

ajánlás recommendation; *[műé]* dedication

ajánlat offer

ajánlatos advisable

ajánlkozik (*vmire*) offer to do sg

ajánlott recommended; ~ **levél** registered letter

ajtó door

ájulás fainting

ájult in a faint *ut*

akác acacia

akad *[megakad vmiben/ vmin]* get° stuck/caught (in/on); *[rábukkan vkire/ vmire]* happen (up)on sy/sg, come° across sy/sg

akadály *átv is* obstacle; *sp* obstacles *tsz*

akadályoz hinder

akadémia academy

akadozik *[gép]* work irregularly; ~ **a folyamat** there are hiccups in the process

akar want (sg v. to do sg); *[szándékozik]* intend (to do sg)

akár ▼ *hsz [megengedés]* ~ **meg is tarthatod** you may as well keep it ▼ *ksz [ha]* ~ **hiszed,** ~ **nem** (whether you) believe it or not

akarat will

akaraterő will-power

akaratos self-willed, stubborn

akárhol anywhere; wherever

akárhonnan from anywhere; from wherever

akárhova anywhere; no matter where

akárki whoever; no matter who

akármelyik any; *[kettő közül]* either

akármennyi however much/many

akármi whatever; anything

akármikor (at) any time; whenever

akármilyen any; any kind of

akaszt hang° (up); *[kivégez]* hang

akasztó *[fogas]* coat hook; *[vállfa]* hanger

akasztófa gallows *esz/tsz*

akcentus accent

akció action; *[leértékelés]* sale

aki who
akkor then
akkora so large/great
akkord chord
akkumulátor battery
akna *bány* (mine) shaft; *kat* mine
akrobata acrobat
akt nude (figure)
akta document, file
aktatáska briefcase
aktív active
aktuális current, timely
akvárium aquarium (*tsz* -s v. -ria)
alá under
aláás undermine
alább lower down
alábbhagy lessen, diminish
alábbi following
alacsony low; *[termetről]* short, small
alagsor basement
alagút tunnel
aláhúz underline; *átv* stress
aláír sign
aláírás signature
alak shape, form; *nyelv* form; *[emberé]* figure; *[irodalmi mű szereplője]* character
alaki formal
alakít form, shape; *[színész]* play, act: *[vmit vmivé]* transform
alakul happen
alany subject
alap base; *[házé]* foundation; *[pénz]* funds *tsz;* *átv* basis (*tsz* bases), ground(s)
alapelv (basic/fundamental) principle
alapfizetés basic salary/wage
alapít establish, found
alapítvány foundation
alapos thorough; *[megalapozott]* well-founded
alapoz *épít* lay° the foundations (of); *[festő]* prime; *átv* (*vmire*) base (on sg)
alaprajz ground plan
alaptalan unfounded
alapterület area

alapul (*vmin*) be° founded/based (on sg)

alapvető basic, fundamental

álarc mask

alárendel (*vkinek/vminek*) subordinate (to sy/sg)

alárendelt subordinate

alátámaszt support, prop up

alátét pad

alatt [*térben*] under; [*időben*] in

alatta underneath, below

alattomos sly, sneaking

alázat humbleness, humility

alázatos humble

albán *mn, fn* Albanian

Albánia Albania

albérlet sublease, lodgings *tsz*

albérlő lodger

album album

alcím subtitle

áld bless

áldás blessing

áldott blessed; ~ **állapotban van** she is pregnant

áldoz *vall* sacrifice; *átv* (*vmire*) devote (to); [*pénzt vmire*] spend° (money) (on sg)

áldozat *vall, átv is* sacrifice; [*pl. bűntényé*] victim

áldozik *vall* receive the Holy Communion

alföld plain, lowland

algebra algebra

alig hardly, barely, scarcely

aligha hardly, scarcely

alighanem very likely, (most) probably

alighogy hardly, no sooner than

alj lower part, bottom

aljas base, vile

aljasság baseness, vileness

alkalmas (*vmire*) suitable (for sg)

alkalmatlan (*vmire*) unsuitable (for sg); *[terhes/kényelmetlen]* inconvenient

alkalmaz apply, use (sg for sg); *[munkára]* employ

alkalmazás application; *[munkára]* employment

alkalmazkodik (*vmihez*) adjust (to sg); (*vkihez*) fit in (with sy)

alkalmazkodó supple, flexible

alkalmazott ▼ *mn* applied, employed, adapted ▼ *fn* employee

alkalmi occasional; ~ **vétel** (special) bargain; ~ **munka** casual work, by-work

alkalom occasion, *[lehetőség]* opportunity, chance

alkalomadtán when opportunity offers

alkat constitution, build

alkatrész piece, part

alkohol *vegy* spirit, alcohol; *[ital]* alcoholic drinks *tsz*

alkoholista alcoholic

alkoholmentes alcohol-free, nonalcoholic

alkony twilight

alkonyat twilight

alkonyodik night is falling

alkot *[létrehoz]* create; *[áll vmiből]* consist (of sg)

alkotás *[létrehozás]* creation; *[eredmény]* work

alkotmány constitution

alkotó ▼ *mn* creative ▼ *fn* creator, constructor

alku *[eredmény]* bargain; *[folyamat]* bargaining

alkuszik (*vkivel vmire*) bargain (with sy for sg)

áll¹ *fn* chin

áll² *ige* stand°; *[pl. gép]* be° at a standstill; (*vhova*) go° swhere; (*vmiből*) consist (of sg); **az ~ a levélben, hogy ...** the letter says/reads ...

állam state

államférfi statesman (*tsz* -men)

államfő head of state

államhatár (state) border

állami state

állampolgár citizen

állampolgárság nationality, citizenship

államvizsga state examination

állandó permanent, constant

állandóan permanently, constantly

állandósul become° permanent/stable

állapot condition, state (of affairs)

állapotos pregnant

állás [*folyamat*] stand(ing); [*foglalkozás*] job; [*helyzet*] state

álláspont viewpoint, point of view

állat animal

állateledel pet food

állati animal; *átv is* brute

állatkert zoo

állatorvos veterinary surgeon, vet

állatöv *csill* zodiac

álldogál loiter, stand° about

allergia allergy

állhatatos steady, steadfast

állít [*kijelent*] declare, claim, assert; [*helyez*] place, put°; [*igazít*] adjust

állítás claim, assertion

állítmány predicate

állítólag as stated, supposedly

álló standing; [*függőleges*] upright, vertical; [*nem mozgó*] fixed; [*nem működő*] out of action *ut;* (*vmiből*) consisting (of sg)

állóhely standing room

állomás station

állott stale

állóvíz standing/still water

állvány stand, rack; [*három lábú*] tripod

alma apple

almafa apple-tree
álmatlan sleepless
álmatlanság insomnia
álmélkodik (*vmin*) wonder (at sg)
álmodik (*vmiről/vkiről*) dream° (of/about sg/sy)
álmos sleepy
alól from beneath/under
álom dream
alperes defendant
alpesi Alpine
alpinista mountaineer
Alpok the Alps *tsz*
alsó ▼ *mn* bottom, lower ▼ *fn [fehérnemű]* underwear
alsónadrág (under)pants *tsz*
alszik sleep°
alt *[női]* contralto, *[férfi/ fiú]* alto
által by, by means of
általában in general, generally, usually
általános general, common, universal; ~ **iskola** primary school

általánosít generalise
általánosság generality, universality
altat put°/lull (sy) to sleep; *orv* anaesthetise
áltat deceive, delude
altatás *orv* (general) anaesthesia
altató sleeping pill
altatószer sleeping pill
alternatív alternative
aludttej curdled milk
alufólia tinfoil
alul ▼ *hsz* (down) below, at the bottom ▼ *nu* under
alulírott undersigned
aluljáró *[gyalogosoknak]* subway; *[járműveknek]* underpass
alulmarad lose°, succumb
alumínium aluminium
alvás sleep
alváz frame; *[járműé]* chassis, undercarriage
ám ▼ *msz [nyomatékosítás]* well, really ▼ *ksz [de]* yet, though
amatőr amateur

ámbár (al)though
ambíció ambition
ambulancia *[rendelő]* out-
patient department;
[rendelés] outpatient
treatment
amely which, that
amelyik which, that
amennyi as much/many as
Amerika America
amerikai *mn, fn* Ameri-
can; A~ Egyesült Álla-
mok United States of
America (*röv* U.S.A.,
USA)
amerre where, in which
direction
amerről from where,
from which direction
ami¹ *fn biz* Yank
ami² *nm* which, that
amíg *[mialatt]* while, as
long as; *[ameddig]* un-
til, till
amikor when
amilyen such as; ~ gyor-
san csak lehet as quick-
ly as possible

amint *[mód]* as; *[idő]* as
soon as
ámít deceive, delude
amúgy *[olyan módon]* in
that way/manner; *[egyéb-
ként]* otherwise
analfabéta illiterate
ananász pineapple
anélkül: ~, hogy ... with-
out ...ing, without so
much as ...
Anglia England
angol ▼ *mn* English ▼ *fn*
[férfi] Englishman (*tsz*
-men); *[nő]* English-
woman (*tsz* -women);
[nyelv] the English lan-
guage, English
angolna eel
angyal angel
annak *[birtokos]* of that;
~ a levele, aki ... the
letter of the person
who ...; ~ idején at that
time, in those days; *[ré-
szeshatározó]* to/for that;
~ a fiúnak küldted you
sent it to that boy

annál ▼ *nm* at/with that; **~ a tónál** at that lake ▼ *hsz* **minél gyorsabb, ~ jobb** the quicker the better

anorák anorak

antenna antenna, aerial

antibiotikum antibiotic

antikvárium second-hand bookshop

antilop antelope

anya mother; *[csavarhoz]* (screw) nut

anyag matter; *[textília, gyűjtemény, átv is]* material

anyagcsere metabolism

anyagi ▼ *mn* material; *[pénzügyi]* financial ▼ *fn* **~ak** material resources

anyai maternal, motherly

anyakönyvez register

anyakönyvezető registrar

anyanyelv mother tongue, native language

anyaság maternity, motherhood

anyatej breast-milk, mother's milk

annyi so much/many

annyian so many

annyiféle so various, so many kinds of

annyiszor so many times

anyós mother-in-law (*tsz* mothers-in-law)

anyu Mum(my), Ma

apa father

apáca nun

apad *[áradás]* subside; *[folyó]* fall°; *[tenger]* ebb

apai paternal, fatherly

apály ebb(-tide)

apaság fatherhood, paternity

ápol *[beteget]* nurse; *[gondoz]* take° care of; *[kertet, barátságot]* cultivate

ápolás *[betegé]* nursing; *[gondozás]* care; *[kerté, barátságé]* cultivation

ápolatlan unkempt, neglected

ápoló ▼ *mn* *[beteget]*

nursing; *[kertet, barátságot]* cultivating ▼ *fn* nurse, *[állatoké]* keeper

ápolónő nurse

após father-in-law (*tsz* fathers-in-law)

apránként little by little; *[fokozatosan]* gradually

április April (*röv* Apr.)

aprít cut° (up), chop (up)

apró ▼ *mn* tiny, small ▼ *fn [pénz]* (small) change

apróhirdetés small ad, classified ad(vertisement)

aprópénz (small) change

apróság *[dolog, ügy]* trifle; *[gyerek]* tot

apu Dad(dy)

ár¹ *[árué]* price

ár² *[áradás]* inundation

arab ▼ *mn* Arabian ▼ *fn [ember]* Arab; *[nyelv]* Arabic

árad *[folyó]* rise°, flood

áradás rise; *[árvíz]* inundation

áradat tide, deluge

áradozik (*vmiről/vkiről*) sing° praises (of sg/sy)

árajánlat quotation, quote

áram *elektr* (electric) current

áramfogyasztás electricity consumption

áramlás flow, stream

áramlat current; *átv* trend

áramlik stream

áramszolgáltatás electricity supply

áramszünet power cut

arany ▼ *mn* gold, golden ▼ *fn* gold

arány proportion

aranyér *orv* piles *tsz*

aranyérem gold medal

aránylag relatively

aranyos *[bájos]* charming

arányos proportional

aranyoz gild

aránytalan disproportionate, ill-proportioned

áraszt *[sugároz]* radiate; *[fényt]* shed°

arat reap; *átv* **győzelmet ~** win°

aratás harvest(ing)

árboc mast

arc face

árcédula price-tag

arckép portrait

arculat image

áremelés raising/rise of prices

árengedmény discount, price reduction

árjegyzék price-list

árleszállítás cut in price(s), sale

árnyal shade; *átv is* tinge

árnyalat shade of colour

árnyalatnyi különbség slight difference

árnyas shady

árnyék shade, shadow

árnyékos shaded

árok ditch; *[kiásott]* trench

árpa barley

arra *[abba(n) az irányba(n)]* in that direction; *[vmire föl]* on(to) that

arrafelé *[arra]* in that direction; *[ott]* thereabouts

arról *[abból az irányból]* from that direction; *[vmiről le]* from/off that; *átv [vmiről]* of/about that

árt *[kárt okoz vminek/vkinek]* hurt°, harm (sg/sy)

ártalmas harmful

ártalmatlan harmless

ártalom harm

ártatlan innocent

áru merchandise, goods *tsz*

árucikk article

áruház (department) store

árul sell°

árulás *[elárulás]* betrayal; treachery

árulkodik *(vkire)* peach (on sy); *(vmiről)* reveal/betray (sg)

áruló ▼ *mn* traitorous, treacherous; *[pl. jelek]* telltale ▼ *fn* traitor

árusít sell°

áruszállítás transport (of goods)

árva ▼ *mn* orphaned ▼ *fn* orphan

árvácska pansy

árverés auction

árverez sell° by auction

árvíz inundation, (high) flood

ás dig°

ásatás excavation

ásít yawn

ásó spade

ásvány mineral

ásványvíz mineral water

ász ace

aszal dry

aszalt dried; ~ **szilva** prune(s)

aszály drought

aszerint accordingly, according to that

aszfalt asphalt

asszisztens assistant

asszony woman (*tsz* women); ~**om** Madam

asztal table

asztalitenisz table-tennis

asztalos joiner, carpenter

asztalterítő tablecloth

asztma asthma

át *[térben]* across, through, over, along; *[időben]* during, throughout

átad (*vmit vkinek*) hand sg over to sy; *[létesítményt]* (officially) open

átadás handing over; *[létesítményé]* opening

átalakít *[vmit vmivé változtat]* transform (sg into sg); *[átépít]* convert

átalakul turn (into), be° transformed (into), be° changed (into)

átalakulás transformation, change

átáll *[ellenlábashoz]* change sides; *[áttér vmiről vmi másra]* switch/ change over (from sg to sg)

átél *[időszakot]* live/go° through; *átv* experience; *[szerepet]* live (one's part)

átenged (*vmit vkinek*) give° up (sg to sy); (*vkit vhol*) let° sy (pass) through

átépít reconstruct, rebuild°

átér (*vmin keresztül*) reach across; *[átjut vhova]* get° to, reach

átérez (*vmit*) be° conscious/aware (of sg); sympathise (with sy in sg), feel° (for sy)

átesik (*vmin*) fall° over sg; *átv* get° over sg

átfér *[tárgy]* will go through; *[élőlény]* can get through

átfog *[kézzel]* grasp; *átv is* span

átgondol consider, think° over

átgondolt well considered

áthallatszik can be heard (through sg)

áthelyez (*vmit/vkit vhova*) move (sg/sy swhere); *[pl. más munkakörbe]* move; *[időpontot]* put° off (till/until)

áthelyezés transfer, removal

áthidal bridge (over); *átv* surmount

áthoz *[tárgyat]* bring° over; *[magával]* bring° along; *[könyvelésben]* bring°/carry forward

áthúz pull through; pull across, draw° over; *[ágyat]* put° on fresh bed linen; *[szöveget töröl]* delete

átír *[szöveget módosít]* rewrite°; *[más írással]* transliterate; (*vmit vkire*) assign (sg to sy), transfer (sg to sy)

átjár (*vhova*) go° frequently over to; *[átitat vmit]* infiltrate

átjárás way through

átjáró passage(-way)

átjön come° through/over

átjut (*vmin*) get° across; get° through; (*vhova*) get° over (to)

átkapcsol (*vmire*) switch over (to); *[vkit vkihez telefonon]* put° sy

through/on (to sy); ~
második sebességbe
change into second
gear

átkarol embrace

átkel (*vmin*) get° across
(sg); cross (sg)

átkelés crossing

átképez retrain

átkoz damn, curse

átküld send° over, for-
ward

átlag average

átlagos average

átlagosan on average

Atlanti-óceán the Atlan-
tic (Ocean)

atlasz atlas

átlát (*vhova*) see° across;
átv (*vmin*) see° through
sg; (*vmit*) understand°,
comprehend

átlátszó transparent

átlép (*vmit*) step over/
across (sg), cross (sg);
[meghalad] exceed

atléta athlete

atlétatrikó vest

atlétika athletics

átló diagonal (line)

átmegy (*vhova*) go° over/
across (to); (*vmin*) go°
through/over/across; *átv
[nehézségeken]* go°/be°
through; ~ **a vizsgán**
pass the exam(ination)

átmeneti transitional, tem-
porary

átmenő transit

átmérő diameter

átnéz (*vmin*) look/peep
through; *[szöveget]* look/
go° through

átnyújt (*vmit vkinek*)
hand (over) (sg to sy)

atom atom

atomerőmű nuclear/
atomic power station

átölel embrace

átönt (*vmibe*) pour over
(into)

átrak *[máshova]* rear-
range, put° in another
place; *[rakományt]*
transfer

átrendez rearrange

átruház (*vkire*) transfer (sg to sy), assign (sg to sy)

átszáll (*vmi fölött*) fly° over; *[másik járműre]* (*vmi felé, vmire*) change (for, to)

átszámít convert (into)

átszervez reorganise

átszivárog *[folyadék]* ooze through; *[gáz]* filter through

átszúr pierce

áttekint look over, survey

áttekintés survey

áttekinthetetlen *[túl nagy]* vast; *[zavaros]* chaotic, confused

áttekinthető easy to survey, clear-cut

áttelepít *[embert]* resettle, remove

áttelepül (*vhova*) migrate (to), (re)move (to another place)

áttetsző semi-transparent

attól from that; ~ **fogva** from that time, since then

áttölt pour (sg) into another bottle/pot, etc.

áttör (*vmit/vmin*) break° through

áttörés *átv is* breakthrough

átugrik (*vmit/vmin*) jump (sg), spring (over sg); *[kihagy]* skip

átutal transfer, remit

átutalás transfer, remittance

átutazik (*vmin*) travel/pass through (sg)

átültet *orv is* transplant

átvált (*vmire*) exchange (for)

átvesz (*vmit vkitől*) take° over (sg from sy); *[szót más nyelvből]* borrow

átvészel *[bajt]* weather (one's difficulties)

átvétel taking over; *[szóé más nyelvből]* borrowing

átvisz (*vmit vmin*) take°/carry (sg) over/across (sg)

átvizsgál check, examine

átvonul (*vmin/vhol*) pass through

atya *vall is* father

atyai paternal

augusztus August (*röv* Aug.)

Ausztrália Australia

ausztráliai *mn, fn* Australian

Ausztria Austria

ausztriai *mn, fn* Austrian

autó car

autóbaleset car accident/ crash

autóbusz bus; *[távolsági]* coach

autóbuszjegy bus/coach ticket

autogram autograph

autójavító *[műhely]* (car) repair shop

autókölcsönző car-rental firm

automata ▼ *mn* automatic ▼ *fn [pl. kávéautomata]* slot-machine

autómosó carwash

autonómia autonomy

autópálya motorway

autópályadíj toll

autós driver, motorist

autósmozi drive-in (cinema)

autóstop hitch-hike; ~**pal utazik** hitch-hike

autóstopos hitch-hiker

autószerelő car mechanic

autóút *[útfajta]* semimotorway; *[megtett út]* drive, motor tour; *[autózás]* motor tour

autóverseny motor/car race

avar fallen leaves *tsz*

avas rancid

avat *[emlékművet]* dedicate; (*vkit vmibe*) initiate (sy into sg); *[textíliát]* (pre)shrink°

avatás *[emlékműé]* dedication; (*vmibe*) initiation; *[textíliáé]* (pre)shrinking

avval with that

az ▼ *névelő* the ▼ *nm* that (*tsz* those)

azalatt in the meantime, meanwhile

azáltal in that way, by that means

azaz namely, that is (to say)

azelőtt before that; *[korábban]* previously

azelőtti former

azért therefore; *[cél]* in order that/to

ázik *[esőben]* get° wet; *[folyadékban]* soak

aznap that day, the same day

azon on that

azonban however, yet

azonfelül moreover, in addition, besides

azonkívül besides, moreover

azonnal immediately, at once, instantly

azonnali immediate, instant

azonos *(vkivel/vmivel)* identical (with sy/sg), the same (as sy/sg)

azonosít *(vkivel/vmivel)* identify (with sy/sg)

azóta since then

aztán then, after that

áztat soak, wet through

azután afterwards, then, after that

azzal with that

Ázsia Asia

ázsiai *mn, fn* Asian

B

bab bean

báb *[kézre húzható]* (glove) puppet; *[zsinórral mozgatható]* marionette; *[rovaré]* pupa (*tsz* -as v. -ae)

baba *[játék]* doll; *[csecsemő]* baby

babakocsi pram; *[összecsukható]* pushchair

babér laurel; *átv* laurels *tsz*, glory

babérlevél bay leaf (*tsz* leaves)

babona superstition

babonás superstitious

bábszínház puppet theatre

bábu *ját* piece

bácsi *[nagybácsi]* uncle

bádog sheet metal

bagoly owl

bágyadt weak, tired

baj trouble, misery

báj charm

bajlódik (*vmivel*) take° trouble (with sg), bother (about sg)

bajnok champion

bajnokság championship

bajor *mn, fn* Bavarian

bajos problematic

bájos charming, lovely

bajusz moustache

bak *[állat]* buck; *[állvány]* trestle; *csill* B~ Capricorn

bakancs boots *tsz*

baktat trudge

Baktérítő Tropic of Capricorn

baktérium bacterium (*tsz* -ria)

bal left

bál ball

Balaton Lake Balaton

baleset accident
baleset-biztosítás accident insurance
balett ballet
balettozik ballet dance
balkezes left-handed
ballag walk, trudge
ballépés *átv* blunder
bálna whale
baloldal *pol* left wing; the Left
baloldali *pol* ▼ *mn* left (-wing) ▼ *fn* left-winger
balta ax(e), hatchet
bambusz bamboo
bámészkodik stare (at sg), look (around)
bámul *(vmit)* gaze (at sg); *[csodál]* admire
bámulatos amazing, astonishing, surprising
bán regret, be° sorry (for sg)
banán banana
bánásmód treatment
bánat sorrow, grief
bánatos sad, sorrowful
banda *[zenészeké]* band; *[bűnözőké]* gang

bánik *(vkivel)* treat/handle (sy)
bank bank
bankár banker
bankautomata cash machine
bankett banquet
bankjegy banknote
bankkártya bank card, credit card
bánkódik *(vki/vmi miatt)* grieve (for sy/sg); sorrow (about/over sg)
bankszámla bank account
bánt *átv is* hurt°
bántalmaz injure, hurt°
bánya mine
bányász miner, mineworker
bár¹ *fn* nightclub
bár² ▼ *ksz [ugyan]* (al)though ▼ *hsz [óhaj]* if only
barack *[őszi]* peach; *[sárga]* apricot
bárány lamb
bárányhimlő chicken-pox

barát friend; *[lányé]* boyfriend; *[szerzetes]* monk
barátkozik (vkivel) make° friends (with sy)
barátnő friend; *[fiúé]* girlfriend
barátság friendship
barátságos *[személy]* friendly; *[szoba]* cosy
barátságtalan unfriendly, cheerless
bárcsak *[óhaj]* if only
bárhogy however, whatever way; anyhow
bárhol anywhere; wherever
bárhonnan from anywhere; from wherever
bárhova anywhere; no matter where
bariton baritone
bárka boat, vessel
bárki whoever; no matter who
barlang cave
bármelyik any
bármennyi however much/many

bármi whatever; anything
bármikor (at) any time; whenever
bármilyen any; any kind of; what(so)ever
barna brown
barokk baroque
barom *[szarvasmarha]* cattle
baromfi poultry tsz
bársony velvet
bástya *[váré]* bastion; *[sakk]* castle
basszus bass
bátor brave
bátorít encourage
bátorság courage, bravery
bátortalan timid
báty elder brother
batyu pack, bundle
bazár bazaar
be into, in
bead (vmit) give°/hand in (sg)
beadvány application
beáll (vhova) enter (sg);

[vhova csatlakozik] join (sg); *[elérkezik]* set° in

beállít (*vmit vhova*) put° sg in(to); *műsz* set°, adjust; *átv [vmilyennek feltüntet]* present

beállítás *műsz* setting

beavat (*vkit vmibe*) initiate (sy into sg); *[textíliát]* preshrink°

beavatkozás intervention; *orv* operation, (medical) treatment

beavatkozik (*vmibe*) intervene (in sg)

beáztat soak

bebizonyít prove

beborul *[ég]* cloud over, get° cloudy

bebújik climb/slip (in)

beburkol wrap, cover

bebútoroz furnish

becenév pet name, nickname

becéz *[becenévvel]* call by a nickname/pet name; *[dédelget]* (molly) coddle

Bécs Vienna

becsap *[pl. ajtót]* slam; *[rászed]* cheat

becsapódik *[pl. ajtó]* slam; *[téved]* be° cheated

becsatol *[csatot]* clasp; *[biztonsági övet]* fasten

becsavar *[csavart]* screw in; *[begöngyöl vmit vmibe]* roll up (sg in sg)

becsempész smuggle in

becsenget (*vhova*) ring° (for admission); *okt* ~**tek** the bell has gone

becserél (*vmit vmire*) (ex)change (sg for sg)

becsíp (*vmit vhova*) pinch/catch° (sg in sg)

becslés estimation, estimate

becsomagol *[poggyászt]* pack one's bags; *[árut]* pack

becstelen dishonest

becsuk shut°, close; *[üzlet végleg]* close down

becsukódik close

becsül (*vkit*) esteem,

think° highly (of sy); *[felmér]* estimate, value

becsület honour

becsületes honest

bedob (*vmit vhova*) throw°/ cast° (sg in/into sg)

bedug (*vmit vmibe*) put° (sg in sg)

beépít (*vmit vmibe*) build° (sg in/into sg); *[területet]* build° up

beépített *[pl. bútor]* built-in; *[terület]* built-up

beér (*vhova*) arrive (at/ in); *[megelégszik vmi-vel]* be° content/satisfied (with sg)

beérik ripen

beesik fall° in

beesteledik get°/grow° dark

befagy freeze° in/over

befagyaszt *átv is* freeze°

befed cover (over)

befejez finish, end

befejezés finish(ing), end-(ing)

befejezetlen unfinished, incomplete

befejezett finished, accomplished

befejeződik end, come° to an end

befektet lay° in; *[ágyba]* put° to bed; *[pénzt]* invest

befektetés *[pénzé]* investment

befelé inward(s)

befér (*vmi vhova*) will/ can go in

befest paint; *[textíliát, hajat]* dye

befizet pay° in, pay° into sy's account

befizetés payment, paying in

befog *[szemet/fület]* stop; cover

befogad (*vhova*) receive into, admit to; *[szállást ad]* lodge into; *[tömeget helyiség]* accommodate

befogadóképesség capacity, accommodation

befolyás (*vmire*) influence (on sg)

befolyásol (*vmit/vkit*) influence (sg/sy); have an effect (on sg/sy)

befolyásolható susceptible to influence *ut*

befolyásos influential

befordul turn; ~ **jobbra/balra** turn right/left

befőtt preserved fruit

befőz *[eltesz]* bottle

befűt *[kályhába]* make° a fire in; *[szobában]* heat (up)

befűz *[cérnát]* thread (a needle); *[cipőfűzőt]* lace (shoes)

begombol button (up)

begombolkozik button (up) one's coat

begyakorol practise

begyógyul heal (up)

begyújt *[kályhába]* make° a fire; *[motort]* start

begyullad catch° fire; *biz [megijed]* get° scared

begyűjt gather (in)

behajlít bend° in

behajt *[ajtót]* half-close (the door); *[lapot]* fold over; *[jószágot]* drive° in; *[követelést]* collect (a debt); *[járművel vhova]* drive° in

behallatszik can be heard inside

behálóz *átv* (en)snare

behatol penetrate (into)

behív call in; *hiv* summon; *kat* call up

behívó *kat* call-up papers *tsz*

behord bring°/carry in; *[termést]* gather in

behorpad get° dented

behoz bring°/carry in; *gazd* import; *[pótol]* make° up for

behozatal *gazd* importation

behúz pull/draw° in; *[textíliával]* upholster

behűt refrigerate

beidéz *hiv* (*vkit*) summon (sy) to appear

beilleszkedik (*vmi vhova*)
fit in; *[más környezetbe]*
adapt (oneself) to

beilleszt fit in

beindít *[motort]* start
(up); *[pl. tevékenységet]*
launch, give° sg a start

beindul *[motor]* start; *[pl.
tevékenység]* be° laun-
ched

beír (*vmit vmibe*) write°
sg in/down

beiratkozás registration,
enrolment

beiratkozik *[pl. egyetem-
re]* register (at), enrol
(at/in)

beismer admit, confess

bejárat¹ *fn* entrance, en-
try

bejárat² *ige [új járművet]*
run° in

bejegyez make° a note
(of); *[pl. céget]* register

bejegyzés note; *[pl. cé-
gé]* registration

bejelent *[vendéget]* an-
nounce; *hiv* report (to);

[pl. elvámolnivalót] de-
clare

bejelentés announcement;
hiv registration, report-
(ing)

bejelentkezik *[repülőté-
ren]* check in

bejön come° in

bejut (*vhova*) get° in (to);
(*vkihez*) gain admittance
(to sy)

béka frog

bekanyarodik turn; jobb-
ra/balra ~ **turn right/left**

bekap *[ételt]* bolt

bekapcsol *[pl. ruhát]*
fasten; *[pl. rádiót]* switch/
turn on; *[bevon vkit vmi-
be]* bring° (sy into sg)

bekapcsolódik (*vmibe*)
join (in)

béke peace; *[nyugalom]*
quiet, calmness

beképzelt self-important,
conceited

bekeretez frame

bekerít *[kerítéssel]* enclose;
kat encircle, surround

békés peaceful; *[nyugodt]* calm, quiet

békesség peace(fulness); *[nyugalom]* quiet

béketűrő patient, tolerant

bekezdés *[szövegben]* paragraph

bekopogtat knock (on the door)

beköltözik move in

beköszönt *[idő]* set° in, begin°

beköt bind°/tie up; *[sebet]* dress; *[könyvet]* bind°; *[hálózatba bekapcsol]* connect up (sg to)

bekötöz tie up/in; *[sebet]* dress

bekövetkezik occur, take° place, happen

beküld *[pl. pályázatot]* send° (in)

bél *orv* intestine(s), bowels *tsz;* *[ceruzáé]* lead

belát *[területet]* survey; *[megért]* see°, realise

belátás understanding

beláthatatlan boundless; *átv* unpredictable

belátható reasonable, conceivable

belátó *[megértő]* considerate

belázasodik run°/get° a temperature

bele into

beleakad (*vmibe*) get° caught (in sg); (*vkibe/ vmibe*) come° across (sy/sg)

belebeszél *[telefonba]* speak° into (the receiver); *[közbeszól]* interrupt, break° into a conversation

belebonyolódik (*vmibe*) get° involved (in sg)

belebújik *[lyukba]* creep° into; *[ruhába]* slip into one's clothes

beleegyezés consent

beleegyezik (*vmibe*) consent/agree (to)

belefárad get° tired (of sg)

belefog (*vmibe*) start (sg), begin° (sg)

belefullad get° drowned in

belehal *[betegségbe]* die (of)

beleharap bite° into

belejön *[vmibe beletanul]* get° the hang (of sg)

belekapaszkodik (*vmibe*) cling° (to sg); (*vmibe/vkibe*) hang° on (to sg/sy)

belekarol (*vkibe*) take° sy's arm

belekever (*vmit vmibe*) mix (sg with sg); *átv* (*vkit vmibe*) involve (sy in sg)

belekezd (*vmibe*) start (...ing), begin° (to)

beleköt (*vmit vmibe*) bind° up (sg in sg); *átv* (*vkibe*) pick a quarrel (with sy)

bélel *[ruhát]* line

belelát (*vmibe*) see° (into/through sg); *átv* get° an insight (into)

bélelt *[ruha]* lined

belemegy (*vmibe*) go°/get° (into); *átv [beleegyezik vmibe]* consent (to)

belenéz (have° a) look into

belenyugszik (*vmibe*) resign oneself (to sg)

belep cover

belép *[bemegy vhova]* go°/come° in, enter (sg); *átv* (*vhova*) join (sg)

belépés entry, entrance

belépődíj entrance fee

belépőjegy (admission) ticket

belerúg (*vmibe/vkibe*) kick (sg/sy)

bélés *[ruháé]* lining

beleszeret (*vkibe*) fall° in love (with sy)

beleszól *[közbeszól]* interrupt, break° into a conversation; *[beleavatkozik]* intervene (in)

beletesz (*vmit vhova*) put° (sg in/into sg)

beletörődik (*vmibe*) resign oneself (to sg)

belevág *[vmibe pl. késsel]* cut° (into); *[villám vmibe]* strike° (sg); *[közbeszól]* interrupt (sy); *[vállalkozik]* take° on; *[beledob vmit vhova]* throw° (sg into sg)

belezavarodik get° confused

belföld inland

belföldi *mn, fn* native

belga *mn, fn* Belgian

Belgium Belgium

belgyógyász physician

belgyógyászat *[szakterület]* internal medicine; *[kórházi osztály]* medical ward

belpolitika internal politics/affairs *tsz*

belső ▼ *mn* internal, inner; *[bizalmas]* confidental, intimate ▼ *fn* the interior/inside (of sg); *[gumiabroncsé]* inner tube

belsőség *[mint étel: baromfié]* giblets *tsz;* *[más állaté]* pluck, harslet

bélszín sirloin, steak

belül within

belváros inner city, city centre

bélyeg *[postai]* (postage) stamp; *átv is [jel]* mark

bélyeggyűjtemény stamp-collection

bélyegző *[gumiból]* (rubber-)stamp; *[dátum]* date-stamp

bemegy go°/step in

bemelegít *sp is* warm up

bemenet entrance, entry; *műsz* input

bemond *[pl. rádióban]* announce; *[kártyában]* bid°

bemondó announcer

bemutat (*vkit vkinek*) introduce (sy to sy); *[színdarabot, filmet]* premiere

bemutatkozás introduction

bemutatkozik (*vkinek*) introduce oneself (to sy)

bemutató première
béna ▼ *mn [végtag]*
paralysed ▼ *fn* cripple
benépesít *[emberekkel]*
populate; *[állatokkal]*
stock
benevez *[vki versenyre]*
enter (for); *(vkit)* enter
(sy)
benéz (have° a) look
into; *biz [ellátogat vki-
hez]* look in (on sy)
benn inside, within
benne in it, inside it
bennfentes intimate, fam-
iliar; *átv* well-informed
bennszülött *mn, fn* native
benső inner
bensőséges close, inti-
mate
bent inside, within
benzin petrol
benzinkút filling/petrol
station
benyom *(vmit)* press/
squeeze in
benyomás *átv* impres-
sion

benyújt hand/send° in,
present; *[kérvényt]* put°
in (an application)
beolt *orv* inoculate, vac-
cinate; *mezőg [fát]* (en)-
graft; *átv (vmit vkibe)*
infuse/implant (sg in
sy)
beoszt *[pénzt]* spread°
out, *[takarékoskodik]*
economise; *[időt]* or-
ganise; *[vkit munkakör-
be]* assign (sy to)
beosztás *[folyamat, el-
rendezés]* arrangement;
jó a ház ~a it is a well-
arranged house
beönt pour in(to)
beperel *(vkit)* take° sy to
court
bepillant (cast° a) glance
into; *átv* obtain an in-
sight (into)
bepillantás glimpse (of);
átv insight (into)
bepiszkít make° (sg) dirty
bepiszkolódik get°/be-
come° dirty

bér *[munkásé]* wage(s); *[használati díj]* rent; ~**be ad** let°; ~**be vesz** rent

berak put°/place in/into; *[hajat]* set°, wave

bérautó hired car

bereked lose° one's voice

berekeszt *[befejez]* close

bérel hire, rent

béremelés rise/increase in wages

berendez *[pl. szobát]* furnish; *[pl. műhelyt]* equip; *átv [életet]* arrange

berendezés *[folyamat]* furnishing; *[pl. szobában]* furniture; *[pl. műhelyben]* equipment

berendezkedik *[lakásban, házban]* furnish one's house; *átv [letelepedik]* settle down

bérház block of flats

bérlakás (rented) flat

bérlemény rented property

bérlet *[pl. színházba]* sub-scription; *[közlekedési]* season(-ticket)

bérlő *[lakásé]* renter

bérmentes post-free/paid

bérmentesít *(vmit)* pay° the postage (of sg)

berohan rush in/into

beront *(vhova)* rush in/into

berúg *[pl. ajtót]* kick in; *[gólt]* score; *[alkoholtól]* get° drunk

beruház invest

beruházás investment

besorol *(vkit vhova)* put° sy on a list, categorise; *[kocsival sávba]* get° into (lane)

besoroz *kat* enlist (sy)

besöpör sweep° in

besötétedik grow° dark

beszakad *[betörik]* break° in; *[pl. textília]* tear°

beszáll *[járműbe]* get° on(to)/in(to), *[repülőbe, hajóba]* board (the plane/ship); *átv [ügybe]* join in (sg)

beszállás getting in/on, boarding

beszállít transport (to)

beszállító *gazd* supplier

beszállókártya boarding card

beszámít (*vmit vmibe*) count (sg in sg); take° sg into account

beszámíthatatlan not accountable *ut; átv* irresponsible

beszámol (*vmiről*) give° an account (of sg), relate (sg)

beszámoló account, report

beszed *[összegyűjt]* collect; *[gyógyszert]* take°

beszéd speech

beszédes talkative; *[pl. kifejezés]* expressive

beszél (*vkivel*) speak° (to sy), talk (to sy)

beszélget talk

beszélgetés conversation; *[telefonon]* call; *[pl. állásra jelentkezővel]* interview

beszennyez make° (sg) dirty, soil

beszerez get°, obtain, purchase

beszerzés *[árué]* purchase

beszüntet stop

betakar cover up/over; *[ágyban]* tuck in

betakarít *mezőg* harvest

betakarózik cover oneself up

betanít (*vmit vkinek v. vkit vmire*) teach° (sg to sy v. sy sg)

betanul learn° (sg) by heart

beteg ▼ *mn* ill, sick ▼ *fn* *[páciens]* patient

betegállomány sick-list; **~ban van** be° on the sick-list

betegbiztosítás health insurance

beteges *[betegeskedő]* sickly; *átv [pl. hajlam]* perverse, pathological

betegeskedik be° sickly

betegség *[állapot]* illness, sickness; *[kór]* disease

betekintés *[pl. iratba]* inspection

beteljesedik be° fulfilled, come° true

betemet bury

betér (*vkihez*) drop in (on sy)

betesz (*vmibe*) put°/place (in/into sg); *[bankba]* deposit

betét *[banki, üvegé]* deposit; *[golyóstollba]* refill; *[egészségügyi]* sanitary/hygienic pad

betéti társaság deposit company

betétkönyv bank-book, passbook

betétszámla deposit account

betilt ban, prohibit

betiltás ban(ning), prohibition

betolakodik thrust oneself; *[hívatlan vendég]* gatecrash

beton concrete

betonoz concrete, place concrete

betölt *[megtölt]* fill; *[folyadékot]* pour in(to); *[hiányt]* fill (in); *[állást]* occupy (a job); *[filmet]* load (a camera); ~ötték 100. életévüket they have turned 100

betöltetlen *[állás]* vacant

betör *[ablakot, lovat]* break° in; *[betörő]* burgle, break° in

betörés burglary, break-in

betörik break°, get°/be° broken

betörő burglar

betű letter; *inform [nyomtatott]* character

betűz[1] *[írást]* spell°

betűz[2] *[tűvel]* pin up; *[nap vhova]* shine° in

beugrat *[becsap]* take° sy in

beutazás *[területé]* tour (of); (*vhova*) entry (into)

beutazik *[területet]* tour; (*vhova*) enter

beül *[pl. fotelba]* sit° down (in); *[járműbe]* get° (in/on)

bevág *[bemetsz]* cut°; *[ajtót stb.]* slam; *[testrészt vmibe]* knock/bump sg against sg

beválik *[alkalmas]* prove (to be) good, work well; *[beigazolódik]* come° true

bevall confess, admit

bevált[1] *mn* tested; *[alkalmasnak bizonyult]* suitable, fit

bevált[2] *ige [pénzt más pénznemre]* (ex)change (for); *[ígéretet]* keep° (one's promise); *[reményeket]* fulfil (hopes)

bevándorló immigrant

bevándorol (*vhova*) immigrate (into)

bevásárlás shopping

bevásárlóközpont shopping centre

bevásárol do° the shopping, go° shopping

bever *[szöget]* drive°/ hammer in; *[ablakot betör]* smash; *[testrészt vmibe]* knock/bump (sg against sg)

bevesz *[felvesz vkit]* admit (sy); *[pl. erődöt, gyógyszert is]* take°

bevet *[maggal]* sow° (with sg); *kat* put° into action

bevétel *[összeg]* income; *[erődé]* taking

bevetés *[maggal]* sowing (with seed); *kat* action

bevezet *[bekísér]* show° (in/into); *[ismeretekbe]* initiate (into); *[pl. villanyt]* install; *[pl. új eljárást]* introduce

bevezetés (*vkié vhova*) showing in; *[ismeretekbe]* initiation; *[könyvben]* introduction; *[pl. villanyé]* installation; *[pl. új eljárásé]* introduction

bevezető ▼ *mn* introductory ▼ *fn* *[könyvben]* introduction

bevisz (*vmit/vkit vhova*) take° in; *[csomagot]* carry in; *[rendőr]* take° into custody; *[út vhova]* lead° to

bevon *[pl. jogosítványt]* withdraw°; (*vmivel*) cover (with); (*vkit vmibe*) bring° sy in (on sg)

bevonul *kat* join up, join the army; *[hadsereg országba]* move in(to a country); *[pompával]* march in; *[börtönbe]* enter prison

bevonulás *kat* joining up; *[pompával]* entry

bezár (*vmit*) close; *[kulccsal]* lock (up); *[pl. intézmény]* close

bezárkózik lock/shut° oneself in/up

Biblia the Bible

bíbor purple

bicikli bicycle, bike

biciklitúra cycling tour

biciklizik ride° a bicycle

bicska penknife (*tsz* -knives) *US* pocket knife (*tsz* knives)

bika bull

bikini bikini

bili *biz* potty

biliárd billiards *tsz*

biliárdozik play billiards

bilincs shackles *tsz; műsz* clamp

billeg seesaw

billentyű *[hangszereké, billentyűzeté]* key; *műsz, orv* valve

billentyűs hangszer keyboard instrument

billentyűzet *[zongoráé, számítógépé]* keyboard

billió billion

bimbó *[virágé]* bud; *[mell]* nipple

biológia biology

bír *[elbír]* be° able to (v. can) carry; *[kibír]* bear°; *[képes vmit megtenni]* be° able to do sg; *[rá-*

bír] persuade sy to do sg

bírál judge

bírálat *[elbírálás]* judgement; *[kritika]* criticism

birka *[állat]* sheep *esz/ tsz; [hús]* mutton

birkózik wrestle

birkózó wrestler

bíró judge; *sp* referee

birodalom empire

bíróság court (of law); *[épület]* law courts

bírság fine

birsalma quince

birtok *[tulajdon] nyelv is* possession; *[földbirtok]* estate

birtokol have°, possess

birtokos ▼ *mn nyelv* genitive, possessive ▼ *fn [vagyoné]* owner

bisztró snack bar

bivaly buffalo

bíz *(vkire vmit)* trust (sy with sg)

bizakodik have° confidence in the future

bizakodó hopeful, optimistic

bizalmas ▼ *mn [pl. közlés]* confidential, private, secret ▼ *fn* intimate, confidant

bizalmatlan *(vki iránt)* distrustful (of sy)

bizalmatlanság distrust

bizalom confidence, trust, faith

bízik *(vmiben/vkiben)* trust (sg/sy)

bizony surely, certainly

bizonyít prove

bizonyíték proof

bizonyítvány *[hivatali]* certificate; *[iskolai]* school report

bizonytalan *[dolog]* uncertain, doubtful; *[ember]* irresolute

bizonyul *(vminek/vmilyennek)* prove to be ...

bizottság committee

biztat *(vmire)* encourage; *(vmivel)* allure; *[vigasztalva]* reassure

biztonság safety

biztonsági; ~ **őr** security guard; ~ **öv** seat belt

biztonságos safe

biztos ▾ *mn [bizonyos]* sure, certain; *[biztonságos]* safe ▾ *fn pol* commissioner

biztosít make° sure; make° safe; (*vmit vkinek*) provide (sg for sy v. sy with sg); *[biztosítást köt vmire]* insure (sg against sg)

biztosítás insurance; ~**t köt** take° out insurance

biztosíték *[garancia]* security; *műsz* fuse

biztosító insurance company

biztosítótű safety-pin

blokád blockade

blokk *[jegyzetnek]* (writing) pad; *[számla]* bill

blúz blouse

bocsánat pardon; ~**ot kérek!** (I'm) sorry!

bocsánatkérés apology

bódé stall, stand

bódít daze

bódult dazed

bodza elder

bogáncs thistle

bogár insect

bogaras *[rigolyás]* crotchety

bogrács cauldron

bogyó berry

bohóc clown, fool

bohózat farce

bója buoy

bojler *[villany]* immersion heater; *[gáz]* (gas) heater

bojt tassel

bók compliment

boka ankle

bókol (*vkinek*) pay° sy a compliment

bokor bush

boksz *sp* boxing; *[rekesz]* box

bokszol box

bokszoló boxer

boldog happy, glad

boldogság happiness

boldogtalan unhappy

boldogul *[életben]* get° on; *(vmivel)* get° on (with sg)

bolgár *mn, fn* Bulgarian

bolha flea

bolhapiac flea market

bólint nod

bolond ▼ *mn* foolish, silly; *[őrült]* mad, crazy ▼ *fn* fool; *[elmebeteg]* madman (*tsz* -men)

bolondít *(vkit)* make° a fool (of sy)

bolondos *[vidám]* silly, ludicrous; *[kelekótya]* crazy, foolish

bolondság *[pl. beszéd]* nonsense; *[hóbort]* foolery

bolondul *(vmiért/vkiért)* be° crazy (about sg/sy)

bolt *[üzlet]* shop; *[üzletkötés]* deal, bargain

boltív arch(way), vault(ing)

boltozat vault(ing), arch

bolygat disturb

bolygó planet

bolyhos fluffy

bolyong wander (about), roam

bomba bomb

bombáz *kat* bomb; *átv* bombard

bombázás *kat* bombing; *átv* bombardment

bomlás disintegration, decay

bomlik *[részeire]* fall° apart, decay; *átv [pl. közösség]* break° up

bonbon bonbon

boncol *orv* dissect; *átv [kérdést]* analyse

boncolás dissection

bont *[részekre]* take° to pieces; *[felnyit]* open; *[épületet]* pull down

bonyodalom complication

bonyolult complicated

bor wine

borda *[emberi]* rib

bordásfal *sp* wall-bars *tsz*

borít *[takar vmivel]* cover (with); *[feldönt]* overturn

boríték envelope

borjú calf (*tsz* calves)

borogat *[vizes ruhával]* put° on a (cold) compress

borogatás *[vizes ruhával]* (cold) compress

borospohár wine-glass

borostás *[áll]* bristly, unshaven

borostyán *[kő]* amber; *növ* ivy

borotva *[késes]* razor; *[villany]* (electric) shaver

borotvahab shaving foam

borotvakrém shaving cream

borotvál shave°

borotválkozik shave°

borotvapenge razor blade

borozó tavern, wine bar

borravaló tip

bors pepper

borsó pea

borsos peppery, peppered; *biz* ~ **ár** steep price

borul *[felhősödik]* cloud over; (*vmire*) fall° on;

(*vmibe*) fall°/overturn (into sg); *átv* **lángba** ~ burst° into flames

borult *[időjárás]* dull

borús *[időjárás]* dull; *átv* *[pl. hangulat]* gloomy

borvidék wine country

borz badger

borzad (*vmitől*) be° horrified/shocked (at sg), shudder (with horror) (at sg)

borzalmas terrible, horrible

borzalom horror, terror

borzas tousled

borzasztó terrible, horrible

borzong *átv is* (*vmitől*) shiver (with sg)

boszorkány witch

bosszankodik (*vmin*) be° annoyed/angry (with sg)

bosszant (*vki/vmi vkit*) annoy

bosszantó annoying, irritating

bosszú revenge

bosszúálló ▼ *mn* avenging ▼ *fn* revenger

bosszús angry, annoyed

bosszúság annoyance, anger

bot stick, staff

botlás stumbling, misstep; *átv* blunder

botlik misstep; *(vmibe)* stumble (on); *átv* blunder

botorkál *[fáradtan]* stagger/stumble along; *[sötétben]* grope one's way, grope about

botrány scandal

botrányos scandalous

bozót thicket

bő *[tág]* loose, roomy; *[bőséges]* rich

bőg *[sír]* cry; *[ordít]* bawl, roar; *[tehén]* low

bőgő *zene* double-bass

bögre mug

böjt fast(ing)

bök *[ujjal]* poke; *[szarvval]* butt

bőkezű generous

bölcs ▼ *mn* wise ▼ *fn* wise man *(tsz* men), sage

bölcsesség wisdom

bölcsész *[egyetemista]* humanities student

bölcső *átv is* cradle

bölcsőde crèche; *US* day nursery

bölény bison

bömböl bellow, roar; *[csecsemő]* howl

bőr skin; *[kikészített]* leather

bőrgyógyász dermatologist

bőrönd suitcase

börtön prison

bőség *[gazdagság]* abundance (of sg), wealth; *[pl. ruha mérete]* width

bőséges plenty, abundant

bővelkedik *(vmiben)* have° plenty (of sg)

bőven abundantly, plentifully

bővít enlarge, widen; *[pl.*

hatáskört] extend; *[kiegészít]* complete

bővül *[mérete]* widen, expand; *[mennyisége]* increase

brácsa viola

brekeg croak

bridzs bridge

briliáns brilliant

brit *mn, fn* British

bronz bronze

brummog growl

brutális brutal, fierce

bruttó gross (*röv* gr.); ~ **ár** gross price

buborék bubble

búcsú *[távozáskor]* (saying) goodbye, farewell; *[mulatság]* festival, fête; *[templomi]* patronal festival

búcsúzik (*vkitől*) say° goodbye (to sy)

búcsúztat (*vkit*) bid° farewell (to sy)

Budapest Budapest

budapesti of Budapest *ut,* Budapest

búg *[motor]* hum; *[zúg]* buzz

bugyi panties *tsz*

bújik *[elrejtőzik]* hide° (from); *[ruhába]* slip (into); (*vkihez/vmihez*) nestle up (to/against sy/sg)

bújócska hide-and-seek

bújócskázik play hide-and-seek

bújtat *[elrejt]* hide°; (*vmit vmibe*) put°/slip (sg into sg)

bukás fall; *[vizsgán, színházban]* failure; *pol* downfall

bukfenc somersault

bukik *[elesik]* fall°; *[iskolában vmiből]* fail (in)

bukósisak crash-helmet

bukta *kb.* jam-filled sweet roll

buktat *[vizsgán]* fail; *[víz alá]* duck

Bulgária Bulgaria

buli *biz [házibuli]* party

bunda fur-coat; *[állaté]* fur

burgonya potato (*tsz* -oes)

burkolat cover, wrapper; *[útburkolat]* road surface, pavement

bús sad

búsul (*vmi miatt*) be° grieved (about sg)

busz *[helyi]* bus; *[távolsági]* coach

buszmegálló bus stop

buszpályaudvar coach terminal

buta foolish, stupid

butaság stupidity; nonsense

butik boutique

bútor (a) piece of furniture

bútoroz furnish

bútorozott furnished

búvár diver

búvárkodik dive, do° diving; *átv* (*vmiben*) investigate (sg)

búza wheat

búzadara semolina

búzavirág cornflower

buzdít encourage (to do sg)

buzgalom zeal, eagerness

buzgó eager, keen

büdös stinking, smelly

büfé snack-bar; *[pl. színházban]* buffet; *[gyárban]* canteen

bükk beech(-tree); *[fája]* beech(-wood)

bűn *jog* crime; *átv, vall* sin

bűnös ▼ *mn jog* guilty, criminal; *átv* evil, wicked; *vall* sinful ▼ *fn jog* criminal; *vall* sinner

bűnözés crime

bűnöző criminal

büntet (*vmiért vmivel*) punish (for sg with sg); *[pénzbírsággal]* fine

büntetés punishment

bűnügy crime

bürokrácia bureaucracy, paperwork

bürokratikus bureaucratic

büszke (*vmire*) proud (of sg)

büszkélkedik (*vmivel*) be°
proud (of sg); *[dicsekszik
vmivel]* boast (of sg),
parade
büszkeség pride

bűvész illusionist, con-
jurer
bűvös magic(al)
bűz foul smell, stink
bűzlik stink°

C

cáfol disprove, refute
cápa shark
CD *röv* CD *[compact disc]*
CD-lejátszó CD-player, compact disc player
cédula slip
cég company, firm
cégtábla name-board
cékla beetroot; *[saláta]* beetroot salad
cél *[szándék]* purpose, aim; *[végpont]* destination, end; *[célpont]* target, mark; *sp* home; **befut a ~ba** run° home
cella cell
cellux adhesive tape
céloz *[lőfegyverrel vmi-*

re] (take°) aim (at sg); *átv* mean (sg), hint (at sg)
célpont target; *átv* aim, goal
Celsius-fok degree centigrade (*röv* °C)
célszerű suitable, expedient
céltábla target
céltalan purposeless, aimless
céltudatos purposeful, determined
célzás *[lőfegyverrel]* aiming; *átv* hint
cement cement
centiméter centimetre (*röv* cm)
centrifuga spin-dryer
centrum centre
ceremónia ceremony
cérna thread
ceruza pencil
ceruzabél lead
ceruzahegyező pencil sharpener
cet whale

cetli *biz* slip (of paper)

cibál tug at, pull about

cica puss(y), kitten

cici *tréf* boobs *tsz*

cifra fancy, ornamented; *pejor* flashy

cigány *mn, fn* Gypsy, Roma

cigaretta cigarette

cigarettázik smoke (a cigarette)

cigi *biz* cig(gy)

cikk *[újságban, áru]* article

cikkely paragraph (*röv* par)

cím *[postai]* address; *[rang; könyv, mű, dal címe]* title; *[cikké]* headline, heading

cimbalom cimbalom

címer coat of arms, arms *tsz*

címez (*vmit vkinek*) address/direct (sg to sy)

címke label

címlap title page

címzés address

címzett *[levélé]* addressee

cinege titmouse (*tsz* -mice)

cipel carry, drag

cipész shoemaker

cipó loaf (*tsz* loaves)

cipő shoes *tsz*

cipőbolt shoe shop

cipőfűző shoelaces *tsz*

cipőkrém shoe polish/cream

cipzár zip

cirkáló cruiser

cirkusz circus; *átv, biz* fuss, scene

citera zither

citrom lemon

citromos tea lemon tea

civakodik wrangle

civil *mn, fn* civilian

civilizáció civilisation

civilizált civilised

comb *[emberé]* thigh; *[állaté, mint étel]* leg

copf pigtail, plait

cölöp post, stake

cucc *biz* stuff, gear

cukor sugar
cukorbeteg diabetic
cukorka sweet *US* candy
cukorrépa sugar-beet
cukrász confectioner

cukrászda confectioner's (shop)
cukroz sugar, sweeten
cumi dummy
cumisüveg feeding bottle

CS

csábít (*vmire*) (al)lure (to sg)

csábítás allurement, temptation

csábító ▼ *mn* alluring, tempting ▼ *fn* [*férfi*] tempter, seducer; [*nő*] temptress, seductress

csak [*csupán*] only; [*bárcsak*] if only; **Miért? – ~!** Why? – (just) because!

csákány [*szerszám*] pick

csakhamar soon

csakugyan [*erősítés*] indeed; [*kételkedés*] is that so?

csal [*hűtlen vkihez*] cheat (on sy); [*pl. kártyában*] cheat (in/at sg), swindle

család family; [*uralkodói*] dynasty

családfő head of a/the family

családi family

családias familiar

családnév surname

családtag member of a/the family

csalán *növ* nettle

csalás cheating, swindle

csaló cheat, swindler

csalódik (*vkiben/vmiben*) be° disappointed (in sy/sg)

csalogány nightingale

csap[1] *fn* tap

csap[2] *ige* [*üt*] strike°; [*dob*] throw°

csáp feeler, palp(s)

csapadék rainfall

csapás [*ütés*] stroke; *kat* strike; [*szerencsétlenség*] calamity; [*ösvény*] path

csapat troop; [*kutatóké, sport*] team

csapda trap, snare

csapkod beat° about

csapóajtó *[pincelejáróé]* trap-door; *[lengő]* swing door

csapódik close, slam

csapolt sör draught beer, beer on the tap

csárda tavern, inn

csárdás *[vendéglős]* innkeeper; *[tánc]* csardas

csarnok hall

császár emperor

csat *[övön]* buckle; *[hajban]* hairgrip

csata *kat* battle; *átv* struggle

csatár *sp* forward

csatatér *átv is* battlefield

csatlakozás *(vkihez)* joining (sy); *[közlekedésben]* connection

csatlakozik *(vkihez/vmihez)* join (sy/sg)

csatol *[csattal felerősít]* buckle (up) sg; *[mellékel]* enclose; *[területet*

vhova] annex (a territory) (to)

csatorna *tv is* channel; *[mesterséges]* canal

csattan clap, click

csattanás clap

csattog crack, clap; *[fülemüle]* warble; *[szárny]* flap

csavar ▼ *fn* screw, bolt ▼ *ige* twist, turn, wind; *[csavart]* screw (sg) in

csavargó tramp

csavarhúzó screwdriver

csavarodik *(vmire)* wind° itself (round)

csavarog wander, loaf

csavaroz screw up/on

csecsemő baby, infant

cseh *mn, fn* Czech

Csehország Czech Republic

csekély small, trifling

csekk cheque

csekkfüzet chequebook

csel trick, ruse; *sp* feint

cselekedet action, deed

cselekmény *[regényé]* plot; *jog* act, action

cselekszik (*vhogyan*) act; *[tesz vmit]* do°

cselekvés action, act

cseles *biz* tricky, wily

cselez *sp* dribble

cselezés *sp* dribbling

cselló cello

csembaló harpsichord

csemege *[étel]* delicacy; *átv* treat

csemete *[gyermek]* child (*tsz* children); *[fa]* sapling

csempe tile

csempész ▼ *fn* smuggler ▼ *ige* smuggle

csempéz tile, cover sg with tiles

csen filch

csend silence

csendélet still life (*tsz* lifes)

csendes quiet, still

Csendes-óceán Pacific Ocean

csendül tinkle, (re)sound

cseng ring°

csengés ring

csenget ring°

csengő bell

csepeg drip

csepp drop

cseppkő dripstone

cserbenhagy leave° sy in the lurch

csere (ex)change; *sp* substitution; *[a játékos]* substitute

cserebogár maybeetle

cserél change

cserép *[virágé]* (flower)pot; *[tetőn]* tile

cserepes virág pot plant

cserépkályha (glazed) tile stove

cseresznye cherry

cseresznyefa cherry-tree

cserje shrub, bush

cserkész *[fiú]* (boy) scout; *[lány]* (girl) guide

csésze cup

csészealj saucer

cseveg chat

csevegés chat

csibe chick(en)
csicsereg twitter
csiga snail; *műsz* pulley
csigalépcső spiral stairs *tsz*
csigolya vertebra (*tsz* -ae)
csík stripe
csikk butt, (cigarette-)stub
csikó foal
csikorog creak, grate
csikós horseherd
csíkos striped
csillag *átv is* star; *[könyvben]* asterisk
csillagászat astronomy
csillagkép constellation
csillan gleam, flash
csillapít *[éhséget]* appease; *[szomjúságot]* quench; *[fájdalmat]* relieve; *[indulatot]* calm
csillapodik calm down, become° quiet/calm
csillár chandelier
csillog gleam, sparkle, shine°
csimpánz chimpanzee

csinál *[elkészít]* make°; *[tesz]* do°
csináltat have° sg made
csinos *[nő]* pretty; *[férfi]* handsome
csinosít make° prettier, tidy up
csíny trick
csíp *[fogóval, ujjal]* pinch; *[méh, csalán, füst]* sting°; *[bolha, szúnyog]* bite°
csipeget peck
csípés *[fogóval, ujjal]* pinch(ing); *[méhé, csaláné]* sting; *[bolháé, szúnyogé]* bite
csipesz tweeze, tweezers *tsz;* *[ruhaszárító]* clothes peg
csipke lace
csipog chirp, cheep
csípő hip
csípős *[étel, ital]* hot; *[hideg]* biting; *[megjegyzés]* biting, sharp
csíra germ
csírázik germinate

csirke chicken

csiszol *átv is* polish

csiszolt polished; *átv* refined

csitít hush, silence

csizma boots *tsz*

csobog splash

csoda wonder, marvel; *vall* miracle

csodál (*vkit/vmit*) admire (sy/sg); *[meglepődik vmin]* be° surprised (at sg), wonder (at)

csodálat (*vki/vmi iránt*) admiration (for sy/sg); *[meglepődés]* wonder

csodálatos wonderful, marvellous, great

csodálkozik be° surprised (at), wonder (at)

csodás marvellous

csodaszép exquisite, superb

csók kiss

csókol kiss

csokoládé chocolate

csókolózik kiss

csokor *[virág]* bunch (of flowers)

csokornyakkendő bow-tie

csomag package, parcel; *[kicsi]* packet; *[poggyász]* luggage; *pol* package

csomagküldő szolgálat mail order, *[a cég]* a mail-order company

csomagol pack (up)

csomagolás *[művelet]* pack(ag)ing, *[utazásra]* packing (up); *[burkolat]* cover, wrapper

csomagolópapír wrapping/packing paper, wrapper

csomagtartó *[autóban]* boot; *[vasúti kocsiban]* luggage rack

csomó *[fáé is]* knot; *biz [halom, mennyiség]* a lot of, loads of

csomópont junction

csomóz (*vmit*) knot (sg)

csónak boat

csónakázik row, boat

csonk stump

csonka *[törött]* broken; *[befejezetlen]* incomplete; *[hiányos]* defective

csont bone

csontos bony

csontváz skeleton

csoport group, team

csoportosít group, arrange, classify

csoportosul form a group

csoportosulás *[tömeg]* gathering

csorda herd

csorog flow, run°

csóvál *[fejet]* shake° (one's head); *[farkat]* wag (its tail)

cső tube; *[kézifegyveré]* barrel

csőd failure, bankruptcy

csökken decrease, go°/move down, reduce

csökkent ▼ *mn* reduced ▼ *ige* reduce

csökönyös obstinate

csöpög drip

csőr bill, beak

csörget clang, clatter; *[láncot]* rattle

csörgő rattle

csörög clang, clatter; *[telefon]* ring°

csörömpöl rattle

csőtörés burst pipe

csúcs *[hegyé]* peak, top; *[vminek a hegye]* point; *[tetőpont]* height; *sp* record

csúcsforgalom *[időszak]* the rush hours *tsz*

csúcsos pointed

csúcspont *[hegyé]* peak; *[pályáé]* zenith; *átv [folyamaté]* culmination

csúcstechnológia high tech(nology)

csúcsteljesítmény maximum output

csúf hideous, ugly

csúfol (*vkit*) mock (at sy), make° fun (of sy)

csúfolódik mock

csuk close

csuka pike
csuklás hiccup
csuklik hiccup, get° hiccups
csukló *[kézen]* wrist; *műsz* joint
csuklós busz articulated bus
csukódik close
csúnya ugly, hideous
csupa mere, all
csupán only, merely
csupasz *[meztelen]* naked; *[szőrtelen]* hairless
csurog flow, run°
csúszda slide
csúszik *(vki)* slide°; *(vmi)* be° slippery

csúszómászó *[féreg]* crawling insect; *[hüllő]* reptile; *pejor [ember]* toady
csúszós slippery
csúsztat *(vmit vmibe)* slip (sg into sg); *átv [elferdíti a tényeket]* distort the facts
csúzli (toy) catapult
csügged lose° heart, despair
csüggedt downhearted, discouraged
csülök hoof *(tsz hooves)*; *[étel]* knuckle of ham
csütörtök Thursday
csütörtöki Thursday

D

dac defiance, spite

dacára in spite of, despite

dacol (*vmivel/vkivel*) defy (sg/sy)

dacos defiant, stubborn

dadog stammer, stutter

dagad swell°

dagadt (*vmiről*) swollen (with); *biz* [*kövér*] fatty

dagály flood tide

daganat [*külső*] swelling; [*belső*] tumour

dagaszt knead

dal song

dallam melody

dallamos melodious

dalol sing°

dáma lady; [*kártya*] queen; [*játék*] draughts *esz*

dán ▼ *mn* Danish ▼ *fn* [*ember*] Dane; [*nyelv*] Danish

Dánia Denmark

dara [*búza*] semolina; [*jeges csapadék*] sleet

darab piece (*röv* pc); [*színházi*] play; *zene* piece

darabol cut°/chop up

darál grind°

darált ground; ~ **hús** minced meat

darázs wasp

daru [*gép, madár*] crane

datál date

datolya date

dátum date

de but

december December (*röv* Dec.)

deci *biz* decilitre (*röv* dl)

deciliter decilitre (*röv* dl)

dédanya great-grandmother

dédapa great-grandfather

dédunoka great-grandchild (*tsz* -children)

defekt *[járműnél]* puncture

dehogy oh no!

deka *biz* decagramme; öt ~ fifty grammes

dekagramm decagramme; öt ~ fifty grammes

dekoráció decoration

dekorál decorate

dél *[napszak]* noon *[égtáj]* south *(röv* S)

delegáció delegation

délelőtt ▼ *fn* morning ▼ *hsz* in the morning *(röv* a.m., am, AM)

delfin dolphin

déli *[napszak]* noon; *[égtáj]* south(ern)

délibáb mirage; *átv* castles in the air *tsz*

déligyümölcs tropical fruits *tsz*

Déli-sark South Pole

délkelet south-east *(röv* SE)

délkeleti south-east

délnyugat south-west *(röv* SW)

délnyugati south-western

délután ▼ *fn* afternoon ▼ *hsz* in the afternoon *(röv* p.m., pm, PM)

demokrácia democracy

demokrata ▼ *mn* democratic ▼ *fn* democrat

demokratikus democratic

denevér bat

dér (hoar)frost

derék[1] *mn* honest

derék[2] *fn [testrész, ruháé]* waist; *[vmi közepe]* middle

derékszög right angle

dereng *[hajnalodik]* dawn; *átv* begin° to see/realise

dermesztő stiffening, numbing

derű *[időjárás]* bright weather; *átv* serenity, optimism

derül *[idő]* clear up; *(vki)* cheer up

derülátó optimistic

derült *[ég]* sunny, clear, bright

derűs cheerful

deszka board

desszert dessert

detektív detective

deviza foreign exchange/ currency

dezodor deodorant

dia slide

diadal victory, triumph

diadalmas victorious, triumphant

diagnózis diagnosis (*tsz* diagnoses)

diák *[általános, középiskolás]* schoolboy, schoolgirl; *[főiskolás, egyetemista]* student

diákigazolvány student card

diavetítő slide projector

dicsekszik (*vmivel*) boast (with/about sg)

dicsér (*vkit/vmit vmiért*) praise sy/sg for sg

dicséret praise

dicsőít glorify

dicsőség glory, fame

didereg shiver

diéta diet

diétázik be° on a diet

digitális digital

díj *[jutalom]* prize; *[fizetendő összeg]* fee

díjaz *[jutalmaz vkit vmiért]* award (sy) a prize (for sg); *átv [értékel]* appreciate

díjkiosztás prize-giving/ awards ceremony

díjszabás tariff

díjtalan free (of charge) *ut*

diktál dictate

diktatúra dictatorship

dinamikus dynamic

dinnye melon

dió nut

diploma (*vmiről*) degree (in sg)

diplomácia diplomacy

diplomás *mn, fn [egyetemi/főiskolai végzettségű]* professional

diplomata diplomat

diplomatatáska briefcase

direkt ▼ *mn* straight, direct ▼ *hsz [egyenesen]*

directly, straight; *[szándékosan]* on purpose

dísz decoration; *[pompa]* pomp

díszes decorative, ornamental

díszít decorate

díszítés decoration

diszkó disco

diszkoszvetés the discus

díszlet scenery

disznó pig

disznóhús pork

disznóság mean thing

disznósajt *kb.* brawn

dísznövény ornamental plant

dísztárgy ornament, figurine

dísztávirat *kb.* congratulatory telegram

díszterem (ceremonial) hall, banquet hall

dívány sofa, couch

divat fashion

divatáru *[férfi]* men's wear; *[női]* ladies' wear

divatbemutató fashion-show

divatjamúlt out of fashion *ut,* unfashionable

divatlap fashion magazine

divatos fashionable

divattervező fashion designer

dob¹ *fn műsz is* drum

dob² *ige* throw°

dobál throw°; *[széjjel]* scatter

dobás throw

dobban *[szív]* throb

dobhártya eardrum

dobog *[szív]* beat°; *[lábbal]* stamp (one's feet)

dobogó *[előadóé]* platform; *[színházi]* stage; *sp* winner's stand

dobókocka *ját* dice *esz/tsz*

dobol drum

dobos drummer

doboz *[kartonból]* box; *[fából]* case

dohányos smoker

dohányzik smoke

doktor *[cím]* doctor (*röv* Dr); *[orvos]* physician

dokumentáció documentation

dokumentumfilm documentary (film)

dolgozat *[tudományos/ iskolai]* paper

dolgozik work

dolgozó employee; *[méh]* worker (bee)

dolgozószoba study

domb hill

dombormű relief

domborodik curve, bulge

domború convex

dombos hilly; *[vidék]* rolling

dombság rolling country

dominó domino (*tsz* dominoes); *[a játék]* dominoes *esz*

dominózik play dominoes

dongó bumblebee

dosszié file

döbbenetes horrifying, shocking

döf *[kést/tőrt vkibe/vmibe]* plunge a knife (*tsz* knives)/dagger (into sy/ sg)

dög carrion

döglik die

döglött dead

dől *[esik]* fall°; *[hajlik]* lean° (to one side); *[eső]* pour

dőlt betű italics *tsz;* ~**vel szedett** printed in italics *ut*

dönt *[felfordít]* turn over; *[csúcsot]* break°/ beat° (the record); *[határoz]* decide

döntés decision

döntetlen ▼ *mn* undecided ▼ *fn [mérkőzés]* draw, drawn game, tie

döntő ▼ *mn* decisive, definitive ▼ *fn sp* final(s)

dörög *[ég]* thunder; *[ágyú]* boom

dörzsöl rub

drága *[sokba kerül]* expensive; *[nagy értékű]*

valuable, precious; *[kedves]* dear

drágakő precious stone

drágaság *[költségesség]* expensiveness; *[kincs]* treasure

drágul get° more expensive

dráma drama, play

drámai dramatic, tragic

drasztikus drastic

drog drug

drót wire

drótkerítés wire fence

drótkötélpálya cableway, ropeway

drukker *biz* fan

drukkol *[izgul]* be° in a (blue) funk; *biz* (*vkinek*) keep° one's fingers crossed (for sy)

duda *[hangszer]* bagpipes; *[gépjárműé]* horn

dudál *[zenél]* play the bagpipe(s); *[autódudával]* honk, hoot

dúdol hum

dug *[tesz vmit vmibe]* stick° (sg into sg); *[elrejt]* hide°

dugattyú piston

dugó *[palacké]* cork; *[közlekedésben]* (traffic) jam

dugóhúzó corkscrew

dulakodik (*vkivel*) grapple (with sy)

Duna Danube

Dunántúl Transdanubia

dupla double

dúr *mn, fn* major

durran explode

durva rough, rude

dús rich (in sg), abundant (in sg)

duzzad swell° (up), bulge (out)

dübörög rumble, rattle

düh rage, fury

dühít enrage, infuriate

dühöng (*vmi/vki miatt*) rage (against/at sg/sy)

dühös furious

DZS

dzseki jacket
dzsem jam
dzsessz jazz
dzsungel jungle

E, É

eb dog
ebbe into this
ebben in this
ebből from this
ebéd lunch
ebédel have° lunch
ebédlő dining-room
ebédszünet lunch-break
éber *átv* watchful
ebihal tadpole
ébred wake° (up)
ébreszt wake° (up); *[érzést]* (a)rouse
ébresztőóra alarm-clock
ecet vinegar
ecetes vinegary
ecset brush

ecsetel *orv* paint (with); *[leír]* describe
eddig *[időben]* (up) till now; *[térben]* up to this point
edény pot, (kitchen) utensil
édes *átv is* sweet
édesanya mother
édesapa father
édesít sweeten
édesítőszer sweetener
édesség sweet(s); *[mint fogás]* dessert
édesvíz freshwater
edz *átv is* harden; *sp* train; *[edző a sportolót]* coach
edzés *[acélé]* hardening; *sp* training
edzett *[ember]* fit
edző *sp* trainer, coach
edzőcipő trainers *tsz*
ég¹ *fn* sky; *[menny]* Heaven
ég² *ige* burn°, be° on fire; *[pl. gáz]* be° on; *[lángol]* be° on fire

égbolt sky

egér mouse (*tsz* mice); *inform* mouse (*tsz* mouses)

égés burning

egész ▼ *mn* whole; ~ **szám** whole number ▼ *fn* the whole

egészség (good) health; ~**ére!** *[iváskor]* cheers!, *[tüsszentéskor]* bless you!

egészségbiztosítás health insurance

egészséges healthy

egészségtelen unhealthy

egészségügy public health

éget burn°

éghajlat climate

égi celestial, heavenly

égitest celestial/heavenly body

égő ▼ *mn* burning ▼ *fn* *[villany]* (light) bulb

égöv zone

egres gooseberry

égtáj point of the compass

egy[1] *szn* one

egy[2] *névelő* a/an

egyágyas szoba single room

egyáltalán at all; ~ **nem** not at all, by no means

egyaránt equally, alike

egybeesik (*vmivel*) coincide (with sg)

egybehangzó unanimous

egyben *[egy darabban]* in one piece; *[egyúttal]* at the same time

egybeolvad merge, unite

egybevág (*vmivel*) coincide (with sg), agree (with sg)

egyéb other, else

egyébként *[másrészt]* otherwise; *[áttérés új témára]* by the way

egyedi *[tárgyra]* unique; *[személyre]* individual

egyedül *[csak]* solely; *[magában]* alone

egyedülálló *[személy]* unmarried; *[különleges]* unique, peerless

egy-egy; adj nekik ~ **almát** give them an apple each

egyelőre temporarily, for the time being; *[eddig]* so far

egyemeletes two-storey(ed)

egyén person, individual

egyenes ▼ *mn* straight ▼ *fn [vonal]* straight (line)

egyenetlen uneven

egyéni individual

egyéniség personality

egyenjogú having equal rights *ut*

egyenjogúság equality of rights, equal rights *tsz,* emancipation

egyenként one by one, one after the other

egyenleg balance

egyenlet equation

egyenletes even, steady, equal

Egyenlítő the Equator

egyenlő (*vmivel*) equal (to)

egyenlőség equality

egyenlőségjel equals sign

egyenlőtlen unequal

egyenrangú of equal rank *ut,* equal in rank *ut*

egyenruha uniform

egyensúly balance

egyensúlyoz (counter-) balance, stabilise

egyértelmű obvious, straightforward

egyes ▼ *mn [külön]* single; *[bizonyos]* certain ▼ *fn [szám]* (number) one; *[osztályzat] kb.* fail

egyesít unite, combine, join

egyesül unite, combine, join

egyesülés *[folyamat]* joining, uniting; *[eredmény]* union

egyesület society; *sp* club

egyesült united; **E~ Nemzetek Szervezete** United Nations (Organisation) (*röv* UN)

egyetem university

egyetemes universal

egyetemista student

egyetért (*vkivel vmiben*) agree (with sy about/on sg)

egyetértés agreement, understanding

egyetlen only

egyéves *[életkor]* one-year-old

egyezik (*vmivel*) agree/correspond (with sg); equal (with sg)

egyezmény agreement

egyeztet *[összehangol]* harmonise; *[pl. adatokat egybevet]* (cross)check; *[időpontot]* agree (on a time)

egyezség agreement; compromise

egyfolytában all the time, without a break

egyforma identical

egyhangú *[unalmas]* monotonous; *[szavazás]* unanimous

egyharmad a/one third

egyhavi one month's

egyház church

egyházközség parish

egyhetes a/one week's

egyheti a/one week's

egyidős (of) the same age *ut*

egyik one (of)

Egyiptom Egypt

egyiptomi *mn, fn* Egyptian

egyirányú one-way

egyjegyű szám one-figure number, single digit

egy-két one or two

egyketted one half

egykor *[régen]* at one time; *[egy órakor]* at one (o'clock)

egykori former

egykorú (of) the same age *ut*; *[korabeli]* contemporary

egymás one another, each other

egynapos *[életkor]* (one-)day-old

egyoldalú one-sided; *gazd, pol* unilateral

egyórás one-hour

egyrészes one-piece/ part

egyrészt; ~ ..., másrészt ... on the one hand ... on the other (hand)...

egység *[alkotórész]* unit; *[egységesség]* unity

egységes unified, uniform

egységesít *[szabványosít]* standardise

egyszemélyes one-man

egyszer *[nem többször]* once; *[valaha]* once, at one time; *[jövőben]* some day

egyszeri *[egyszer történő]* one-off, single

egyszerre *[egyidőben]* simultaneously, at the same time

egyszerű simple; *[viselkedés]* unaffected

egyszerűsít simplify

egyszínű of the same colour *ut*

egyszobás lakás one-room flat

egyszóval in short/brief

egytálétel one-course meal/dish

együgyű simple(-minded)

együtt *(vkivel)* together (with sy)

együttérzés sympathy

együttes ▼ *mn* common, joint ▼ *fn zene* group, ensemble; *[könnyűzenei]* band

együttműködés co-operation

együttműködik *(vkivel)* co-operate (with)

éhes hungry

ehetetlen inedible

ehető edible

éhezik starve; *átv (vmire)* long (for sg)

ehhez to this

éhség hunger

éj night

éjfél midnight

éji night

éjjel ▼ *fn* night ▼ *hsz* at night

éjjeliszekrény bedside table

éjjel-nappal day and night

éjszaka ▼ *fn* night ▼ *hsz* at night

ejt *[leejt]* drop; *[hangot]* pronounce

ejtőernyő parachute

ék wedge

eke plough

ékes ornate, ornamented

ékesít ornament

ékezet diacritic(al mark), accent

ekkor then

ekkora this big

ékkő gem, precious stone

eközben in the mean time, meanwhile

ékszer jewel

ékszerész jeweller

el away

él¹ *fn [késé]* edge; *[szervezeté]* head of sg

él² *ige* live

elad sell°

eladás sale

eladó ▼ *mn* for sale *ut* ▼ *fn* seller; *[üzletben]* shop assistant

eladósodik run° into debt

elágazás *[közlekedésben]* junction

elágazik *[pl. fa]* branch out; *[út]* fork, branch (off)

elájul faint

elakad *[jármű]* break° down, *[forgalmi dugóban]* be° caught up in the traffic

eláll *[eltorlaszol]* block; *átv (vmitől)* give° up; *[étel]* keep°

elalszik go° to sleep; *[láng]* go° out

elaltat *(vkit)* put° sy to sleep; *orv* anaesthetise

eláraszt *[vízzel]* flood, overflow; *átv* swamp, shower (sg upon sy)

elárul *(vmit/vkit)* betray (sg/sy); *[felfed vmit]* reveal (sg)

elás bury

elavult out of date

elázik get° drenched

elbeszél relate, tell°

elbeszélés *[folyamat]* narration; *[novella]* (short) story

elbeszélget *(vkivel)* have° a conversation (with sy); *[állásra jelentkezővel]* have° an interview (with sy)

elbeszélő ▼ *mn* narrative ▼ *fn* narrator

elbír *[terhet]* be° able to carry; *átv* bear°, stand°

elbírál judge

elbírálás judgement

elbocsát *[állásból]* dismiss (from), discharge from); *[pl. foglyot]* set° free

elbúcsúzik *(vkitől)* say° goodbye (to sy)

elbúcsúztat *(vkit)* bid° farewell (to sy)

elbújik hide° (away); *(vki elől)* hide° (from sy)

elbűvöl charm

elcsábít *(vkit vhova)* lure (to); *[nőt]* seduce

elcsendesedik calm down; *[vihar]* subside

elcserél *(vmit vmiért/vmire)* exchange (sg for sg)

elcsúszik slip

eldob cast° away, throw° away/off; *[szemétbe]* throw° out

eldobható *[egyszer használatos]* disposable

eldől *[elesik]* fall° down; *átv [elválik]* be° decided

eldönt *[felborít]* upset°; *átv* settle, decide

eldug hide°

eldugul *[pl. cső]* get°/be° blocked (up)

elé in front of sy, before

elefánt elephant

elég¹ ▼ *mn* enough, sufficient ▼ *hsz* quite, fairly, rather

elég² *ige* burn° (away/up)

elegáns elegant, neat

elégedetlen dissatisfied, (with sg); discontented, (with sg)

elégedett satisfied (with), content(ed)

eléget burn°

elégséges ▼ *mn* enough, sufficient ▼ *fn [osztályzat] kb.* pass

elégtelen ▼ *mn* insufficient ▼ *fn [osztályzat] kb.* fail

elégtétel satisfaction

eleinte at first

eleje *[elülső rész]* front; *[kezdet]* beginning

elejt *[leejt]* drop; *[vadat]* kill

elektromos electric(al)

elektromosság electricity

elektronika electronics *esz*

elektronikus electronic

élelem food, provisions *tsz*

élelmes practical

élelmiszer food(stuffs *tsz*)

élelmiszer-áruház supermarket

élelmiszerbolt grocer's, grocery

elem element; *épít* unit; *elektr* battery

elemez analyse

elemi elementary, basic

elemlámpa torch *US* flashlight

elemzés analysis; *[vizsgálat]* examination

elénekel sing°

elenged *[elereszt]* let° go; *[enged vkit elmenni]* let° sy go, release

elengedhetetlen indispensable

élénk lively

elér *átv is* (*vkit/vmit/vhova*) reach; *[üldözve vkit]* catch° up (with sy); *[pl. buszt]* catch°

elered begin° to flow/run

elérhetetlen out of reach *ut; átv* inaccessible

éles *átv is* sharp

elesett ▼ *mn [egészségileg]* in poor health *ut* ▼ *fn [harcban]* fallen

elesik fall°; *[harcban]* be° killed

élesít *átv is* sharpen

éléskamra pantry

élesztő yeast

élet life (*tsz* lives)

életbiztosítás life insurance

életerő vitality

élethű lifelike, realistic

életkedv joy of life

életképes viable

életkor age

életlen blunt; *[fotó]* fuzzy, unfocused

életmentő ▼ *mn* life-saving ▼ *fn [személy]* lifesaver

életmód way of life, lifestyle

életrajz biography

életszínvonal standards of living *tsz,* living standards *tsz*

élettárs partner; *jog* common-law wife (*tsz* wives)/husband

élettelen lifeless, dead

életveszély life-danger, mortal danger

életveszélyes life-threatening, perilous

eleven *[élő]* living, live; *[élénk]* vivid, lively

elévül become° out of date

elévült (out)dated

élez sharpen

elfárad (*vmitől/vmiben*) get° tired (of)

elfecsérel *[időt]* waste

elfelejt forget°

elfér fit

elfog catch°

elfogad accept

elfogadhatatlan unacceptable

elfogadható acceptable

elfoglal *kat is* take°; *[álláspontot]* take° up; *[állást]* hold°; *[vkit munka]* (sg) keeps sy busy

elfoglalt *[ember]* busy; *kat* occupied

elfoglaltság occupation

elfogulatlan unbias(s)ed, impartial

elfogult prejudiced, bias(s)ed

elfogy run° out, come° to an end

elfogyaszt *[megeszik]* eat°; *[felhasznál]* use up

elfojt *[tüzet]* extinguish; *[lázadást]* suppress; *[érzelmet]* stifle

elfordít turn away; *[figyelmet]* divert

elfordul turn away/aside; *átv (vkitől)* become° alienated/estranged (from sy); *(vmitől)* abandon (sg)

elfúj *[szél]* blow°/carry away; *[gyertyát]* blow° out

elfut run° away/off; *[menekül]* escape (from)

elgázol run° down/over

elgondol imagine; *[megfontol]* think° over, consider

elgondolás *[terv]* plan; *[eszme]* idea, concept(ion)

elgörbül bend°, get° crooked

elgurul roll away/off

elhagy leave°, abandon;

~ja a pályát leave° one's profession

elhagyatott lonely; *[hely]* desolate

elhalad *(vki/vmi mellett)* pass (by)

elhalaszt delay, put° off

elhallatszik *[vki hangja]* reach, carry (as far as ...)

elhallgat *[elnémul]* stop talking/speaking; *[eltitkol vmit vki elől]* withhold (sg from sy), keep° back

elhalmoz *(vkit vmivel)* shower sy with sg

elhamarkodik be° overhasty

elhamarkodott overhasty, rash

elhangzik *(vhova)* be° heard/audible in; *[előadás]* be° delivered

elhanyagol neglect; *[figyelmen kívül hagy]* disregard

elhárít *[akadályt]* put° out of the way, clear away;

[veszélyt] avert (danger); *[támadást]* beat° off

elhasznál use up; *[elkoptat]* wear° out

elhasználódik be° used up; become° worn out

elhatalmasodik *[elterjed]* spread°; *(vkin vmi)* sg overcomes sy

elhatárol (de)limit; circumscribe; define

elhatároz decide (to v. that)

elhatározás decision, determination

elhelyez *(vhol/vhova)* place; *[pl. pénzt]* deposit; *[szállást ad]* accommodate (sy swhere)

elhelyezkedik settle; *[leül]* take° a seat; *[álláshoz jut]* find° employment

elhervad wither, fade (away)

elhibáz make° a mistake (in sg); *[pl. célt, lövést, lépést]* miss

elhíresztel spread° the news (of sg); make° public

elhisz believe

elhízik grow° fat, put° on (too much) weight

elhoz *(vmit vhonnan)* fetch (sg from); *[magával]* bring° along

elhunyt ▼ *mn* dead, deceased ▼ *fn* the deceased

elhurcol *(vmit)* drag away/off; *[vkit börtönbe]* carry off

elhúz *(vmit vhonnan)* draw°/drag away/off; *[időben]* drag/spin° out

elhúzódik *(vkitől)* draw° away (from sy); *[időben]* drag on

elhűl *átv* be° amazed/astonished

elidegenedik *(vkitől)* become° estranged/alienated (from sy)

eligazít *(vmit)* arrange, settle; *(vkit)* direct; *[út-*

baigazít] show the way to

eligazodik find° one's way; *átv* be° familiar (with)

elindít start; *(vkit)* send° sy on his/her way; *[küldeményt]* send° off

elindul start, depart; *(vki vhova)* set° out (for)

elintéz *(vmit)* arrange, settle

elismer admit; *[igazol]* recognise; *[értékel]* appreciate, acknowledge

elismerés appreciation, acknowledgement

elismert recognised, well-known

elismervény receipt

elítél condemn; *[bíró]* find° sy guilty (of sg), sentence (to)

elítélt ▼ *mn* convicted, condemned ▼ *fn* convict

eljár *[látogat]* go° frequently to; *[cselekszik]* proceed

eljárás procedure, measures *tsz; műsz* process, method

eljegyez *(vkit)* be° engaged (to sy)

eljegyzés engagement

eljegyzési gyűrű wedding ring

éljenez *(vkit)* cheer (sy)

eljön come°; *(vkiért/vmiért)* come° (for sy/sg)

eljut *(vhová)* get° to; *átv (vmire)* attain (sg)

elkanyarodik turn (off); *átv [tárgytól]* digress (from the subject)

elkap *átv is* catch°

elkényeztet pamper, spoil°

elképed be° taken aback

elképesztő amazing, stunning

elképzel fancy, imagine

elképzelés idea, plan

elképzelhetetlen unimaginable, unthinkable

elkér *(vkitől vmit)* ask (sy for sg); *[kölcsön]* borrow (sg from sy)

elkerül *[szándékosan]* avoid; *[véletlenül]* miss; *[forgalmas helyet]* by-pass; (*vhonnan*) be° moved away (from)

elkerülhetetlen inevitable, unavoidable

elkeseredés despair

elkeseredett bitter, desperate

elkeseredik (*vmi miatt*) become° embittered, despair (about/over)

elkésik be° late (for sg)

elkészít do°, get° sg ready; *[ételt]* prepare

elkészül be° finished/done/ready

elkezd start, begin°

elkezdődik start, begin°

elkísér (*vkit*) go°/walk with; (*vkit vhova*) see° (sy to)

elkoboz confiscate

elkopik wear° out

elkölt *[pénzt vmire]* spend° (on sg)

elköltözik *[lakásból]* move (house/flat); (*vhonnan vhova*) move (from to); *[otthonról]* leave° home

elköszön (*vkitől*) take° leave (of), say° goodbye

elkötelez; ~i magát (*vmire*) pledge/bind° oneself to (do) sg

elkötelezett committed

elkötelezettség commitment

elkövet commit; **mindent ~** do° one's best

elküld send°; *[levelet]* post; (*vkit vmiért*) send° (sy for sg); (*vkit vhonnan*) send° away

elkülönít isolate, separate

ellát (*vmivel*) supply/provide (with sg); *[pl. beteget]* take° care (of sy); *[vmeddig lát]* see° (as far as)

ellátás (*vmivel*) supply; *[étkezés]* board

ellen against

ellenáll (*vminek*) resist (sg)

ellenállás *elektr is* resistance

ellenállhatatlan irresistible

ellenálló *pol, tört* resistance fighter

ellenállóképesség *átv is* resilience

ellene against (sg/sy)

ellenére in spite of, despite

ellenez be° against sg, oppose

ellenfél opponent, rival; *[ellenség]* enemy

ellenkezik *[szembeszáll]* resist (sg), conflict (with), disagree (with)

ellenkező ▼ *mn* contrary, opposite; *[ellenszegülő]* resisting ▼ *fn* the opposite/contrary (of sg)

ellenkezőleg on the contrary

ellenőr controller, inspector

ellenőriz check, verify

ellenőrzés check, control

ellenség enemy

ellenséges hostile, enemy

ellenségeskedik *(vkivel)* be° at odds (with sy)

ellenszegül *(vkinek/vminek)* resist (sy/sg)

ellenszenv *(vki/vmi iránt)* antipathy (to/towards/ against sy/sg)

ellenszenves unpleasant

ellenszolgáltatás; ~ként **(vmiért)** in return (for sg); **(anyagi) ~ fejében** for money

ellentét *[ellenkező]* contrary, opposite; *[nézeteltérés]* conflict

ellentétes *[ellenkező]* contrasting, opposite; *[ellenséges]* conflicting, antagonistic

ellentmond *(vkinek)* contradict (sy), oppose (sy); *(vminek)* be° contrary (to sg)

ellentmondás contradiction; conflict

ellentmondásos controversial

ellentmondó contradictory; inconsistant

ellenvetés objection (to), protest (against)

ellenzék opposition

ellenzéki ▼ *mn* opposition ▼ *fn [képviselő]* member of the opposition

ellipszis ellipse

ellop (*vmit vkitől*) steal° (sg from sy)

elmagyaráz explain (sg at length), expound

elmarad *[esemény]* do° not happen/occur; *[előadás]* be° cancelled

elmaradott backward, undeveloped

elme mind

elmebeteg ▼ *mn* insane, psychotic ▼ *fn* mental patient, madman (*tsz* -men)

elmegy (*vhonnan*) go° away; (*vhova*) go° (to); (*vmiért*) go° (for); *[gyalog]* walk away

elmegyógyintézet mental hospital/home

elmélet theory

elméleti theoretical

elmélkedik (*vmin*) meditate (on sg), contemplate

elmenekül (*vmi elől*) run° away (from)

élmény experience

elmerül sink°; *átv* (*vmiben*) be° immersed/lost (in sg)

elmesél tell° (a story), relate

elmond *[elbeszél vkinek vmit]* tell° (sy sg); *[beszédet]* deliver (speech)

elmos *[edényt]* wash up; *[árvíz pl. házat]* sweep° away

elmosódott indistinct, faint, obscure

elmosogat wash up (the dishes)

elmosolyodik smile

elmozdít *[vmit helyéről]* move; *[vkit állásából]* discharge

elmozdul move
elmulaszt (*vmit*) fail (to do sg)
elmúlik *[idő]* pass; *[pl. betegség]* be° (all) over; *[fájdalom]* cease
elnapol put° off, postpone
elnémít silence; *[hangszórókat]* mute
elnémul become° silent/quiet
elnevez (*vkit vminek*) call (sy sg)
elnéz *[hosszan]* gaze (at); *[megbocsát]* overlook, forgive°
elnézés *[türelem]* lenience; *[tévedés]* mistake
elnéző indulgent, tolerant
elnök president; *[ülésen]* chairman (*tsz* -men)
elnöki presidential, of the president/chairman (*tsz* -men)
elnökség *[tisztség, testület]* presidency; *[helyiség]* office of president/chairman (*tsz* -men)

elnökválasztás presidential election
elnyom *[népet]* oppress; *[érzelmet]* repress, suppress
elolt *[pl. tüzet, cigarettát]* put° out
elolvad melt
elolvas read° (through/over)
eloszlat *[tömeget]* disperse; *átv [félelmet]* dissipate; *[félreértést, gyanút]* dispel
eloszlik *[tömeg]* disperse; *[kétség]* be° resolved; *[vkik között]* be° distributed/divided (among)
eloszt *[egészet részekre]* divide (into); *[vkik között]* divide (among); *[több dolgot vkik között]* distribute (among); *mat* (*vmennyivel*) divide (by)
élő living, live
előad *[színházban]* perform, act; *[egyetemen vmiről]* lecture (on)

előadás *[színházban]* performance; *[egyetemen]* paper, talk

előadó *[művész]* performer; *[egyetemi]* lecturer; *[referens]* official

előadóművész artist

előáll *(vmivel)* come° forward (with); *[kialakul]* come° into being

előállít produce; *[rendőrségen]* arrest

előbb *[korábban]* sooner, earlier; ~ ... aztán ... first ... then ...

előcsarnok *[szállodáé]* lobby; *[színházban]* (entrance) hall

előd *[ős]* ancestor; *[munkaköri]* predecessor

előétel hors-d'oeuvre

előfizet *(vmire)* subscribe (to)

előfizetés subscription

előfizető subscriber

előfordul *[megesik]* happen

előhív *(vkit)* call out; *[fotónegatívot]* develop

előír prescribe

előírás prescription

előítélet prejudice

előjegyez *[színházjegyet]* book (in advance)

előjegyzés *[színházjegyé, szobáé]* (advance) booking

előjel *mat is* sign

előkelő illustrious, high-ranking

előkészít *(vkit/vmit vmire)* prepare (sy/sg for sg)

előkészület preparations

elöl ahead, in front

elől away from

előleg advance (payment)

élőlény living being

előléptetés promotion

elöljáró *nyelv* preposition

előny advantage

előnyös advantageous

előnytelen disadvantageous

előre *[térben]* forward(s);
[időben] in advance
előrebocsát (*vmit*) mention sg at the outset
előreenged (*vkit*) allow
sy to go (on) ahead/forward
előrehajol lean°/bend° forward
előrejelzés forecast
előrelátás foresight
előrelátó have° foresight *ut*
előresiet go° ahead
előrevisz carry forward/
ahead
elősegít (*vmit*) promote,
contribute (to)
élősködő parasite
előszezon pre-season
előszó preface, foreword
előszoba hall
először *[első alkalommal]* (for) the first
time; *[eleinte]* (at) first
előtér foreground; *[lakásé]* entrance hall
előteremt (*vmit*) procure; (*vkit*) hunt out/up

előterjeszt submit; (*vkit
vmire*) recommend (sy
to sg)
előtt *[térben]* in front of;
[időben] before
előtte in front of (v. before) (sg/sy)
elővesz (*vhonnan*) take°/
bring° out (of)
elővétel advance booking
elővigyázatos careful
előz overtake°
előzékeny (*vki iránt*) obliging (to), attentive (to)
előzetes preliminary, previous
előzmény preliminaries *tsz*
előző previous
elpárolog evaporate
elpazarol waste
elpirul blush
elpusztít destroy; kill
elpusztul be° destroyed;
die
elrabol (*vkitől vmit*) rob
(sy of sg); *[embert]* kidnap

elragadó charming, delightful

elragadtatás ecstasy, rapture

elragadtatott ecstatic

elrak put° away; *[félre]* clear away

elrejt hide°, conceal

elrejtőzik hide° away

elrendel order

elrendez arrange; *[pl. ügyet]* settle

elreped crack

elrepül fly° away/off

elromlik go° bad/wrong; *[gép]* break° down

elront *[szerkezetet]* break°, put° out of order; ~**otta a gyomrát** upset° one's stomach

elsajátít *[tudást]* learn°, acquire (the knowledge)

elsápad pale

elsimít smooth away/out; *átv* smooth over

első first (*számmal* 1st)

elsőbbség priority

elsőbbségadás kötelező! give way!

elsőrangú first-rate/class

elsősegély first aid

elsősorban primarily

elsüllyed sink°, go° down

elsüllyeszt sink°

elszakad *[kötél]* break°; *[textil]* tear°; (*vkitől*) separate (from sy)

elszakít *[kötelet]* break°; *[textilt]* tear°; (*vkit vkitől*) separate (sy from sy)

elszalad run° away/off

elszáll fly° away/off

elszállít (*vhová*) transport, convey

elszámol (*vmiről/vmivel*) account (for); (*vkivel*) settle accounts (with sy)

elszámolás *[folyamat]* settling/settlement of accounts; *[írásos]* accounts *tsz*

elszánt determined, desperate

elszárad dry, wither

elszédül get°/become° (suddenly) dizzy

elszegényedik become°/ grow° poor

elszigetelt isolated

elszív *[cigarettát]* smoke (a cigarette)

elszomorodik grieve, grow°/become° sad

elszór throw° about, scatter (about)

elszökik escape, run° away

eltakar cover (up)

eltalál *(vhova)* find° the way (to); *[fegyverrel]* hit° (the target/mark)

eltart *[időben]* last; *[gondoskodik]* keep°

eltartás support

eltávolít remove

eltávolodik *[térben]* move/ go° away/off; *átv* become° alienated

eltávozik leave°, go° away

eltelik *(vmivel)* get° full (of sg); *[idő]* pass

eltemet bury

eltép tear° (to pieces)

eltér differ

elterel *[állatot]* drive° away/off; *[forgalmat]* turn aside; *[figyelmet]* distract

eltérés difference

eltérít divert; *[repülőgépet]* hijack; *[figyelmet]* distract

elterjed spread°

elterjeszt spread°

eltérő *(vmitől)* different (from)

eltervez plan

eltesz *[helyére]* put° sg in its place; *[tartósít]* preserve

éltet keep° sy alive; *[megéljenez]* cheer

eltéved lose° one's way

eltéveszt *[pl. célt]* miss; *[összekever]* confuse

eltitkol keep° (sg) secret

eltol move/push away, shift

eltorzít deform

eltorzul become° deformed

eltökélt *[ember]* resolved, determined

eltölt *[időt]* pass

eltör break°

eltörik break°

eltöröl *[edényt]* dry; *[megszüntet]* abolish

eltúloz exaggerate

eltűnik disappear

eltűr tolerate

elutasít (*vmit*) refuse; (*vkit*) turn (sy) down

elutasítás (*vmié*) refusal; (*vkié*) turning down

elutazik (*vhonnan vhova*) leave° (sg for sg)

elültet *[növényt]* plant

elüt *[különbözik vmi vmitől]* differ (from); *[pl. labdát]* hit°; *[jármű]* hit°, run° down

elűz expel, drive° away

elv principle

elvág cut°

elvakít blind; *átv* delude

elválás parting; *[házassági]* divorce

elválaszt separate, part; *[bíró]* divorce; *[szót]* hyphen

elválasztás hyphening

elválaszthatatlan inseparable

elválasztójel hyphen

elválik separate; *[házasfél]* divorce (sy)

elvállal undertake°; *[megbízást]* accept

elvált divorced

elvámol levy duty on (sg)

elvámolnivaló; van ~ja? have you got anything to declare?

elvár (*vkitől vmit*) expect (sy to do sg)

elvarázsol (*vmit/vkit*) cast° a spell (over sg/sy); (*vkit vkivé/vmivé*) turn (sy into sy/sg)

elvégez *[megtesz]* do°; *[befejez, pl. tanulmányokat]* finish

elver (*vkit*) thrash; *[pl. pénzt]* squander

elvesz (*vmit vkitől*) take°
sg away/off (from sy);
[feleségül] marry

elvész be°/get° lost; *[kárba vész]* be° wasted

elveszett lost

elveszt lose°

elvetél miscarry

elvetemült depraved, wicked

élvez enjoy

elvezet (*vmi vhol*) go° past; (*vmit vhonnan*) lead° away

élvezet pleasure

élvezhetetlen unenjoyable

elvi of principle *ut*

elvisel bear°, tolerate

elviselhetetlen unbearable, intolerable

elviselhető tolerable

elvisz *[út vmi mellett]* pass by/near; *[fegyver]* carry; carry away/off; *[vki magával]* take° along

elvon (*vkitől vmit*) deprive (sy of sg); *[figyel-*

met] distract (attention) (from)

elvonás *[megvonás]* withdrawal, deprivation

elvont abstract

elvonul *[pl. vihar]* pass; *[tömeg vhonnan]* withdraw°

elvörösödik turn red, blush

elzár (*vmit/vkit vhova*) lock up; *[pl. villanyt]* turn off; *[utat]* close; *[nyílást]* stop (up)

elzárás *[úté]* closing, blocking; *jog* custody

elzárkózik (*vhova*) lock oneself in; *átv* be° reserved

elzsibbad go° numb

e-mail e-mail

ember man (*tsz* men), person, human; *[általános alanyként]* one, people, you, we

emberi human

emberiség humanity

emberrablás kidnapping

emberrabló kidnapper

emberség humanity, benevolence

emberszabású majom anthropoid ape

embrió embryo

emel lift; *[pl. fizetést, árat]* raise

emelet storey

emeletes (-)storeyed; ~ **ágy** bunk-bed

emelkedik *(vhova)* rise° (to); *[út]* climb

emelkedő ▼ *mn* rising ▼ *fn [úté]* rise

emelő lever, lifter

emelvény stand, platform

emészt digest

emésztés digestion

emleget mention repeatedly

emlék *[tárgy]* souvenir; *[visszaemlékezés]* memory

emlékezet memory

emlékezetes memorable

emlékezik *(vkire/vmire)* remember (sy/sg)

emlékeztet *[figyelmeztet vkit vmire]* remind (sy that .../sy to do sg/sy of sg); *[felidéz vkiben vmit/ vkit]* resemble sg/sy

emlékkönyv *[kézzel írt]* album; *[tudós tiszteletére]* memorial volume

emlékmű monument

emlékszik *(vkire/vmire)* remember (sy/sg)

említ mention

emlő breast; *[állaté]* udder

emlős *mn, fn* mammal

én ▼ *nm [személyes nm]* I; *[birt. jelzőként]* my ▼ *fn [vki énje]* self (*tsz* selves)

ének song; *[éneklés]* singing

énekel sing°

énekes singer

énekesmadár songbird

énekesnő (female) singer

énekkar chorus, choir

energia energy, power; *[emberi]* vitality, vigour

energikus energetic

enged (*vkinek/vminek*) give° way (to); (*vkinek vmit*) allow (sy to do sg), let° (sy do sg)

engedékeny indulgent, yielding

engedelmes obedient

engedelmeskedik (*vkinek*) obey (sy)

engedély permission; *[pl. vezetői]* licence

engedélyez permit, allow

engedmény *[vitában]* concession; *gazd* discount

engem me

ennek *[birtokos]* of this; *[részeshatározó]* to/for this

ennél *[hely]* at this/that; *[középfok mellett]* than this/that

ennivaló food

enyém mine

enyhe mild

enyhít *[fájdalmat]* ease

enyhítő *jog is* mitigating

enyhül *[fájdalom]* abate

enyhülés *[fájdalomé]* abatement; *[időé]* thaw

ennyi so much/many; ~ **az egész** that's all/it

ép *[egészséges]* healthy; *[egész]* whole

epe bile

eper strawberry

épít build°; *átv* (*vmire*) build° (up)on

építész architect; *[építési vállalkozó]* (general) builder

építészet architecture

építészmérnök architect

építkezés building, construction

építkezik build°

építőanyag building material

epizód incident, episode

éppen just

épül (*vmi*) be° built/constructed; *átv* (*vmire*) be° founded/based on

épület building

ér[1] *fn* *[véredény]* bloodvessel; *[bányában]* vein;

[falevélen] rib; *[patak]*
brook(let); *[kábelé]* heart
ér² ige (*jut vhová*) get° to;
(*vmeddig*) reach (sg);
[vmihez ér] touch (sg);
[értéket] be° worth (sg)
érc ore
erdei wood, forest
érdek interest
érdekel be° interested (in
sg)
érdekelt interested, con-
cerned
érdekeltség *[állapot]* in-
terest; *[vállalat]* concern
érdekes interesting
érdeklődés *[figyelem]* in-
terest; *[tudakozódás]* in-
quiry
érdeklődik (*vmi iránt*)
take° interest (in sg);
[tudakozódik vmi után]
inquire (about)
érdeklődő ▼ *mn* inquir-
ing ▼ *fn* inquirer
Erdély Transylvania
erdélyi *mn, fn* Transyl-
vanian

érdem merit
érdemel deserve, be°
worthy (of)
érdemes (*vmire*) worthy
of ... *ut*
érdes rough; *[hang]*
harsh
erdész forester
erdő wood; forest
ered *[folyó]* have° its
source (in); *[időben]*
date from; *átv* (*vmiből*)
derive (from)
eredet *[folyóé]* source;
átv origin
eredeti original
eredetileg originally
eredetiség originality
eredmény result
eredményes fruitful, suc-
cessful
eredményez result (in)
eredménytelen fruitless,
unsuccessful
erélyes forceful, ener-
getic(al)
érem medal
erény virtue

eresz eaves *tsz*

ereszkedik descend

ereszt (*vhová, vhonnan*) let° go/pass

éretlen unripe; *átv* immature

érett ripe; *átv* mature

érettségi ▼ *mn* ~ **bizonyítvány** certificate of baccalaureate ▼ *fn* baccalaureate

érettségizik take° the baccalaureate

érez feel°

érik ripen

érint touch; *[érzelmileg]* concern

érintetlen untouched; *[egész]* whole

érintkezés contact

érintkezik be° in contact (with sy); (*vkivel*) communicate (with sy)

erjed ferment

erkély balcony; *[színházban]* circle

erkélyülés dress-circle seat

érkezés arrival

érkezik (*vhova*) arrive (in v. *[kisebb helyre]* at)

erkölcs morals *tsz*

erkölcsi moral

érlel ripen

érme coin

ernyő *[eső ellen]* umbrella; *[nap ellen]* parasol; *[lámpáé]* shade

erő power, strength

erőd fortress

erőfeszítés effort, endeavour

erőlködik make° every effort (to do sg); exert oneself (to)

erőltet (*vmit vkire*) force (sg on sy); *[vmi elvégzését]* insist on (sg); *[vmely szervét]* strain

erőmű power station

erős strong, powerful; *[étel]* hot

erősít strengthen; (*vmit vmihez*) fasten (to)

erősítés strengthening; (*vmihez*) fastening (to)

erősítő ▼ *mn* strengthening ▼ *fn [szer]* tonic; *műsz* amplifier

erősödik get°/become° stronger

erősség *[erő]* strength; *[erőd]* fort(ification)

erőszak violence, force

erőszakos violent

erőtlen weak, faint

erre *[vmire rá]* on this; *[ezt illetően]* concerning/about this; *[irány]* this way

errefelé *[irány]* in this direction; *[vhol itt]* hereabouts

erről *[vmiről le]* from/off this; *[irány]* from this direction; *átv (vmiről)* about this

erszény purse

ért understand°; *(vmihez)* be° skilled (in sg)

érte for sy/sg; *[érdekében]* for sy's sake; *[miatta]* on sy's account

érték value; *[eszmei]* worth; *[vagyontárgy]* valuables *tsz*

értékel *[felbecsül]* estimate, value; *[megbecsül]* appreciate

értékes valuable

értékesít sell°; *átv* make° use of

értekezlet meeting

értékpapír securities *tsz*

értéktárgy valuables *tsz*

értéktelen worthless

értelem *[ész]* intelligence; *[jelentés]* meaning, sense

értelmes intelligent

értelmetlen *[beszéd]* unintelligible, meaningless, senseless

értelmez interpret, explain

értelmi intellectual

értelmiség the intellectuals *tsz*

értelmiségi *mn, fn* intellectual

értesít *(vmiről vkit)* notify (sy of sg), inform (sy of sg)

értesítés notification

értesül (*vmiről*) be° informed (of sg)

értesülés information *esz/tsz*, news *esz/tsz*

érthetetlen incomprehensible

érthető comprehensible

érv argument

érvel argue

érvelés argumentation

érvényes valid

érvényesít *[érvényre juttat]* enforce; *[érvényessé tesz]* validate

érvényesül (*vki*) succeed, make° one's way; *[vki akarata]* prevail; *[pl. szín]* be° effective

érvénytelen invalid

érverés pulse

érzék sense

érzékel perceive

érzékeny (*vmire*) sensitive (to)

érzéketlen *[testileg]* in-

sensible (to); *[lelkileg]* insensitive (to)

érzéketlenség *[testi]* insensibility; *[lelki]* insensitiveness

érzéki *[érzékekkel kapcsolatos]* sensuous; *[buja]* sensual, lewd

érzékszerv organ of sense

érzelem sentiment

érzelgős sentimental, soppy

érzelmes sentimental

érzés feeling; *[benyomás]* impression

érzéstelenít *orv* anaesthetise

érzéstelenítés *orv [folyamat]* anaesthetisation

és and

esedékes due

esély chance

esélyes ▼ *mn* having a (good) chance *ut* ▼ *fn* probable winner

esélytelen having no chance *ut*

esemény event

esernyő umbrella

esés fall; *[áré]* drop

eset case, event; *[ügy]* affair

esetleg perhaps, possibly

esetleges possible, accidental

esetlen awkward

esik fall°; *[pl. időpont vmire]* fall° on; *[eső]* rain; **(vkinek vmi) rosszul ~** hurt° sy's feelings, hurt° sy

esket *[házasulókat]* marry

eskü oath

esküszik *(vkire/vmire)* swear° (by/on)

esküvő wedding

esküvői torta wedding cake

eső ▼ *mn* falling ▼ *fn* rain

esőkabát raincoat

esős rainy

est evening

este ▼ *fn* evening ▼ *hsz* in the evening

estefelé towards evening

esteledik it is getting dark

estély (evening) party

estélyi ruha evening dress

ész reason

észak North *(röv* N)

északi northern

Északi-sark North Pole

északkelet north-east *(röv* NE)

északkeleti north-east-(ern)

északnyugat north-west *(röv* NW)

északnyugati north-west-(ern)

eszes bright, clever

eszik eat°, have° one's meal

eszkimó Inuit

eszköz instrument; *átv* means *esz/tsz;* **anyagi ~ök** resources, means

észlel observe, perceive

eszme idea, concept

eszmecsere exchange of views

eszméletlen *[ájult]* unconscious; *biz [döbbe-netes]* fantastic

eszmény ideal

észrevesz notice, observe

észrevétel observation; *[megjegyzés]* comment, remark

ésszerű reasonable, rational

észt *mn, fn* Estonian

esztendő year

Észtország Estonia

étel food, meal

etet *(vkit)* give° sy sg (to eat); *[állatot is]* feed°

étkészlet dinner set

étkezés meal

étkezik eat°, have° a meal

étkező eating-house; *[üzemi]* canteen; *[iskolai]* dining hall

étlap menu

étolaj cooking oil

étterem restaurant

étvágy appetite

Európa Europe

európai *mn, fn* Euro-

pean; **E~ Unió** European Union *(röv EU)*

év year

évad season

evés eating

éves ... years old *ut;* **tíz ~ korában** at the age of ten

evez row

evező ▼ *mn* rowing ▼ *fn [aki evez]* oarsman *(tsz -men); [eszköz]* oar

évezred millennium

évfolyam *[folyóiraté]* volume *(röv* vol.); *okt* class

évforduló anniversary

évjárat *[boré]* vintage; *[személyek]* generation

evőeszközök cutlery *esz*

evőkanál tablespoon *(röv* tbsp)

évszak season

évszám date

évszázad century

évtized decade

expedíció expedition

export exports *tsz,* exportation

exportál export

expresszvonat express (train)

ez this (*tsz* these)

ezalatt *[időben]* meanwhile, in the meantime

ezen ▼ *hsz (vmin)* at/on this ▼ *nm [ez]* this (*tsz* these)

ezenkívül in addition, besides

ezennel hereby, herewith

ezentúl from now on, henceforth

ezer (a/one) thousand

ezért for this; *[ok]* therefore; *[cél]* for this (purpose)

ezred *kat* regiment; *[rész]* thousandth part

ezredes colonel (*röv* Col.)

ezrelék (one) thousandth

ezután *[ezentúl]* from now on, henceforth

ezüst silver

ezzel with this; *[időben]* on this

F

fa tree; *[anyag]* wood
faág branch
fácán pheasant
faggat interrogate (close-
ly)
fagy ▾ *fn* frost ▾ *ige* freeze°
fagyálló ▾ *mn* frost-resis-
tant/proof ▾ *fn [folya-
dék]* antifreeze
fagyaszt freeze°
fagyasztóláda (chest)
freezer
fagyasztott frozen
fagylalt ice-cream
fagylaltozó *[helyiség]* ice-
bar
fagyos *[idő]* frosty; *átv
[tekintet]* chilling

fagyöngy mistletoe
fagypont freezing-point
faház cabin; *[lakóház]*
wooden house
fahéj *[fűszer]* cinnamon
faj *biol* species *esz/tsz;* **az**
emberi ~ the human
race; *[válfaj]* type
fáj hurt°; *[vkinek vmi lel-
kileg]* pain (sy)
fájdalmas painful; griev-
ous
fájdalom *[testi]* pain; *[lel-
ki]* grief
fájdalomcsillapító pain-
killer
fájl file
fajta sort; *biol* variety; *[jel-
zőként]* of the ... kind/
type *ut*
fakad *[forrás]* spring°
(from); *átv (vmiből)*
spring°/arise° (from)
fakanál wooden spoon
fáklya torch
fakó pale, faded
fakul fade
fakultatív optional

fal¹ *fn* wall

fal² *ige* devour

falánk greedy

falat mouthful

falaz put° up a wall (v. the walls)

falevél leaf (*tsz* leaves)

falfestmény wall-painting, mural

faliújság notice-board

falu village

falubeli villager

falusi ▼ *mn* village ▼ *fn* villager

falusias rural

fánk doughnut

fantasztikus fantastic, incredible

fantázia imagination

fanyar tart; *átv* [*pl. mosoly*] wry

far [*emberé*] bottom; [*hajóé*] stern

fárad [*lankad*] get° tired; [*fáradozik vmivel*] take° pains (to do sg)

fáradozik (*vmivel*) take° pains (to do sg)

fáradság [*fáradozás*] pains *tsz*, trouble, effort

fáradt exhausted, tired

fáradtság exhaustion, tiredness

farag [*fát, szobrot*] carve; [*követ*] hew

fáraó pharaoh

fáraszt exhaust, tire

fárasztó exhausting, tiring

farkas wolf (*tsz* wolves)

farm farm

farmer farmer; [*nadrág*] jeans *tsz*

farok tail

farol [*hátrafele halad*] reverse; [*jármű megcsúszik*] skid

farsang carnival (time)

fasor avenue

fásult (*vmi iránt*) indifferent (to)

faszén charcoal

fatörzs (tree-)trunk

fátyol veil

favágó [*erdőn*] woodman (*tsz* -men); [*tűzifáé*] woodcutter

fax fax
faxol fax
fazék pot
fazekas potter
fázik be°/feel° cold
fazon cut
február February (*röv* Feb.)
fecseg chatter
fecske swallow
fecskendő *orv* (hypodermic) syringe; *[tűzoltóké]* (fire-)hose
fed *(vmivel)* cover (with sg); *[tetőt]* put° a roof on
feddhetetlen irreproachable, blameless
fedél *[dobozé, edényé]* lid; *[könyvé]* cover; *[házé]* roof
fedélzet deck
fedetlen *[testrész]* uncovered, naked; *[ház]* roofless
fedett covered; *[ház]* roofed; ~ uszoda indoor (swimming-)pool

fedez *kat, gazd* cover
fedezék entrenchment
fedezet *gazd* security; *kat* cover
fedő cover; *[edényen]* lid
fegyelem discipline
fegyelmez discipline, keep° under discipline
fegyelmezetlen undisciplined
fegyelmezett disciplined
fegyver weapon
fegyveres armed
fegyverkezés military preparations *tsz*
fehér white
fehérbor white wine
fehérje protein; *[tojásé]* white of egg
fehérnemű underwear
Fehéroroszország White Russia, B(y)elorussia
fej¹ *fn átv is* head; ~be vág (vkit) knock sy on the head; ~ben tart (vmit) keep° sg in mind; fel a ~jel! cheer up!; ~ vagy írás heads

or tails; **(vminek) a ~ében** in return (for sg)

fej² *ige [tehenet]* milk

fejedelem (ruling) prince

fejel *[labdát]* head (the ball)

fejenállás head-stand

fejes ▼ *mn* **~ káposzta** cabbage; **~ vonalzó** T-square ▼ *fn [futballban, fejesugrás]* header; **~t ugrik** take° a header

fejezet chapter (*röv* chap.)

fejfájás headache

fejhallgató headphone(s) *US* headset

fejleszt develop; *[pl. áramot]* generate

fejletlen undeveloped, underdeveloped

fejlett *[testileg]* fully/well developed

fejlődés development, evolution; progress

fejlődik develop

fejpánt headband

fejsze axe

fejt *[varrást]* undo°; *[babot]* shell; *[rejtvényt]* solve (puzzle); *[követ]* quarry

fejtörő puzzle

fék *[járműé]* brake; *átv* obstacle

fekete ▼ *mn* black ▼ *fn [kávé]* black coffee; *[ember, szín]* black

feketepiac black market

feketerigó blackbird

fékez put° on the brakes; *átv [indulatot]* bridle

fekszik lie

féktelen wild

fekvés lying; *[vidéké]* situation

fekvőhely bed

fel up

fél¹ *fn* half (of sg) (*tsz* halves); *[rész, oldal]* side, part; *[ügyfél]* gazd customer; *[perben]* party

fél² *ige (vmitől/vkitől)* be° afraid (of sg/sy); fear sg/sy

felad *[kézzel vmit]* hand/pass sg up; *[levelet]* post; *[várat]* surrender; átv *[pl. reményt]* give° up

feladat task; *okt* exercise(s)

feladó *[pl. levélé]* sender

felajánl *(vkinek vmit)* offer (sg to sy v. sy sg)

felakaszt *(vmit vmire)* hang° up (*múlt idő* hung up) (on); *[embert]* hang (*múlt idő* hanged)

feláldoz sacrifice, devote

feláll *(vmire)* get°/stand° up (on sg)

félállás part-time job

felállít stand° sg upright; *[sátrat]* set° up; *[gépet]* install; *[intézményt]* found; *[rekordot]* set° (up)

felaprít cut° up

félárú *[pl. jegy]* half-price (ticket)

felás dig° (up)

felavat *[új tagot]* initiate; *[pl. épületet]* inaugurate

felbecsül estimate; appraise

felbecsülhetetlen inestimable, priceless

félbehagy leave°/break° off

félbemarad be° broken off

félbeszakad be° broken off, be° stopped suddenly

félbeszakít *[pl. beszédet]* interrupt

felbomlik *[pl. varrás]* come° apart; *[házasság]* break up; *[szervezet]* dissolve

felbont *[kinyit]* open; *[részeire]* break° down; *[szerződést]* cancel

felborít knock over; átv *[pl. tervet]* upset°

felborul turn over; *[pl. terv]* be° upset

felbosszant make° (sy) angry

felbukkan (*vki/vmi*) appear (suddenly)

félcipő shoes *tsz*

felcsendül be° heard

felcsillan gleam, flash

feldarabol cut° into pieces; *átv* divide up

felderít *[felvidít]* cheer (up); *[tisztáz]* clear up; *[felkutat]* find° out

felderítő ▼ *mn* exploratory ▼ *fn* scout

felderül *[felvidul]* cheer up

feldíszít decorate

feldob foss

feldolgoz *[iparban]* process; *[hulladékot]* recycle

feldől fall° over

feldönt knock over

feldúl *[végigpusztít]* ravage; *[boldogságot]* destroy

feldúlt *[ország]* ravaged; *[lelkileg]* (very) upset

feldühít make° (sy) angry

felé *[térben]* towards; *[környékén]* near; *[időben]* towards

felébred *[alvásból]* wake° up; *[vágy]* awaken

felébreszt *[alvásból]* wake° (up); *átv* arouse

feledékeny forgetful

felejt forget°

felejthetetlen unforgettable

felekezet denomination

felel answer; *[felelős vkiért/vmiért]* be° responsible (for sy/sg)

félelem fear (of sg)

felélénkít revive, vivify

felelet answer

félelmetes fearful, frightening, formidable

felelős ▼ *mn* (*vmiért vkinek*) responsible (for sg to sy) ▼ *fn* person in charge (of sg)

felelősség responsibility (for sg)

felelőtlen irresponsible

felemás *[páros tárgy]* odd

felemel *[magasra]* lift (up); *[pl. árat]* raise

felemelkedik *átv is* rise°; *[repülőgép]* take° off

félénk shy

felépít *[megépít]* build°; *átv* build° up

felépül *[megépül]* be° built/completed; *[meggyógyul]* recover

feleség wife (*tsz* wives)

felesel answer back

felesleg surplus; *[maradék]* residue

felesleges *[több]* superfluous

felett above; *[vmin túl/át]* over; ~e áll (**vminek**) *átv* be° above sg

felettes superior

félév *okt* semester, term

felez halve

felfal eat° up, devour

felfedez *[vmi újat]* discover; *[észrevesz]* detect, notice

felfedezés *[vmi újé]* discovery; *[észrevétel]* revelation

felfedező discoverer

felfelé upwards; *[dombon]* uphill; *[folyón]* upstream

felfigyel (**vmire/vkire**) take notice of sg/sy

felfog *[megért]* grasp, comprehend

felfogás *[felfogóképesség]* grasp; *[vélemény]* opinion

felfoghatatlan incomprehensible

felfordít turn over

felfordul turn over; (**vmitől**) ~ a gyomra (sg) makes his/her stomach turn

felfordulás *[zűrzavar]* confusion; *[pl. lakásban]* mess

felforr (come° to the) boil

felforral boil (up)

felfrissít refresh; *[felújít]* renew; *[készletet]* restock; *[nyelvtudást]* brush up

felfrissül be°/feel° refreshed

felfúj *átv is* inflate

felfüggeszt *[tárgyat]* hang°/ hook up; *[állásából]* suspend; *[pl. eljárást]* stay

félgömb hemisphere; **déli** ~ southern hemisphere; **északi** ~ northern hemisphere

felgyújt set° fire (to sg); *[lámpát]* turn/switch on (the light)

felháborító outrageous

felháborodás indignation

felháborodik (*vmin/vmi miatt*) be° indignant (at sg)

felhajt *[járművel]* drive° up; *[szélét vminek]* turn up

felhajtás *[ruhaszegélyé]* hem; *biz [hűhó]* fuss

felhangzik (re)sound

felharsan sound

felhasznál *[elhasznál]* use up; *[alkalmaz]* use

felhatalmaz (*vkit vmire*) empower/authorise sy to do sg

felhatalmazás *[feljogosítás]* authorization; *jog [meghatalmazás]* authority

felhív (*vkit vhova*) call for sy to come up; *[telefonon]* ring° sy (up); *[felszólít vmire]* call upon (sy to do sg)

felhívás *[felkérés, felszólítás]* summons; *[hirdetmény]* warning, notice

félhold half-moon

félhomály semi-darkness, twilight

felhoz *átv is* bring° up

felhő cloud

felhőkarcoló skyscraper

felhős cloudy

felhőtlen cloudless, clear

felhúz *[magasba húz]* draw°/pull up; *[ruhát]* put° on; *[pl. órát]* wind° up

felidéz recall, evoke

félidő *sp* half (*tsz* halves)

félig partly

felingerel stir up, irritate

felír *[feljegyez]* write°
down; *[gyógyszert vmire]*
prescribe (for sg)

felirat *[síron, szobron]* inscription; *[filmen]* (sub)
titles *tsz*; *[csomagon]*
label

feliratos *[film]* subtitled

felismer (*vmit/vkit vmiről*) recognise (sg/sy by
sg); *[rájön vmire]* realise (sg)

felismerés recognition

felismerhetetlen unrecognisable

felizgat excite; *[szexuálisan]* turn (sy) on

feljebb higher (up)

feljegyez note (down)

feljegyzés *[jegyzet]* note,
memo

feljelent (*vkit*) report (sy)

feljelentés reporting

feljön (*vki vhova*) come°
(up) to; *[nap, hold]*
rise°; *[csillag]* come° out;
[felszínre] come° to the
surface

feljut (*vhova*) manage to
reach sg

felkap *[tárgyat vhonnan]*
snatch (up); *[ruhadarabot]* put° on hastily

felkapaszkodik (*vhova/
vmire*) climb (up)

felkarol *[ügyet]* espouse,
promote; (*vkit*) back
(up), support

felkavar *átv is* stir up

felkel *[fekvő/ülő]* get°
up; *[égitest]* rise°; *[nép]*
rise° (up)

felkér (*vkit vmire*) ask/
request (sy to do sg)

felkeres (*vkit*) visit (sy),
call on sy

felkérés request

félkész semi-finished,
semi-manufactured

felkészít *sp is* coach (sy
for sg)

felkészül (*vmire*) prepare
(for sg)

felkiált cry out

felkiáltójel exclamation
mark

felkínál offer

félkör semicircle

felköt tie up

felkutat search (for sy/sg); [kinyomoz] track sy/sg down; [új területet] explore

fellángol flame up, burst° into flames

fellázad (vki/vmi ellen) rebel/rise° (against sy/sg)

fellebbez (vhova) appeal to

fellélegzik breathe (freely) again

fellendít átv promote, advance

fellendül átv prosper, flourish

fellép (vmire) step up (onto sg); átv [színpadon] play, perform

fellépés átv [pl. színpadon] appearance; [viselkedés] behaviour

felmegy (vhová/vmin) go° up; [pl. függöny, ár] rise°; [láz] go° up

felmelegít warm up, heat

felmelegszik warm up

felment (vmi alól) exempt (sy from sg); [eskü alól] release/free sy (from his oath); [pl. állásból] dismiss; [vádlottat] acquit of sg

felmér measure; [földterületet] survey; [tudást] test; átv size up

felmérés [területé] surveying; [vizsgálat] survey

felmerül [víz alól] come° to the surface; átv is emerge; arise°

felmond [leckét] recite (one's lessons); [bérlőnek, munkavállalónak] give° sy notice to leave/quit; [szerződést] cacel

felmondás [leckéé] reciting; [bérlőnek, munkavállalónak] notice (to leave/to quit)

felmos [padlót] wash up, mop up

felmutat *átv is* show°

felnagyít *[pl. fényképet]* enlarge; *átv* exaggerate

félnapi half a day's

félnapos half a day's; *[pl. állás]* half-time, part-time

felnevel bring° up

felnő *(vki)* grow° up; *átv [pl. feladathoz]* rise° (to)

felnőtt ▼ *mn* grown-up ▼ *fn* adult

felnőttkor adult age

felold *[folyadékban]* dissolve; *(vkit vmi alól)* exempt (sy from sg); *[tilalmat]* lift

feloldódik *[folyadékban]* melt°, dissolve; *átv* relax

felolvas *[hangosan]* read° (out); *[előadást]* read° a paper

felolvaszt melt°

félóra half an hour, half-hour

feloszlat *[testületet]* dissolve; *[csoportosulást]* disperse

feloszlik *[testület]* dissolve; *[részekre]* be° divided (into)

feloszt *[vmit részekre]* divide (into); *[vkik között]* distribute (among); *[osztályoz]* classify

felől *[vhonnan]* from; *(vkiről/vmiről)* about

felöltöztet dress; *átv* clothe (sy)

felöltözik dress, get° dressed, put° on one's clothes

félpanzió half-board

felperes plaintiff

felpróbál try on

felragaszt stick° on

felrak *(vmire)* put° up/ on; *[szállítmányt járműre]* load (sg on sg); *[egymásra]* pile/heap up

felráz shake° up; *[vkit álmából]* shake° sy (out of one's sleep); *átv* stir up

félre aside

félreáll *[útból]* step aside; *átv is* get° out of the way

félreállít set° aside; *átv is* put° out of the way

félrebeszél rave, be° delirious

félreért misunderstand°

félreértés misunderstanding

félreeső out-of-the-way

félreismer misjudge

félrelép *[ellép]* step aside; *[rosszul lép]* misstep; *[házasságot tör]* be° unfaithful

félrelök push aside

félretesz *[pénzt is]* put° away/aside; *[munkát]* lay° aside

félrevezet mislead°

felriad wake° up with a start

felrobban explode, blow° up

felrobbant explode, blow° up

felrúg kick over; *[pl. szabályt]* disregard (the regulations)

felruház *[ruhával ellát]* clothe; *átv (vkit vmivel)* invest (sy with sg)

felség majesty

felséges *[pompás]* splendid

felsorol list, enumerate

felsorolás *[cselekvés]* enumeration; *[lista]* list

felső upper, higher

felsőbb higher

felsőbbrendű superior

felsőfokú; ~ **nyelvvizsga** advanced-level language examination; ~ **végzettség** university degree

felsőoktatás higher/tertiary education

felszabadít set° free, liberate

felszabadul get° free, be° liberated; *átv [megkönnyebbül]* be° relieved

felszáll fly° up; *[vonatra]* get° (into/on/onto); *[lóra]* mount (a horse); *[köd]* lift

felszámít *(vkinek vmit)* charge (sy for sg)

felszámol *[céget]* wind°
up; *[jelenséget]* do° away
with; (*vkinek vmit*)
charge (sy for sg)
felszárad dry° (up)
felszed pick/take° up
felszeletel slice (up)
felszerel *[üzembe helyez]*
install; *[készlettel]* sup-
ply/provide with
felszerelés *[folyamat]*
equipping; *[üzembehelye-
zés]* installation; *[tár-
gyak]* accessories *tsz*
félsziget peninsula
felszín surface
felszínes superficial; *[se-
kélyes]* shallow
felszólal *[pl. gyűlésen]*
rise° to speak
felszólalás speech
felszolgál *[ételt]* serve (up)
felszólít (*vmire*) call
upon (sy to do sg)
felszólítás call
felszólító mód imperative
félt (*vkit*) be° concerned

(for/about sy), fear (for
sy)
feltalál *[felfedez]* invent;
~ja magát quickly
find° one's feet
feltaláló inventor
feltámad *[életre kel]* rise°
again, rise° from the
dead; *[szél]* get° up, rise°
feltámadás *vall* Resurrec-
tion
feltámaszt *[életre kelt]*
raise from the dead;
[alátámaszt] prop up
feltár open up; *[régész]*
excavate; *átv [helyzetet]*
reveal (one's heart to
sy); *[szívét vki előtt]* open
feltart *[magasba]* hold°
up; *[akadályoz vkit vmi-
ben]* keep° (sy from sg)
feltartóztat *[akadályoz vkit
vmiben]* keep° (sy from
sg); *[útonálló]* hold° up
feltárul open (wide); *[pl.
ajtó]* fly° open; *[rejtély]*
come° to light

félteke hemisphere; **déli** ~ southern hemisphere; **északi** ~ northern hemisphere

féltékeny (*vkire/vmire*) jealous (of sy/sg)

féltékenység jealousy

feltesz (*vmit vhová*) *[ételt főni is]* put° (sg on); ~ **egy kérdést (vkinek)** ask sy a question, put° a question (to sy); *[feltételez]* suppose; *ját* stake (on)

feltétel condition, term

feltételes conditional; ~ **mód** conditional

feltételez *[feltesz]* suppose; (*vkiről vmit*) suppose sy (to be) sg

feltételezés supposition

feltétlen absolute, unconditional

feltéve; ~, **hogy ...** provided/supposing/on condition that ...

feltevés *[feltételezés]* supposition; *[pl. kérdésé]* putting (of the question)

feltölt *[folyadékkal]* fill (up); *[akkumulátort]* (re)charge (battery); *inform* upload

feltöltődik *elektr* charge (up)

feltör *[erővel kinyit]* break° open; *[diót]* crack; *[feldörzsöl]* chafe; *[víz]* rush/well up; *átv* (*vki*) forge ahead

feltöröl wipe/mop up

feltúr dig° up; *[végigkutat]* turn everything upside down

feltűnés *[felbukkanás]* appearance (of sg); *[szenzáció]* sensation

feltűnik *[megjelenik]* appear; *átv* *[feltűnést kelt]* strike° the eye

feltűnő conspicuous

feltüntet *[írásban stb.]* indicate; (*vhol/vmin*) make° sg appear (as)

felugrik *[magasba]* jump/spring° up; (*vkihez*) drop in (on sy)

felújít renew, revive

felújítás renovation, revival

félúton midway, half-way

felügyel *(vkire/vmire)* look after, watch over, supervise

felügyelet supervision, control

felügyelő superintendent; *[rendőrfelügyelő]* (police) inspector

felül[1] *hsz, nu* above, over

felül[2] *ige* sit° up; *[lóra]* get° on

felülbírál revise, re-examine

felület surface

felületes superficial

felüljáró overpass, fly-over

felülmúl *(vkit vmiben)* surpass (sy in sg)

felülvizsgál revise, check up; *[gépet]* examine

felvág cut° up/open

felvágott *[hideg]* (slices of) cold meat

felvált *[pénzt]* change (a banknote); *(vkit)* take° the place of

felváltva by turns

felvesz *[fölemel]* take°/pick up; *[ruhát]* put° on; *[pénzt bankban]* draw°; *[munkahelyre]* take° on; *[adatokat]* take° down; *[egyetemre]* admit; **(vkivel) ~i a kapcsolatot** get° in touch (with sy)

felvétel *[munkahelyre]* employment; *[egyetemre]* admission; *[pénzé számláról]* withdrawal; *[fénykép]* photograph; *[film]* shooting; *[hangfelvétel]* recording

felvételi ▼ *mn* **~ beszélgetés** interview (with) ▼ *fn [vizsga]* entrance examination

felvidít cheer (up)

felvilágosít *(vkit vmiről)* inform (sy about sg)

felvilágosítás *[tájékoztatás]* information

felvonás *szính* act

felvonul march

felvonulás *[ünnepélyes]* procession; *[tüntetés]* demonstration

felzaklat upset°

felzárkózik *(vkihez)* catch° up (with sy)

felzúdul flare up, get° into a rage

felzúdulás indignation, outcry

fém metal

fenék *[emberé is]* bottom

feneketlen bottomless; *átv* fathomless

fenn above, up; *[emeleten]* upstairs

fennakad *[beleakad]* get° caught; *[megakad vmin]* stop

fennakadás *[közlekedésben]* traffic jam

fennáll exist

fennmarad *[nem szűnik meg]* survive; *[nem fogy el]* remain

fennsík plateau

fenntart *[helyet]* reserve; *[pl. kapcsolatot]* maintain

fenntartás *[családé]* keeping; *[pl. kapcsolaté, intézményé]* maintenance; *[kikötés]* condition, reservation

fenség *[cím]* Highness

fenséges majestic

fent above, up; *[emeleten]* upstairs

fenti above; *[fent említett]* the above(-mentioned)

fény light; *átv* splendour

fenyeget *(vkit vmivel)* threaten (sy with sg)

fenyegetés threat

fenyegető threatening; *[veszély]* impending

fényes shining; *átv* splendid

fényesít polish

fénykép photo(graph)

fényképész photographer

fényképez *(vkit/vmit)* take°

a photo(graph) (of sy/
sg), photograph

fényképezőgép camera

fénykor golden/heyday age

fénylik shine°

fénymásol (*vmit*) make°
a photocopy (of sg)

fénymásolat photocopy

fénymásoló *[gép]* (photo)-
copier

fenyő pine (tree), fir (tree)

fenyőfa pine (tree), fir
(tree); *[anyag]* pine-
(wood)

fényszóró *[autón]* head-
light(s)

fényűző luxurious

fér (*vmibe*) fit into sg

fércel baste

ferde leaning (to one
side), slanting, inclined

féreg worm; *átv* creep

férfi man (*tsz* men);
[jelzőként] male

férfias manly

férj husband; **~hez megy**
(**vkihez**) get° married
(to sy)

fertőtlenít disinfect

fertőtlenítőszer disinfec-
tant

fertőz infect, be° infec-
tious

fertőzés infection

fertőző infectious

fest paint

festék paint; *[arcra]*
make-up

festés-mázolás decora-
tion

festészet painting

festmény picture, painting

festő *[művész]* artist,
painter; *[szobafestő]*
house-painter

fésű comb

fésül comb

fésülködik do°/comb one's
hair

fészek nest

feszélyez embarrass

fészer shed

feszes *[ruha]* tight; *[kö-
tél]* taut; *[tartás]* upright

fesztelen relaxed, unin-
hibited

feszült stretched; *átv* tense

feszültség *[feszült álla-pot]* tension, strained relations; *elektr* voltage

fiatal ▼ *mn* young ▼ *fn* young person, youth

fiatalember young man (*tsz* men)

fiatalkor youth

fiatalkorú youthful, juvenile

fiatalos youthful

fiatalság *[életkor]* youth; *[állapot]* youthfulness; *[fiatalok]* young people *tsz*

ficánkol *[ló]* prance, frisk; *[hal]* splash about; *átv* *[vidáman]* frisk about

fickó fellow, guy, bloke

figura figure; *[sakkban]* (chess-)piece

figyel listen; (*vkit*) watch (sy); (*vmire*) follow sg with attention

figyelem attention

figyelmes attentive; *[ud-varias]* thoughtful

figyelmetlen inattentive; *[nem udvarias]* inconsiderate

figyelmeztet (*vkit vmire*) call/draw° sy's attention to sg; *[eszébe juttat]* remind (sy of sg v. to do sg)

figyelmeztetés warning, notice; reminder

filctoll felt-tip (pen)

filé fillet

film film; *[mozifilm]* picture, movie

filmrendező director

filmsztár film star

filmvetítés screening

filter filter

filteres tea tea bag

finanszíroz finance; *[tá-mogat]* sponsor

finn ▼ *mn* Finnish ▼ *fn* *[ember]* Finn; *[nyelv]* Finnish

Finnország Finland

finom fine; *[kifinomult]* refined; *[tapintatos]* tactful

finomság fineness; *[ízlésé]* refinedness; *[étel]* delicacy

fintor grimace

finnyás fastidious, picky

fiók drawer; *[pl. banké]* branch

firkál scribble

fiú (young) boy; *[vki fia]* son; *[lány fiúja]* boyfriend

fiútestvér brother

fivér brother

fizet pay°; *átv is (vmiért)* pay° for sg; *[pl. étteremben]* ~ek! the bill, please!

fizetés *[cselekvés]* payment; *[illetmény]* salary, wages *tsz*

fizetésemelés rise (of/in salary)

fizetési; ~ **kedvezmény** discount; ~ **feltételek** terms of payment; ~ **részlet** instalment

fizetésképtelen insolvent

fizetőkapu *[autópályán]* toll gate

fizika physics *esz*

flopi floppy disk

flotta fleet

foci soccer

focista soccer player

focizik play soccer

fodor *[ruhán]* frill; *[vizen]* ripple

fodrász hairdresser

fodrásznő woman hairdresser (*tsz* women hairdressers)

fodrászüzlet hairdresser's (salon)

fodros frilled; *[víz]* ripply; *[felhő]* fleecy

fog¹ *fn [tárgyaké is]* tooth (*tsz* teeth); **fáj a ~a** have° (a) toothache

fog² *ige [tart]* hold°; *[megragad]* take°, grasp; *[állatot]* catch°; *[pl. tévéadást]* get°; *(vmibe/vmihez)* begin° to do (sg), take° up (sg)

fog³ *segédige* will/shall, be° going to

fogad *[pl. vendéget]* receive; *[elfogad]* accept; *(vkivel vmiben)* bet° (sy sg); **örökbe ~** adopt (sy); **(vkinek) szót ~** be° obedient (to sy)

fogadalom oath, pledge

fogadás *[vendéglátás]* reception; *[pl. pénzben]* bet

fogadó inn; *[pl. szerencsejátékban]* punter

fogadóóra consulting hours *tsz*

fogadós innkeeper

fogadtatás welcome

fogalmaz compose, draft

fogalmazás *[folyamat]* drafting; *[szöveg]* draft, composition

fogalom idea; *fil* concept

fogamzásgátló contraceptive

fogantyú handle; *[járművön]* strap

fogas¹ *[kabátnak]* coat-rack; *[fogaskerekű vasút]* cogwheel railway

fogas² *[hal]* zander

fogás *[étel]* course; *[ravaszság]* trick; *[vmi tapintása]* touch

fogaskerék cogwheel

fogaskerekű *[vasút]* cogwheel railway

fogászat *[rendelő]* dental surgery/clinic

fogászati dental

fogat carriage, coach

fogékony *(vmire)* sensitive (to sg)

fogfájás toothache

fogkefe toothbrush

fogkrém toothpaste

foglal *[lefoglal]* seize; **helyet ~** take° a seat; **magában ~** include

foglalat *elektr* socket; *[drágakőé]* setting

foglalkozás occupation; *[tevékenység]* activity

foglalkozik be° occupied/ engaged in (doing) sg; *[írás vmivel]* treat (sg);

[tanulmányoz vmit] study (sg); *[érdeklődik vmi iránt]* be° interested (in sg)

foglalkoztat *[dolgozót]* give° employment/work (to sy); *(vkit vmi)* be° concerned (about sg)

foglaló *[pénz]* deposit, advance payment

foglalt *[pl. hely]* occupied; *[személy]* engaged, busy

fogó *[kombinált ~, lapos~]* wrench, spanner; *[harapó~]* pincers *tsz*

fogócska a game of tag/tig

fogócskázik play tag/tig

fogózkodik *(vkibe/vmibe)* hold° (on)to

fogoly[1] prisoner; *[jelzőként is]* captive

fogoly[2] *[madár]* (grey) partridge

fogorvos dentist

fogpiszkáló toothpick

fogság captivity

fogy lessen; *[áru]* sell°;

[súlyt veszít] lose° weight; *[hold]* wane

fogyaszt *[elhasznál]* use up; *[eszik/iszik]* consume

fogyasztás consumption; *[soványítás]* slimming

fogyasztó consumer

fogyasztói; ~ társadalom consumer society; **~ ár** consumer price

fogyatékos *[hiányos]* deficient; *[beteg]* handicapped, disabled

fogyatékosság *[hiányosság]* insufficiency; *orv is* deficiency

fogyókúra slimming diet

fojt *[torkát szorítva]* choke; *[fullaszt]* suffocate

fok *[létráé]* rung; *[hegyé]* peak; *[hőmérsékleté]* degree; *[fejlődési]* phase

fóka seal

fokhagyma garlic

fokoz *[sebességet]* increase; *[termelékenységet]* improve (productivity)

fokozatos gradual

fokozódik increase, intensify

fólia *[pl. írásvetítőhöz]* transparency; *[fém]* foil; *[műanyag]* clingfilm

folt *átv is [paca, szennyezés]* stain; *[ruhára varrt]* patch

foltos *átv is [nem tiszta]* stained; *[ruha]* patched

foltoz patch

folyadék liquid

folyamat process

folyamatos continuous

folyékony fluid, liquid; *[beszéd]* fluent

folyékonyan; ~ beszél angolul speak° fluent English

folyik flow; *[lebonyolódik, megy]* go° on

folyó ▼ *mn* ~ **év** this year, current year; ~ **víz** *[csapból]* running water ▼ *fn* river

folyóirat periodical, journal

folyópart (river-)bank

folyósít *[pénzt]* make° payable; *[összeget készpénzben]* pay° out (in cash)

folyosó corridor

folyószámla *[bankban]* bank/current account

folyóvíz running water; river-water

folyóvölgy river valley

folytat *[tovább csinál]* continue, go° on, carry on; *[meghosszabbít]* extend; *[vmilyen életmódot]* live/lead° (a life)

folytatás continuation; *[pl. filmsorozat rész]* instalment, serial part

folytatódik continue, go° on

folyton always, all the time

fon *[fonalat]* spin° (yarn); *[kötelet]* twist (rope); *[kosarat]* weave° (basket); *[hajat]* braid (hair)

fonák *sp [ütés]* backhand (stroke)

fonal yarn; *átv* thread

fontos important, significant, essential

fonnyadt withered

fordít *[vmilyen irányba]* turn (round); *[vmit egyik nyelvről egy másikra]* translate (sg from sg into sg); *[pénzt vmire]* spend° (on sg); *[pl. figyelmet vmire]* direct (attention) (to sg); **~s!** please turn over (*röv* P.T.O.)

fordítás *[vmilyen irányba]* turning (round); *[más nyelvre]* translation

fordított ▼ *mn* reversed; *[nyelvből]* translated (from) ▼ *fn* **~ja** (**vminek**) the opposite/reverse (of sg)

fordítva inversely; on the contrary

fordul *[vmilyen irányba]* turn (round); *(vkihez)* turn (to sy); *(vki ellen)* turn/rise° (against sy);

jóra ~ take° a happy turn

fordulat *[tengelyé]* revolution; *átv* (sudden) change; *[beszédben]* phrase

forduló *[fordulópont]* turning point; *[lépcsőn]* landing; *sp* round

forgács *[fa]* shavings *tsz*

forgalmas busy

forgalmi; ~ **adó** purchase tax; ~ **dugó** traffic jam

forgalom traffic; *gazd* turnover

forgás turning round

forgat turn (round); *[filmet]* shoot°; **(vmit)** ~ **a fejében** *[vmit tervez]* have° sg in mind

forint *[magyar]* forint (*röv* ft, HUF); *[holland]* guilder

forma *átv is* shape; **F~ I** Formula I

formál *átv is* form

formás well-shaped

formaság formality

formátlan shapeless

forog *[körbe]* turn (round); *[pl. hír, könyv]* circulate; *[társaságban]* move (in society); **veszélyben ~** be° in danger

forr be° on the boil; *[bor]* ferment

forrad *[seb]* heal over; *[csont]* knit°

forradalom revolution

forradás *[sebhely]* scar

forral boil; *átv [gonoszságot]* hatch (a plot)

forrás boiling; *[boré]* fermentation; *[víz előtörése]* spring; *[pl. híré, kutatásé]* source(s)

forraszt solder

forrasztás soldering

forráz pour boiling water (on sg)

forró (very) hot; *[vágy]* ardent; **~ égöv** torrid zone, the tropics *tsz*

forrong be° in revolt

forróság hotness; *[láz]* (high) temperature

fórum forum

fosztogat loot

fotel armchair

fotó photo

fő¹ *mn [lényeges, fontos]* principal, main

fő² *fn [fej]* head; *[személy]* person

fő³ *ige [étel, ital]* boil; *átv [hőségben vki]* swelter; **~ a fejem** sg gives me a headache, *biz* I've been worrying my head off

főállás full-time job

főállású professional

főbejárat front door, main entrance

főbérlő tenant

főhős protagonist, hero

főiskola college

főiskolás student

főként mainly, particularly

föl¹ *fn [tejé]* the top of the milk

föl² *hsz* up

föld *[a Föld]* the Earth; *[felszín, talaj]* ground, earth; *[szárazföld]* (dry) land; *[birtok]* land

földalatti ▼ *mn [illegális]* underground, illegal ▼ *fn [vasút]* the underground (railway)

földgáz natural gas

földgolyó (the) globe

földgömb (the) globe

földi ▼ *mn* ground; *[evilági]* earthly ▼ *fn* fellow-countryman (*tsz* -men)/ townsman (*tsz* -men)

földieper strawberry

földigiliszta (earth)worm

földimogyoró peanut

Földközi-tenger the Mediterranean (Sea)

földművelés agriculture

földműves agricultural worker

földrajz geography

földrengés earthquake

földrész continent

földszint *[házban]* ground floor; *szính* (front) stalls *tsz*

földszintes single-storey

fölé over

főleg mainly, particularly

fölény superiority

fölösleg surplus; *[maradék]* residue

fölösleges *[több]* superfluous

fölött above; *[vmin túl/át]* over; *átv* ~e **áll** (**vminek**) be° above sg

főnév noun (*röv* n.)

főnök principal, head (of department)

főnöknő principal, head (of department); *[főapáca]* mother superior

főnyeremény top/first prize; *átv* stroke of luck

főorvos *[kórházi]* head physician

főpincér head waiter

fösvény ▼ *mn* avaricious, miserly ▼ *fn* miser

főszereplő protagonist

főtt *[pl. hús]* cooked, boiled

főúr *[főnemes]* aristocrat, noble(man *tsz* men); *[főpincér]* headwaiter

főváros capital

fővárosi of the capital *ut*

főz cook; *[rendszeresen]* do° the cooking; *[pálinkát]* distil

főzelék vegetable (dish)

frakk tailcoat

francia ▼ *mn* French ▼ *fn* *[ember]* Frenchman (*tsz* -men); *[nyelv]* French

franciaágy double bed

Franciaország France

freskó fresco, mural

friss *[pl. levegő, zöldség]* fresh; *[hír]* recent; *[testileg]* energetic

frissít *[vkit pl. ital]* refresh

frissítő ▼ *mn* refreshing ▼ *fn* ~**k** *[étel, ital]* refreshments

frizura hair-style

front *[katonai]* front(line); *[meteorológiai]* front

frontális összeütközés head-on collision

frottír terry (cloth), towelling

fröccs (wine) spritzer

fröccsen splash

fröcsköl splash

frufru fringe

fúj *[szél]* blow°; *[hangszert]* blow°

fukar miserly

fullad *[nem kap levegőt]* be° suffocating/choking; *[vízbe]* be°/get° drowned

fulladás *[levegőhiánytól]* suffocation; *[vízben]* drowning

fullánk sting

fullasztó suffocating

funkció function

fúr drill

furcsáll find° sg unusal/ odd/strange

furcsaság *[különösség]* strangeness; *[furcsa dolog]* curiosity fúró /villany~/ drill

furulya recorder

fut run°; /menekül vki/ vmi elől/ escape (from)

futam sp heat; /lóversenyen/ race

futár /küldönc/ messenger

futás run(ning); sp running

futball (Association) football; biz soccer

futballista football player

futballozik play football

futkos run° about

futó ▼ mn running; /futólagos/ superficial; inform /program/ active ▼ fn sp runner; /sakkban/ bishop

futólag cursorily, incidentally

fuvar /szállítóeszköz, szállítás/ transport, carriage; /szállítmány/ freight, load

fuvaroz transport, carry

fuvarozás transportation, carriage

fuvarozó ▼ mn carrying ▼ fn shipping agent, carrier

fúvós hangszer wind instrument

fű grass

füge fig

függ /lóg vmiről/ hang° (down) (from); átv (vkitől/vmitől) depend on sy/sg

függelék /karácsonyfára/ Christmas decorations tsz; /könyvben/ appendix (tsz appendixes v. appendices)

független (vmitől/vkitől) independent (of sg/sy); F~ Államok Közössége Commonwealth of Independent States (röv CIS)

függetlenség independence

függőágy hammock

függőleges perpendicular; /keresztrejtvényben/ down

függöny *[sötétítő/színházi is]* curtain
függővasút cable-railway
függvény *mat* function
fül ear; *[fogantyú]* handle; *[könyv borítóján]* blurb
fülbevaló ear ring
fülcimpa earlobe
fülel listen attentively
fülemüle nightingale
fülhallgató earphone(s)
fülke *[hajón]* cabin; *[vonaton]* compartment; *[telefon~]* phone booth/ box
fülledt stifling, stuffy
füllent tell° a fib
fül-orr-gégészet *[osztály]* ear, nose, and throat ward
fűnyíró lawn mower
fürdet (*vkit*) bath (sy)
fürdik take°/have° a bath
fürdő bath; *[intézmény]* public baths *tsz;* *[gyógy~]* thermal bath(s)
fürdőkád bath

fürdőköpeny bathrobe
fürdőnadrág swimming trunks *tsz*
fürdőruha bathing suit
fürdőszoba bath(room)
fűrész saw
fűrészel saw° (off/up)
fürge quick, nimble
fürt *[szőlő]* bunch (of grapes); *[haj]* lock (of hair)
füst smoke
füstöl *[pl. kémény]* give° off smoke; *[dohányzik]* smoke; *[húst]* smoke
füstölt *[hús]* smoked
füstszűrős cigaretta filter-tipped cigarette
fűszál blade/leaf of grass (*tsz* leaves)
fűszer spice
fűszeres ▼ *mn [étel, átv történet is]* spicy ▼ *fn [kereskedő]* grocer
fűszerez *[ételt]* season; *átv* spice
fűt *[szobát]* heat; *[kazánt]* stoke (up)

fűtés heating; *[kazáné]* stoking

fűtőtest radiator

fütty whistle

fütyül whistle; *[madár]* pipe, sing°

füves grassy

fűz¹ *fn [fa]* willow; *[fája]* willow (wood)

fűz² *ige [könyvet]* stitch; (*vmihez vmit*) attach (sg to sg); *[tűbe]* thread (needle)

füzet exercise/copy-book; *[könyvecske]* booklet; *[folyóiratszám]* number

fűzfa willow; *[fája]* willow (wood)

G

gabona grain
gála gala
galamb pigeon
galéria gallery
gallér collar
galuska dumplings *tsz*
gally twig
gallyaz prune
gáncs trip
gáncsol trip sy (up); *átv* thwart sy's plans
garancia guarantee, warranty
garantál *átv is* guarantee, warrant
garat *[torokban]* pharynx (*tsz* pharynges v. -nxes)
garázda ruffianly

garázdálkodik go°/be° on the rampage, ravage
garázs garage
garbó polo-neck (sweater/ jumper)
garnitúra set
garzonlakás flatlet
gát *[védgát, töltés]* dike, dyke; *[akadály]* impediment; *sp* hurdle
gátfutás *sp* hurdles *tsz,* hurdle race
gátlás *[akadály]* hindrance; *[pszichológia]* inhibition
gátlásos inhibited
gátlástalan unscrupulous
gátol (*vmit*) hinder (sg); (*vkit vmiben*) throw° an obstacle in sy's way
gatya *biz* (under)pants *tsz*
gaz¹ *mn* villainous
gaz² *fn [gyom]* weed
gáz gas
gázcsap gas-tap
gazda farmer; *[tulajdonos]* owner

gazdag ▼ *mn* *[ember]*
rich, wealthy; (*vmiben*)
rich/abounding (in sg);
[bőséges] abundant ▼ *fn*
a ~ok the rich/wealthy
gazdagít make° rich, en-
rich
gazdagodik become°/
grow° rich/wealthy
gazdagság *[vagyon]*
wealth; *[bőség]* rich-
ness, abundance
gazdálkodás farming
gazdálkodik *[gazdaságot
vezet]* run° a farm; **jól
~ik** (**vmivel**) manage
sg well
gazdálkodó ▼ *mn* ec-
onomic ▼ *fn* farmer
gazdaság *[közgazdaság]*
economy; *[birtok]* farm
gazdasági economic;
[pénzügyeket intéző] fi-
nancial
gazdaságos economical,
profitable
gazdaságpolitika econ-
omic policy

gazdaságtalan uneco-
nomical, unprofitable
gazdasszony housewife
(*tsz* -wives); *[házvezető-
nő]* housekeeper
gazdátlan *[állat]* stray,
ownerless; *[tulajdon]* un-
claimed
gazella gazelle
gazember villain
gázfűtés gas heating
gazol weed
gázol *[vízben]* wade; *[au-
tóval elüt vkit]* run° over/
down (sy)
gázolaj diesel oil
gázóra gas meter
gázpalack gas container
gázpedál accelerator
(pedal)
gázszámla gas bill
gaztett villainy, outrage
gáztűzhely gas cooker
gázvezeték gas piping (v.
pipes *tsz*)
gége larynx (*tsz* larynges
v. -nxes)
gégészet laryngology

gejzír geyser
gemkapocs paper-clip
gén gene
generáció generation
generátor generator
genetika genetics *esz*
gengszter gangster
genny pus
gennyes purulent
gennyesedik become° full of pus, suppurate
geometria geometry
gép machine
gépel type
gépeltérítés hijack
gépeltérítő hijacker
gépesít mechanise
gépesített mechanised
gépész mechanic, operator; *[hajón]* engineer
gépészmérnök mechanical engineer (*röv* M.E.)
gépezet *átv is* machinery
gépgyár engine/machine factory
gépház engine room
gépi mechanical; *[géppel készült]* machine-made

gépies automatic, mechanical; *[nem tudatos]* unconscious
gépírás *[tevékenység]* typewriting; *[szöveg]* typescript
gépjármű (motor) vehicle
gépjárműadó motor vehicle tax
gépjárművezető driver
gépkocsi (motor) car
géplakatos engine fitter
géppisztoly *[félautomata]* submachine-gun; *[automata]* machine gun
géppuska heavy machine-gun
géprablás hijack
géprabló hijacker
gépselyem sewing silk, machine-twist
gépsonka boned ham, pressed ham
gépterem machine room
gereblye rake
gereblyéz rake
gerely *[fegyver]* spear; *sp* javelin

gerelyhajítás *sp* (throwing the) javelin

gerenda *sp is* beam

gerezd *[gyümölcsé]* slice; *[narancsé]* segment; *[fokhagymáé]* clove

gerinc *[testrész]* spine; *[hegyé]* ridge; *átv [tartás]* backbone

gerinces ▼ *mn [állat]* vertebrate; *átv* steadfast, firm ▼ *fn áll* vertebrate

gerincoszlop spinal/vertebral column

gerinctelen ▼ *mn [állat]* invertebrate; *átv* spineless ▼ *fn áll* invertebrate

gerincvelő spinal marrow/cord

gerjed *[elektromos áram]* be° induced/generated; *átv* haragra ~ (vki ellen) become°/get° angry (with sy)

gerjeszt *[elektromos áramot]* induce, generate; *[tüzet]* kindle; *[hőt]* heat;

átv haragra ~ make° sy angry

gerle turtle-dove

gesztenye *[szelíd termése]* (sweet/Spanish) chestnut; *[vad termése]* conker

gesztenyebarna chestnut(-coloured/brown)

gesztenyefa chestnut (tree); *[vad]* horse chestnut

gesztenyepüré chestnut puree

gesztikulál gesture, gesticulate

gesztus *átv is* gesture

géz (antiseptic) gauze

giccs kitsch

giccses kitschy

gida *[kecske]* kid; *[őz]* fawn

giliszta *[földi]* earthworm; *[bélben]* (tape)-worm

gimnasztika gymnastics *esz*

gimnazista *kb.* secondary-school boy/girl

gimnázium secondary school

gipsz *[természetes]* gypsum; *[égetett]* plaster (of Paris); *orv [rögzítő kötés]* plaster-bandage

gipszel plaster, cover with plaster; *orv [végtagot]* put° (a limb) in plaster

gipszkötés plastering, plaster-bandage

gitár guitar

gitározik play the guitar

gitt putty

globális global

globalizáció globalisation

góc *[pl. betegségé]* focus; *[idegeké]* plexus

gól goal; **~t lő** score/kick a goal

golf golf

golfjátékos golf player

golfozik play golf

góllövő (goal-)scorer

gólya *áll* stork; *[elsőéves]* fresher

golyó ball; *[puskába]* bullet

golyóstoll ballpoint (pen), biro

gomb *[ruhán, csengőgomb]* button; *[ajtón, fiókon]* knob

gomba mushroom; *orv is* fungus (*tsz* -gi v. -uses)

gombás *[étel]* with mushrooms *ut*

gombászik gather mushrooms

gomblyuk buttonhole

gombóc dumpling

gombol button (up)

gombolyag ball

gombolyít wind° into a ball

gombostű pin

gomolyog *[füst]* wreathe

gond *[nehézség]* difficulty, trouble; *[aggódás]* concern, worry

gondatlan negligent, careless

gondatlanság negligence, carelessness

gondnok *[intézményé]*

warden; *[örökségé]* administrator

gondnokság *[gondnoki hivatal]* warden's office; *[intézményé]* board of trustees

gondol think°; (*vmire/vkire*) think° (of/about sg/sy)

gondolat thought, idea

gondolatjel dash

gondolatmenet chain/sequence of ideas

gondolkodás *[tevékenység]* thinking; *[gondolkodásmód]* way of thinking; ~ **nélkül** without hesitation

gondolkodási idő time to think

gondolkodásmód way of thinking

gondolkodik (*vmiről/vmin*) think° (of/about)

gondolkodó ▼ *mn* thinking ▼ *fn* thinker; *[filozófus]* philosopher

gondos careful, precise

gondoskodik (*vmiről/vki-*

ről) take° care (of sg/sy), look (after sg/sy)

gondoz (*vkit*) look (after sy), take° care (of sy); *[beteget]* nurse

gondozatlan untidy

gondtalan carefree, light-hearted; *[élet]* cloudless

gondviselés providence; *[gondozás]* care; *[kiskorú gyermeké]* custody

gonosz evil

gonoszság evil; *[tett]* evil/wicked deed

gordonka (violon)cello

goromba rough

gorombáskodik (*vkivel*) be° rude/offensive (to sy)

gótikus Gothic

gödör pit

gőg arrogance, pride

gőgös arrogant, proud

gömb ball; sphere; *földr* globe

gömbölyödik become°/get° round

gömbölyű round; *[emberről]* stout
Göncölszekér the Great Bear *US* the Big Dipper
göndör curly
göndörít curl
göndörödik curl
göngyöl roll (up)
göngyöleg *[csomagolóanyag]* wrapping
görbe ▼ *mn* curved ▼ *fn mat* curve
görbít bend°
görbül curve
görcs *[izomé]* cramp; *[fában]* knot
görcsoldó analgesic, antispasmodic
görcsöl get°/have° cramp
görcsös *[fa]* gnarled, knotty; *orv* spasmodic; *[gátlásos]* inhibited
gördeszka skateboard
gördeszkázik skateboard, ride° on a skateboard
gördít roll, wheel
gördül roll (along)

gördülékeny smooth, fluent
görény polecat
görget roll, wheel
görkorcsolya rollerskates *tsz; [egysoros]* rollerblade
görkorcsolyázik rollerskate
görnyed bow, bend°
görnyedt bowed, bent
görög *mn, fn* Greek
görögdinnye watermelon
görögkeleti (Greek) Orthodox
Görögország Greece
göröngyös uneven, bumpy
gőz vapour; *[hajtóerő]* steam
gőzfürdő Turkish/steam bath
gőzgép steam-engine
gőzhajó steamer
gőzmozdony steam engine
gőzöl *[gőzölög]* steam; *[textíliát]* hot-press; *[ételt]* steam

gőzölög steam

gőzös ▼ *mn* steamy ▼ *fn* [*mozdony*] steam engine, locomotive; [*hajó*] steamer

grafika *műv* graphic arts *tsz*; [*egyes kép*] graphic work; *inform* [*rajz*] graphics *esz/tsz*; *nyomd* artwork

grafikon diagram, chart, graph

grafikus ▼ *mn* graphic ▼ *fn* [*művész*] graphic artist

gramm gramme

gránátalma pomegranate

gránit granite

gratulál (*vkinek vmihez*) congratulate (sy on sg); ~ok! congratulations!

grépfrút grapefruit

grillcsirke grilled chicken

grillez grill

grimasz grimace

gríz semolina

Grönland Greenland

grönlandi ▼ *mn* Greenlandic ▼ *fn* Greenlander

grúz *mn, fn* Georgian

Grúzia Georgia

gubancos [*haj, szőr*] shaggy

guggol crouch

gúla pyramid

gulya herd (of cattle)

gulyás [*ember*] herdsman (*tsz* -men); [*étel*] (Hungarian) goulash

gulyásleves goulash soup

gumi rubber; [*gumiabroncs*] (rubber) tyre; [*óvszer*] rubber; ~t használ wear rubbers

gumiabroncs (rubber) tyre

gumicsizma gumboots *tsz*, rubber boots *tsz*

gumikesztyű rubber gloves *tsz*

gumimatrac air mattress; [*strandon*] inflatable (beach) mattress

gúnár gander

gúny mockery, ridicule
gúnynév nickname
gúnyol mock, make° fun (of sy)
gúnyolódik be° sarcastic
gúnyos sarcastic, ironic(al)

gurít roll
gurul roll; **dühbe ~** lose° one's temper
gusztus taste
gusztusos appetising
gusztustalan disgusting, repulsive

GY

gyakori frequent

gyakorlás practice

gyakorlat *[feladat]* exercise

gyakorlati practical

gyakorlatias practical

gyakorlatlan inexperienced

gyakorlatozik *kat* drill

gyakorló *[vmilyen szakmát folytató]* practising; *[szakmai gyakorlatot végző]* training

gyakorlott experienced, trained, skilled

gyakorol practise; *[befolyást vkire/vmire]* exert (influence on sy/sg)

gyakran often, frequently

gyaláz abuse, slander

gyalázat shame

gyalázatos *[szégyenletes]* disgraceful, shameful; *[szörnyű]* outrageous, monstrous

gyalog ▼ *hsz* on foot; ~ **megy** walk ▼ *fn [sakkban]* pawn

gyalogátkelőhely zebra crossing *US* crosswalk

gyalogol go° on foot, walk

gyalogos pedestrian; *kat* foot-soldier

gyalogság *kat* infantry

gyalogtúra walking tour

gyalogút footpath; *[megtett út]* walk

gyalu plane; *[konyhai szeletelő]* slicer

gyalul plane; *[pl. zöldséget]* slice

gyám *jog [gyermeké]* (legal) guardian; *[támasz]* support, prop

gyámolít support

gyámoltalan helpless

gyámság *jog* guardianship

gyanakszik (*vkire/vmire*) suspect (sy), be°/feel° suspicious about/of sy/sg

gyanakvó suspicious

gyanít suspect, presume

gyanta resin; *zene [vonóra]* rosin

gyantáz resin; *zene [vonót]* rosin

gyanú suspicion

gyanús *[ügy]* shady; *[ember]* shifty

gyanúsít (*vkit vmivel*) suspect (sy of sg)

gyanúsított suspect

gyanútlan unsuspecting

gyapjú wool; *[jelzőként]* woollen

gyapjúszövet woollen cloth

gyapot *[jelzőként is]* cotton

gyár factory

gyarapít increase, multiply

gyarapodik increase, grow°; *[testsúly]* put° on weight

gyári *[áru]* factory-made

gyarmat colony, settlement

gyarmatosít colonise

gyárt manufacture

gyártás manufacture

gyártmány product

gyász mourning

gyászol (*vkit*) mourn (for sy)

gyászos *[bánatos]* mournful, sorrowful; *[szegényes]* wretched, miserable

gyáva ▼ *mn* cowardly ▼ *fn* coward

gyávaság cowardice

gyékény *[növény]* bulrush; *[fonat]* mat(ting)

gyémánt diamond

gyenge ▼ *mn* weak; *[erőtlen]* feeble; *[törékeny]* frail ▼ *fn [aminek nem tud vki ellenállni]* weakness (for)

gyengéd tender, gentle

gyengédség tenderness
gyengélkedik be° unwell
gyengeség weakness
gyengít weaken; *[lelkileg]* enervate
gyengül weaken
gyep lawn, grass
gyeplő reins *tsz*
gyér scanty; *[növényzet]* straggling; *[haj]* thin
gyerekes childish
gyer(m)ek child (*tsz* children); *[lány]* daughter; *[fiú]* son
gyermekbetegség children's illness
gyermekcipőben jár *átv* be° in its infancy
gyermeki child's
gyermekjegy children's ticket
gyermekkocsi pram; *[öszszecsukható]* pushchair
gyermekkor childhood
gyermekláncfű dandelion
gyermekotthon home for children

gyermekszoba nursery, child's/children's room
gyermektartás maintenance (of children)
gyermektartásdíj child support
gyermektelen childless
gyertya candle; *[autóban]* spark plug
gyertyatartó candlestick
gyík lizard
gyilkol murder, kill
gyilkos ▼ *mn* murderous; ~ iram killing pace; ~ tekintet withering look ▼ *fn* murderer, killer
gyilkosság murder
gyógyfürdő *[hely]* spa; *[víz]* thermal bath
gyógyhatás curative effect/power
gyógyhatású medicinal
gyógyintézet hospital, health resort, sanatorium
gyógyít cure; *átv is [sebet]* heal
gyógyíthatatlan *[beteg-*

ség, beteg] incurable, untreatable

gyógyítható curable, treatable

gyógykezelés (medical) treatment

gyógymód cure, therapy

gyógynövény medicinal plant/herb

gyógyszer medicine; *átv* remedy

gyógyszerész pharmacist, chemist

gyógyszertár pharmacy

gyógytorna physiotherapy

gyógyul (*vmiből*) be° recovering (from sg); *[seb]* be° healing (up)

gyógyvíz medicinal water(s), mineral waters *tsz*

gyom weed

gyomlál weed

gyomor stomach

gyomorbaj stomach complaint/disease

gyomorrontás indigestion

gyónás confession

gyors ▼ *mn* quick; *[hirtelen]* sudden; *[munka, vonat, futó]* fast ▼ *fn [vonat]* fast/express train; *[úszásnem]* (front) crawl (stroke), *[versenyszám]* freestyle (swimming)

gyorsaság speed, quickness

gyorsétterem fast-food restaurant

gyorsfagyasztott quick-frozen

gyorsforraló *[elektromos]* electric kettle

gyorshajtás speeding- (writing)

gyorsírás shorthand

gyorsít speed up, increase the speed (of)

gyorsjárat *[busz]* express bus/coach service

gyorsul quicken, gather speed

gyorsulás acceleration

gyorsúszás *[úszásnem]* (front) crawl (stroke),

[versenyszám] freestyle (swimming)

gyorsvasút rapid transit railway

gyorsvonat fast/express train

gyökér root; *[petrezselymé]* parsley root

gyökeres *átv* radical

gyökerezik (*vmiben*) be° rooted (in sg)

gyömbér ginger

gyömöszöl stuff, press

gyöngy *átv is* pearl

gyöngysor string of pearls, pearls *tsz*

gyöngyvirág lily of the valley

gyönyör *[érzés]* pleasure; *átv* delight

gyönyörködik (*vmiben*) take° delight (in sg)

gyönyörködtet delight (sy)

gyönyörű beautiful, wonderful, magnificent

gyönyörűség beauty, delightfulness; *[élvezet]* pleasure, delight

gyötör *[testileg]* torture; *[belsőleg]* worry, tease

gyötrelem *[testi]* suffering, pain; *[lelki]* worry, misery

gyötrelmes *[testileg]* painful, tormenting; *[lelkileg]* anxious, anguished

gyötrődik *[lelkileg]* worry, suffer torments

győz gain a victory; *sp is* win°; *átv [munkát]* manage to do

győzelem victory, triumph; *sp is* win

győztes ▼ *mn* victorious; *sp* winning ▼ *fn* victor; winner

gyufa match

gyufásdoboz matchbox

gyújt *[tüzet, cigarettát]* light°; **gyufát** ~ strike° a light/match; **villanyt** ~ switch on the light; *[motor]* spark

gyújtás *[tűzé]* lighting; *[motorban]* ignition, sparking

gyújtogat set° (sg) on fire

gyújtogató arsonist, fire-raiser

gyúlékony inflammable

gyullad catch°/take° fire

gyulladás *orv* inflammation

gyúr *[pl. tésztát]* knead; *[masszőr]* massage

gyurma plasticine, kneading and modelling paste

gyűjt gather; *[pl. adatokat]* collect; *[vmire pénzt]* save (for sg)

gyűjtemény collection

gyűjtő collector

gyülekezet *vall* congregation

gyülekezik gather (together)

gyűlés meeting, gathering, assembly

gyűlésezik hold° a meeting

gyűlik *[tömeg]* assemble; *[pénz]* be° accumulating

gyűlöl *(vmit/vkit)* hate (sg/sy)

gyűlölet hate, hatred

gyűlöletes hateful, odious

gyűlölködik be° full of hatred

gyümölcs fruit; *átv (vmié)* fruit(s)

gyümölcsfa fruit tree

gyümölcsíz (fruit) jam

gyümölcslé (fruit) juice

gyümölcsös fruit garden

gyümölcsözik *átv* bear° fruit

gyümölcsöző fruitful

gyümölcstorta fruit cake

gyűr crumple

gyűrhetetlen crease-resistant/proof

gyűrődés crease

gyűrődik crease

gyűrött *[textília]* crumpled, creased; *[arc]* worn, tired

gyűrű ring; *műsz* hoop; *sp* rings *tsz;* (**külső**) ~ *[város körül]* ring road

gyűrűsujj ring/third-finger

gyűszű thimble

H

ha if

hab foam; *[söré]* froth; *[szappané]* lather; *[tej-színé]* whipped (cream); *[tojásfehérjéé]* beaten (egg white)

habar stir

habár (al)though

habfürdő bubble bath

háborgat bother, disturb

háborítatlan peaceful, un-disturbed

háborog *(vki)* grumble; *[tenger]* be° stormy

háború war

háborús of war *ut,* war (-time); ~ **bűnös** war criminal

háborúskodik *[háborúzik vki ellen]* wage war (on/against); *átv [viszályko-dik vkivel]* quarrel (with sy)

habos foamy; *[sütemény]* cream (cake); ~ **kávé** coffee with whipped cream

habozik hesitate (about (doing) sg)

habzik *[szappan]* lather; *[sör]* froth

habzóbor sparkling wine

habzsol *átv is* devour

hacsak if only

had *[sereg]* troops *tsz,* army; *[háború]* war

hadar gabble

hadd menjek! let me go!

hadi war, military

hadkötelezettség com-pulsory military service

hadnagy second lieu-tenant *(röv* 2nd Lt.)

hadsereg army

hágcsó ladder

hágó (mountain) pass

hagy *[enged]* let°, allow; *[hagyományoz vkire vmit]* leave°/bequeath (sg to sy v. sy sg)

hagyaték bequest, legacy

hagyma *[vörös~]* onion; *[más növényé]* bulb

hagyomány tradition

hagyományos traditional

haj hair

háj *[emberé]* fat; *[sertésé]* lard

hajadon unmarried; *[űrlapon]* single

hájas fat, obese

hajbalzsam (hair) conditioner

hajcsat hairgrip

hajcsavaró hair-curler

hajfesték hair-dye

hajfestés (hair) dyeing

hajít throw°

hajkefe hair brush

hajlakk hairspray

hajlam *(vmire)* inclination (to sg); *[betegségre]* susceptibility (to sg)

hajlamos *ált (vmire)* inclined/susceptible (to sg); *[betegségre]* susceptible (to sg)

hajlandó *(vmire)* willing/ready to do sg

hajlás bend

hajlék shelter; *[otthon]* home

hajlékony *átv is* flexible

hajléktalan ▼ *mn* homeless ▼ *fn* a homeless person

hajlik bend°; *átv (vmire)* incline (to sg)

hajlít bend°

hajlott bent, crooked

hajnal dawn

hajnalodik dawn

hajó *[nagyobb]* ship; *[kisebb]* boat; *[templomé]* nave

hajóállomás landing place

hajol bend° (down)

hajós seaman (*tsz* -men), sailor

hajóskapitány captain

hajótörés shipwreck; ~t

szenved be° shipwrecked

hajótörött shipwrecked

hajóút voyage

hajózás sailing, shipping

hajózik sail

hajrá *sp* sprint; *[biztatás]* go! (go!)

hajrázik *sp* sprint

hajsza (*vmi után*) hunt (after sg)

hajszál (single) hair

hajszárító hair dryer

hajszol hunt after

hajt *[járművet vezet, állatot terel]* drive°; *[hajlít]* bend°; *[papírt]* fold; *[növény]* sprout (up)

hajtás *[járműé, állaté]* driving; *[papíré]* fold; *[növényé]* sprout

hajthatatlan *átv* firm, unyielding

hajtóerő *átv is* driving force

hajtogat *[összehajt]* fold; *[ismétel]* keep° repeating

hajtómű engine

hajtű hairpin

hajviselet hairdo

hal¹ *fn* fish *esz/tsz* (*halfajták* fishes); *csill* **Halak** Pisces

hal² *ige* die

hál sleep°; (*vkivel*) sleep° (with sy)

hála gratitude

halad go°, make° way; *átv* advance, progress

haladás *átv is* advance, progress

haladék respite; *[adósnak]* extension

haladéktalanul immediately

haladó ▼ *mn [jármű]* proceeding (along); *[tanfolyam szintje]* advanced ▼ *fn [tanuló]* advanced student

halál death

halálbüntetés capital punishment

haláleset death

halálfej death's-head

halálhír news/word of sy's death

hálálkodik express one's gratitude

halálos mortal

halandó *mn, fn* mortal

halánték temple

hálás (*vkinek vmiért*) grateful (to sy for sg)

halastó fish pond

halász fisher(man *tsz* -men)

halászat *[tevékenység]* fishing; *[üzem]* fishery

halászik (*vmire*) fish (for sg)

halászlé fish soup

halaszt postpone, put° off

halasztás *[vizsgáé]* postponement; *[adósnak]* extension, respite

halaszthatatlan urgent, pressing

hálátlan ungrateful (towards sy for sg)

haldoklik be° dying

halétel fish (dish)

halhatatlan immortal, eternal

halk *[hang]* low, soft

hall¹ *fn [helyiség]* hall

hall² *ige* hear°; (*vmiről/ vkiről*) hear° (of)

hallás hearing

hallatlan unheard-of; *[hihetetlen]* incredible

hallatszik be° heard/ audible

hallgat (*vmit/vkit, vkire*) listen (to sg/sy); *[vki egyetemi előadásait vmiről]* attend (the lectures) (of sy on sg); *[nem beszél]* keep°/be° silent

hallgatag silent, taciturn

hallgatás *[pl. rádióé]* listening (to); *[szótlanság]* silence

hallgató ▼ *mn [szótlan]* silent; (*vmit*) listening to *ut* ▼ *fn [rádióé]* listener; *[egyetemi/főiskolai]* student

hallgatózik eavesdrop

hallgatóság audience

hallókészülék hearing aid

hallótávolság earshot

halmaz heap; *mat* set
halmoz heap/pile (up)
háló net; *[hálószoba]* bedroom
halogat keep° putting off, keep° postponing
halogatás postponement
hálóing nightdress, nightie
hálókocsi sleeper, sleeping-car
halom *[domb]* hill; *[tárgyakból]* pile, heap
hálószoba bedroom
hálótárs bedfellow
hálóterem dormitory
halott ▼ *mn* dead ▼ *fn* a dead person
hálóvendég overnight guest
hálózat network
hálózsák sleeping bag
halvány pale; *átv* faint
hályog *orv [szürke]* cataract; *[zöld]* glaucoma
hamar soon, in no time
hamarjában hastily, in haste, right away

hamarosan soon, shortly
hamburger hamburger
hamis false
hamisít falsify
hamisítás forging, forgery
hamisítatlan unadulterated
hamisítvány forgery, imitation
hamisság falseness, falsehood; *[megbízhatatlanság]* duplicity
hámlik peel
hámoz *[burgonyát]* peel; *[gyümölcsöt]* skin
hamu ash
hamutartó ashtray
hamvas bloomy; *[arc]* blooming
hamvaszt cremate
hamvasztás cremation
hamvazószerda Ash Wednesday
hanem but; nemcsak ..., ~ ... is both ... and ..., not only ... but also ...
hang sound; *[modor]* tone

hangadó *átv* influential, dominant, leading
hangár hangar
hangerő volume
hangerősség loudness
hangfal speaker
hangjáték radio play
hangjegy (musical) note
hanglemez record
hangos loud
hangosbemondó loud-speaker
hangoskodik be° noisy
hangoztat declare, emphasise
hangposta *távk* voice mail
hangsúlyoz *átv is* stress, emphasise
hangszer (musical) instrument
hangszóró (loud-)speaker
hangtalan soundless
hangulat mood, spirit(s); *[pl. helyé]* atmosphere
hangverseny concert
hangzik *átv is* sound
hangya ant

hánt *[fakérget]* strip, peel
hány¹ *nm* how many?; ~ éves vagy? how old are you?; ~ óra van? what's the time?
hány² *ige* vomit; *[szór]* throw°
hányad part, proportion (of)
hányadik which?; ~a van? what's the date?
hányadszor how many times?
hanyag negligent, careless
hányan how many (people)?
hányas what number?; *[méret]* what size?
hanyatlás decline, decadence
hanyatlik *[esik/süllyed]* sink° to the ground; *átv* decline
hanyatló declining
hányatott élet life of vicissitudes (*tsz* lives), life of ups and downs (*tsz* lives)

hanyatt on one's back
hányinger nausea; **~e van** feel° sick/nauseate
hánykolódik *[ágyban]* toss about; *[hajó a vízen]* be° tossed (about)
hányódik *[hajó a vízen]* be° tossed (about)
hányszor how many times?
harag anger, irritation, rage
haragos angry
haragszik *(vkire vmi miatt)* be° angry (with sy at/about sg)
harang (church) bell
harangszó ringing, sound/ toll(ing) of bells
harangvirág bluebell
harap bite°
harapás *[cselekvés]* biting; *[nyoma, falat]* bite
harapnivaló food, something to eat
harapófogó pincers *tsz*
harapós biting, snappish; *[kutya]* vicious;

H~ kutya! Beware of the dog!
harc *átv is* battle
harcias aggressive
harcképtelen disabled
harckocsi tank
harcol *átv is* *(vki/vmi ellen/ vkivel/vmiért)* fight° (against sy/sg/with sy/for sg)
harcos ▼ *mn [harci]* fighting; *[harcias]* bellicose ▼ *fn* warrior, soldier
harcsa catfish
hardver hardware
hárfa harp
hárfázik play the harp
harisnya pair of stockings
harisnyanadrág tights *tsz*
hárít *[ütést]* parry; *[felelősséget vkire]* shift (the responsibility onto sy); *[költségeket vkire]* charge (the expenses to sy)
harkály woodpecker
harmad third (part)

harmadik third (*számmal* 3rd)

harmadikos *[tanuló]* third-form pupil, pupil in the third form

harmadszor [felsorolásban] third(ly); [harmadszorra] for the third time

hárman three (people); **mi/ti/ők ~** the three of us/you/them

hármas ▼ *mn [számú]* (the number) three; *[három részes]* threefold; **~ busz** bus number three ▼ *fn [osztályzat]* satisfactory

harmat dew

harmatos dewy

harminc thirty

harmonika *[tangó~]* (piano) accordion; *[száj~]* harmonica, mouth organ

három three; **délután ~kor** at 3 (o'clock) (p.m.)

háromágyas szoba triple (bed)room

háromjegyű szám three-figure/digit number

háromkerekű three-wheeled; **~ bicikli** tricycle

háromlábú three-legged, tripod(al)

háromnegyed three-quarters; **~ hét** a quarter to seven

háromszobás three-room

háromszor three times

háromszori three times repeated *ut*

háromszög triangle

hárs lime/linden-tree

harsan sound

hársfa lime/linden-tree

harsog resound, blare

harsona trombone

hártya film, membrane

hárul (*vkire*) fall° to the share/lot of sy

has belly, stomach; *orv* abdomen

hasáb *[fa]* log; *[pl. új-ságban]* column

hasábburgonya fried potato(es), chips *tsz*

hasad burst°; *[kő]* split°; *[textília]* tear°

hasadék split; *[hegyben]* (mountain) gorge

hasal lie° on one's stomach

hasfájás stomach-ache

hashajtó *mn, fn* laxative

hasít cleave°

hasmenés diarrhoea

hasonlat comparison; *[szólás]* simile

hasonlít *(vmihez/vkihez)* resemble sg/sy; *(vmit/vkit vmihez/vkihez)* compare sg/sy to sg/sy

hasonló *(vmihez/vkihez)* similar (to sg/sy)

hasonlóképpen in the same way, similarly

hasonlóság similarity, likeness

használ *(vmi vkinek)* help; *(vmit/vkit)* use, make° use (of)

használat use, usage

használati of use *ut;* ~ **útmutató** instructions for use *tsz,* users' instructions *tsz*

használhatatlan useless

használható useable

használt used; *[árucikk]* second-hand

hasznos useful

hasznosít *(vmit)* make use (of sg)

haszon benefit, advantage; *[nyereség]* profit

haszontalan useless

hasztalan ▼ *mn* useless ▼ *hsz* in vain

hat¹ *szn* six

hat² *ige [pl. gyógyszer]* act; *átv (vmi vkire)* impress/affect sy

hát¹ *fn [testrész]* back; *[visszája]* reverse

hát² *msz [nos]* well

hatalmas *[nagyméretű]* very large; *[nagy hatalmú]* powerful

hatalmi of power *ut*

hatalom power

hatály *jog is* force, effect; **január 1-jei hatállyal** with effect from 1(st) January

határ *[országé]* border, frontier; [területé] boundary; *átv* limit

határállomás frontier/border station

határátkelőhely (frontier) crossing point

határidő deadline

határidőnapló date calendar

határidős with a time limit *ut*

határol border

határoz (*vmiről*) decide (on sg v. to do sg)

határozat decision

határozatlan indefinite; *[jellem]* indecisive, hesitant

határozott definite; *[jellem]* determined

határőr frontier/border guard

határőrség frontier/border-guards *tsz*

határsáv frontier zone

határtalan *átv is* boundless, unlimited

határvidék frontier zone

hatás effect, influence; *[pl. vegyi]* action

hatáskör competence, (sphere of) authority

hatásos effective; *[beszéd]* powerful; *[megjelenés]* impressive

hatástalan ineffective

hatékony efficient, powerful

hátgerinc backbone, spine

hátha supposing

hátizsák rucksack, backpack

hátlap back, reverse side

hatóanyag agent

hatod sixth

hatodik sixth

hatodikos *[tanuló]* sixth-form pupil

hatol *[vmibe, vmi mélyébe]* penetrate (into sg)

hatos *[számú]* (the number/figure) six; *[hat részes]* sixfold; ~ **busz** bus number six

hatóság authority

hatósági of the authorities *ut*

hátra back(wards)

hátrafelé back(wards)

hátrafordul turn round; *[hátranéz]* look back/behind

hátrahagy leave° (sg) behind; *[örökségül vmit vkinek]* leave°/bequeath (sg to sy/sy sg)

hátrál *(vki)* back away; *[tömeg]* recede; *[jármű]* reverse; *[hadsereg]* retreat

hátralék arrears *tsz;* ~**ban van (vmivel)** be° in arrears (with sg)

hátralevő remaining

hátráltat hinder, obstruct

hátranéz look back/behind

hátrány disadvantage

hátrányos disadvantageous

hátsó back(-); *átv* ~ **gondolat** ulterior motive

hatszor six times

háttámla *[széké]* back

háttér *átv is* background

hátul at the back, behind

hátúszás backstroke (swimming)

hatvan sixty

hátvéd *kat* rear-guard; *sp* back

hattyú swan

havas snowy; ~ **eső** sleet

havazás snowfall

havazik snow

havi monthly

havibérlet monthly season ticket

havonként every month, monthly

havonta every month, monthly

ház house; *[csigáé]* shell

haza ▼ *fn* native land, home(-land) ▼ *hsz* home

hazaérkezik return/come° home

hazafelé homewards

hazafi patriot

hazai national, home

hazajön come° home

hazakísér see°/take° sy home

hazamegy go° home

házas married

házasodik get° married

házaspár (married) couple

házasság marriage

házassági marriage(-)

házasságkötés *[intézmény]* marriage; *[esemény]* wedding

házastárs spouse, one's wife/husband

hazatalál find° one's way home

hazatér return/come° home

hazátlan homeless, exiled

hazavisz (*vmit/vkit*) take° sg/sy home; (*vmit*) carry sg home

házi household, home-;
~ **feladat** homework

háziállat domestic animal

házias domestic

háziasszony *[otthon]* housewife (*tsz* -wives); *[vendégfogadáskor]* hostess

házibuli party

házigazda *[otthon]* master/man (*tsz* men) of the house; *[vendégfogadáskor]* host

házilag készített homemade

házinyúl domestic rabbit

háziorvos family doctor

házirend rules of the house *tsz*

házsor row of houses

házszám street-number, house number

háztartás household; *[tevékenység]* house-keeping

háztartási domestic, household

háztető roof

háztömb block (of houses)

háztulajdonos house-owner

hazudik lie, tell° a lie

hazug *[személy]* lying; *[nem igaz]* mendacious

hazugság lie

házvezetőnő housekeeper

házsártos quarrelsome, cross-grained

heg scar

hegedű violin

hegedül play the violin

hegeszt weld

hegy *földr* mountain; *[kisebb]* hill; *[pl. késé, ceruzáé]* point

hegycsúcs peak (of mountain), summit

hegyes *[vidék]* mountainous; *[tárgy]* pointed

hegyez *[ceruzát]* sharpen; *átv* ~**i a fülét** prick up one's ears

hegyi mountain(-)

hegymászás mountaineering

hegymászó mountaineer

hegyoldal mountainside, slope

hegység mountains *tsz,* mountain-range/-chain

hegyvidék mountainous region, hilly country

héj *[gyümölcsé, zöldségé]* skin

héja hawk, kite

hektár hectare (*röv* ha)

helikopter helicopter

hely place, room; *[színhely]* spot; *[állás]* position

helybeli local

helybenhagy confirm, approve

helycsere change of place

helyenként here and there

helyes *[helytálló]* right; *[nő]* pretty

helyesbít correct

helyesel (*vmit*) approve (of sg), agree (on/to sg)

helyesírás spelling, orthography

helyeslés approval

helyett instead (of sg)

helyettes deputy

helyettesít (*vmit vmivel*) substitute (sg for sg), (*vkit*) substitute (for sy)

helyettesítés (*vmié vmivel*) substitution (of sg by/with sg)

helyez (*vmit vhova*) place; *[vkit munkakörbe]* appoint (sy to)

helyezkedik (*vhol*) occupy a position; (**vmilyen**) **álláspontra** ~ take° a (point of) view, take° the view (that …)

helyfoglalás reservation (of a seat)

helyi local

helyiség room

helyjegy reserved seat (ticket); ~**et vált** book a (reserved) seat

helyreáll be° restored; *[pl. egészség]* recover

helyreállít restore

helyrehoz repair, restore; *[jóvátesz]* put° sg right

helyrehozhatatlan irremediable, irreparable

helyreigazít adjust; *átv* rectify

helyrejön get° better, recover

helység village

helyszín locality, spot

helytáll hold°/stand° one's ground

helytálló reliable, correct

helytelen *[téves]* incorrect; *[illetlen]* improper

helyzet position, situation

henger cylinder

hengerel *műsz* roll

hentes butcher

herceg prince

here *[méh, átv ember is]* drone; *[testrész]* testicles *tsz*

hering herring

hermelin ermine

hernyó worm, caterpillar

hervad wither, fade

hervadt *átv is* faded, wilted

hét[1] *fn* week

hét² *szn* seven

heted seventh

hetedik seventh

hetedikes *[tanuló]* seventh-form pupil, pupil in the seventh form

hetedszer for the seventh time

heten seven (people)

hetenként weekly

hetes *[számú]* (the number) seven; **~ busz** bus number seven; **öt ~** five weeks old

hétfő Monday

heti weekly

hetibérlet weekly season ticket

hetilap weekly (paper)

hétköznap ▼ *fn* weekday ▼ *hsz* on weekdays *tsz*

hétköznapi weekday-; *átv* everyday

hétszer seven times

hétvége weekend; **~én** at the weekend *US* on the weekend

hetven seventy

hév *átv is* heat

HÉV *röv* suburban/local railway

hever lie°

heverészik be° lying

heverő *[bútor]* couch

heves *[pl. fájdalom]* violent; *[ember, természet]* passionate, hot-tempered; *[harc]* fierce; *[vita]* heated

héviz thermal water

hiába in vain

hiábavaló useless, in vain

hiány want (of sg), lack; *[költségvetésben]* deficit

hiánycikk *kb.* article in short supply

hiányol *(vmit/vkit)* miss (sg/sy)

hiányos incomplete, defective

hiányosság imperfection, deficiency; **~ok** shortcomings

hiánytalan complete, whole

hiányzik *[nincs]* be° missing/wanting; *[nincs jelen]* be° absent

hiba *[tévedés]* mistake, error; *[jellemé is]* fault; *[tökéletlenség]* defect

hibás (*vmi*) defective; (*vki*) guilty; *[testileg]* deformed; *[nyelvtanilag]* ungrammatical

hibátlan faultless, perfect; *[számolás]* exact; *[nyelvtanilag]* correct

hibázik make° a mistake, commit an error

hibáztat (*vkit vmiért*) blame (sy for doing sg)

híd bridge

hideg cold

hidrogén hydrogen

hiéna hyena

hifitorony hi-fi tower

híg thin, weak; *[pl. méz]* running

higany mercury

higgadt sober

higiénia hygiene

higiénikus hygienic

hígít *[pl. festéket vmivel]* thin (with sg)

hihetetlen incredible, unbelievable

hihető credible, believable

híja lack/want (of sg)

hím male

himlő smallpox

hímnem *biol* male sex; *nyelv* masculine (gender)

hímnemű *biol* male; *nyelv* masculine

himnusz *[országé]* national anthem; *irod, vall* hymn

hínár *[édesvízi]* reed-grass; *[tengeri]* seaweed; *átv* tangle

hint spread; *[folyadékot]* sprinkle; *[virágot]* scatter

hinta swing; *[mérleghinta]* seesaw

hintaágy garden swing *US* glider

hintázik swing°; *[mérleghintán]* seesaw

hintó carriage, coach

hintőpor tale, talcum powder

hír (vmiről) news esz/tsz (of sg), information esz; [hírnév] reputation, fame

híradástechnika telecommunications esz

híradó [tv-műsor] (TV) news esz; [pl. társaságé] newsletter

hirdet [hírül ad] announce; [újságban] advertise; [pl. eszmét] advocate

hirdetés [tevékenység] advertising; [szöveg] advertisement; [apró~] (small) ad

hirdető advertiser

hirdetőoszlop advertising pillar

hirdetőtábla notice board

híres (vmiről) famous (for sg), well-known (for sg)

híresztel spread° a report (of sg)

hírhedt ill-famed

hírközlés műsz (tele)communication; [pl. rádióban] news service

hírlap (news)paper

hírnév reputation, fame

hírnök herald, messenger

hirtelen ▼ mn sudden; [mozdulat] quick (movement); [ember] hasty; ~ haragú short/quick-tempered ▼ hsz suddenly, all at once

hírügynökség news agency

hisz vall is believe; (vmit/vmiben) believe ((in) sg); (vkinek) believe (sy)

hiszékeny naive, credulous

hiszen [minthogy] for, as; [dehát] but

hisztérikus hysteric(al)

hit belief (in sg), trust; [vallásos is] faith

hiteget feed° sy with promises, string° sy along

hitel credit; ~t érdemlő trustworthy, credible

hitelbank credit bank

hiteles authentic, trustworthy; *[hitelesített]* authenticated

hitelesít authenticate

hitelez give (sg) on credit, credit sy with a sum

hitelező creditor

hitelintézet credit bank

hitelkártya credit card

hitelképes credit-worthy, trustworthy

hitelkeret credit limit

hittan *[elmélet]* theology; *[tantárgy]* religion, Bible class

hitvány *[rossz]* worthless; *[aljas]* base

hitves spouse

hiú vain

hiúz lynx

hív¹ *fn* (*vkié/vmié*) follower, adherent (of sy sg); *vall* a ~ek the congregation

hív² *ige* (*vkit vhova*) call (sy to); *[nevez vkit vminek]* call (sy sg); *[telefonon vkit]* ring° sy (up)

hívat send° for sy

hivatal office; *[állás]* position

hivatali official

hivatalnok clerk, (state) official

hivatalos official

hivatás *[szakma]* profession; *[elhivatottság vmi iránt]* calling (to sg), vocation (to sg)

hivatásos professional

hivatkozás (*vmire*) reference (to sg)

hivatkozik (*vmire*) refer (to sg); (*vkire*) mention (sy)

hívatlan uninvited

hívószám telephone number

hívő believer

hízeleg (*vkinek*) flatter sy, butter sy up

hízik gain weight

hó¹ snow; **esik a ~** it is snowing

hó² *[hónap]* month

hóakadály snowdrift

hobbi hobby

hód beaver

hódít *[területet]* conquer; **tért ~** *[eszme]* gain ground, spread°

hódítás conquest

hódító conqueror

hódol *(vkinek)* pay° homage (to sy); *[szenvedélynek]* have° a passion (for sg)

hódolat homage, respect, reverence

hódoló ▼ *mn* respectful ▼ *fn* admirer, follower

hóember snowman *(tsz -men)*

hóesés snowfall

hófehér snow-white

hógolyó snowball

hógolyózik snowball, play snowballs

hogy¹ *hsz [hogyan]* how

hogy² ▼ *ksz* that ▼ *hsz*

[azért, ~] in order to/ that

hogyan how

hogyhogy how come?

hogyishívják *biz* what's-her/his/its-name, what-d'you-call-her/him/it

hogyisne certainly not

hogyne of course, sure

hóhér executioner

hokedli kitchen stool

hoki (ice) hockey

hokizik play (ice) hockey

hókotró snowplough

hol where?

hólánc snow-chain, tyre chain

hold¹ moon; **H~** the Moon

hold² *[mértékegység]* Hungarian acre *[0.57 hectares or 1.42 English acres]*

holdfogyatkozás lunar eclipse

holdvilág moonlight

holland ▼ *mn* Dutch ▼ *fn* *[ember]* Dutch(wo)man *(tsz -(wo)men)*, Netherlander

Hollandia The Netherlands *tsz*
hollét whereabouts
holló raven
holmi things *tsz*
holnap ▼ *fn* the next day ▼ *hsz* tomorrow
holnapi tomorrow's
holnapután the day after tomorrow
holott (al)though
holt dead
holtpont deadlock, standstill
holttest corpse, dead body
holtverseny dead heat, tie
hólyag *[szerv]* bladder; *[bőrön]* blister
homály *átv is* obscurity; *[esti]* twilight
homályos dim; *átv is* obscure
homlok forehead
homlokzat front
homok sand
homokos¹ *mn* sandy
homokos² *mn, fn biz [homoszexuális]* gay

homokozó sandpit
homokzsák sandbag
homorú hollow, concave
hónalj armpit
hónap month
hónapos; hat ~ six months old
honfoglalás conquest
honi native
honlap *inform* home page
honnan *[irány, hely]* from where?
honos *[pl. növény, állat vhol]* native (to), indigenous (to)
honosít *(vkit)* naturalise; *[pl. diplomát]* have° accepted/registered
hontalan ▼ *mn* homeless ▼ *fn [hazátlan]* displaced person *(röv D.P.)*
honvágy homesickness
honvéd home guard
honvédelem national defence, home-defence
honvédség (Hungarian) Army
hópehely snowflake

hord *[cipel]* carry; *[pl. cipőt]* wear°

hordágy stretcher

hordalék alluvium, wash

hordár porter, carrier

hordó *[fából, fémből]* barrel

hordoz carry; *átv [terhet]* bear°

hordozható portable

horgász angler

horgászbot fishing rod

horgászik (*vmire*) angle/ fish (for sg)

horgol crochet

horgony anchor

horgonyoz be°/lie° at anchor

horizont horizon

horkol snore

hormon hormone

horog hook

horoszkóp horoscope

horpadás dent

horrorfilm horror film

horvát *mn, fn* Croatian

Horvátország Croatia

horzsol graze

horzsolás graze

hossz *[úszásban is]* length

hosszában lengthwise, longwise; **teljes ~** at full length

hosszabbít lengthen; *[időben]* prolong; *sp* extend the time

hosszabbítás lengthening; *[időben]* prolongation; *sp* extra time

hosszabbító *[vezeték]* extension wire

hosszabbodik grow°/get° longer

hosszadalmas lengthy; *[untató]* wearisome, tiresome

hosszan long

hosszmérték linear measure

hosszú long

hosszúnadrág long trousers *tsz*

hosszúság length; *földr* longitude

hótaposó snow boots *tsz*

hotel hotel

hova where?, which direction?

hóvihar blizzard, snowstorm

hóvirág snowdrop

hoz bring°; *[eredményez]* bring° in; *[elmegy érte]* fetch

hozam output; *gazd* profit

hozat send° for, order

hozomány dowry

hozzá to/towards sy

hozzáad (*vmihez vmit*) add (sg to sg); (*vkihez*) ~ja a lányát marry one's daughter (off) (to sy)

hozzáállás attitude/approach (to sg)

hozzábújik (*vkihez*) nestle/snuggle close/up (to sy)

hozzácsatol (*vmit vmihez*) fasten/attach (sg to sg); *[területet]* annex (sg to sg)

hozzáér (*vmihez*) touch (sg)

hozzáértő competent

hozzáfér (*vmihez*) reach (sg)

hozzáférhetetlen *átv is* inaccessible

hozzáférhető accessible; *[ember]* approachable

hozzáfog (*vmihez*) start/begin° (to do sg), set° about sg

hozzáfűz (*vmit vmihez*) tie (sg on sg); *[megjegyzést]* add

hozzáillő fitting, suitable

hozzájárul (*vmihez*) contribute (to sg); *[beleegyezik]* assent

hozzájárulás (*vmihez*) contribution (to sg); *[beleegyezés]* assent

hozzájut *[időt talál vmire]* find° time (for sg v. to do sg); *átv [megszerez]* get° (hold of) (sg)

hozzálát (*vmihez*) start (sg v. to do sg), begin° (sg v. to do sg)

hozzámegy *[feleségül vkihez]* marry (sy)

hozzányúl (*vmihez*) touch (sg)

hozzászokik (*vmihez*) get° accustomed/used (to sg)

hozzászól (*vmihez*) comment (on sg), speak° (on a subject), remark

hozzászólás *[ülésen]* remarks *tsz*

hozzászóló speaker

hozzátartozik (*vmihez*) belong (to sg), be° part (of sg)

hozzátartozó relative

hozzátesz (*vmihez vmit*) add (sg to sg)

hozzávaló ▼ *mn [hozzáillő]* fitting, suitable ▼ *fn [kellékek]* accessories *tsz; [ételhez]* ingredients *tsz*

hozzávetőleg approximately, about

hő heat

hőálló heatproof, heat-resistant

hőemelkedés *orv* slight fever/temperature; ~**e van** have° a temperature

hőerőmű power station

hőforrás source of heat

hölgy lady

hőmérő thermometer

hőmérséklet temperature

hőmérséklet-csökkenés decrease in temperature

hőmérséklet-emelkedés rise of/in temperature

hömpölyög roll on/along; *átv [tömeg]* flow

hörcsög hamster

hörghurut bronchitis

hős hero

hőség (great) heat

hősi heroic

hősies heroic

hősiesség heroism

hősnő heroine

hőstett heroic deed

hősugárzó radiator, heater

hőszigetelő ▼ *mn* (heat-)insulating ▼ *fn* heat insulator

húg younger sister

húgy urine

hull fall° (off); *[könny]* flow; ~ **a hó** it is snowing; ~ **a haja** his hair is falling out

hulla dead body, corpse

hulladék waste (material); *[szemét]* litter

hullám wave

hullámcsat hairgrip

hullámhossz wavelength

hullámos *[haj]* wavy

hullámsáv waveband

hullámvasút roller coaster

hullámzik *[enyhén]* ripple; *[erősen]* surge; *[ingadozik]* fluctuate

hullat *[leejt]* drop; *[pl. vért, levelet]* shed°; *[pl. szőrt]* lose°

hullik fall° (off); *[könny]* flow; ~ **a hó** it is snowing; ~ **a haja** his hair is falling out

humanista humanist

humanitás humanity

humor humour

humorérzék sense of humour

humorista humorist

humoros humorous

huncut waggish, impish

húr string

hurcol drag

hurka *[étel] kb.* sausage (made of chitterlings)

hurok noose

húros string(ed); ~ **hangszer** string(ed) instrument

hurrá hurray!

hurut catarrh

hús *[élő]* flesh; *[ételnek]* meat; *[gyümölcsé]* pulp

húsbolt butcher's (shop)

húsdaráló mincer

húsleves meat-soup

húsos fleshy, meaty

húsvét Easter

húsvéthétfő Easter Monday

húsvéti Easter

húsvétvasárnap Easter Sunday

húsz twenty

huszár hussar; *[sakkban]* knight

húszas ▼ *mn* twenty; *[számú]* (the number)

twenty ▼ *fn [érme, bank-jegy]* twenty-forint coin, twenty-pound note

húszéves twenty-year-old

húz draw°, pull; *[von-szol]* drag

huzal wire

huzat draught; *[bútoré]* cover

huzatos draughty

húzódik *[időben]* drag on, take° a long time; *[térben]* extend to/over

hű (*vmihez/vkihez*) faithful (to sy/sg), loyal (to sy/sg)

hűl cool

hüllő reptile

hülye ▼ *mn* stupid, idiotic ▼ *fn* idiot, imbecile

hülyeség idiocy, nonsense

hűs cool

hűség faithfulness; loyalty

hűséges faithful, loyal

hűsít refresh

hűsítő cooling, refreshing

hűsöl rest in a cool place, rest in the shade

hűt cool

hűtlen unfaithful

hűtő *[járműé]* radiator; *[fridzsider]* refrigerator

hűtőfolyadék coolant

hűtőgép refrigerator

hűtőház cold store

hűtőpult (display-type food) freezer

hűtőszekrény refrigerator

hűtőtáska freezer bag

hüvely *[kardé]* sheath; *[növényé]* legume; *[női]* vagina

hüvelyk *[ujj]* thumb; *[mértékegység]* inch *[= 2.54 cm]*

hüvelykujj thumb

hűvös *[idő, kellemesen]* cool, fresh; *[kellemetlenül]* chilly

I, Í

ibolya violet

idáig *[térben]* as far as here; *[időben]* up to now, so far

ide here, to this place

idead (*vmit vkinek*) give° (sg to sy v. sy sg)

ideális ideal

idébb further this way

ideg nerve

idegbeteg neuropathic

idegen ▼ *mn [ismeretlen]* strange, unfamiliar; *[külföldi]* foreign ▼ *fn [ismeretlen]* stranger; *[külföldi]* foreigner

idegenforgalom tourism

idegennyelv-oktatás (foreign-)language teaching

idegenvezető guide

ideges edgy, nervous; *[nyugtalan]* anxious

idegesít trouble, irritate

idegesítő irritating

idegeskedik be° edgy/nervous

idegesség nervousness

ideggyógyász neurologist, nerve specialist

idei this year's, of this year *ut*

ideiglenes temporary, transitory

idejében in (good) time

idejön come° here

idén this year

idenéz look here

idény season

ide-oda here and there

idéz (*vmit/vkit/vmiből/vkitől*) quote (sg/sy/from sg/from sy); *[hatóság]* summon

idézés *[szövegé]* quoting; *[hatósági]* summoning; *[irat]* summons (*tsz* -ses)

idézet quotation (from)

idézőjel quotation marks *tsz*

idomít *[állatot]* train; *[vadat]* tame; *[igazít vmihez]* adapt/adjust (to sg)

idő time; **mennyi az ~?** what's the time?; **közép-európai ~** Central European Time (*röv* CET); *nyelv* tense; *[időjárás]* weather

időjárás weather

időjárás-jelentés weather report

időközben meanwhile

időnként from time to time

időpont time, date

idős old

időszak period, term

időszámítás *[a rendszer]* time; **nyári ~** summer time; **~ előtt (i. e.)** *röv*
BC, B.C. (before Christ); **~unk szerint (i. sz.)** *röv* AD, A.D. (anno Domini)

időszerű timely

időtartam period, length of time

időtöltés pastime, hobby

időváltozás change of weather

időzik (*vkinél/vhol*) stay (with sy/at/in)

ifi *sp* junior

ifjabb younger; junior (*röv* Jnr., Jr.) *ut*

ifjú ▼ *mn* young; junior (*röv* Jnr., Jr.) *ut* ▼ *fn* young man (*tsz* men)

ifjúkor youth

ifjúkori of youth *ut*

ifjúság youth

ifjúsági junior

igaz true

igazán really, indeed

igazgat *[pl. céget]* manage, direct; *[ruhát]* adjust

igazgatás *[pl. cégé]* management, direction

igazgató manager, director; *[iskoláé]* headmaster, *[nő]* headmistress

igazgatóhelyettes deputy /assistant manager; *[iskoláé]* deputy headmaster, *[nő]* headmistress

igazgatónő directress; *[iskoláé]* headmistress

igazgatóság *[pozíció]* directorship, managership; *[testület]* board of directors, management; *[iroda]* director's/manager's office

igazgyöngy pearl

igazi true, genuine, real

igazít put° (sg) right

igazol *[tettet]* justify; *[állítást]* prove°, verify; *[személyazonosságot]* prove° one's identity; *[irattal]* certify, certificate; *[sportolót]* register; *[egyesülethez]* be° transferred to

igazolás *[tetté]* justification; *[személyazonossá-*

gé] proof of one's identity; *[irattal]* certification; *[az irat]* certificate

igazolatlan uncertified

igazoltat carry out an identity check

igazolvány certificate; *[személyazonossági ~]* identity card (*röv* ID)

igazság truth

igazságos just, fair

igazságszolgáltatás jurisdiction, administration of justice

igazságtalan unjust, unfair

igazságtalanság injustice, unfairness

igazságügy justice

ige verb; *vall* the Word

igen yes

igény (*vmire*) claim (to sg), demand (on sg); *[elvárás, követelmény]* expectations *tsz,* demand

igényel demand, require

igényes demanding, fastidious

igénylő ▼ *mn* (*vmit*) requiring/demanding *ut* ▼ *fn* claimant

igénytelen *[egyszerű]* simple, plain; *[silány]* slipshod; *[küllemről]* slovenly

ígér promise

ígéret promise

így ▼ *hsz* so ▼ *ksz* so, thus

igyekezet endeavour, effort

igyekszik *[szorgalmas]* work hard; *[vmit megtenni]* do° one's best (to do sg), make° an effort (to do sg)

iható drinkable

íj bow

ijedség fright, fear

ijedt frightened

ijedtség fright, fear

ijesztő frightening, frigtful

iker twin; *csill* Ikrek Twins, Gemini

ikerház semidetached (house)

ikertestvér twin brother/sister

ikon *inform is* icon

ikra roe (of fish), caviar

iktat *[iratot]* register, file; törvénybe ~ enact

illat fragrance, scent

illatos fragrant

illatosít scent

illatszer perfume, scent

illatszerbolt chemist's (shop), perfumery

illem (good) manners *tsz*

illendő proper, decent

illet (*vmi vkit*) belong (to sy); *[vonatkozik vmire/vkire]* concern (sg/sy)

illeték *[kisebb]* dues *tsz;* *[nagyobb]* duty

illetékes competent, responsible; ebben nem vagyok ~ that is beyond my competence

illetlen improper, ill-mannered

illető ▼ *mn [szóban forgó]* in question *ut; [vkire/vmire vonatkozó]* concerning (sy/sg) ▼ *fn [személy]* the person in question

illetőleg ▼ *hsz [vkire/vmire vonatkozólag]* concerning (sy/sg) ▼ *ksz* ... respectively (*röv* resp.)

illetve or rather

illik (*vmibe/vhova*) *[pl. alkatrész]*, fit (into); *[illendő]* be° proper; *(vmihez vmi)* go° well (with sg)

ilyen such a(n), of this kind *ut,* so

ilyenféle of this sort *ut,* of this kind *ut*

ilyenformán *[így]* in this way; *[tehát]* thus

ilyenkor at such a time; *[ilyen esetben]* in such cases

ilyesmi such a thing, of the kind *ut*

ima prayer

imád adore; *vall is* worship

imádat adoration, worship

imádkozik pray

íme voilà

import *[tevékenység]* import(ation); *[áru]* import(s)

importál import

importáru import(s)

ín tendon, sinew

inas¹ *mn* tendinous

inas² *fn [háziszolga]* valet

inda creeper

incidens incident

index index (*tsz* indices); *[irányjelző]* indicator

indexel indicate

India India

indiai *mn, fn* Indian

indián *mn, fn* (American) Indian

indigó indigo

indít *[járművet]* start (up); *[űrhajót]* launch; *sp [versenyen]* give° the starting signal

indítás *[járműé]* starting; *[űrhajóé]* launching

indíték motive, reason

indítvány proposal, motion

indok reason, motive

indoklás *[magyarázat]* explanation

indokol explain, account (for sg)

indokolatlan unjustified

indokolt justified

indonéz *mn, fn* Indonesian

Indonézia Indonesia

indul *[gép]* start; *[repülő]* take° off; *[vonat, busz]* depart; *(vhonnan/ vhova)* leave° (from/ for)

indulás *[gépé]* start; *[repülőé]* takeoff; *[vonaté, buszé]* departure; *[kiírás repülőtéren, pályaudvaron]* departures *tsz*

indulási of departure *ut*, departure

indulat temper, emotion

induló ▼ *mn* starting, departing, leaving ▼ *fn* zene march

infláció inflation

influenza influenza, *biz* flu

influenzás have° flu

információ information *esz/tsz*

informatika informatics *esz,* information science

infrastruktúra infrastructure

ing shirt

inga pendulum

ingadozás fluctuation

ingadozik *[vmilyen értékek között]* fluctuate (between … and …)

ingajárat shuttle(-service)

ingatag *[tárgy]* unstable; *[személy]* hesitant

ingatlan real estate

ingatlanközvetítő (real) estate agency

ingázik commute

inger stimulus (*tsz* -li)

ingerel stimulate; *[bosszant]* tease, irritate

ingerült irritated

ingujj (shirt-)sleeve

ingyen free (of charge)

injekció injection
inkább rather; would rather, prefer (to)
innen from here
innivaló drink, something to drink
inog be° unsteady
ínség poverty, want
ínséges poverty-stricken, miserable
int signal; *[figyelmeztet]* warn
integet wave
intelem warning
intelligens intelligent
interjú interview
intéz *[ügyeket]* manage; *[elrendez]* arrange
intézet institute
intézkedés measure(s)
intézkedik take° measures /steps
intézmény institution
intő warning
inzulin insulin
íny gum
ínyenc gourmet

ipar industry; *[mesterség]* trade
iparcikk (industrial) product
ipari industrial
iparkodik *[szorgalmas]* work hard; *[vmit megtenni]* do° one's best (to do sg)
iparművészet industrial design, arts and crafts *tsz*
iparos *[kis~]* craftsman (*tsz* -men); *[nagy~]* industrialist
iparosítás industrialisation
ír¹ ▼ *mn* Irish ▼ *fn [férfi]* Irishman (*tsz* -men); *[nő]* Irish woman (*tsz* women); *[nyelv]* Irish
ír² *fn* balm
ír³ *ige* write°
Irak Iraq
iraki *mn, fn* Iraqi
iram speed, pace
Irán Iran
iráni *mn, fn* Iranian

iránt *átv is* towards

iránta towards her/him

irány direction, course

irányít *[céget]* manage, direct; *műsz [vezérel]* control

irányítás direction, management, control

irányítószám postal code

irányított guided, controlled

irányjelző indicator

iránytű compass

irányul *(vmire)* be° aimed (at sg)

irányzat tendency

írás writing; *[rendszer]* script, alphabet

írásbeli ▼ *mn* written, in writing *ut* ▼ *fn [dolgozat]* composition; *[vizsga]* written examination, test-paper

írásbelizik *(vmiből)* sit° (for) a written examination (on/in sg)

írásjegy character

írásjel punctuation mark

írástudatlan illiterate

irat *[okmány]* document; *[személyes papírok]* sy's papers *tsz*

íratlan unwritten

irattár archives *tsz*

irattárca wallet

irattáska briefcase

irgalmas merciful

irgalmatlan merciless

irgalmaz *(vkinek)* be° merciful (to sy)

irgalom *[könyörület]* mercy, compassion; *[kegyelem]* pardon

irigy *(vkire/vmire)* envious (of sy/sg)

irigyel *(vkit/vmit)* envy (sy/sg)

irigykedik *(vkire/vmire)* be° envious/jealous (of sy/sg)

irigység envy

írnok clerk

író writer

íróasztal (writing) desk

iroda office

irodaház office building

irodalmi literary
irodalom literature
írógép typewriter
írónő woman writer (*tsz* women writers)
Írország Ireland
írószerek stationery *esz*
írott written
irt destroy, exterminate; *[gyomot]* get° rid of (weeds); *[mészárol]* slaughter, butcher
is too, also
iskola *átv is* school
iskolaigazgató headmaster, *[nő]* headmistress
iskolaköteles schoolable
iskolás ▼ *mn* school(-), of school *ut* ▼ *fn [tanuló]* schoolboy, schoolgirl
iskolatárs schoolmate
iskolatáska schoolbag, (school) satchel
ismer (*vkit/vmit*) know° (sy/sg)
ismeret knowledge
ismeretes (well-)known

ismeretlen ▼ *mn* (*vki számára*) unknown (to sy) ▼ *fn mat* unknown (quantity)
ismeretség acquaintance
ismerkedik (*vkivel/vmivel*) get° to know (sy/sg)
ismerős ▼ *mn* (*vki számára*) known (to sy); *[hang]* familiar (voice) ▼ *fn* acquaintance
ismert (well-)known, famous, popular
ismertet (*vmit vkivel*) make° sg known (to sy)
ismét once more, again
ismétel repeat
ismételt repeated
ismétlés repetition; *[műsoré]* rerun
ismétlődik be° repeated, happen again
istálló *[lóé]* stable(s); *[marháé]* cowshed
isten Isten god, God; ~ **éltessen sokáig!** many happy returns of the day!

isteni divine; *[remek]* superb

istentisztelet service

iszap mud

iszapos muddy

iszik drink°

iszlám Islam

ital drink

italautomata drink vending machine

italbolt *[kocsma]* pub(lic house), bar

itat (*vkit vmivel*) give° sy sg to drink; *[állatot]* water

ítél *[bíróságon vkit vmire]* sentence (sy to sg); (*vmit vmilyennek*) consider, think°

ítélet *[bírói]* judgement, sentence; *[vélemény]* opinion

ítélkezik judge; (*vki fölött*) pass judgement (on sy)

ítélőképesség (power of) judgement, sound judgement

itt here

ittas drunk

itteni of this place *ut*, here *ut*

itthon (here) at home

itt-ott here and there

ív *[vonal]* curve; *[boltozat]* arch; *[pl. papírlap]* sheet

ivás drink(ing)

ível arch, curve

ivóvíz drinking water

íz taste, flavour

izé what's-it('s name), thingie

ízelítő sample

ízes delicious, tasty; *[lekváros]* with jam *ut*

ízesít flavour

ízetlen *[ízléstelen]* tasteless

izgalmas exciting, thrilling

izgalom excitement; *[aggodalom]* anxiety

izgat *[érzéket]* excite; *[zavaróan]* excite, disturb; *[tömeget]* stir (up)

izgató exciting

izgatott excited

izgul *[aggódik]* be° excited/anxious

Izland Iceland

izlandi ▼ *mn* Icelandic ▼ *fn* *[ember]* Icelander; *[nyelv]* Icelandic

ízlel taste

ízlés *[érzékelés]* sense of taste; *átv* taste

ízléses tasteful; *[pl. öltözködés]* neat, elegant

ízléstelen tasteless

ízletes delicious, tasty

ízlik taste good; (*vkinek vmi*) sy likes sg

izmos muscular

izom muscle

Izrael Israel

izraeli *mn, fn* Israeli

íztelen tasteless; *átv [semmilyen]* dull, flat

ízület joint

ízületi of the joints *ut*

izzad sweat, perspire

izzadság sweat

izzadt sweaty

izzik glow; *[fehéren/vörösen]* be° white/red-hot

izzó ▼ *mn* glowing ▼ *fn* (light) bulb

J

jacht yacht

jácint hyacinth

jaguár jaguar

jaj ow!, ouch!; *[csodálkozás]* ~ **de szép!** how beautiful!

jajgat lament, wail

január January (*röv* Jan.)

jár go° (about); **busszal** ~ go° by bus; **gyalog** ~ go° on foot, walk; *[iskolába]* go° to school, attend school; *[egyetemre]* study at (a) university; **még nem** ~**tunk Oxfordban** we have not been to Oxford yet; *[vmilyen ruhá*ban]* wear° sg; *biz (vki vkivel)* go° out (with sy); *[jármű]* run°

járás *[tevékenység]* going, walking; *[gépé]* running, working; *[óráé]* movement; *[égitesteké]* course

járat ▼ *fn [hajóé]* line; *[buszé]* service; *[repülőé]* flight ▼ *ige [közlekedtet]* run°

járatlan *[út]* untrodden (path); *[ember] (vmiben)* inexperienced (in sg) *ut,* unfamiliar (with sg) *ut*

járda pavement

járdasziget (traffic) island

járhatatlan *[út]* impassable; *átv* impracticable

járható *[út]* passable; *átv* practicable

jármű vehicle

járóka playpen; *[kerekes]* baby-walker

járókelő passer-by (*tsz* passers-by)

jártas (*vmiben*) be° at home (with sg)

jártasság skill

járul (*vki elé*) appear (before sy); (*vmihez vmi*) add (to sg)

járulék /*amit vkinek fizetnek*/ allowance; /*amit vki fizet*/ contribution

járvány epidemic

járványos epidemic

játék play, game; /*játékszer*/ toy; /*szerencsejáték*/ gambling; /*színdarab*/ play

játékautomata game machine

játékbolt toyshop

játékfilm feature film

játékos ▼ *mn* playful ▼ *fn sp* player; /*szerencsejátékban*/ gambler

játékszabály rules of play *tsz*

játékszer toy

játékvezető /*csapatjátékokban*/ referee; /*vetélkedőkben*/ quizmaster

játszadozik (*vmivel*) play (with sg)

játszik play; /*szerencsejátékot*/ gamble; /*előadóművész*/ perform; /*színész szerepet*/ act

játszma *átv is* game

játszódik take° place (in)

játszótárs playmate

játszótér playground

java /*nagyobb/jobbik része vminek*/ the greater/ better part (of sg); /*üdve*/ good, benefit; *sp* **4:2 az UTE ~ra** four-two (4-2) to UTE

javában at its height

javaslat proposal, proposition

javasol propose, suggest

javít repair, mend; *átv* improve; /*hibát*/ correct; /*tanár dolgozatot*/ mark (an exercise v. a test)

javítás repairs *tsz,* mending; *átv* improvement; /*hibáé*/ correction javíthatatlan irreparable; *[ember]* incorrigible

javítóműhely garage, repair shop

javul improve, get° better; *[beteg]* be° getting better

javulás improvement

jázmin jasmine

jég ice; *[jégeső]* hail; ~be hűtött ice-cooled, iced

jégcsap icicle

jeges iced; *átv* chilly

jegeskávé iced coffee

jegesmedve polar bear

jégeső hail

Jeges-tenger Arctic Ocean

jéghegy iceberg

jéghideg *átv is* ice-cold, icy

jégkocka ice cube

jégkorong ice hockey; *[a korong]* puck

jégkorszak glacial period, ice age

jégkrém ice cream

jégpálya ice rink

jégtánc ice dancing

jégvirág frost(work)

jegy ticket; ~et kezel/ érvényesít validate a ticket; *[ismertetőjel]* (distinguishing) mark; *[asztrológiában]* sign (of the zodiac); *[iskolában]* mark

jegyautomata ticket machine

jegyellenőr ticket inspector

jegyelővétel advance booking

jegyes *[nő]* fiancée; *[férfi]* fiancé

jegyespár engaged couple

jegyez *[jegyzetel vmit]* make°/take° notes (of sg); *[részvényt]* subscribe (for shares)

jegygyűrű *[esküvő előtt]* engagement ring; *[után]* wedding ring

jegyiroda booking/ticket office

jegykezelő ▼ *mn [közlekedési eszközön]* ~ gép

ticket punch; ~ **pult**
[repülőtéren] check-in
desk, *[átszállóké]* trans-
fer (check-in) desk ▼ *fn*
[repülőtéren] check-in
agent

jegypénztár ticket office

jegyszedő *[színházban]*
usher; *[nő]* usherette

jegyzék list; *[diplomá-
ciai]* (diplomatic) note

jegyzés *[részvényé]* sub-
scription (for shares)

jegyzet note; *[egyetemi]*
lecture notes *tsz*

jegyzetfüzet notebook

jegyzettömb memo pad

jegyző notary; *[városé]*
town clerk; *[bíróságon]*
clerk (of the Court)

jegyzőkönyv *[pl. tárgya-
láson]* minutes *tsz*

jegyzőkönyvvezető
keeper/writer of the
minutes, minutes
secretary

jel sign, mark; *[beteg-
ségé]* symptom; *[vmire*

figyelmeztető] signal;
[vmire utaló] indication

jelen ▼ *mn* present; *nyelv*
~ **idő** present tense ▼
fn (the) present ▼ *hsz*
~ **van** be° present

jelenet scene

jelenleg now, at present

jelenlegi present

jelenlét presence

jelenlevő ▼ *mn* present
ut ▼ *fn* person present

jelenség phenomenon
(*tsz* -mena)

jelent (*vkinek vmit*) re-
port (sg to sy), notify
(sy of sg); *[vmi jelentése
van]* mean°

jelentékeny significant,
important

jelentéktelen insignifi-
cant, unimportant

jelentés *[beszámoló vmi-
ről]* report (on sg); *[pl.
szóé]* meaning, sense

jelentkezés (*vkié vhol*)
registering (for sg);
[repülőtéren] check-in;

(*vmire*) application (for sg); *[állásra]* applying (for a job); *[betegségé]* manifestation

jelentkezési; ~ **lap** application form; ~ **határidő** *[pl. pályázatra]* closing date; *[repülőtéren]* check-in time

jelentkezik (*vmire*) apply (for sg), hand in one's application (for sg); *[állásra]* apply (for a job); *[iskolai órán]* put° up one's hand; *[vmi felbukkan, felmerül]* appear, emerge

jelentkező ▼ *mn [felbukkanó]* appearing, emerging ▼ *fn* applicant, candidate

jelentős significant, important

jelentőség significance, importance

jeles ▼ *mn* excellent, eminent, illustrious ▼ *fn [osztályzat]* very good (mark)

jelez signal, give° signals;

[mutat] indicate; *[jobbra/balra kanyarodást]* indicate right/left

jelige motto, slogan

jelkép symbol

jelképez symbolise

jelleg character, nature

jellegzetes characteristic, typical

jellem character, personality

jellemes of strong character *ut*

jellemez (*vkit*) characterise (sy); *[jellegzetes vonás vkit]* sg is characteristic (of sy)

jellemzés description of character, characterisation; *[munkavállalóról]* reference

jellemző ▼ *mn* (*vkire*) characteristic/typical (of sy) ▼ *fn* characteristic, feature

jelmagyarázat signs and abbreviations *tsz; [térképé]* legend

jelmez costume; *[jelmezbálban]* fancy dress

jelöl (*vmit vmivel*) mark (sg with sg); *[vkit vmilyen pozícióra]* nominate (sy for sg), propose (sy as sg)

jelölés *[a jel]* mark; *[tevékenység]* marking; *[pl. pozícióra]* nomination

jelölt ▼ *mn* marked ▼ *fn* *[pl. pozícióra]* candidate (for sg)

jelszó *[párté]* slogan; *kat, inform* password

jelvény badge

jelzés *[a jel]* mark, label; *[tevékenység]* marking; *[jeladás]* signalling

jelzet *[könyvtári könyvé]* shelf mark; *[levéltári anyagé]* reference; *[kéziraté]* signiture

jelző *nyelv* attribute

jelzőlámpa traffic lights *tsz*

jelzőszám index number

jelzőtábla road/traffic sign; *[tájékoztató]* information

signs *tsz*; *[veszélyre figyelmeztető]* warning signs *tsz*

jérce pullet

Jézus Jesus

jó ▼ *mn* good; *[vmire való]* **ez mire ~?** what's this (good) for?; *[érvényes]* valid; *[helyeslés]* (all) right, O.K., okay ▼ *fn* good; **~ban van** (**vkivel**) be° on good terms (with sy); *[osztályzat]* good

jóakarat benevolence, goodwill

jóakaratú benevolent, well-disposed

jóakaró well-wisher, benefactor

jobb¹ *mn* *[a jó középfoka]* (*vminél*) better (than)

jobb² *mn, fn* *[pl. oldal]* right; *pol* the Right

jobbkezes right-handed

jobboldal *pol* the Right

jobboldali *pol* ▼ *mn*

right(-wing), rightist ▼
fn right-winger

jobbulás getting better;
~t kívánok! get better
(soon)!

jócskán considerably

jód iodine

jog *[rendszer, tudomány]*
law; *(vmihez)* right (to
sg)

jóga yoga

jogar sceptre

jogász *[ügyvéd]* lawyer;
[joghallgató] law stu-
dent

joghurt yog(h)urt

jogi legal

jogos lawful; ~ **igény**
just claim; ~ **panasz**
justified complaint

jogosít *(vmire)* entitle
(to sg)

jogosítvány licence; *[jár-
művezetői]* driving li-
cence

jogosult *(vmire)* entitled
(to sg) *ut*

jogszabály rule, law

jogszerű legal, lawful

jogtalan illegal, unlaw-
ful; ~ **követelés** unjust
claim

jóhiszemű *[személy]* hon-
est, well-meaning; *[tett]*
well-meant/intentioned

jóindulatú *[ember]* friend-
ly, well-meaning

jóízű delicious, tasty

jókedvű jolly, cheerful

jóképű handsome, good-
looking

jókor in (good) time

jól well; ~ **áll** (vkinek
vmi) sg suits (sy); ~ **jár**
(vmivel/vkivel) be° lucky
(with sg/sy); ~ **van** be°
well; ~ **ismert** well-
known

jólelkű kind, kindhear-
ted

jólesik *(vkinek vmi)* be°
pleased (by sg)

jóleső pleasing, pleasant

jólét welfare; *[bőség]*
abundance

jóléti welfare

jóllakik have° enough
jóllehet (al)though
jómódú well-off, well-to-do
jórészt mainly, chiefly, for the most part
jós prophet, soothsayer
jóság goodness, charity
jóságos good, charitable
jóslat prophecy, soothsaying
jósnő prophetess
jósol prophesy, foretell°
jószág domestic animals *tsz,* cattle *tsz*
jószívű warmhearted, generous
jótáll *(vkiért)* stand° surety (for sy); *(vmiért)* guarantee (sg)
jótállás surety, guarantee
jótékony *[bőkezű]* charitable, generous
jóváhagy *[pl. tervet]* approve (sg); *[pl. kinevezést]* confirm (sg)
jóváhagyás approval; *[pl. kinevezésé]* confirmation

jóváír *(vkinek vmit)* enter sg to sy's credit
jóval *[sokkal]* much, far
jóvátehetetlen irreparable, irredeemable
jóvátesz *[sérelmet]* remedy; *[okozott kárt]* compensate (for sg)
jóvátétel *[sérelemé]* reparation; *pol [békekötés után]* reparations *tsz*
józan *[nem iszik]* temperate; *[nem részeg]* sober; *[higgadt]* sober, rational, sound
józanság *[mértékletesség]* soberness; *[józan gondolkodás]* soundness
jön come°; *[érkezik]* arrive; *[következik vki/vmi után]* come° (after sy/sg); *[ered/származik vhonnan]* come° (from swhere); *(vkiért/vmiért)* come° (for sy/sg); *átv* **gyerünk (már)!** come on!

jövedelem *[magánsze-mélyé]* income; *[válla-laté]* receipts *tsz; [álla-mi]* revenue

jövedelemadó income tax

jövedelmez be° profit-able; *[vmilyen összeget]* yield an income, bring° in; **a befektetés 500 000 Ft-ot ~ett** the invest-ment yielded 500,000 fts

jövedelmező *[üzlet]* pro-fitable, paying

jövendő the future

jövetel coming, arrival

jövevény newcomer

jövő ▼ *mn (vhonnan)* coming (from) *ut; [jö-vőbeli]* future; *nyelv* ~ **idő** future tense ▼ *fn* (the) future

jugoszláv *mn, fn* Yugo-slav

Jugoszlávia Yugoslavia

juh *[élő]* sheep *esz/tsz; [húsa]* mutton

juharfa *[élő]* maple-(-tree); *[anyaga]* maple-(-wood)

juhász shepherd

juhtúró ewe's cottage cheese

július July (*röv* Jul.)

június June (*röv* Jun.)

Jupiter Jupiter

jut *[vhova]* get° (to), ar-rive (at); *(vmihez)* get° (at sg), obtain (sg); *átv (vmire) [pl. vmilyen ered-ményre]* arrive (at sg); *(vkinek vmi)* fall° to the share (of sy); **(vkinek vmi) az eszébe ~ sg** comes to one's mind, sg occurs to sy

jutalék *[fizetésen felül]* premium, bonus; *[közve-títőé]* percentage, com-mission

jutalmaz reward; *[díjjal]* award sg the/a prize

jutalom *[teljesítményért]* reward; *[pályadíj]* award, prize; *[pl. többletmun-káért]* premium, bonus

jutányos reasonable (price)
juttat (*vkit vhova*) bring°/ get° sy to; (*vkit vmihez*) let° sy get sg

juttatás *[anyagi]* allowance; *[hozzásegítés vmihez]* assignment; **szociális ~ok** social benefits

K

kába dazed
kabaré stand-up comedy
kabát coat
kábel cable
kábeltévé cable TV
kabin *[pl. hajón]* cabin; *[pl. uszodában]* (changing) cubicle
kábítószer narcotic, drug
kacag laugh (heartily)
kacat junk
kacsa duck
kacsint wink
kacskaringós winding
kád bath
kagyló *[állat]* shellfish; *[~héj]* (cockle-)shell; *[fül~]* concha; *[tele-fon~]* receiver; *[mosdó~]* washbasin
kajak kayak
kajakozik kayak, paddle a kayak
kajszi(barack) apricot
kaka pooh
kakál pooh
kakaó *növ* cacao; *[por, ital]* cocoa
kakas cock
kaki pooh
kakil pooh
kaktusz cactus (*tsz* -es v. cacti)
kakukk cuckoo
kakukkfű thyme
kalács *kb.* milk loaf (*tsz* loaves)
kaland adventure
kalandos adventurous
kalap hat
kalapács *sp is* hammer
kalapácsvetés throwing the hammer, the hammer
kalapácsvető hammer-thrower

kalapál hammer; *[szív]* pound

kalász ear (of wheat, etc.)

kalauz *[pl. buszon]* conductor; *[vonaton]* ticket-inspector; *[aki eligazít]* guide; *[útikönyv]* guide(book)

kalauzol guide

kalitka cage

kalória calorie

kálvinista ▼ *mn* Calvinistic ▼ *fn* Calvinist

kályha stove

kamasz adolescent, teenager

kamaszkor adolescence

kamat interest

kamatmentes interest-free

kamatozik pay° interest

kamera camera

kamilla camomile

kamion (articulated) lorry *US* truck

kampány campaign

kampó crook, hook

kamra *[éléskamra]* lar-der; *[pl. zsilipé]* chamber; *[szívé]* ventricle

kan male (animal)

kanál spoon

kanalaz *[kanállal eszik]* eat° with a spoon, spoon

kanapé couch, sofa

kanári canary

kanász swineherd

kancellár chancellor

kancsal cross-eyed

kancsó jug

kandalló fireplace

kandúr tomcat

kánikula heatwave

kanna can; *[teáé]* (tea)-pot

kantár bridle

kántor cantor

kanyar bend, turn

kanyargós winding, zig-zag(ging)

kanyaró measles *esz/tsz*

kanyarodik turn; **balra/jobbra** ~ turn left/right

kanyarog wind°, zigzag

kanyon canyon

kap *[pl. levelet]* get°, receive; *[betegséget]* catch°; *[szerez]* get°, obtain

kapa hoe

kapál hoe (*jelen idejű igenév* hoeing)

kapar scratch

kapaszkodik (*vmire*) climb up (on); (*vmibe*) grasp (sg), hang° on (to)

kapcsol connect

kapcsolás connecting

kapcsolat *[személyes]* connection; *[dolgoké]* link

kapcsolatos connected (with) *ut*

kapcsoló switch

kapcsolódik (*vmihez*) be° connected (with/to)

kapcsológomb switch, knob

kapható obtainable

kapitalista *mn, fn* capitalist

kapitány *sp is* captain

kapocs hook; *átv [szellemi]* tie

kápolna chapel

kapor dill

kapós *biz [áru]* be° selling like hot cakes; (*vki*) popular

káposzta cabbage

káprázik *átv is* be° dazzled

kaptár (bee)hive

kapu gate; *sp* goal

kapubejárat doorway

kapucni hood

kapufa *sp* (goal-)post

kapukulcs (latch)key

kapus *sp* goalkeeper; *[portás]* gate/door-keeper

kaputelefon entryphone

kapzsi greedy, avaricious

kar¹ *[gépé is]* arm

kar² *[egyetemi]* faculty; *[kórus]* choir

kár damage; **de ~!** what a pity!

karácsony Christmas (*röv* Xmas)

karácsonyest Christmas Eve

karácsonyfa Christmas tree

karácsonyi Christmas; **kellemes ~ ünnepeket**

(kívánok)! (I wish you a) merry Christmas!

karaj *[sertés]* (pork) chop

karakter *[jellem]* character; *[jellegzetesség]* characteristic, feature; *inform* character

karalábé kohlrabi

karambol (road) accident, collision

karambolozik have° an accident, collide

karamell caramel

karamella toffee

karát carat

karate karate

karátos -carat

karbantart maintain

karbantartás maintenance

kárbejelentés damage claim

karburátor carburettor

karcol scrape, scratch

karcsú slim

kard sword; *sp [kardvívás]* fencing

kardigán cardigan

kardvirág gladiolus

karéj *[kenyér]* slice (of bread)

karfa *[bútoré]* armrest; *[lépcsőé]* banister

kárfelvétel assessment of damages

karfiol cauliflower

kárhoztat *[hibáztat]* blame; *(vkit vmire)* condemn (sy to sg); **~va van (vmire)** be° doomed (to sg)

karika ring; *[játék, abroncs]* hoop; *[kör]* circle

karikagyűrű *[jegyeseké]* engagement ring; *[házasoké]* wedding ring

karikás ringed; **~ a szeme** have° rings round one's eyes

karikatúra caricature, cartoon

karkötő bracelet

karmester conductor

karmol claw

karnevál carnival

karnis pelmet; *[függönyrúd]* curtain-rod

karó stake, post

káró *[kártyaszín]* diamond

károg *[varjú]* croak

karom claw

káromkodás swearing, cursing; *[szövege]* swearword, curse

káromkodik swear°, curse

karonfogva *(vkivel)* arm in arm (with sy)

karóra wrist watch

káros *(vmire)* harmful (to sg); injurious (to sg)

karosszék armchair

károsult injured/damaged person; *[elemi csapásé]* victim of a disaster

karosszéria bodywork

Kárpát-medence Carpathian basin

Kárpátok the Carpathians

kárpitos upholsterer

kárpótlás compensation (given for sg)

kárpótol *(vkit vmiért)* compensate (sy for sg)

karrier career

kártalanít *(vkit vmiért)* pay° damages (to sy for sg)

kártékony harmful, damaging

kártérítés compensation

kártevő *[állat]* pest

karton *[papír]* cardboard; *[doboz]* carton; *[textília]* cotton

kártya *[játék is]* card

kártyázik play cards

karzat *[színházi]* gallery

kása porridge *US* mush

kastély mansion (house); *[várkastély]* castle, château

kasza scythe

kaszál *[füvet]* mow; *átv* scythe

kaszinó club

kassza *[boltban]* cash desk; *[szupermarketban]* checkout; *[pl. színházban]* box office

katalizátor *[járműben]* catalytic converter, *biz* cat

katasztrófa catastrophe, disaster

katedra *[egyetemi]* chair; *[iskolai dobogó]* platform

katedrális cathedral

kategória category

katicabogár ladybird

katolikus Catholic (*röv* C., Cath.)

katona soldier

katonai military (*röv* mil., milit.)

katonás soldierly

katonaság the army, armed forces *tsz*

katonatiszt (army) officer

kátrány tar

kattint click

kátyú pothole

kavar stir

kávé coffee

kávédaráló coffee grinder

kávéfőző (coffee) percolator

kávéház coffee house, café

kávéscsésze coffee cup

kávéskanál teaspoon

kávézik have°/drink° (a) coffee

kaviár caviar

kavics pebble

kazal rick

kazán boiler

kazetta cassette

kazettás magnó cassette recorder

kecses graceful

kecske goat

kecskegida kid

kedd Tuesday

kedv *[hangulat]* mood; *[öröm]* pleasure

kedvel like

kedvenc favourite

kedves ▼ *mn* dear; *[bájos]* lovely; *[nyájas]* kind ▼ *fn* *[nő]* sweetheart; **~em** my dear, darling

kedvesség kindness

kedvez (*vki vkinek*) favour (sy); (*vmi vminek/vkinek*) be° favourable (to sg/sy)

kedvezmény *[engedmény]* allowance, discount; *[előny]* advantage
kedvezményes preferential, discount
kedvező favourable, advantageous
kedvezőtlen unfavourable, disadvantageous
kedvtelés *[öröm]* pleasure; *[hobbi]* hobby
kefe brush
kefél brush
kegy favour, benevolence
kegyelem *jog* mercy; *vall* grace
kegyelmi kérvény plea for mercy, clemency plea
kegyetlen *(vkihez)* cruel (to sy), brutal (to sy)
kegyetlenség cruelty, brutality
kehely bowl
kéj pleasure
kék blue
keksz biscuit
kel *[égitest is, tészta is]*

rise°; *[magról kihajt]* shoot°; ~t május 4-én dated 4 May (*kimondva* the fourth of May)
kelbimbó Brussels sprouts *tsz*
kelet *[égtáj]* East (*röv* E)
keleti eastern
keletkezik come° into being
kelkáposzta savoy cabbage
kell *[vmi szükséges]* be° needed; *(vmi vmihez)* be° necessary/required (for sg); *[vmit tenni]* must (do sg)
kellemes pleasant
kellemetlen unpleasant
kellemetlenség *[tulajdonság]* unpleasantness; *[gond]* trouble
kellő proper
kelt wake° (up)
kelt tészta raised dough/pie
keltez date

keltezés date

kém spy

kemence *[péké]* oven; *[fazekasé]* stove; *[olvasztó]* furnace

kemény hard, stiff; *átv* severe, hard

kémény chimney; *[pl. hajóé]* funnel

kémia chemistry

kemping campsite, camping site

kempingezik camp

ken *(vmit vmivel)* smear (sg with sg)

kén sulphur

kender hemp

kendő shawl; *[törlő]* duster

kenőcs cream, ointment

kenu canoe

kényelem comfort

kényelmes *(vmi)* comfortable, cosy; *(vki)* comfort-loving

kényelmetlen uncomfortable; *[kellemetlen]* awkward

kenyér bread

kenyérpirító toaster

kényes *[érzékeny]* delicate; *[válogatós]* refined

kényszer pressure, force

kényszerít *(vkit vmit tenni)* force (sy to do sg)

kényszerül *(vmire)* be° forced (to do sg)

kénytelen *[vmit tenni]* be° obliged/forced (to do sg)

kép *átv is* picture; *szính [jelenet]* scene; *[költői]* image

képernyő (television/TV) screen

képes¹ *[illusztrált]* with pictures *ut,* illustrated; *[képletes]* figurative

képes² *[vmit tenni]* be° able (to do sg)

képesít *(vkit vmire)* qualify (sy for sg)

képesítés qualification

képeslap *[levelezőlap]* (picture) postcard; *[újság]* (illustrated) magazine

képesség ability

képest (*vmihez*) compared (to/with sg)

képez *[oktat]* train, instruct; *[alkot]* form, constitute

képkeret (picture) frame

képlékeny pliable

képlet formula (*tsz* -las v. -lae)

képmutató ▼ *mn* hypocritical ▼ *fn* hypocrite

képtár picture/art gallery

képtelen (*vmire*) inable (to do sg); *[lehetetlen]* impossible

képtelenség incapability; *[lehetetlenség]* impossibility

képvisel (*vkit*) represent (sy)

képviselet representation; *gazd* agency

képviselő representative, delegate; **önkormányzati** ~ councillor; **országgyűlési** ~ Member of Parliament (*röv* MP *tsz* MPs); *US* representative, congress-(wo)man (*tsz* -(wo)men)

képzel imagine

képzelet imagination, fantasy

képzeletbeli imaginary

képzelődik be° seeing things

képzés *[oktatás]* training, instruction; *[alkotás]* forming

képzett educated

képzettség *[szellemi]* education; *[szakmai]* qualification

képződik form, develop

képzőművészet the fine arts *tsz*

kér (*vmit*) ask for (sg); (*vkitől vmit*) ask sy for sg; (*vkit tenni vmit*) ask/request sy to do sg; *[kínálásra]* **igen, ~ek** yes, please; **(köszönöm,) nem ~ek** no, thank you; **~em** *[legyen szíves]* please

kerámia ceramics *esz,* pottery; *[tárgy]* a piece of pottery

kérdés question; (**vminek**) **a ~e** a question/ matter of sg

kérdéses *[szóban forgó]* in question *ut; [eldöntetlen]* problematical

kérdez (*vkitől vmit*) ask (sy sg); (*vkiről/vmiről, vki/ vmi után*) inquire (about/ after sy/sg)

kérdő inquiring

kérdőív questionnaire

kérdőjel question mark

kéreg *[fáé]* bark

kéreget beg

kerek round

kerék wheel

kerékbilincs (wheel) clamp *US* (Denver) boot; **~et tesz fel** clamp *US* boot

kerékpár bicycle

kerékpáros cyclist

kerékpározik cycle

kerékpárút cycle path/ road

kérelem *[kérés]* request; *[kérvény]* application

keres (*vmit/vkit*) look for (sg/sy); *[pénzt]* earn

kérés request

kereset *[megélhetés]* living; *[fizetés]* salary; *[jövedelem]* earnings *tsz,* income

kereskedelem commerce, trade

kereskedelmi commercial

kereskedik trade

kereskedő *[boltos]* tradesman (*tsz* -men); *[üzletember]* merchant

kereslet demand

kereső *fényk* viewfinder; *[kenyér~]* (wage) earner

kereszt cross

keresztanya godmother

keresztapa godfather

keresztbe across, crosswise

keresztben across, crosswise

keresztel christen, baptise; **Máriának ~ték** she was christened Mary

keresztelő christening (ceremony), baptism

keresztény *mn, fn* Christian

kereszténység Christianity

keresztez cross; *mezőg [növényt]* hybridise; *[állatot]* cross(breed°)

kereszteződés *[út~, városban]* crossing, junction; *[országúton]* crossroads *tsz*

keresztgyermek godchild (*tsz* -children); *[fiú]* godson; *[lány]* goddaughter

keresztmetszet cross section

keresztnév Christian/first name *US* given name

keresztrejtvény crossword (puzzle)

keresztszülők godparents

keresztül *[térben]* across, through; *[időben]* during, for

keresztülnéz (*vmin*) look through (sg)

keresztyén *mn, fn* Christian

keresztyénség Christianity

keret frame

kerget chase

kering *[pl. vér]* circulate; *[bolygó vmi körül]* revolve (round sg)

keringés *[pl. véré]* circulation; *[bolygóé]* revolution

keringő waltz

keringőzik waltz

kerít get°, obtain

kerítés fence

kérkedik talk big; (*vmivel*) boast (of sg)

kérlel entreat, beg

kérő suitor

kert garden

kertes with a garden *ut*

kertész gardener

kertészet *[szakterület]* gardening; *[kert]* garden

kerül *(vhova)* get° somewhere, come° to; *[pénzbe]* cost°; *[időbe]* take°; *(vmit/vkit)* avoid, keep° away (from sg/sy)

kerület *[körvonal]* outline; *[pl. városé]* district

kerülő detour; ~t tesz make° a detour *US* detour

kérvény application; *(vkihez vmiért)* ~t nyújt be make°/submit an application (to sy for sg)

kés knife *(tsz knives)*

késedelem delay

kései late

keselyű vulture

keserű bitter

késés delay

késik *(vki)* be° late; *[óra]* be° slow

keskeny narrow

késő *[elkésett]* late; már ~ it is too late

később later (on)

kész ready, finished; *[vmire, vmit megtenni]* be° ready/prepared (to do sg), be° prepared (for sg)

készétel *[élelmiszerboltban]* ready-to-eat food/ meal; *[étteremben]* dish

készít make°, produce

készlet *[áruból]* store, stock; *[összetartozó tárgyak]* set; *[szerszám~]* kit

készpénz cash

készpénzfizetés cash payment

kesztyű glove(s)

kesztyűtartó *[járműben]* glove compartment/box

készül *(vmi vmiből)* be° made/composed (of sg); *[előkészületeket tesz vmire]* make° (oneself) ready (for sg); *(vmit tenni)* be° going to do sg

készülék machine, set

készülődik *(vmire)* prepare (oneself) (for sg)

készültség standby

két two

kétágyas szoba double bedroom

kételkedik *(vmiben)* doubt (sg)

kétértelmű ambiguous

kétes doubtful

kétezer two thousand

kétféle of two (different) kinds/sorts *ut*

kétharmad two-thirds *tsz*

kéthetes *[időtartam]* two weeks'; *[életkor]* two weeks old *ut,* two-week-old

kétjegyű; ~ szám two-digit number; **~ betű** digraph

ketrec cage

kétrészes two-piece

kétség doubt; **(vkit) ~be ejt** drive° sy to despair

kétségbeesés despair

kétségbeesett desperate

kétségbeesik lose° heart, despair

kétségtelenül undoubtedly, no doubt

kétszemélyes for two (people) *ut;* **~ ágy** double bed

kétszer twice

kétszersült biscuit

kétszobás with two rooms *ut,* two-room(ed)

kettéágazik bifurcate, fork

ketted one half

ketten (in) two; **mi/ti/ők ~** the two of us/you/them

kettéoszt halve

kettes ▼ *mn* **~ szám** number two; **~ busz** bus number two ▼ *fn [szám]* number two/2

kettétör break° in two/half

kettévág cut° in(to) two

kettő two; **mind a ~** both; **~kor** at two (o'clock)

kettős ▼ *mn [kétszeres]* double, twofold ▼ *fn zene* duet

kettőspont colon

ketyeg tick

kever mix; *[kártyát]* shuffle; *átv (vkit vmibe)* involve (sy in sg)

keverék mixture; *[pl. kávéé]* blend

kevés few *[tsz főnévvel]*; little

kevésbé (the) less; **egyre ~** less and less

kéz hand; **kezébe vesz (vkit/vmit)** take° (sy/sg) into one's hands; **~en fog (vkit)** take° (sy) by the hand; **~en fogva** hand in hand; **kezet fog (vkivel)** shake° hands (with sy)

kézbesít *(vkinek vmit)* hand (sg to sy), deliver (sg to sy)

kézbesítő *[postás]* postman *(tsz -men)*; *[pl. cégé]* messenger

kezd *(vmit/vmihez/vmibe)* begin°/start (sg v. to do sg)

kezdeményez start (sg), initiate (sg)

kezdeményezés initiative

kezdés start, beginning

kezdeti initial

kezdő beginner

kezdődik begin°, start; *[ered vhonnan]* originate (from/in)

kezel *[vkit vhogyan]* treat (sy); *[pl. beteget vmi ellen]* treat (sy for sg); *[pl. gépet]* handle; *[pl. pénzt]* be° in charge of

kezelés *[betegé]* therapy, treatment; *[gépé]* handling

kezes ▼ *mn [szelíd]* tame ▼ *fn [pénzé]* guarantor

kezeskedik *(vmiért)* guarantee (sg)

kézfej hand

kézfogás handshake

kézi manual, hand-

kézifék handbrake

kézikönyv manual, handbook

kézilabda handball

kézilabdázik play handball

kézimunka *[tevékenység]* needlework; *[a tárgy]* (a piece of) needlework

kézipoggyász hand luggage

kézírás (hand)writing

kézirat manuscript

kézműipar (handi)craft(s)

kézműves craftsman (*tsz* -men)

kéztörlő hand-towel

kézügyesség manual skill

kézzelfogható *[kézenfekvő]* evident; *[konkrét]* tangible

ki¹ *nm* who?; ~é? whose?; ~ért? for whom?; ~hez? to whom?; ~nek? to/for whom?; ~t? whom?; ~től? from whom?; ~vel? with whom?

ki² *hsz* out, outwards

kiabál shout, cry

kiábrándul (*vkiből/vmiből*) be° disappointed (in sy/sg)

kiad (*vhonnan vmit*) give° sg out; *[kézből vmit]* part (with sg); *[pénzt]* spend°; *[pl. lakást]* let°; *[parancsot]* give°, issue; *[jegyet, okmányt, rendeletet]* issue; *[sajtóterméket]* publish, issue

kiadás *[költség]* expenses *tsz;* *[pl. lakásé]* letting (out); *[jegyé, okmányé, rendeleté]* issue; *[sajtóterméké]* publication, issue

kiadatlan unpublished

kiadó ▼ *mn* to (be) let *ut* ▼ *fn* publisher, publishers *esz*

kiadós abundant, plentiful

kiadvány publication

kialakul form, take° shape

kiáll (*vhová*) go°/stand° out; *[vhonnan előjön]* step out/forward; *[pl. sorból]* leave (the queue); (*vmi vmiből*) stand°/stick° out; (*vki-*

vel) stand° up (to sy); (*vmiért/vkiért vmi/vki mellett*) fight° (for sg/sy); *[kibír vmit]* endure, stand°

kiállít (*vhová*) put°/place out; *[kiállításon]* exhibit; *[pl. okiratot]* make° out; *sp [játékból kizár]* send° off, exclude

kiállítás *[művészeti]* exhibition; *[pl. okiraté]* issue; *sp [játékosé]* send(ing)-off

kiállítóterem showroom, gallery

kiált cry (out), shout; (*vmiért*) cry/shout (for sg)

kiáltás cry, shout

kiárusítás selling out/off

kibékít (*vkit vkivel*) reconcile (sy with sy)

kibékül (*vkivel*) be° reconciled (with sy)

kibékülés reconciliation

kibérel hire (out); *[autót, lakást]* rent

kibír bear°, endure, stand°

kibírhatatlan intolerable, unbearable

kibocsát send° out; *[pl. hőt]* emit; *[pl. fényt]* radiate; *[bankjegyet, rendeletet]* issue

kibont *[csomagot, levelet]* open; *[pl. csomót]* untie; *[hajat]* let° down

kicsavar *[csavart]* unscrew; *[vizes ruhát]* wring° (out); *[pl. narancsot]* squeeze

kicserél (*vmit vmire*) exchange (sg for sg); *[újra]* replace (sg with/by sg)

kicsi ▼ *mn* little, small; *[alacsony]* short ▼ *fn [gyerek]* little one/boy/girl

kicsoda who?

kicsomagol unpack

kicsúszik *[kézből]* slip (out); **~ a száján** slip from one's lips/mouth

kiderít find° out, clear up

kiderül *[idő]* clear up; *[kitudódik]* turn out; ~t, hogy ... it turned out that ..., it transpired that ...

kidob (*vmit*) throw° out (sg); (*vkit vhonnan*) throw° sy out (of swhere)

kidől *[fa]* fall°; *[kiborul]* be° spilt

kidönt *[fát]* fell; *[kiborít]* spill°

kiég burn° out

kiegészít complete

kiegészítő additional, supplementary

kiegyenesedik straighten (out)

kiegyenesít straighten (out)

kiegyenlít *sp is* equalise; *[számlát]* settle

kiegyensúlyozott (well-)-balanced

kiejt *[kezéből]* drop; *[szót]* pronounce

kiejtés pronunciation

kielégít satisfy; *[kívánságot]* fulfil

kiemel (*vhonnan, vmiből*) take°/lift sg out (of sg); *[több közül]* pick (out); *[hangsúlyoz]* emphasise, stress

kiemelkedik (*vhonnan, vmiből*) rise° (from), emerge (from); *[kitűnik]* excel, distinguish oneself

kiemelkedő *[kiugró]* projecting; *[kiváló]* excellent

kienged (*vkit*) let° (sy) out; (*vmit*) emit

kiesik (*vhonnan, vmiből*) *sp is* fall°/drop out (of sg)

kifejez *[szavakkal]* express; *[megjelenít]* represent, symbolise

kifejezés expression

kifejező expressive

kifejleszt develop

kifejlett mature, fully developed

kifejt *[varrást]* undo°; *[pl. borsót]* hull; *[erőt]*

exercise, exert; *[magyaráz]* expound, explain

kifelé out(wards)

kifest *[pl. szobát]* paint; *[arcot]* make° up; *[kiszínez]* colour

kifizet pay° (up/out)

kifizetődik it pays (its way); **nem fizetődik ki** it does not pay

kifizetődő paying; **nem ~** it does not pay

kifli *kb.* croissant

kifog *[vízből]* take° out, fish; *[halat]* catch°

kifogás *[ellenvetés]* objection; *[mentség]* excuse

kifogásol *(vmit)* object (to sg)

kifogástalan unobjectionable; *[hibátlan]* faultless

kifogy *[elfogy]* come° to an end; *(vmiből)* be° out (of sg)

kifúj blow° out; **~ja az orrát** blow° one's nose

kifutópálya *[repülőtéren]* runway

kigombol unbutton

kigondol think° up; *[tervet]* work/think° out (a plan)

kígyó snake

kigyullad *[pl. lámpa]* light° up, be° lit; *[tüzet fog]* catch° fire

kihagy *[mellőz]* omit, leave° out; *[lehetőséget]* miss (a chance); *[kimarad]* miss

kihajol *(vmin)* lean° out (of)

kihal *[család]* die out; *[pl. állatfaj]* be° extinct

kihallgat *[beszélgetést]* overhear° (a conversation); *[rendőrségen]* interrogate

kihallgatás *[rendőrségen]* interrogation; *[magas rangú személynél]* audience

kihasznál *(vmit)* exploit, útilise; **(vmit) jól ~** make° the most (of sg); **~ja a lehetőséget** take°

the opportunity; *pejor* (*vkit*) take° advantage (of sy)

kihegyez sharpen

kihever *[bajt]* get° over; *[betegséget]* recover (from an illness)

kihirdet proclaim, announce

kihív (*vkit vhová*) call out/to; *[harcra]* challenge

kihívás challenge

kihívó provocative

kihoz (*vhonnan*) bring°/get° out

kihúz (*vhonnan*) pull/draw° out; *[töröl]* strike° out, delete; *[pl. sorsjegyet]* draw°

kihűl cool, get° cool

kiirt wipe out; *[pl. népet]* exterminate, commit genocide

kiismer (*vkit/vmit*) come° to know (sy/sg) thoroughly; **~i magát** (*vhol*)

find°/know° one's way about/around

kijárat way out, exit

kijavít *[hibát, szöveget]* correct; *[helyesbít]* put° sg right

kijelent declare, state

kijelentés declaration, statement

kijelöl *[helyet]* designate, mark out; *[időt]* fix, appoint

kijelző display

kijön (*vhonnan*) come° out (of); *átv* (*vkivel*) get° on well with sy; **~ a gyakorlatból** be° out of practice

kikap (*vmit vhonnan*) snatch (sg out of sg); *sp* *[vereséget szenved]* be° defeated/beaten; *[megszidják vmiért]* be° told off (for sg)

kikapcsol *[kiold]* unfasten, undo°; *[készüléket]* switch/turn off

kikapcsolódás recreation, relaxation

kikapcsolódik *[kioldódik]* come° undone; *[készülék]* be° switched off (automatically); *[pihen]* relax

kiképez (*vkit vmire*) train (sy for sg), qualify (sy for sg); *[alakít]* shape, form

kiképzés training

kikér (*vmit*) ask (for sg); *[vkit cégtől]* ask for sy's transfer

kikérdez *[pl. rendőr]* question

kikeres *[egy szót a szótárban]* look up (a word in the dictionary)

kiköt *[hajó]* moor; *[megköt]* (*vmit vmihez*) tie (sg to sg); *[feltételt szab]* stipulate

kikötés *[feltétel]* stipulation

kikötő *[nagyobb, tengeri]* harbour, port; *[kisebb]* (landing-)pier

kiküld (*vhonnan*) send° out (of)

kilátás (*vhonnan*) view; **az ablakból ~ nyílik a tóra** the window looks out on the lake; *átv [távlati]* outlook, prospect(s) (for sg)

kilátástalan without prospects *ut*

kilátó lookout tower

kilátszik (*vhonnan*) stick out (of sg)

kilenc nine

kilenced ninth

kilences ▼ *mn [számú]* number nine; **~ busz** bus number nine ▼ *fn [számjegy]* number nine

kilencven ninety

kilép (*vhonnan*) step/come° out; *átv [tisztségből]* resign (from sg), leave° (sg); *inform [hálózatból]* log off/out

kilépés *átv* (*vmiből*) withdrawal; *inform [hálózatból]* log-out

kilincs door handle; *[kerek]* (door) knob

kiló kilo

kilóg (*vmi vhonnan*) hang° out

kilogramm kilogram(me) (*röv* kg)

kilométer kilometre (*röv* km)

kilométeróra speedometer

kilő (*vmiből*) shoot° out (of sg); *[rakétát]* launch

kilök push/cast° out

kilyukad *[kopástól]* wear° through

kilyukaszt perforate

kimagaslik *[kiemelkedik]* stand° out; *átv* be° eminent

kimagasló *átv is* outstanding

kimarad (*vki vmiből*) *[akarattal]* stay out/away; *[kihagyták]* be° left out

kimászik (*vhonnan/vmiből*) climb/crawl out (of sg); *átv* get° out (of sg)

kimegy (*vhonnan*) go°/ get° out (of), leave° (sg); *[pl. állomásra vki elé]* meet° sy (at the station)

kímél take° care of; **nem ~i a fáradságot** spare no pains

kímélet forbearance, consideration

kíméletes (*vkivel*) considerate (towards sy)

kíméletlen (*vkivel*) inconsiderate (to/towards sy)

kimenő day off, leave; *kat* permission

kimerít *[tartalékot]* exhaust; *[kifáraszt]* wear° out

kimerítő *[alapos]* exhaustive, thorough; *[fárasztó]* tiring, exhausting

kimerül *[elfárad]* get° exhausted; *[elfogy]* be° used up

kimerült tired, exhausted

kimerültség exhaustion

kimond *[szót]* pronounce,

utter; *[kijelent]* state; *[véleményt]* express

kimos *[ruhát]* wash

kimozdul move

kimutat show°, reveal

kimutatás *[jelentés]* report; *[elszámolás]* account

kín pain, torment

Kína China

kínai *mn, fn* Chinese

kínál (*vkit vmivel*) offer (sy sg v. sg to sy); *[árut]* offer (sg) for sale

kínálat *gazd* supply

kincs treasure

kincsesbánya *átv* goldmine

kincstár *[állami]* treasury

kinevet (*vkit*) laugh (at sy)

kinevez (*vkit vminek*) appoint (sy sg v. sy to be sg)

kinevezés appointment

kinéz (*vmin/vhol*) look out (of sg); **jól néz ki** look well/fine

kinn outside, outdoors

kínos *[fájdalmas]* painful;

[kellemetlen] unpleasant, embarrassing

kínoz torture

kint outside, outdoors

kinyílik open; *[virág]* blossom

kinyit open; *[boltot]* open (up); *[borosüveget]* crack (a bottle); *[zárat]* unlock; *[csapot]* turn on; *[készüléket]* switch/turn on

kinyomoz trace, hunt down

kinyomtat print

kinyújt *[pl. kezét]* stretch/reach out; (*vmit vhonnan*) hand (sg) out

kinyújtózik stretch (out)

kioktat (*vkit vmire*) instruct (sy in sg), brief (sy on sg); *[megleckéztet]* lecture (sy on/about sg)

kiolvad melt

kioszk stand, kiosk

kioszt *[szétoszt]* distribute, give° out

kiöblít rinse (out)

kiöltözik dress up

kiömlik run°/pour out

kiönt *[vizet stb.]* pour out; *[folyó]* overflow

kipakol unpack

kiplakátoz put° up a bill

kiporol dust

kipróbál try

kipukkad burst°

kipusztul die out

kirabol burgle, rob

kiragad *[kitép]* tear°/pull out; *[találomra]* pick (out) (at random)

kiragaszt *[plakátot]* post/stick° (up)

kirak (*vmit vmiből*) take° (sg out of sg); *[árut pl. kocsiból]* unload (the car); *[bemutatásra]* display

kirakat shop window

kirakós játék jigsaw puzzle

király king

királyi royal, regal

királyné queen (consort)

királynő *[sakkban is]* queen

királyság kingdom

kirándul (*vhova*) go° on an excursion (to); *[természetbe]* hike

kirándulás excursion

kirándulóhely beauty spot, tourist spot

kirendeltség branch office/agency

kirohan (*vhonnan*) run°/dash out; (*vki ellen*) run° sy down

kirúg (*vmit/vkit*) kick out (sg/sy)

kis little, small; *[alacsony]* short

kisajátít *[hatóság]* expropriate; *átv [magának vmit]* monopolise

kisasszony miss

kisbaba baby

kisebbség minority

kisegít (*vkit vmiből/vhonnan*) help (sy out of sg); (*vkit vmivel*) help (sy out with sg); *[vkit munkájában]* help (sy) (in her/his work)

kiselejtez throw°/cast aside

kísér (*vkit*) go° (with sy); (*vmit vmi*) follow; *[pl. zongorán]* accompany (at/on the piano)

kíséret (*vkié*) train, followers *tsz; [pl. katonai]* escort; *[zenei]* accompaniment

kísérlet *[próbálkozás vmire]* attempt (at sg); *[tudományos]* experiment

kísérleti experimental

kísérő *[társ]* companion

kisfiú little boy

kisgyerek small/little child (*tsz* children)

kisiklik (*vmiből/vhonnan*) slip (out of sg); *[vonat]* be°/get° derailed

kisipar small(-scale) industry

kisiparos crafts(wo)man, (*tsz* -(wo)men)

kiskanál teaspoon

kiskereskedelem retail trade

kiskereskedés small/retail shop

kiskereskedő retailer

kiskorú ▼ *mn* under-age *ut* ▼ *fn* minor

kislány little girl

kiskutya puppy

kismama mother-to-be, young mother

kismutató hour hand

kisorsol draw°

kisöpör sweep° out

kissé a bit, a little (bit)

kistányér dessert plate

kisujj little finger

kisüt *[nap]* begin° to shine; *[tésztafélét]* bake; *[húsfélét olajban]* fry; *[roston]* grill; (*sütőben*) roast

kisváros small town

kiszab *[ruhát]* cut° out; *[határidőt]* set° (a deadline); *[büntetést vkire]* impose (a fine on sy)

kiszabadít liberate, set° free; *[állatot]* release; *[megment]* rescue

kiszabadul get° free; (*vhonnan*) get° out/away

(from); *[megmenekül]*
escape

kiszakad tear°

kiszalad *(vhonnan)* run°/
dash (out of sg); ~ **a
száján** slip from one's
lips/mouth

kiszáll *[járműből, vhol]*
get° off/out (at); *[pl. üz-
letből]* get° (out of sg)

kiszámít count, calculate

kiszámíthatatlan *[pl. kö-
vetkezmény]* unforesee-
able; *[személy]* unpre-
dictable

kiszámol count, calcu-
late; *[pénzt]* count out
(money)

kiszárad *[pl. tó]* dry up;
[fa] die

kiszáradt dry

kiszed *(vhonnan/vmiből)*
take° out (of swhere)

kiszellőztet air

kiszolgál *(vkit)* serve (sy);
[étteremben] wait on

kiszolgálás service, serv-
ing

kitakarít *[pl. szobát]* clean
up, do° (the room)

kitalál *(vhonnan)* find°
one's way out (from v.
of swhere); *[eltalál]*
guess; *[pl. történetet]*
invent (a story)

kitart *[állhatatos]* be°
persistent; *(vmi mellett)*
insist (on sg)

kitartás persistence

kitartó persistent, firm

kiterjed *[terület, vmeddig]*
extend (to/over); *(vmire)*
cover/include (sg)

kitermel *[ásványt]* mine,
exploit; *[fát]* lumber

kitesz put° out(side); *[ál-
lásból]* turn out; *(vkit
vminek)* expose (sy to sg)

kitisztít clean (out)

kitölt *[űrlapot]* fill in (a
form)

kitöm stuff

kitör *[pl. háború, vihar,
járvány]* break° out

kitörés *[pl. háborúé, viha-
ré, járványé]* outbreak

kitörik break° (off/out)

kitöröl *[pl. edényt]* wipe (out); *[írást]* erase

kitűnik *(vmiben)* excel (in/at sg)

kitűnő excellent

kitüntetés medal, decoration

kitűz *[jelvényt]* pin on/up; *[időpontot]* fix, appoint; *[pl. célt, feladatot]* set° (oneself a target/task)

kitűző badge, pin

kiutasít *(vkit vhonnan)* order/turn (sy out of)

kiutazik *[külföldre]* go° abroad

kiürít empty; *[helyiséget]* vacate; *[települést pl. természeti csapás miatt]* evacuate

kiüt *[bokszban]* knock out

kiütés *[bokszban]* knockout *(röv* K.O.); *[bőrön]* rash

kivág *[pl. késsel]* cut° (sg) out; *[fát]* fell

kivágás *[ruháé]* neckline

kiválaszt select, choose°

kiváló eminent, outstanding, excellent; *(vmiben)* good (at sg)

kiválogat select

kiváltság privilege

kíván *(vmit)* wish/want (sg); *(vkinek vmit)* wish (sy sg)

kívánatos desirable

kíváncsi curious

kíváncsiság curiosity

kivándorló *mn, fn* emigrant

kívánság wish, desire

kivár *[pl. alkalmat]* wait (for) (the opportunity)

kivasal iron

kivégez execute

kivégzés execution

kivesz¹ *(vmiből vmit)* take° (sg out of sg); *[eltávolít]* remove; *[könyvtárból könyvet]* take°/check out

kivesz² *[pl. állatfaj]* be° extinct

kivétel exception; (**vmi/ vki**) **~ével** with the exception (of sg/sy), except (for sg/sy); **~ nélkül** without exception

kivételes exceptional, extraordinary

kivételesen *[különlegesen]* exceptionally; *[ez egyszer]* just this once

kivéve except

kivezet *[út vhova]* lead° (swhere); (*vkit vhova*) see°/lead° (sy) out

kivilágít light° (up)

kivilágítás lighting

kivisz *[út vhonnan]* lead° (out of); (*vmit/vkit*) carry/take° (sg/sy) out; *[mosószer piszkot]* take° out

kivitel *[árué külföldre]* export; *[műé]* execution

kivitelez carry out, execute

kivitelezés *[folyamat]* making; *[megvalósítás]* carrying out

kivizsgál (*vmit*) examine; *orv* (*vkit*) check up

kivizsgálás examination; *orv* checkup

kivon *mat* subtract; **~ a forgalomból** withdraw° from circulation

kivonás *mat* subtraction; *[forgalomból]* withdrawal

kivonul *[tömeg vhova]* turn out; (*vhonnan*) withdraw° from

kivonulás *[ünnepi]* march; (*vhonnan*) withdrawal

kívül ▼ *hsz [kinn]* outside ▼ *nu [hely]* outside (of); *[vmi/vki kivételével]* except sg/sy, apart from sg/sy; *[vmin/vkin felül]* beside(s)

kívülálló stranger

kizár *[pl. ajtón]* lock out; *[pl. szervezetből]* exclude; *[vminek a lehetőségét]* rule out (sg)

kizárólag exclusively, alone

kizárólagos exclusive, absolute

kizárt (*vmiből*) excluded (from sg) *ut; ez* ~! (it is) impossible!

klarinét clarinet

klasszikus ▼ *mn* classical; *[mintaszerű]* classic ▼ *fn* classic

kliens client; *gazd* customer

klíma *[éghajlat]* climate; *[készülék]* air conditioner

klinika university/teaching hospital; **sebészeti** ~ department of surgery

klub club

kóbor vagrant, strolling; ~ **kutya** stray dog

koccan (*vmihez*) knock (against sg)

koccanás *[autóké]* bump

koccint clink (glasses); ~ (**vki**) **egészségére** drink° sy's health

kocka *mat* cube; *[játékhoz]* dice *esz/tsz*

kockacukor sugar lump/cube

kockás squared, checked; ~ **papír** graph paper

kockázat risk, hazard

kockázatos risky, hazardous

kockáztat (*vmit*) risk (sg)

kocog jog

kócos tousled

kócsag heron

kocsi car; *[vasúti]* carriage

kocsikázik take° a drive

kocsma pub, inn, tavern

kocsonya cold pork in aspic

kód code; *inform* ~**ot feltör** decipher, decrypt

kódex codex (*tsz* codices)

kohászat metallurgy

kohó furnace

koktél cocktail

kókuszdió coconut

kóla Coke

kolbász sausage

koldul beg

koldus beggar

kolléga colleague

kollégium [diákszállás] students' hostel; [testület] board

kolostor monastery

kombájn combine (harvester)

kombiné slip

komédia comedy

komfort comfort, convenience

komikus ▼ mn comical, humorous ▼ fn comedian

kommentál (vmit) comment (on sg)

kommentár (vmihez) commentary (on sg)

kommunikáció communication

komód chest of drawers

komoly serious; [jelentős] considerable

komolytalan unserious; [ígéret] hollow

komp ferry(boat)

kompetens competent, responsible

komplikáció orv is complication

kompót [friss] stewed fruit; [eltett] bottled fruit

kompromisszum compromise, concession

komputer computer

koncentrál (vmire) concentrate (on sg)

koncert concert

kondíció (physical) condition

kondicionálóterem gym

konferencia conference, meeting

konfliktus conflict

kongresszus congress, convention

konkrét concrete

konnektor [dugó] plug; [aljzat] socket

konok stubborn, obstinate

konstelláció constellation

kontaktlencse contact lens

kontinens continent

konty bun
konzerv tinned food *US* canned food
konzervatív *mn, fn* conservative
konzervdoboz tin *US* can
konzervnyitó tin opener *US* can opener
konzul consul
konzulátus consulate
konyak cognac
konyha kitchen; *[főzésmód]* cuisine
konyhafelszerelés kitchen utensils *tsz*, kitchen equipment
konyhakész oven-ready
konyharuha dish-cloth
kopasz bald, hairless
kopaszodik go°/become° bald
kopik wear° out/off
koplal *[szándékosan]* diet; *[nincs mit ennie]* starve
kopó *[kutya]* hound
kopog *[ajtón]* knock (at the door)
kopoltyú gill

koponya skull; *átv* head
koporsó coffin
kopott *(vmi)* worn; *átv [vki megjelenése]* shabby
koppan knock, strike°
koptat wear° out/down
kor age
kora early
korábban *[előbb]* earlier; *[azelőtt]* previously
korábbi former, previous
korabeli contemporary
korai early; *[idő előtti]* premature
korall coral
korán early
koraszülés premature birth
koraszülött premature baby
korbács lash
korcsolya skate(s)
korcsolyázik skate
kordbársony nadrág cords *tsz*
korhadt decayed, rotten
korhatár age limit
kórház hospital

kórházi hospital

korlát bar; *átv* limit; *sp* parallel bars *tsz*

korlátlan boundless; *[mennyiség]* unrestricted; *[lehetőség]* unlimited

korlátolt *[korlátozott]* limited; ~ **felelősségű társaság** limited liability company (*röv* Ltd.); *[szellemileg]* narrow-minded

korlátoz restrict, set° limits (to)

korlátozott limited, restricted

kormány steering wheel; *pol* government

kormányfő prime minister

kormányos steersman (*tsz* -men)

kormányoz *[pl. autót]* steer; *pol* govern

kormánypárt government/ governing party

kormányzó ▼ *mn* ruling, governing ▼ *fn* governor

korog rumble

korom soot

korona crown

korong disc; *[hoki]* puck; *[fazekasé]* potter's wheel

kóros pathological, morbid

korosztály age group/ bracket

korpa *[őrlési termék]* bran; *[fejbőrön]* dandruff

korrepetálás tutoring, coaching

korsó jug

korszak period, era

korszerű up-to-date, modern

korszerűsít modernise

korszerűtlen out-of-date

kortárs contemporary

kórterem (hospital) ward

korty *[kicsi]* sip; *[nagy]* gulp

kortyol sip

kórus choir

kos ram; *csill* K~ Aries

kosár basket

kosárlabda basketball

kóstol try, taste

kosz dirt

koszorú wreath

koszorúz lay° a wreath

koszorúzás wreath-laying (ceremony)

koszos dirty

koszt food; ~ **és kvártély** board and lodging

kosztüm suit; *[korabeli viselet]* costume

kotrógép excavator

kotta music; ~**t olvas** read music

kovács (black)smith

kozmetika cosmetics *tsz*

kozmetikus beautician

kő *orv is* stone

kőbánya quarry

köbcentiméter cubic centimetre (*röv* cc)

köbméter cubic metre (*röv* cu. m.)

köbtartalom cubic capacity, volume

köd *[ritka]* mist; *[sűrű]* fog

ködös misty; *átv is* foggy

köhög cough

köhögés cough

kölcsön ▼ *mn* on loan *ut,* borrowed ▼ *fn* loan ▼ *hsz* on loan; **elvihetem ezt** ~? may I borrow that/it

kölcsönad (*vkinek vmit*) lend° (sg to sy v. sy sg)

kölcsönkér (*vkitől vmit*) borrow (sg from sy)

kölcsönös mutual

kölcsönöz (*vkinek vmit*) lend° (sg to sy v. sy sg); (*vkitől vmit*) borrow (sg from sy)

kölcsönzés (*vkinek*) lending; (*vkitől*) borrowing; *[könyvtárból]* loan

kölcsönző *[vállalat]* hire service

köldök navel

kölni eau de cologne, perfume

költ¹ *[ébreszt]* wake° (up)

költ² *[madár]* brood; *[fiókákat]* hatch

költ³ *[verset]* write° (a poem); *[pl. mesét]* invent, make° up

költ[4] *[pénzt]* (*vmire*) spend° (on sg)

költemény poem

költészet poetry

költő poet

költőpénz pocket money

költözés move; *[madáré]* migration

költözik (*vhova*) move (to); *[madár]* migrate

költözködik move (house)

költöző madár migratory bird

költség expense(s)

költséges expensive

kölyök *[állaté]* young (of an animal); *[macskáé]* kitten; *[kutyáé]* pup-(py); *[gyerek]* kid

köménymag caraway seed

kőműves bricklayer, builder

köntös dressing gown *US* bathrobe

könny tear

könnyed easy

könnyelmű rash, light-headed

könnyelműség rashness

könnyezik shed° tears

könnyít *[terhen]* lighten; *átv* (*vmin*) make° (sg) easier; *[fájdalmon]* ease

könnyítés ease, relief

könnyű light; *átv* easy

könyök elbow

könyököl lean° on one's elbows; *átv* elbow

könyörög (*vmiért*) beg (for sg)

könyörtelen merciless, pitiless

könyv book; *[kötet]* volume; *gazd* **üzleti ~ek** books of account *tsz*

könyvel *gazd* keep° the books; enter sg into the books

könyvelés *[tevékenység]* bookkeeping; *[osztály]* bookkeeping/accounts department

könyvelő bookkeeper

könyvesbolt bookshop

könyvespolc bookshelf (*tsz* -shelves)

könyvkiadó publisher, publishing house

könyvszekrény bookcase

könyvtár library

kőolaj (crude) oil

köp spit°

köpeny cloak, gown; *[autógumi]* tyre

kör *átv is* circle; *[versenypályán]* lap; *földr* **hoszszúsági ~** (line of) longitude; **szélességi ~** (line of) latitude

kőr *[kártyaszín]* heart

körcikk sector

köré (a)round

köret trimmings *tsz*

körforgalom roundabout *US* traffic circle

körhinta merry-go-round

körív arc

körlevél circular

környék *[település körül]* environs *tsz;* **a ~en** in the neighbourhood

környezet environment

környezetvédelem environmental protection

köröm *[emberé]* (finger)nail; *[állaté]* claw

körömkefe nailbrush

körömlakk nail polish

köröz circle; *[rendőrség vkit]* issue a warrant for the arrest of sy

körözés circling; *[rendőrségi]* warrant (for sy's arrest)

körte pear; *[égő]* (light) bulb

körtér circus

körút boulevard (*röv* blvd.); *[utazás]* tour, trip, round trip

körutazás round trip

körül *[térben]* (a)round; *[időben]* (at) about; *[megközelítőleg]* about, approximately

körülbelül about, approximately (*röv* approx.)

körülmény *jog* circumstance; **~ek** circumstances, conditions

körülnéz look (a)round

körülötte (a)round/about her/him/it

körültekintő cautious, circumspect

körülvesz surround

körvonal outline; *átv [vázlat]* sketch

körzet area, zone; *[igazgatási]* district

körző compasses *tsz*

kőszikla rock

köszön (*vkinek*) greet (sy); (*vkinek vmit*) thank (sy for sg); **~öm!** thank you!, thanks!

köszönés greeting

köszönet thanks *tsz*

köszönt greet; *[vkit vmilyen ünnepi alkalomból]* congratulate (sy on sg)

köszörül grind°; **~i a torkát** clear one's throat

köt *[megköt]* tie (*múlt idő* tied, *jelen idejű igenév* tying), bind°; *[pulóvert]* knit°; *[könyvet]* bind°; **barátságot ~**

(*vkivel*) make° friends (with sy)

köteg bundle, bunch

kötél rope, cord

kötelék tie; *[érzelmi]* ties *tsz*

köteles obligatory; **~ megtenni (vmit)** be° obliged/bound to do (sg)

kötelesség duty, task, obligation

kötelez (*vmire*) oblige

kötelezettség obligation

kötelező obligatory

kötélpálya cable railway

kötéltáncos tightrope walker

kötény apron

kötés binding; *[kézimunka]* knitting; *műsz* bond; *[sílécen]* bindings *tsz*

kötet volume (*röv* vol.)

kötetlen informal

kötődik (*vkihez*) be° attached (to sy)

kötőjel hyphen

kötőszó conjunction

kötött */össze~/* tied; */kézimunka/* knitted

kötőtű (knitting) needle

kötöz tie (up); */sebet/* dress

kötszer dressing, bandage

kövér */ember/* fat, stout

köves stony

követ[1] *fn* ambassador

követ[2] *ige* (*vkit*) follow (sy); */sorrendben/* succeed

követel (*vmit vkitől*) demand (sg from sy)

követelmény requirement

következetes consistent

következetlen inconsistent

következik */sorrendben/* follow; (*vmi vmiből*) result (from)

következmény consequence

következő ▼ *mn* following, next ▼ *fn* the following, the next

következtében (*vminek*) in consequence of sg, because of sg

következtet (*vmiből vmire*) deduce (sg from sg)

követő follower

követség */nagykövetség/* embassy

köz */tér/* distance; */idő/* interval; */kis utca/* close; (**vmihez**) ~**e van** have° to do (with sg); **nincs ~e** (**vmihez**) have° nothing to do (with sg)

közalkalmazott civil servant

közbejön occur, happen, come° up

közbelép intervene, step in

közben ▼ *hsz /egyidejűleg/* meanwhile; */térben/* in between ▼ *nu /idő/* during

közbeszól interrupt (sy), cut° in

közbiztonság public order/security

közé */kettő ~/* in between; *[sok ~]* among(st)

közel near; *[csaknem]* nearly

közeledik *(vmihez)* approach (sg)

közélet public life

közelgő coming, approaching

közeli near; **a ~ napokban** in the near future; **~ rokon** close relatives

közelít *(vmihez)* approach (sg)

közép *(vmié)* the middle (of sg)

közepes ▼ *mn [átlagos]* mean; *[minőség]* medium ▼ *fn* **~ alatt** below average

Közép-Európa Central Europe

közép-európai Central European

középhullám middle wave

középiskola secondary school

középkor Middle Ages *tsz*

középkori medi(a)eval

középkorú middle-aged

középpont centre

középső central

közérdek public/general interest

közérthető clear, easy to understand *ut*

közérzet general state of health

kőzet rock

közgazdasági economic

közgazdaságtan economics *esz*

közgazdász economist

közigazgatás (public) administration

közismert well-known

közjegyző notary (public)

közkedvelt popular

közlegény common soldier

közlekedés traffic

közlekedési traffic; **~ eszköz** means of transport *tsz;* **~ lámpa** traffic lights *tsz;* ~ **tábla** traffic sign

közlekedik go°; *[menetrend szerint jár]* run°

közlemény communication

közmondás proverb

közoktatás general/public education

közöl *[pl. hírt vkivel]* tell° (sy), report; *[közzétesz]* publish

közömbös (*vki/vmi iránt*) indifferent (to sy/sg)

közönség audience, the public

közönséges *[mindennapi]* general; *pejor* vulgar

közöny indifference

közös common

közösség community; *vall* fellowship

között *[kettő ~]* between; *[sok ~]* among

központ centre

központi central

központozás punctuation

közrefog surround

közreműködik (*vmiben*) take° part (in sg)

község village

közt *[kettő ~]* between; *[sok ~]* among; **magunk/magatok/maguk** ~ between/among ourselves/yourselves/themselves

köztársaság republic

köztársasági of the republic *ut*

közte between; **köztünk** between you and me, among us

közterület public place/property

köztisztaság public hygiene/sanitation

köztiszteletben áll be° highly respected

köztisztviselő public/civil servant

közút public road

közúti road

közül from (among)

közvélemény public opinion

közvetett indirect

közvetít *[ügyben]* mediate; *[pl. rádión]* broadcast°

közvetítés *[ügyben]* mediation; *[rádió, televízió]* broadcast

közvetítő ▼ *mn [ügyben]* mediatory ▼ *fn* mediator

közvetlen direct; *[viselkedés]* informal

közzétesz publish

kráter crater

krém cream

kréta chalk

krimi thriller, crime story/film

kripta burial vault

kristály crystal

kristálycukor granulated sugar

Krisztus Christ; **Jézus ~** Jesus Christ; **~ előtt** before Christ (*röv* BC, B.C.); **~ után** anno Domini (*röv* AD, A.D.)

kritika *[szóbeli/írott]* criticism; *[írott]* critique

kritikus ▼ *mn* critical ▼ *fn* critic

kritizál criticise

krokodil crocodile

krumpli potato (*tsz* -es)

kudarc failure

kugli tenpin bowling

kuglóf *kb.* ring cake

kuka rubbish bin

kukac *[giliszta]* worm; *inform [e-mail címben]* at

kukacos maggoty; *átv* fussy

kukorica maize *US* corn; **főtt ~** sweetcorn; *[csöves]* corn on the cob; **pattogatott ~** popcorn

kukoricacső maize-ear

kukoricapehely cornflakes *tsz*

kukta cook's/kitchen boy; *[edény]* pressure cooker

kulacs flask

kulcs *átv is* key

kulcscsomó bunch of keys

kulcscsont collarbone

kulcslyuk keyhole

kullancs tick
kultúra culture
kulturális cultural
kunyhó hut, hovel
kúp cone
kupa cup
kupak cap
kupé compartment
kupola dome
kúra cure, treatment
kúrál cure, treat
kurta short
kúszik creep°
kút well; *[benzin~]* filling/petrol station *US* gas station
kutat *(vmi után)* look for (sg); *[pl. fiókban]* search through; *[tudományosan vmilyen témában]* (do°) research (on/into sg)
kutatás *(vmi/vki után)* search (for sg/sy); *[tudományos, vmilyen témában]* research (on/into sg)

kutató researcher, research worker
kutya dog
kutyaeledel dog food
küld send°
küldemény parcel
küldött delegate
küldöttség delegation
külföld foreign countries/lands *tsz;* ~**re/ön** abroad; ~**ről** from abroad
külföldi ▼ *mn* foreign, from abroad *ut* ▼ *fn* foreigner
külkereskedelem international/foreign trade
küllő spoke
külön ▼ *mn [különálló]* separate ▼ *hsz [elválasztva]* separately; *[egyedül]* by itself; *[kizárólag]* (e)specially
különben besides, moreover; *[másként]* otherwise
különbözet difference

különbözik (*vmitől vmiben*) differ (from sg in sg)

különböző *[eltérő]* different; *[többféle]* various

különbség difference

különféle various *[utána tsz]*

különjárat *[busz]* special bus/coach (service); *[felirat buszon]* private

különleges special

különlegesség speciality

különóra private lesson

különös *[furcsa]* strange, odd; *[különleges]* special

különösen *[furcsán]* oddly; *[főként]* in particular

külpolitika foreign affairs *tsz*, foreign policy

külső ▼ *mn* exterior ▼ *fn* *[küllem]* (outward) appearance; *[vmi külső része]* the outside/exterior (of sg); *[felszín]* surface

külügyek foreign affairs

külváros suburb

kürt horn

küszöb *pszich is* threshold

küzd (*vmiért*) struggle (for sg), fight° (for sg)

küzdelem struggle, fight

küzdősportok combat sports

kvarc quartz

L

láb *[lábszár]* leg; *[lábfej]* foot (*tsz* feet); *[tartó]* rest

lábadozik be° recovering, recuperate

lábas pot, pan

labda ball

labdajáték ball game

labdarúgás football, soccer

labdarúgó football player

labdázik play (at/with a) ball

lábfej foot (*tsz* feet)

lábjegyzet footnote

lábnyom footprint

laboratórium laboratory

lábszár leg

lábtörlő doormat

lábujj toe

láda box, chest

lágy soft, tender

lágyék groin

lakás flat, apartment

lakáscsere changing flats

lakat padlock

lakatos *[záraké]* locksmith; *[gépeké]* mechanic

lakbér rent

lakberendezés *[bútorzat]* furnishings *tsz*, furniture; *[munka]* interior design

lakberendező interior designer

lakcím (home) address

lakhely permanent address/residence

lakik *[otthonában]* live, hiv reside, *[átmenetileg vhol]* stay (at/in)

lakk varnish, lacquer

lakkoz varnish, lacquer

lakó *[házé]* resident, occupant; *[bérlő]* tenant; *[területé]* inhabitant

lakodalom wedding party/ banquet

lakóház house

lakóhely permanent address/residence

lakókocsi caravan

lakónegyed residential district/area

lakos resident, inhabitant

lakosság population, inhabitants *tsz*

lakosztály suite

lakótárs room mate

lakótelep housing estate

laktanya barrack(s), garrison

lám *[íme]* (you) see!; ~, ~! well well!

lámpa lamp; *[járművön]* light(s); *[forgalmi]* traffic lights *tsz*

lánc *[ékszer, üzleteké]* chain

landol land

láng flame; ~ra lobban catch° fire

lángol be° aflame/ablaze, blaze

langyos *átv is* lukewarm

lant lute

lány girl; *[vkinek a lánya]* daughter

lap *[sima felület]* (flat) surface; *[pl. fémből]* plate; *[darab papír]* sheet; *[könyvé]* page (*röv* p.); *[levelezőlap]* (post)-card; *[hírlap]* (news)-paper; *[kártyalap]* card

láp marsh, bog

lapát shovel; *[evező]* oar

lapátol shovel; *[evez]* paddle

lapít flatten

lapos *átv is* flat

lapostányér dinner plate

lapoz turn the/a page

lárma clamour

lármás clamorous, noisy

lárva larva

lásd see; ~ a 4. oldalon see p. 4

lassan slowly; *[hamarosan]* soon

lassít slow (down)

lassú slow

lassul slow down

lát see°; **jól/rosszul ~** have° good/bad eyes; *[ért]* **~od?** see?; *[vmilyennek tart]* think°, find°; **jónak ~** think° fit; **munkához ~** set° to work; **szívesen ~** **(vkit)** welcome (sy)

látás sight; **első ~ra** at first sight; **~ból ismer** know° by sight

láthatár horizon

láthatatlan invisible

látható visible

latin *mn, fn* Latin

látnivaló sight, place of interests

látogat *(vkit)* visit (sy); *[gyakran felkeres vkit]* frequent (sy)

látogatás visit; *[kórházban]* visiting hours

látogató visitor

látóhatár horizon

látótávolság range of vi-

sion; **~on belül** within view/eyeshot

látszat appearance

látszerész optician

látszik *[látható]* can be seen; appear, seem, look; **úgy ~, elkéstünk** we seem to be late; **fáradtnak ~** she looks tired

látszólag apparently

látvány sight; *[tájé]* scenery

látványos spectacular

láva lava

lavina avalanche

láz temperature, fever; **magas ~a van** have° a high temperature; *[izgalom]* thrill, fever; *[divat]* craze

laza *átv is* loose; *[könnyed]* easy-going

lázad *(vki/vmi ellen)* revolt (against)

lázadás revolt

lázadó ▼ *mn* rebellious ▼ *fn* rebel

lázas have° a temperature/fever; *[kapkodó]* feverish

lázcsillapító antipyretic

lazít *[pl. kötést]* loosen; *[pihen]* relax

lazítás relaxing

lázít incite sy to revolt/rebel

lázmérő thermometer

le down, *[lefelé]* downwards

lé *[folyadék]* liquid; *[gyümölcslé]* juice

lead *[nyújt]* hand down; *[benyújt]* hand in, submit; *[labdát]* pass; *[súlyt]* lose° (weight); ~tam hat kilót I've lost six kilos

leáll *[megáll]* stop; *[gép]* stop, break° down

leállít *[földre]* stand° sg on the floor; *[megállít]* stop; *[abbahagyat]* cancel, call off

leány girl; *[vkinek a lánya]* daughter

leánykori név maiden name

lebarnul tan

lebecsül underestimate

lebeg *[vízen]* float, drift; *[levegőben]* hover

lebeszél (vkit vmiről) talk sy out of (doing) sg

lebont pull/knock down

lebonyolít arrange

leborotvál shave off

leborul tumble down; (vki előtt) fall° on one's knees (before sy)

lebukik *[víz alá]* duck, plunge; *[bűnös]* get° caught, be° found out

léc lath

lecke homework; *átv* lesson

lecsap *[lerak]* slap/slam down; (vmire) pounce (on sg); *[rendőrség vkire]* crack down (on sy)

lecsavar (vmit vmiről) unscrew (sg off sg); *[leteker]* unroll; *[fűtést]* turn down

lecserél replace

lecsillapodik calm down

lecsuk close; *[börtönbe]* lock up

lecsúszik slide°/glide/slip down; *[szánkón]* coast down

ledob throw° down

leég *[pl. ház]* burn° down; *[bőr]* become° sunburnt

leejt drop

leendő future

leenged lower; *[elenged]* allow sy to go down; *[árat]* reduce

leereszkedik *[kötélen]* let° oneself down; *[köd]* descend, fall°; *átv (vkihez)* condescend (to sy)

leereszt let° down, lower; *[ruhát]* let° down; *[gumi]* deflate, go° flat

leértékel *[pénzt]* devalue; *[árut]* cut°/reduce the price (of sg)

leesik fall° (down/off); ~ **az álla** one's jaw drops

lefékez brake, slow down

lefekszik lie° down; *[aludni]* go° to bed; *(vkivel)* go° to bed (with sy)

lefektet lay°/put° down; *[gyereket]* put° to bed; *[leír]* put° into writing

lefelé down(wards)

lefényképez photograph, take° a picture/photo (of sy/sg)

lefest *[festő]* paint; *[leír]* describe

lefog hold°/keep° down; *[bűnözőt]* arrest

lefoglal *[pl. helyet]* book (in advance); *[ingatlant]* seize

lefogy lose° weight

lefolyik flow (down); *(vmi vhogy)* go°

lefolyó plug-hole

lefordít; ~ **(vmit) angolról franciára** translate sg from English into French

leforráz *[vízzel]* scald; *átv* ~**ta a hír** he was devastated/dumb-founded by the news legalább(is) at least

legális legal

legel graze

legelő pasture

legelső (the very) first

legeltet *[állatot]* graze; ~i a szemét (vmin) feast one's eyes (on sg)

legenda legend

legendás legendary

legény young man (*tsz* men)

legénység men *tsz,* ranks *tsz; [járműé]* crew

légfék air brake(s)

legfeljebb *[maximum]* at most

léggömb balloon

léghajó airship

léghűtés air-cooling (system)

légi air; ~ forgalom air transport/traffic; ~ úton by air

légikikötő airport

légikisasszony stewardess

légiposta air mail

légitársaság airline

legjobb best; ~ lesz, ha most elmész you had better go now

legkevesebb least

légkondicionálás air-conditioning

légkondicionáló air conditioner

légkondicionált air-conditioned

légkör *átv is* atmosphere

legközelebb *[térben vmihez]* nearest (to sg); *[időben]* next (time)

légmentes airtight

légnyomás (atmospheric) pressure; *[robbanáskor]* blast

legtöbb most; a ~ ember most people

legtöbbször most often

legutóbb last time

légvonal; ~ban 6 kilométer 6 kilometres as the crow flies

légzés breathing

légy (house) fly

legyengül grow°/become° weak(er)

legyez fan

legyező fan

legyint wave one's hand

legyőz *[ellenfelet]* defeat, beat°; *[felülkerekedik vmin]* overcome° (sg)

lehagy *átv is [megelőz]* outstrip; *[lefelejt]* leave° out/off

lehajol bend°/bow down

lehalkít *[rádiót]* turn down; ~**ja a hangját** lower one's voice

lehel breathe

lehelet breath

lehet *[lehetséges]* be° possible; ~, **hogy ott van** she may be there; *[szabad]* ~ **egy kérdésem?** may I have a question?; *[bárcsak]* ~**ne figyelmesebb is** I wish he was more considerate; *[képes] hogy* ~**sz ilyen durva?** how can you be so rude?

lehetetlen *[nem lehetséges]* impossible; *[képtelen]* impossible, absurd

lehetőleg if possible

lehetőség possibility

lehetséges possible

lehoz bring° down

lehull fall° (down)

lehűl cool down

lehűt *átv is* cool

leigáz subjugate

leír write°/put° down; *[elmesél]* describe; *[könyvelésben]* write° off

leírás *[ábrázolás]* description

lejár *(vhova)* come°/go° (regularly/frequently) down (to); *[leesik]* come° off; *[határidő]* expire

lejárat¹ *fn (vhova)* way down; *[igazolványé]* expiry

lejárat² *ige* discredit (sy)

lejön *(vhonnan)* come° down; *(vmi vmiről)* come° off

lejt slope

lejtő slope

lejtős sloping

lék leak

lekapcsol *[lámpát, gépet]* turn off; (*vmit vmiről*) unbuckle

leküzd overcome° (sg)

lekvár jam

lelátó grandstand

lélegzet breath

lélegzik breathe

lélek soul; **a lelke mélyén** in one's heart of heart; *[lelkiismeret]* **nyugodt ~kel** in good conscience

lelép (*vki vhonnan*) step down/off; *[meglép]* skip off

leleplez *[szobrot]* unveil; *[összeesküvést]* expose, reveal; *[embert]* expose, unmask

lelet *[régészeti]* find; *[orvosi]* (laboratory) findings *tsz,* (laboratory) report

lelkes enthusiastic

lelkesedés enthusiasm

lelkesedik (*vkiért/vmiért*) be° enthusiastic (for sy/ sg)

lelkész *[katolikus, anglikán]* parson; *[református]* minister

lelki mental

lelkiállapot state/frame of mind

lelkiismeret conscience

lelkiismeretes conscientious

lelkiismeret-furdalás bad conscience, remorse

lelkiismeretlen unconscientious

lelő shoot° (down)

lelök push off

leltár *[jegyzék]* inventory; *[leltározás]* stocktaking

leltároz inventory

lemarad *[többiektől]* drop/ fall° behind; *[pl. buszról]* miss (sg)

lemaradás; **~a van (vmiben)** be° behind (in/with sg)

lemásol copy; *[utánoz]* imitate

lemegy (*vhova*) go° down; ~ **a láza** one's temperature goes down; *[Nap]* go° down

lemér measure; *[mérlegen]* weigh

lemez *[fém]* plate; *[hanglemez]* record; *inform* disk

lemezjátszó record player

lemezmeghajtó *inform* disk drive

lemond (*vmiről*) give° sg up; *[vmiről vki javára]* renounce sg in sy's favour; *[tisztségről]* resign (from); *[rendelést]* cancel

lemos wash (down)

len flax *esz*

lencse *növ* lentil; *[üveg]* lens

lendít swing°

lendül swing°

lendület impetus; *[emberé]* energy, dynamism

lenéz *[fentről vkire/vmire]* look down (at/on sy/sg); (*vkit*) look down (on sy)

leng *[ide-oda]* swing°; *[zászló]* fly°

lengőajtó swing(ing) door

lengyel ▼ *mn* Polish ▼ *fn* *[ember]* Pole; *[nyelv]* Polish

Lengyelország Poland

lenn down (below), beneath, *[földszinten]* downstairs

lenni be°

lent down (below), beneath, *[földszinten]* downstairs

lény creature, (living) being

lényeg essence, substance; **a történet** ~**e** the gist of the story

lényeges important

lényegtelen unimportant

lenyel *átv is* swallow

lenyír *[hajat]* cut (off); *[füvet]* mow

lenyűgöző fascinating

leolvas read

lép¹ fn [szerv] spleen

lép² fn [méhé] honeycomb

lép³ ige step; [társasjátékban, sakkban] move

lépcső stairs tsz, [lépcsőfok] step, stair

lépcsőház staircase

lépcsőzetes stepped; [fokozatos] gradual

lepecsétel stamp; [pecsétviasszal] seal (up)

lepedő sheet

lépés (foot)step; ~ről ~re step by step; átv is ~t tart (vkivel/vmivel) keep° up/pace (with sy/sg); ~eket tesz take° steps/measures; [társasjátékban, sakkban] move

lepke butterfly

lépked pace

leragaszt seal

lerajzol draw°

lerak [letesz] put°/lay° down; ~ja (vminek) az

alapjait lay° the foundations (of sg); [petéket] lay°; vizsgát ~ pass an examination

lerakódik settle, be° deposited

leráz (vmit) shake° down/ off; (vkit) shake° sy off, get° rid of sy; [elhárít] brush off

lerohan (vhova) run°/ rush (down); [országot] overrun

lerombol destroy, demolish

lerövidít [szöveget] cut°, abridge

les ▼ fn ambush; ~ben áll lie° in ambush; sp offside; ~en van be° offside ▼ ige ~i az alkalmat watch for an opportunity; (vkire) lie° in wait (for sy)

leselkedik (vkire) be° on the watch/lookout (for sy); (vki után) spy (on sy)

lesül get° tanned; *[hús]* get° burnt

lesüllyed sink°; *[erkölcsileg]* decline, degenerate

lesz *[történni fog]* will be; *[vmivé válik]* become° sg; *[birtokába jut]* will have; **gyereke ~** she's going to have a baby

leszakad *[gomb]* come° off; *[építmény]* collapse, give° way

leszakít *[virágot]* pick, pluck

leszáll *[madár]* settle; *[repülőgép]* land; *[járműről]* get° off

leszállás *[repülőgépé]* landing; *[járműről]* getting off

leszállít *[járműről vkit]* make°/force (sy) to get down/off; *[árakat]* reduce; *[árut]* deliver

leszállópálya runway

leszámol *(vkivel)* get° even (with sy); *[előítéletek-*

kel] get° rid of (one's prejudices)

leszármazott descendant

leszed *(vmit vmiről)* remove (sg from sg), take°/pick sg off (from) sg; *[virágot]* pick, pluck; *[gyümölcsöt]* pick, harvest

leszerel remove; *(vmit vmiről)* strip (sg off sg); *sp* check; *[hadseregből]* demobilise

leszokik *(vmiről)* give° sg up, quit (sg)

lét existence, being

letagad deny

letartóztat arrest

letelepedik *[lakóhelyre]* settle (down); *[kényelembe helyezi magát]* make° oneself comfortable

letelik *[határidő]* expire; *[eltelik]* pass; **letelt az idő** the time is up

letép tear°/rip off/away; *[virágot]* pluck, pick

létére; gyerek ~ for a child

létesít create, establish

létesítmény *[intézmény]* establishment; *[beruházás]* (construction) project

létesül be° established

letesz put°/set°/lay° down; *[megőrzésre]* deposit; *[vizsgát]* pass

letét deposit

létezik exist, be°; **az nem ~!** that's impossible!

létfenntartás subsistence

létfontosságú vital

letöröl wipe sg (down/off); *[felvételt]* erase; *inform* delete

létra ladder

létrehoz create

létrejön come° into being, be° created

létszám number

lett *mn, fn* Latvian

Lettország Latvia

leül sit° down; *[büntetést]* do° one's time

leültet *[székre]* seat; *[börtönbe]* put° away

leüt *(vkit)* knock down; *(vmit)* knock/strike° off; *[billentyűt]* hit°, press

levág cut° (off); *[végtagot]* amputate; *[állatot]* slaughter; *[utat]* take° a short cut

levált replace

levegő air; *átv* atmosphere

levél *[fán]* leaf *(tsz* leaves); *[írott]* letter

levelez *(vkivel)* correspond (with sy)

levelezés correspondence

levelező ▼ *mn* ~ **tanfolyam** correspondence course ▼ *fn* correspondent

levelezőlap postcard

levélpapír writing paper

levéltár archives *tsz*

levéltárca wallet

lever *[vmit a földbe]* drive° sg into the earth; *[véletlenül]* knock off

levert depressed

leves soup

levesestányér soup plate

levesz (*vmit vhonnan*) take°/get° down; [*ruhát*] take° off

levetkőzik undress

levisz carry/take° down; (*vkit vhova*) take° sy (down) to

levizsgázik pass one's exams

levon deduct

levonás deduction

lexikon encyclopaedia

lezár close

lézer laser

lezuhan fall°/tumble down; [*repülőgép*] crash

lezuhanyozik take° a shower

lezser casual

liba *átv is* goose

libegő chair-lift

liberális *mn, fn* liberal

lift lift *US* elevator

liget grove, park

liheg pant

lila violet

liliom lily

limonádé lemonade

lista list

liszt flour

liter litre

litván *mn, fn* Lithuanian

Litvánia Lithuania

ló horse; [*sakkban*] knight

lobog [*tűz*] flame; [*zászló*] wave

lobogó flag, banner

locsol water

locsolókanna watering can

locsolókocsi watering cart

lóerő horsepower

lóg hang°

logika logic

logikus logical

lóhere clover

lom junk

lomb foliage

lombik test-tube

lombos leafy

lomtalanítás cleanup

lop steal°; *átv* ~ja a na-

pot idle (away one's time)
lopás theft
lottó lottery
lottószelvény lottery ticket
lovag knight
lovaglás riding
lovagol ride (a horse)
lovarda riding school
lovas ▼ *mn* equestrian; ~ **rendőr** mounted policeman (*tsz* -men); ~ **kocsi** horse and carriage ▼ *fn* rider
lóverseny horse race
lő *[labdát is]* shoot°
lőfegyver gun
lök push
lökés push; *átv* impetus
lökhárító bumper

lőpor gunpowder
lőszer ammunition
lövedék projectile, missile
lövés shot
lövész rifleman (*tsz* -men)
lövészet musketry; *sp* shooting
lövöldözés gunfight
lúdtalpbetét arch-support, arch cushions *tsz*
luftballon balloon
lúg lye
lugas *[pihenőhely]* bower; *[növénynek]* trellis
lusta lazy
lustálkodik idle
lutheránus *mn, fn* Lutheran
luxus luxury

LY

lyuk hole
lyukacsos porous
lyukas; ~ a zoknija
there's a whole in his
sock
lyukaszt make° a hole
(in sg)

M

ma today

macska cat

madár bird

madárijesztő *átv is* scarecrow

madzag string

mag seed; *[központi rész]* core; *[ondó]* semen; **(vminek) a ~va** *[lényege]* the gist (of sg)

maga ▼ *visszaható nm* **gyötri ~t** torments himself/herself; **nézz ~dra!** look at yourself; **csak ~mban bízom** I only trust myself; **magunk közt szólva** between ourselves, between you and me; **jól viselték magukat** they behaved themselves *személyes nm [ön]* you; **~ a király** the king himself *birtokos nm* your ▼ *hsz* **~m kell megcsináljam** I have to do it myself/alone

magabiztos (self-)confident

magánélet private life

magánember individual

magánhangzó vowel

magánszemély individual, private person

magántulajdon private property

magánügy private affair/matter

magánvállalkozó (private) entrepreneur

magány solitude, loneliness

magányos lonely; *[különálló]* isolated

magas *[fal, hang]* high; *[ember]* tall

magaslat height

magasság height; *[tengerszint feletti]* altitude

magasugrás high-jump

magasztal praise (highly)

magatartás *[viselkedés]* behaviour; *[magaviselet]* conduct

magáz be° on formal terms (with sy)

magazin magazine

máglya bonfire; *[kivégzéshez]* the stake

mágnes magnet

magnó tape-recorder

magnós rádió radio cassette recorder

magol cram

magzat embryo

magyar *mn, fn* Hungarian

magyaráz explain

magyarázkodik find°/offer excuses

magyarázat explanation

Magyarország Hungary

magyaros (typically) Hungarian

mai today's; *[jelenlegi]* present-day; *[kortárs]* contemporary; *[korszerű]* up-to-date, modern

máj liver

majális picnic

majd later, then; ~ **felhívlak** I'll call you later

majdnem almost, nearly

majom monkey; *átv is* ape

majonéz mayonnaise

majoranna marjoram

május May

mák *[a növény]* poppy; *[a magja]* poppy-seed

makacs stubborn, obstinate; *[betegség]* persistent

makk *[termés]* acorn

malac piglet

málna raspberry

malom mill; *ját* nine men's morris

mama mum(my), mama

mámor intoxication; *[szesztől]* drunkenness; *[örömtől]* rapture

mamut mammoth

manapság nowadays, these days

mancs paw

mandarin *[gyümölcs]* tangerine, mandarin; *[kínai tisztviselő]* mandarin

mandula almond; *[szerv]* tonsil

mánia mania

mankó crutch

manzárdszoba attic room

mappa folder

mar *[állat]* bite; *[sav]* bite; *[csíp]* burn

már already; **jártál ~ itt?** have you ever been here?; **mondtam ~, hogy …?** have I told you yet that …?; **~ nincs ott** she's no longer there

marad remain, stay; *(vmennyi)* be° left; *(vmi vkire)* be° left (to sy); **ez délutánra ~** this will have to wait till the afternoon; **ez köztünk**

~ this is between you and me

maradandó lasting

maradék remainder, the rest; *[étel]* leftover(s); *[jelzőként]* remaining

marasztal ask sy to stay

marcipán marzipan

március March

margaréta daisy

margarin margarine

margó margin

marha cattle; *[ember]* idiot, blockhead

marhahús beef

marhaság rubbish

máris *[azonnal]* at once; *[már most]* already

márka *[típus]* make, brand; *[pénz]* mark

markol grasp

marok (hollow/palm of the) hand

Mars Mars

márt dip, dunk

mártás sauce

mártogat dip, dunk

márvány marble

más ▼ *mn* different, other ▼ *fn* **kiköpött ~a (vkinek)** the spitting image (of sy) ▼ *nm* [*másvalaki*] somebody/someone else; [*másvalami*] something else

másfajta different, another/different kind/sort of …

másfél one and a half; **~ nap** a day and a half

másfelé somewhere else, in some other direction

másféle different, another/different kind/sort of …

máshogyan differently, in another way

máshol elsewhere

máshonnan from elsewhere

máshova elsewhere

másik the other, another

másképpen differently, in another way

máskor [*más alkalommal*] another time, on another occasion; [*legközelebb*] next time

másnap the next day; **(vminek) a ~ján** on the day following sg

masni ribbon

második second (*számmal* 2nd)

másodosztály second class

másodosztályú second-class

másodperc second

másodpercmutató second hand

másodpilóta co-pilot

másodrangú [*minőségben*] second-rate; [*nem fontos*] non-essential

másodszor [*második alkalommal*] (for) the second time; [*másodsorban*] secondly

másol copy

másolat copy

másológép copier

másrészt on the other hand

mássalhangzó consonant

mászik climb; *[kúszik]* crawl, creep

maszk mask

mászóka *[játszótéri]* climbing frame *US* jungle gym

masszíroz massage

matematika mathematics *esz*

matematikai mathematical

matrac mattress

matrica sticker

matróz sailor

matt¹ *mn* dull

matt² *fn [sakkban]* checkmate

maximális maximum

maximum maximum

máz glaze

mázol paint

mázsa 100 kilos

mazsola raisin, currant

mechanikus mechanical

meccs match

mecset mosque

medál medal(lion)

meddig *[térben]* how far?; *[időben]* (for) how long?, till when?

medence *[úszásra]* (swimming) pool; *[mélyedés]* basin; *[csont]* pelvis

mediterrán Mediterranean

medúza jellyfish

medve bear

még still; **ma ~ nem láttam** I haven't seen him yet; **~ egyszer** again, once more/again; **mit láttál ~?** what else did you see?

megad *(vkinek vmit)* grant sy sg; *[visszafizet]* repay° sy; *[adatot]* give°, supply; **~ja magát** surrender

megajándékoz *(vkit vmivel)* present sy with sg

megakad get° stuck; **~ a torkán** stick in one's throat

megakadályoz (*vkit vmiben*) prevent/keep° sy from (doing) sg

megalakít form, organise

megalakul be° formed/established

megalapít found

megalapoz establish

megalapozott; jól ~ well-founded, well-established

megaláz humiliate

megalázó humiliating

megáld bless

megalkuvó compromising

megáll stop, come° to a halt/stop; *[helyesnek bizonyul]* hold° water; **~ja a helyét** cope (with sg), hold° one's own (in sg); **alig tudja ~ni, hogy ne …** can hardly resist doing sg

megállapít *[kiderít]* establish; *[kimutat]* find°; *[kijelent]* state

megállapodás agreement

megállapodik (*vkivel vmiben*) agree (with sy on sg)

megállít stop; *[félbeszakít]* interrupt

megálló stop

megbán regret, be sorry for

megbánt hurt, offend

megbecsül *[értékel]* appreciate, value; *[felbecsül]* estimate; **~i magát** behave oneself/properly

megbeszél talk over; *[időpontot]* arrange

megbeszélés talk, discussion; **~ alapján** by appointment

megbetegszik fall° ill, become° sick

megbíz (*vkit vmivel*) charge (sy with sg)

megbízás assignment, commission

megbízhatatlan unreliable

megbízható reliable

megbízik (*vkiben/vmiben*) trust (in sy/sg)

megbízó client

megbizonyosodik (*vmiről*) make° sure/certain (of sg)

megbízott representative, agent

megbocsát (*vkinek vmit*) forgive° (sy sg/sy for doing sg)

megbocsáthatatlan unforgivable

megbolondul go° mad/ crazy

megborotválkozik shave°

megbosszul (*vmit vkin*) take° revenge (on sy for sg), revenge/avenge oneself (on sy)

megbotlik stumble

megbotránkozik (*vmin*) be° scandalised/outraged (by sg)

megbukik fail

megbüntet punish; *[bírsággal]* fine

megcímez address

megcsal cheat on

megcsinál *[elkészít]* make°, get° sg ready; *[elvégez]* do°; *[megjavít]* repair

megcsíp *[ember]* pinch; *[rovar, fagy]* bite

megcsodál admire

megcsókol kiss

megdagad swell (up)

megdicsér (*vkit vmiért*) praise (sy for sg)

megdöbben (*vmitől*) be° shocked/astonished (at sg)

megdöbbentő shocking, astonishing

megdönt *[hatalmat]* overthrow°; *[elméletet]* refute; *[rekordot]* beat°

megebédel have° lunch

megegyezés agreement

megegyezik *[megállapodik vkivel vmiben]* agree (with sy on sg); *[azonos vmivel]* be° identical (with sg)

megelégedés content-(ment)

megelégszik (*vmivel*) be° content/satisfied (with sg)

megélhetés living

megelőz [*veszélyt*] prevent; [*időben*] precede; [*jármű*] overtake°; [*felülmúl*] surpass; [*fontosságban*] take°/have° precedence over

megemészt digest

megenged (*vkinek vmit*) allow/permit (sy sg); [*lehetővé tesz*] admit/allow (of sg)

megengedett legal, legitimate

megér [*él vmeddig*] live to see; [*értékre*] be° worth

megérdemel deserve

megérint touch (lightly)

megérkezik arrive (at/in)

megerőltet strain

megerőltető demanding, exhausting

megerősít strengthen; [*hírt*] confirm

megerősödik grow°/get° stronger

megért understand°

megértő sympathetic

megfagy freeze

megfájdul begin° to hurt/ache

megfázás cold, flu

megfejt solve; [*kódot*] break°; [*titkot*] unravel

megfejtés solution

megfeledkezik (*vkiről/vmiről*) forget° (about) (sy/sg)

megfelel (*vmire*) be° suitable (for sg)

megfelelő suitable, adequate

megfésülködik comb one's hair

megfigyel observe; [*észrevesz*] notice

megfog take°, take° hold of; [*elkap*] catch°; [*festék*] stain

megfogad [*megígér*] promise (to do sg); ~**ja vki tanácsát** take° sy's advice

megfogalmaz word, formulate

megfontol consider, think° over

megfontolt *[ember]* prudent; *[tett]* well-considered

megfordul turn (round); *[visszafordul]* turn back; **sokat ~ vhol** go° somewhere a lot; **~ a fejében** it occurs to her/him, it crossed her/his mind

megfő cook

megfőz cook

megfullad suffocate; *[vízben]* drown

megfürdik have° a bath

meggazdagodik get° rich

meggondol *[megfontol]* think° over, consider; **~ja magát** change one's mind

meggondolatlan rash

meggyógyít cure

meggyógyul get° well, recover; *[seb]* heal (up)

meggyőz (*vkit vmiről*) convince/persuade (sy of sg)

meggyőző convincing

meggyőződés conviction

meggyőződik (*vmiről*) make° sure (of sg)

meggyújt light°

meggyullad catch° fire

meghagy (*vmilyennek*) leave; (*vkinek vmit*) set° sg aside for sy, keep° (sg for sy); *[otthagy]* leave° sg behind; **meg kell hagyni, hogy …** it must be granted that …

meghajlik bend°

meghajol bow

meghal die

meghall hear°; *[véletlenül]* overhear°

meghallgat listen (to sy/sg); *[végighallgat]* hear° out; *[kérést]* grant; *[előadóművészt]* audition

megharagszik (*vkire*) get° angry (with sy)

meghatalmaz (*vkit vmire*) authorise (sy to do sg)

meghatalmazás authorisation

meghatároz [*megmér*] determine; [*osztályoz*] classify; [*definiál*] define; [*befolyásol*] determine, influence; [*előír*] fix, settle

meghatározás [*felmérés*] determination; [*definíció*] definition; [*osztályozás*] classification

megható moving, touching

meghatódik be° moved/touched

megházasodik get° married

meghibásodik go° wrong, break° down

meghirdet announce; **pályázatot** ~ announce a competition (for)

meghitt intimate

meghiúsul fail, fall° through

meghív invite

meghívás invitation

meghívó invitation (card)

meghízik get° fat, put° on weight

meghódít [*területet*] conquer; (*vkit*) win° sy over

meghosszabbít [*tárgyat*] lengthen; [*időt*] extend

meghoz bring°; [*ítéletet*] pass

megigazít adjust

megígér (*vkinek vmit*) promise (sy sg v. sy that ...)

megijed become°/get° frightened

megindokol (*vmit*) give° reasons (for sg)

megindul [*elkezdődik*] begin°; [*gép*] start

megint again

megír write°

megirigyel (*vmit*) grow°/become° envious (of sg)

mégis yet, nevertheless

megismer [*ismereteket*

szerez vmiről] learn° (about sg); *[megismerkedik vkivel]* get°/become° acquainted (with sy); *[felismer]* recognise

megismerkedik *(vkivel)* meet° (sy), make° sy's acquaintance

megismétlődik occur again, be° repeated

megizzad sweat

megjavít repair, mend

megjegyez *[kijelent]* remark; **~tem az arcát** I'll remember her/his face, I made a mental note of her/his face

megjegyzés remark

megjelenés appearance

megjelenik appear

megjelöl mark; *[kijelöl]* fix, settle

megjön arrive

megjutalmaz reward

megkap get°; *[betegséget]* catch°, get°

megkedvel come°/begin° to like

megken *[kenyeret vmivel]* spread° sg on the bread; *[gépet]* lubricate; *[lefizet]* grease sy's palm

megkér *(vkit vmire)* ask/request (sy to do sg); **~i vki kezét** propose (to sy)

megkérdez *(vkitől vmit)* ask (sy sg)

megkeres try to find; *[szótárban]* look up (sg in the dictionary); *[felkeres]* contact; *[pénzt]* earn, make°

megkezd begin°, start

megkezdődik begin°, start

megkínál *(vkit vmivel)* offer (sy sg)

megkísérel *(vmit megtenni)* attempt (to do sg)

megkíván start desiring; *[elvár vmit vkitől]* require (sg of sy); *[vmi megkövetel vmit]* demand

megkockáztat *(vmit)* risk (sg), run° the risk (of sg)

megkóstol taste

megkönnyebbül feel° relieved

megköszön thank

megköt tie; *[kötőtűvel]* knit; ~i a szerződést sign the contract; *[beton]* set°

megkövetel demand; *[szükségessé tesz]* require

megközelít approach; *[minőségre]* come° near (to sg); *[problémát]* approach

megközelítőleg approximately (*röv* approx.)

megkülönböztet (*vmit vmitől*) distinguish (sg from sg)

meglát catch° sight (of sy/sg), notice; majd ~juk! we'll see

meglátogat visit

meglehetősen rather, quite

meglep (*vkit vmivel*) surprise (sy with sg); *[rajtakap]* take° sy by surprise

meglepetés surprise; *[ajándék]* present

meglepő surprising

meglepődik be° surprised

meglevő existing, *[rendelkezésre álló]* available

megmagyaráz explain

megmarad be° left; *[vmilyen állapotban]* remain; (*vmi mellett*) stick°/keep° (to sg)

megmelegít warm (up)

megmenekül escape

megment save, rescue

megmér measure; *[vki lázát]* take° sy's temperature; *[súlyt]* weigh

megmond (*vkinek vmit*) tell° (sy sg)

megmos wash

megmosakszik wash

megmozdul move, stir

megmutat show°

megnevettet make° sy laugh

megnevez name; *[pon-*

tosít] specify; *[megjelöl]* fix

megnéz (*vmit*) look (at sg), have°/take° a look (at sg); *[filmet]* see°

megnő grow°; *[megnövekszik]* increase

megnősül marry

megnyer win°

megnyílik open

megnyit open

megnyitó *mn, fn* opening

megnyom *[gombot]* press, push; *[hangsúlyoz]* stress, emphasise

megnyugszik calm down, relax

megnyugtat (*vkit vmi felől*) reassure (sy about sg)

megold solve

megoldás solution

megoszt *[több ember közt]* divide (sg among people); (*vmit vkivel*) share (sg with sy)

megóv protect; *[döntést]* protest against

megöl kill; ~**i az unalom** be° bored to death

megölel embrace

megöntöz water

megöregszik grow° old

megőriz preserve, keep°

megőrül go° mad

megőszül get°/turn grey

megpályáz (*vmit*) apply (for sg)

megparancsol order

megpillant catch° sight of, notice

megpirít brown

megpofoz slap sy in the face, box sy's ears

megpróbál try

megpuhul soften, grow soft

megpuszil give° sy a peck/kiss

megrág chew; *[rágcsáló vmit]* nibble (at sg); **jól ~ja a dolgot** chew (on sg), ruminate (about/over sg)

megragad seize, grasp; *[kihasznál]* use; ~ **egy**

lehetőséget seize an opportunity; (vmihez) stick°

megragaszt glue, stick°

megrak load; ~ja a tüzet make° a fire

megrándít [pl. a bokáját] sprain

megránt jerk, tug (at sg)

megráz shake°; [lelkileg] shock

megrázkódtatás shock

megreggelizik have° breakfast

megrémít frighten

megrémül (vmitől) be° frightened (by sg)

megrendel [árut] order; [jegyet] book

megrendelés order

megrendelő customer

megrendez arrange, organise; [színre visz] direct

megromlik [étel] go° off/ bad; [rosszabb lesz] get°/ become° worse, deteriorate

megrongál damage, vandalise

megrúg kick

megsajnál (vkit) take° pity (on sy)

megsebesít wound, injure

megsebesül be° wounded/injured

megsemmisít [elpusztít] destroy, annihilate; [érvénytelenít] annul, invalidate

megsemmisül be° destroyed/annihilated

megsért [testileg, szóban] hurt°; [csak szóban] offend; [törvényt] break°

megsértődik (vmin) be° offended (by sg)

megsérül [megsebesül] get° injured; [megrongálódik] become°/get° damaged

megsóz salt

megsúg (vkinek vmit) whisper (sg) in sy's ear

megsüketül go°/become° deaf

megsül [hús] roast;

[tészta] get° baked; *[olajban]* be° fried

megsüt *[húst]* roast; *[tésztát]* bake; *[olajban]* fry

megszabadít (*vkit vmitől*) free/relieve (sy from sg)

megszabadul (*vmitől/vkitől*) get° rid (of sg/sy)

megszagol (*vmit*) smell° (sg)

megszakad be° interrupted; *[összeköttetés]* be° cut off

megszakít break°, interrupt; *[összeköttetést]* cut° off; *[kapcsolatot]* break° off

megszáll (*vhol*) stay (at sg); *[katonaság]* occupy, invade

megszámol count

megszárad dry

megszárít dry

megszavaz (*vmit*) vote (for sg); *[indítványt]* adopt

megszégyenít humiliate

megszégyenül be° humiliated

megszeret (*vkit/vmit*) come° to like (sy/sg), become° fond (of sy/sg)

megszerez get°, obtain

megszervez organise

megszigorít tighten

megszilárdít consolidate, confirm

megszokik (*vmit*) get°/become° used/accustomed (to sg)

megszólal start speaking

megszólít approach

megszomjazik grow° thirsty

megszökik escape

megszöktet (*vkit*) help sy to escape

megszületik be° born; *[létrejön]* come° into being

megszűnik come° to an end; *[fájdalom]* wear° away; *[pl. üzlet]* close down

megszüntet stop; *[fájdalmat]* ease, relieve

megtagad refuse (sg v. to do sg); *(vkit)* disown
megtakarít save
megtalál find°, discover
megtámad attack
megtanít teach°
megtanul learn°
megtart *[magának]* keep°; *[előadást]* give°; *[ígéretet]* keep°
megtekint inspect, view
megterít lay° the table
megtérít *[hitre]* convert (to); *[költségeket]* refund, reinburse; *[kárt]* pay° (for sg)
megtervez *[terveit elkészíti]* design; *[eltervez]* plan
megtestesít embody
megtesz *(vmit)* do° (sg); *[utat]* cover
megtéveszt mislead°
megtévesztő misleading
megtilt forbid°
megtisztel *(vkit vmivel)* honour (sy with sg)
megtisztelő flattering

megtiszteltetés honour
megtold lengthen
megtölt *[poharat]* fill (up); *[töltelékkel]* stuff; *[fegyvert]* load
megtöröl wipe
megtörténik happen, occur
megtud come°/get° to know, learn°
megújít renew
megújul be° renewed/refreshed; *[újjászületik]* revive
megun get° bored with
megüt strike°, hit°
megvádol *(vkit vmivel)* charge (sy of sg)
megvadul *(vmitől)* get° wild (with sg)
megvág cut°
megválaszt *(vkit vminek)* elect (sy (as) sg v. to be sg); *(vmit)* choose° (sg)
megvalósít realise, implement
megvalósul be° realised; *[pl. álom]* come° true

megvált *[jegyet]* buy°; *[pénzzel]* redeem; *[vallásban]* redeem

megváltozik change, alter

megváltoztat change, alter

megvár (*vkit*) wait (for sy); *[pl. állomáson]* meet° sy at the station, etc.

megvarr sew°

megvásárol buy°

megvéd defend

megver beat° (up); *[ellenfelet]* defeat

megvesz buy°

megveszteget bribe

megvesztegetés bribery

megvet *[lenéz]* despise; ~i az ágyát make° one's bed; ~i vminek az alapját lay° the foundations (of sg)

megvetés contempt

megvigasztal console, comfort

megvigasztalódik be° consoled/comforted

megvilágít light° (up); *átv* illuminate

megvisel try, wear° out

megvitat discuss

megvizsgál examine

megvon (*vkitől vmit*) deprive (sy of sg)

megzavar disturb, *[félbeszakít]* interrupt

megzavarodik *[összezavarodik]* get° confused

megy go°; *[működik, jár]* work; *[illik]* ~ a cipő a zoknimhoz? do my shoes match my socks?; *[műsoron van]* be° on

megye county

meggy sour cherry, morello (cherry)

méh¹ *[állat]* (honey-)bee

méh² *[szerv]* womb

mekkora how large/big?

meleg ▼ *mn átv is* warm; *[homoszexuális]* gay ▼ *fn* ~em van I am hot; *[homoszexuális]* gay

melegít warm (up)

melegítő tracksuit *US* sweat suit

melegítőalsó trackbottoms *tsz US* sweat pants *tsz*

melegítőfelső tracktop *US* sweat shirt

melegpadló warm flooring

melegszik warm up

mell breast, bosom, *[mellkas]* chest

mellbimbó nipple

mellé next to, beside

mellék *[környék]* surroundings, environs; *[telefon]* **115-ös** ~ extension 115

mellékel attach, *[iratot]* enclose

mellékes subsidiary

mellékhelyiség lavatory, toilet

melléklet *[újságé]* supplement; *[levélhez]* enclosure

melléknév adjective

mellékutca side street

mellény *[férfi]* waistcoat *US* vest; *[női]* bodice

mellett beside, next to, by; *[vmin felül]* in addition to

mellette next to/beside him/her/it; *átv* **minden** ~ **szól** he has everything in his favour; ~ **szavaz** vote for sy

mellkas chest

mellől from beside

mellső anterior

melltartó brassiere, bra

mellúszás breast-stroke

méltányol appreciate

méltányos *[igazságos]* fair; *[ár]* reasonable

méltatlan *(vmire)* be° unworthy/undeserving (of sg); *(vkihez)* be° beneath one's dignity; *[igazságtalan]* unfair

méltó *(vmire)* be° worthy/deserving (of sg); *(vkihez)* be° worthy (of sy); *[büntetés, jutalom]* just

méltóság dignity; *[személy]* dignitary

méltóságteljes dignified

mély deep

mélyhegedű viola
mélyhűtő *[hűtőszekrényben]* freezing compartment; *[önálló]* freezer
melyik which (one)?
mélység depth
mélytányér soap plate
memória memory
menedék shelter, refuge
menedzser manager
menekül flee°, fly°
ménes stud (farm)
menet ▼ *fn [vonulás]* march; *[csavaron]* thread; *sp* round; ~ **közben** on the way ▼ *hsz* **hazafelé** ~ on the/ one's way home
menetel march
menetidő journey time
menetirány direction
menetjegy ticket
menetrend timetable; *[rendezvényé]* programme
menettérti jegy return (ticket)
menstruál menstruate, have° one's period

ment *[megment]* rescue, save; *[igazol]* justify
menta mint
mentegetőzik make° excuses
mentén along sg
mentes (*vmitől*) free (from sg); (*vmi alól/vmitől*) exempt (from sg)
mentesít (*vkit vmi alól*) exempt (sy from sg)
mentesül (*vmi alól*) be° exempted (from sg)
mentő ▼ *mn* life-saving ▼ *fn* a ~k ambulance
mentőautó ambulance
mentőcsónak lifeboat
mentőmellény life-jacket
mentőöv life-belt
mentség excuse
menü *[étlap]* menu; *[ételek sorrendje]* set menu; *inform* menu
meny daughter-in-law (*tsz* daughters-in-law)
menyasszony fiancée
menny heaven
mennydörgés thunder

mennydörög thunder
mennyei heavenly
mennyezet ceiling
mennyi *[megszámlálható főnévvel]* how many?; *[megszámlálhatatlan főnévvel]* how much?
mennyiség quantity
mennyország heaven
mer¹ *[merít]* scoop
mer² *[merészel]* dare (to do sg)
mér measure; *[súlyt]* weigh; *[földet]* survey; *[időt, sebességet]* clock
meredek *[emelkedő]* rise; *[lejtő]* steep
méreg poison; *[bosszúság]* annoyance, vexation
merénylet; ~et követ el vki ellen make° an attempt on sy's life
merénylő assailant
mérés measuring; *[súlyé]* weighing; *[földé]* survey
merész bold
merészel dare (to do sg)

méret size; *[mérték]* scale, proportion
merev stiff; *[testrész]* numb; *[tekintet]* fixed; *[hajthatatlan]* inflexible, rigid
mérföld mile
mérgelődik be° angry/irritated
mérges poisonous; *[kígyó, pók]* venomous; *[dühös]* angry, cross
mérgez poison
mérgezés poisoning
merít *[belemerít]* *(vmibe)* dip (into sg); *(vmiből)* take° (from sg); *átv* *(vmiből)* take°/derive (sg from sg)
mérkőzés match
Merkur Mercury
mérleg scales *tsz;* *[számviteli]* balance (sheet); *csill* M~ Libra
mérlegel *átv is* weigh
mérleghinta see-saw
mérnök engineer
merőkanál ladle

merőleges *mn, fn* perpendicular

mérőműszer measuring instrument

mérőszalag (measuring) tape

merre *[hol?]* where?; *[hová?]* which way?, where?

merről from where?, where ... from?

mérsékel moderate; *[árat]* reduce

mérsékelt moderate; *[éghajlat]* temperate

mert because, as

mértan geometry

mértani test geometric solid

mérték *[mértékegység]* measure(ment); *[határ]* ~kel with moderation; ~ nélkül immoderately, to excess; **bizonyos** ~ben to a certain degree/extent

mértéktelen immoderate; *[evésben, ivásban]* intemperate

mértéktartó moderate, temperate

merül *[vízbe]* dive, submerge; **álomba** ~ fall° asleep; **gondolataiba** ~ve deep in thought

merülőforraló immersion heater

mese tale, story

mesekönyv story book

mesél *[mesét mond]* tell° a tale/story; *[elbeszél]* tell°

mesés fabulous

mesterség trade

mesterséges artificial

mész lime

mészáros butcher

meszel whitewash

mészkő limestone

messze far; *[kimagaslóan]* by far

messzeség distance

messzire far

messziről from afar

metélőhagyma chive(s)

meteorológia meteorology

méter metre

metró (the) underground *US* subway

metszet *[szelet]* cut, section; *[művészi]* engraving

metszőolló pruning shears *tsz*

mez strip

méz honey

mezei field, meadow

mézeshetek honeymoon *esz*

mézeskalács honeycake, gingerbread

mezítláb barefoot

mező field

mezőgazdaság agriculture

meztelen *átv is* naked; **a ~ igazság** the naked truth

mi¹ *[személyes nm]* we; *[birtokos jelzőként]* our

mi² *[kérdőszó]* what?; *[van/nincs után]* **nincs ~t tenni** nothing to be done; **van ~t enned?**

have you got anything to eat?

mialatt while

miatt *[következtében]* because of; *[érdekében]* for the sake of

micsoda *[kérdés]* what (on earth)?; *[meglepődve]* what?, what do you mean?; *[felkiáltásban]* what a(n) …

mielőtt before

miénk ours

miért why?

míg *[mialatt]* while, as long as; *[ameddig]* until, till; *[ellenben]* while

mikor ▼ *hsz [kérdő]* when?; *[vonatkozó]* when ▼ *ksz [hiszen]* since; *[ha]* when

miközben while

mikrofon microphone

mikrohullámú sütő microwave oven

mikroszkóp microscope

milliárd billion

milliméter millimetre (*röv* mm)

millió million
milliomos millionaire
milyen *[kérdő]* what?, how?; *[felkiáltásként]* how
mind ▼ *nm [valamennyi]* all ▼ *hsz [középfokkal]* ~ **többen és többen** more and more
mindegy (it is) all the same
mindegyik each
minden every; *[minden egyes]* each; **ez ~?** is this all?; **~t megpróbált** she tried everything
mindenáron at any price
mindenekelőtt first of all
mindenesetre in any case
mindenféle all sorts/kinds of
mindenható ▼ *mn* almighty ▼ *fn* **a M~** the Almighty, God Almighty
mindenhol everywhere
mindenképp(en) in any case

mindenki everybody, everyone
mindennap every day
mindennapos everyday
mindenütt everywhere
mindig always; **még ~** still
mindjárt soon, in a minute
mindkét both
mindössze merely, altogether
minek *[mi célból?]* why?, what for?
minél; ~ előbb as soon as possible; **~ előbb, annál jobb** the sooner the better
minimális minimum
minimum ▼ *fn* minimum ▼ *hsz* at the least
miniszoknya mini(skirt)
miniszter minister
miniszterelnök prime minister
minisztérium ministry
minőség quality; **miniszteri ~ében** in his capacity of minister

minősít qualify; *[besorol]* classify

minősítés classification; *[tudományos]* degree

mint ▼ *ksz* **fehér, ~ a fal** white as a sheet; **olyan, ~ az anyja** she's like her mother; **szebb, ~ a másik** more beautiful than the other ▼ *hsz* **~ már említettem** as I have already mentioned

minta *[modell]* model; *[mintázat]* pattern; (*vmiből*) sample

mintás patterned

mintha as if/though

mínusz ▼ *mn* minus ▼ *fn* *[hiány]* deficit; **~ban van** be° in the red

mióta *[kérdő]* since when?; *[amióta]* since

mirelit (deep-)frozen

mirigy gland

mise mass

mitesszer blackhead

mobiltelefon mobile phone

mocsár marsh

mód manner, method; *[lehetőség]* possibility; **~jával** moderately; *nyelv* mood; *[étel]* **Pékné ~ra** à la Pékné, Pékné style

modell model

modern modern

modor *[viselkedés]* manners *tsz; [stílus]* manner

módosít modify, alter

módosítás modification, change

módszer method

mogyoró hazelnut, peanut

moha moss

mohó greedy

mókus squirrel

molekula molecule

moll *mn, fn* minor

molnár miller

móló pier

moly moth

monarchia monarchy

mond say°; *[említ]* mention; **ne ~d!** really?, you mean it?; **mit akarsz**

ezzel ~ani? what do you mean by this?; *[nyilvánít]* call, claim; **beszédet ~** make°/deliver/ give° a speech; **az nekem semmit sem ~** this means/says nothing to me

mondanivaló message; **nincs semmi ~ja** have° nothing to say

mondat sentence

monitor monitor

monoton monotonous

morog *[állat]* growl; *[ember]* (*vmi miatt*) grumble (at/over/about sg)

morzsa (bread)crumbs *tsz; [darabka]* morsel

mos wash

mosakszik wash, have° a wash; *[mentegetőzik]* make° excuses

mosás wash(ing)

mosdó lavatory, toilet

mosdókagyló washbasin

mosoda laundry

mosogat wash up the dishes, do° the washing-up

mosogatás washing-up

mosogató sink

mosogatógép dishwasher

mosogatószer dish-washing liquid

mosógép washing-machine

mosoly smile

mosolyog (*vmin/vkin, vkire*) smile (at sg/sy, at/upon sy)

mosómedve raccoon

mosópor washing powder, detergent

mosószer detergent

most now

mostohaanya stepmother

mostohaapa stepfather

mostohagyerek stepchild (*tsz* -children)

mostohatestvér *[lány]* stepsister; *[fiú]* stepbrother

moszat seaweed

motor motor, engine; *[motorkerékpár]* motorcycle, motorbike

motorcsónak motor boat

motorkerékpár motorcycle, motorbike

motorkerékpáros motorcyclist

motoros ▼ *mn* motor-(driven) ▼ *fn* motorcycle rider, biker

motorozik ride° a motorcycle

motoz *(vkit)* search (sy)

mozaik mosaic

mozdít move

mozdony engine

mozdonyvezető engine-driver *US* engineer

mozdul stir

mozdulat movement

mozdulatlan motionless

mozgalmas eventful

mozgalom movement

mozgás movement; *[testedzés]* exercise

mozgáskorlátozott *mn,* *fn* disabled, physically handicapped

mozgássérült *mn, fn* disabled, physically handicapped

mozgólépcső escalator

mozgósít mobilise

mozi cinema *US* movie

mozijegy cinema ticket *US* movie ticket

moziműsor cinema programme *US* movie program

mozog move; *[sportol]* exercise; *[kilazult]* have° come loose

mozsár mortar

mozsártörő pounder

mögé behind

mögött behind

mulandó fleeting, transitory

mulaszt *[elesik tőle]* miss; *[távol marad]* be° absent (from); *[nem teljesít]* neglect

mulat *[szórakozik]* have°

a good time, have° fun; *[vigad]* carouse; **nagyot** ~ paint the town red; *[derül vmin]* be° amused (at/by sg), laugh (at sg)

mulató night club, nightspot

mulatság amusement, entertainment

mulatságos amusing

múlik *[idő]* pass; **húsz éves múlt** be° past twenty; *[szűnik]* cease, abate; (*vkin/vmin*) depend (on sy/sg)

múlt ▼ *mn* past; *nyelv* ~ **idő** past tense ▼ *fn* (the) past

multiplex mozi multiplex cinema, multiplex

múlva; 20 perc ~ in twenty minutes

munka work; *[állás]* job, employment; *[feladat]* task; *[mű]* work

munkaadó employer

munkaasztal workbench, worktable

munkaerő *[munkabírás]* working capacity; *[munkások]* workforce; *[munkavállaló]* worker, employee

munkafüzet workbook

munkahely place of work/ employment; *[állás]* employment; **van** ~**e** have° a job, be° employed

munkakör job, duty

munkáltató employer

munkanap working day

munkanélküli ▼ *mn* unemployed ▼ *fn* **a** ~**ek** the unemployed *esz*

munkanélküliség unemployment

munkapad workbench

munkás worker

munkaszünet holiday

munkatárs colleague

munkavállaló employee

munkaviszony employmeny

muskátli geranium

must must

mustár mustard

muszáj *[vkinek vmit tenni]* must° (do sg), have° (to do sg); ~ **elmenned hozzá** you have to visit her/him; ~**ból** out of necessity

mutat *(vmire/vkire)* point (at/to sg/sy); *[megmutat]* show°; *[kifejez]* show°, reflect; *[jelez,]* show°, indicate; *[műszer]* read°; **jól** ~ look good/nice; *[színlel]* pretend

mutatkozik *[vki megjelenik]* show° up, appear; *[jelentkezik]* turn up, appear; *[vmilyennek látszik]* look, appear

mutató *[óráé]* hand; *[könyvben]* index

mutatós attractive, decorative

mutatóujj forefinger, index finger

múzeum museum

muzsika music

mű work, opus; *[létesítmény]* works *tsz;* **egy pillanat** ~**ve volt** it happened in an instant; **ez az ő** ~**vük** this is their doing

műalkotás work of art

műanyag *mn, fn* plastic

műemlék historic building

műfaj genre

műfogsor set of false/artificial teeth, denture

műgyűjtő art collector

műhely *átv is* workshop; *[autójavító]* garage

műhold satellite

műholdas satellite

műjég(pálya) (skating) rink

működik work, function, operate; **hogyan** ~**?** how does it work?; *[ember vmiként]* work as

működtet operate

műsor programme

műsorfüzet programme (guide)

műsorvezető *[rádió, tv]* presenter

műszak shift

műszaki technological

műszál synthetic fibre

műszer instrument

műszerész mechanic

műszerfal dashboard

műterem studio

műtét (surgical) operation

műtő operating theatre/room

műtrágya artificial fertiliser

műugrás (springboard) diving

műugró (springboard) diver

művel *[tesz]* do°; *[földet]* cultivate; *[tudományt]* study

művelet operation; *[pénzügyi]* transaction

műveletlen uneducated

művelődés education

művelt educated

műveltség education; *[civilizáció]* civilisation

művész artist

művészet art

művész artistic

müzli muesli

N

na *[biztatólag]* come on!; **~ és?** so what?

nád reed

nadrág (a pair of) trousers *tsz* *US* pants *tsz*

nadrágtartó braces *tsz*

nagy ▼ *mn [nagyméretű]* big, large; *[jelentős]* great ▼ *fn [felnőttek]* **a ~ok** the grown-ups; *[vmi zöme]* **vmi ~ja** the greater part (of sg), the bulk (of sg); **~ra tart (vkit)** have° a high opinion (of sy), think° highly (of sy)

nagyanya grandmother

nagyapa grandfather

nagybetű capital letter

nagybácsi uncle

nagybőgő double bass

Nagy-Britannia Great Britain

nagyfeszültség high voltage

nagyító magnifying glass

nagyjából by and large

nagyképű conceited, self-important

nagykereskedés wholesale warehouse/store

nagykorú; ~ lesz come° of age; **~ személy** major

nagykövet ambassador

nagykövetség embassy

nagylelkű generous

nagymama grandma(ma)

Nagymedve *csill* the Great Bear *US* the Big Dipper

nagymértékben to a great extent

nagymértékű considerable

nagymutató minute hand

nagynéni aunt

nagyon *[mn-vel, hsz-val]* very; *[igével]* very much

nagypapa grand-dad

nagyravágyó ambitious

nagyrészt *[nagyobb részben]* largely, mostly; *[rendszerint]* as a rule

nagyság largeness; *[szellemi]* greatness; *[méret]* size; *[fontosság]* significance; *[személyiség]* notability

nagyszabású large-scale

nagyszerű great, wonderful

nagyszülők grandparents

nagyvállalat *[ipari]* big/large industrial enterprise

nagyváros city

nagyvonalú generous

naiv naive

nála *(vkinél/vkivel/vhol)* with him/her etc.; *[birtokában]* on him; *[összehasonlításnál]* than he/him

nap day; **jó ~ot!** hello, good morning/afternoon; *[napsütés]* sun(shine); **N~** Sun

napelem solar cell

napernyő parasol

napfogyatkozás solar eclipse

naphosszat all day long

napi daily

napijegy day ticket

napilap daily

napirend agenda

napkelte sunrise

napközben in the daytime

napközi (otthon) day-nursery, day-care centre

naplemente sunset

napló diary

napnyugta sunset

napolaj suntan lotion

naponta daily

napos *[korú]* ... days old *ut;* *[x napig tartó]* x-day, lasting x days *ut;* *[napsütötte]* sunny

napozik sunbathe

nappal ▼ *fn* day(time) ▼ *hsz* by day

nappali ▼ *mn* day-; ~ **műszak** day shift ▼ *fn* sitting/living-room

napraforgó sunflower

naprakész up-to-date

naprendszer solar system

napsütés sunshine

napszak part of the day

napszemüveg sunglasses *tsz*

napszúrás sunstroke

naptár calendar

narancs orange

narancsdzsem marmalade

narancslé orange juice

narancssárga orange

nassol nosh

nászút honeymoon

nátha (common) cold

náthás have° a cold

ne *[felszólításban]* don't; **jaj, ~!** oh no!; *[kérdésben]* ~ **igyunk valamit?** why don't we have a drink?

-né Mrs …

nebáncsvirág touch-me-not

nedv moisture

nedves wet

nedvesség *[tulajdonság]* wetness; *[pára]* moisture

nefelejcs forget-me-not

negatív negative

negatívum the negative side

négy four

negyed ▼ *fn* quarter; *[városrész]* district ▼ *szn* (a) quarter (of)

negyedév quarter

negyedik fourth (*számmal* 4th)

negyedóra a quarter of an hour

negyedrész quarter

négyen; mi/ti/ők ~ the four of us/you/them

négyes ▼ *mn [számú]* (the number) four; ~ **busz** bus number four; ~ **fogat** four-horse carriage, four-in-hand ▼ *fn zene* quartet

négykézláb on all fours
négylábú four-legged
négyszemélyes *[autó]* four-seater
négyszemközt in private
négyszer four times
négyszög quadrilateral, *[derékszögű]* rectangle
negyven forty
négyzet square
négyzetméter square metre (*röv* sq m)
néha sometimes
néhány some, a few
néhányan some/a few (of us/you/them)
néhányszor a few times
nehéz heavy; *[bonyolult]* difficult
nehézipar heavy industry
nehézség heaviness; *[bonyolultság]* difficulty
neheztel (*vkire vmiért*) bear°/have° a grudge (against sy for sg)
nehogy lest
nejlonzacskó plastic bag/ carrier

neki *[számára]* (to/for) her/him/it; *[birtoklás]* ~ van she/he has, she/he has (v. she's/he's) got
nekidől (*vminek*) lean°/ rest (against sg)
nekifutás run-up; *átv* első ~ra at the first go
nekilát (*vminek*) set° about (doing) sg
nekimegy *[nekiütközik]* knock/run°/bang (into/ against sg); *[megtámad]* attack
nekitámaszkodik (*vminek*) lean°/rest (against sg)
nekivág (*vmit vminek*) hurl/dash/fling° (sg against sg); *[útnak]* set° out on; (*vminek*) set° about (doing) sg
nélkül without
nélkülöz *[híjával van]* lack, be° in need (of sg); *[megvan vmi nélkül]* do° without; *[hiányol]* miss; *[ínséget szenved]* live/be° in want

nélkülözhetetlen indispensable

nem¹ *fn* *[nő, férfi]* sex; *[rendszertani kategória]* genus; **a maga ~ében** of its kind; *nyelv* gender

nem² ▼ *hsz* no; not ▼ *fn* **~et mond** say no, refuse

néma dumb; *[hangtalan]* mute

nemcsak not only

nemdohányzó ▼ *mn* non-smoking ▼ *fn* non-smoker

némelyik some

nemes ▼ *mn átv is* noble ▼ *fn* noble(man) *(tsz* -men)

német *mn, fn* German

Németország Germany

nemi *[szexuális]* sexual; *[nemmel kapcsolatos]* gender

némileg to a certain extent

nemrég recently

nemsoká(ra) soon

nemz *[ember]* beget°; *[állat]* sire

nemzedék generation

nemzet nation

nemzeti national

nemzetiség *[hovatartozás]* nationality; *[kisebbség]* (national/ethnic) minority

nemzetközi international

néni aunt(y)

neonfény neon light

nép people *(tsz* peoples); **az egyszerű ~** common people; **a falu ~e** villagers *tsz*

népdal folk-song

népes populous

népesség population

népi people's

népies rustic

népművészet folk art

néprajz ethnography

népsűrűség density of population

népszámlálás (national) census

népszavazás referendum

népszerű popular
népszerűség popularity
népszerűtlen unpopular
néptelen *[kihalt]* deserted; *[gyéren lakott]* underpopulated
Neptunusz Neptune
népviselet national/traditional costume/dress
nettó net
név name; *[hírnév]* renown
nevel *[gyermeket]* bring° up; *[állatot]* rear
nevelés *[gyermeké]* upbringing; *[iskolában stb.]* education; *[állaté]* breeding
nevelő ▼ *mn* educational ▼ *fn* educator
névelő article
nevelőszülők foster parents
neves famous
nevet laugh
nevetés laughter
nevetséges ridiculous
nevez *(vkit vminek)* call/

name *(sy sg)*; *[benevez]* enter
nevezés entry
nevezetes notable
nevezetességek places of interest, sights
névjegy (business) card
névmás pronoun
névnap nameday
névrokon namesake
névsor list (of names)
névtábla name-plate
névtelen anonymous; *[ismeretlen]* unknown
néz *(vmit/vkit/vmire/vkire)* look (at sg/sy); *[mozgó/zajló dolgot, tévét]* watch; *[nyílik vmire]* look out (on sg)
nézelődik look around
nézet view, opinion
nézeteltérés difference of opinion
néző ▼ *mn* utcára ~ **ablakok** windows looking onto the street ▼ *fn* viewer, spectator
nézőpont point of view

nézőtér auditorium

nincs *[nem létezik]* there is no(t); ~ **ott** it is not there; ~ **pénzem** I have no money; ~ **meg a kulcs** I can't find the key

nitrogén nitrogen

normális normal

norvég *mn, fn* Norwegian

Norvégia Norway

nosztalgia nostalgia

nóta song

notesz notebook

novella short story

november November (*röv* Nov.)

nő¹ *fn* woman (*tsz* women)

nő² *ige [élő dolog]* grow°; *[gyarapodik]* increase, grow°

nőgyógyász gynaecologist

nőgyógyászat gynaecology

női women's, female; ~ **kalap** women's hat; ~ **hang** female voice

nőies *[nő]* womanly; *[férfi]* effeminate

nőnem feminine (gender)

nőnemű feminine

nős married

nőstény female

nősül get° married

nőszirom iris

nőtlen unmarried

növekedés growth

növekedik *[élő dolog]* grow°; *[gyarapodik]* increase, grow°

növel increase

növény plant

növényi plant, vegetable

nővér *[ápoló is]* sister

növeszt grow°

nukleáris nuclear

nulla zero, nil

NY

nyáj flock
nyak neck
nyakkendő tie
nyaklánc necklace
nyakörv collar
nyal lick
nyál saliva, spit
nyálka mucus
nyalogat lick
nyalóka lollipop
nyár¹ *[évszak]* summer
nyár² *[nyárfa]* poplar
nyaral spend° the summer holiday somewhere, be° on holiday *US* vacation
nyaralás summer holiday(s) *US* vacation

nyaraló *[épület]* weekend/holiday house; *[személy]* holiday-maker
nyaralóhely holiday resort
nyári summer ~ **menetrend** summer timetable
nyárs spit
nyel swallow
nyél handle
nyelv *[szerv, cipőé]* tongue; *[a médium]* language; *[írásműé]* style
nyelvészet linguistics *esz*
nyelvi linguistic
nyelviskola language school
nyelvkönyv coursebook
nyelvoktatás language teaching
nyelvóra language lesson
nyelvtan grammar
nyelvtanár language teacher
nyelvtanfolyam language course
nyelvtanulás language learning/acquisition
nyelvterület linguistic area

nyelvtudás foreign language skills

nyelvvizsga language exam

nyer win°; *[megkap]* get°; *[haszna van vmiből]* profit/gain (by/from sg); **időt ~** gain time

nyereg saddle

nyeremény prize

nyereség profit; *átv* gain

nyereséges profitable

nyergel saddle

nyerít neigh

nyers *[anyag, étel]* raw; *[ember]* rough, coarse

nyersanyag raw material

nyertes ▼ *mn* winning ▼ *fn* winner

nyikorog creak

nyíl arrow

Nyilas *csill* the Archer, Saggitarius

nyílás opening

nyilatkozat declaration

nyilatkozik make° a statement/declaration

nyílik open

nyílt open

nyilván evidently, obviously

nyilvános public

nyilvánosság publicity, the public

nyilvántart *(vmit)* keep° a record (of sg)

nyilvántartás *[tevékenység]* recording; *[iratok]* records *tsz*

nyilvánvaló evident, obvious

nyír¹ *fn* birch(tree)

nyír² *ige [hajat]* cut°; *[birkát]* shear°; *[füvet]* mow

nyit open; *[nyitottá válik]* open up

nyitány overture

nyitás opening

nyitott open

nyitva open

nyitvatartási idő office/opening/business hours *tsz*

nyolc eight

nyolcad eighth

nyolcadik eighth

nyolcas ▼ *mn [számú]* number eight ▼ *fn [számjegy]* the figure/ number eight; **felszáll a ~ra** take° a number eight tram

nyolcórás eight-hour

nyolcvan eighty

nyolcszor eight times

nyom ▼ *fn* trace ▼ *ige átv is* press; *[súlyban]* weigh; *[nyomtat]* print

nyomás pressure; *[nyomtatás]* printing; *biz* ~! get a move on!

nyomaszt distress, weigh heavily on one's mind

nyomasztó depressing

nyomda printing house, *[kisebb]* print shop

nyomdász printer

nyomógomb push button

nyomor poverty, destitution

nyomorék ▼ *mn* crippled ▼ *fn* cripple

nyomorog live in poverty, be° destitute

nyomoz investigate

nyomozás investigation

nyomozó detective

nyomtalan traceless

nyomtat print

nyomtatás printing

nyomtató printer

nyomtatott *[szöveg]* printed; ~ **áramkör** printed circuit

nyomtatvány *[postai küldeményként]* printed matter; *[űrlap]* form

nyög groan

nyugágy deck-chair

nyugalom *[mozdulatlanság]* rest; *[béke]* peace, calm; *[önuralom]* composure; *[nyugállomány]* retirement

nyugat west (*röv* W.)

nyugati west(ern)

nyugdíj (retirement v. old-age) pension

nyugdíjas pensioner

nyugdíjaz pension off
nyugodt calm, peaceful
nyugszik *[pihen]* lie°;
[Nap] set°; *átv* (*vmin*)
rest on/upon
nyugta *[számla]* receipt
nyugtalan anxious,
troubled
nyugtalanít trouble, make°
sy anxious
nyugtalanság anxiety
nyugtat (*vkit*) calm sy
(down)
nyugtató tranquilliser
nyugtáz acknowledge
nyugton marad keep°
still/quiet
nyújt *[kinyújt]* stretch;
[kezet] stretch/hold° out;
[ad vkinek vmit] give°/
offer (sy sg)

nyújtózkodik stretch (one-
self)
nyúl¹ *fn* *[mezei]* hare,
[üregi, házi] rabbit
nyúl² *ige* (*vkihez/vmihez*)
touch (sy/sg); (**vmi**)
után ~ reach out (for
sg); *[folyamodik vmi-
hez]* resort (to sg)
nyúlik *[anyag]* stretch;
(*vmeddig*) reach (as far
as); **hosszúra** ~ drag°
on/out
nyúlós *[folyadék]* vis-
cous; *[ragacsos]* gooey,
sticky
nyüzsgés hustle and
bustle
nyüzsög *[férgek]* swarm;
[fontoskodik] bustle
about

O, Ó

oázis oasis

óceán ocean

oda there

odaad (*vkinek vmit*) give°/ hand/pass (sy sg v. sg to sy)

odaadó devoted

odaállít (*vmit/vkit vhova*) place/stand° (sg/sy swhere)

odaát over there

odaér [*megérkezik vhova*] arrive (at/in); (*vmihez*) touch (sg)

odafigyel (*vkire/vmire*) listen (to sy/sg)

odafut (*vkihez/vmihez*) run° (up) (to sy/sg)

odahajol (*vkihez/vmihez*) lean° over (to sy/sg)

odahív call (over)

odahúz draw°, pull

odáig as far as

odaítél (*vmit vkinek*) award (sg to sy)

odajön (*vkihez/vmihez*) come° (up) (to sy/sg)

odakap (*vmihez*) catch°/ snatch (at sg)

odakiált (*vkinek*) call (to sy)

odamegy (*vkihez/vmihez*) go° (up) (to sy/sg)

odanéz (*vkire/vmire*) look (at sy/sg), cast a look (at sy/sg)

odarendel (*vkit vkihez/ vmihez*) order (sy to sy/ sg)

odarepül (*vhova*) fly° (swhere/to)

odarohan (*vkihez/vmihez*) run° (up) (to sy/sg)

odasiet (*vkihez/vmihez*) hurry/rush (to sy/sg)

odasúg (*vmit vkinek*) whisper (sg to sy)

odatalál (*vmihez*) find° one's way (to sg)

odatesz put°, place
odautazik travel (swhere)
odavesz take°
odavezet (*vkit vhova*) lead°/guide (sy swhere); [*út vhova*] lead° (swhere)
odavisz (*vkit/vmit vkihez/ vmihez*) take° (sy/sg to sy/sg); [*út vhova*] lead° (swhere)
oda-vissza there and back
odébb farther/further (away/on)
odú [*fában*] hollow; [*búvóhely*] den
óhaj wish, desire
óhajt wish, desire
ok [*vminek az oka*] the cause (of sg), the reason (for sg)
oké *biz* OK, okay
okirat document
oklevél diploma, degree; [*okirat*] charter, decree
okleveles qualified, trained; ~ **könyvvizsgáló** chartered accountant

okmány document
okol (*vkit vmiért*) hold° sy responsible (for sg), blame (sy for sg)
ókor antiquity, ancient times *tsz*
okos clever, bright
okoz cause
oktat instruct, train
oktatás education
oktató ▼ *mn* instructive ▼ *fn* teacher, instructor
október October (*röv* Oct.)
ól [*disznóé*] sty, [*kutyáé*] kennel, [*baromfié*] pen
olaj oil
olajbogyó olive
olajos oily
olajoz oil
olasz *mn, fn* Italian
Olaszország Italy
olcsó cheap, inexpensive
old [*csomót*] undo°; [*folyadék vmit*] dissolve; [*feszültséget*] relieve
oldal side; [*könyvé*] page; [*tulajdonság*] aspect, quality

oldalkocsi side-car

oldalszakáll sideboards *tsz US* sideburns *tsz*

oldat solution

oldódik dissolve

oldószer solvent

olimpia Olympic Games *tsz,* Olympics *tsz*

olimpiai Olympic

olló (a pair of) scissors *tsz; [ráké]* claw

ólom lead

ólommentes benzin lead-free/unleaded petrol

olt[1] *[tüzet]* put° out, extinguish; *[szomjat]* quench

olt[2] *[beolt]* vaccinate, inoculate

oltár altar

oltás vaccination, inoculation

olvad melt

olvas read°

olvasás reading

olvashatatlan illegible

olvasmány reading

olvasó reader

olvaszt melt

olyan *[összehasonlítás]* ~, mint én he's (just) like me; *[mn-vel, hsz-val]* ~ szép volt! it was so beautiful; a futball mint ~ football as such

olyasmi something like that

omlás collapse

omlik fall° to pieces, collapse

omlós crumbly

onnan from there

opera *[mű]* opera; *[operaház]* opera (house)

operáció operation

operaház opera house

operál *(vkit)* operate (on sy)

operatőr cameraman *(tsz -men)*

operett operetta

optika *[tudomány]* optics *esz; [fényképezőgépé]* lens

optikus optician

optimális optimum, best

optimista ▼ *mn* optimistic ▼ *fn* optimist

óra *[kar-, zseb-]* watch, *[minden más]* clock; *[mérő]* meter; *[60 perc]* hour; **hány ~ van?** what's the time?, what time is it?; *[iskolai]* class

órabér hourly rate; **~ben dolgozik** be° paid by the hour

órarend timetable

órás ▼ *mn* of ... hours ▼ *fn* watchmaker

ordít *[ember]* shout, bellow; *[oroszlán]* roar

ordítás *[emberé]* bellow; *[oroszláné]* roar

orgona organ; *növ* lilac

óriás giant

óriási gigantic, giant; *biz* *[remek]* great, splendid

ormány trunk

orom *[házé]* gable (end); *[hegyé]* summit

orosz *mn, fn* Russian

oroszlán lion; *csill* **O~** Leo

Oroszország Russia

orr *[emberé]* nose; *[állaté]* snout; *[cipőé]* toe

orrlyuk nostril

orrszarvú rhinoceros

orsó spindle; *[cérnának, filmnek stb.]* reel

ország country

országgyűlés national assembly, parliament

országos national

országszerte all over the country

országút highway

orvos doctor, physician

orvosi medical

orvosság medicine; *átv* remedy

orvostudomány medical science

orvvadász poacher

ostoba stupid

ostobaság stupidity; *[ostoba beszéd]* nonsense, rubbish

ostor whip

ostrom siege

ostromol *átv is* besiege

ostya wafer

oszlik *[részekre]* be° divided (into); *[tömeg]* disperse

oszlop column; *átv* pillar

oszt divide; *[részekre]* divide/split° (into); *[kioszt]* distribute; *[véleményt]* share

osztalék dividend

osztály *[társadalmi, iskolában, vonaton]* class; *[hivatalban, áruházban]* department

osztályfőnök form teacher

osztályoz *[besorol]* classify; *[tanulót]* grade

osztálytárs classmate

osztályterem classroom

osztályzat mark, grade

osztás *[matematikai]* division; *[részekre]* dividing; *[szét~]* distribution

osztozik (*vmin vkivel*) share (sg with sy)

osztrák *mn, fn* Austrian

óta *[időponttal]* since; *[időtartammal]* for

ott there

otthagy (*vkit*) leave° (sy)

otthon ▼ *fn* home; **művelődési ~** cultural/community centre ▼ *hsz* at home; *átv* **~ van (vmiben)** feel°/be° at home (in sg)

otthonos homely

óv (*vkit/vmit vmitől*) protect (sy/sg from/against sg)

óvadék bail

ovális oval

óvás *[védelem]* protection; *[kifogás]* protest

óvatos cautious, careful

óvatosság cautiousness

óvoda nursery school, kindergarten

óvodás kindergat(e)ner

óvszer condom

oxigén oxygen

ózon ozone

ózonréteg ozone layer

Ö, Ő

ő *[hímnemű]* he, *[nőnemű]* she; *[birtokos jelzőként: esz hímnem]* his, *[esz nőnem]* her, *[tsz]* their

öblít rinse

öböl *[nagyobb]* gulf, *[kisebb]* bay

öcs younger brother

ők they

ököl fist

ökölvívás boxing

ökölvívó boxer

ökör ox (*tsz* oxen)

öl¹ *fn [testrész]* lap

öl² *ige [embert]* kill; *[állatot]* slaughter

ölel embrace

ölelés embrace

öltés *orv is* stitch

öltöny suit

öltözék clothes *tsz*, outfit

öltözik get° dressed, put° on one's clothes

öltözködik get° dressed, put° on one's clothes

öltöző changing room, *[munkahelyen, sportolóké]* locker room

öltöztet dress

ömlik flow

ön *[megszólítás]* you; *[birtokos jelzőként]* your

önálló independent

önállóság independence

önarckép self-portrait

önbizalom (self-)confidence/assurance

önéletrajz autobiography; *[álláshoz]* curriculum vitae (*röv* CV)

öngyilkos ▼ *mn* suicidal ▼ *fn* suicide

öngyilkosság suicide

öngyújtó lighter

önindító self-starter

önismeret self-knowledge
önként voluntarily
önkéntelen involuntary
önkéntes ▼ *mn* voluntary
▼ *fn* volunteer
önkény absolutism
önkényes arbitrary
önkiszolgálás self-service
önkiszolgáló self-service
önkormányzat *[elv]* self-government/rule; *[testület]* local council; *[épület]* town/city hall
önmaga *[hímnem]* himself; *[nőnem]* herself
önt *[folyadékot]* pour; *[fémet]* (die-)cast°; bátorságot ~ (vkibe) fill sy with courage
öntapadós cimke stick-on label
öntelt conceited
öntet sauce
öntöz water
öntözés watering
öntudat consciousness
öntudatlan unconscious
öntudatos (self-)conscious

önuralom self-control/restraint
önvédelem self-defence
önzés selfishness
önzetlen unselfish
önző selfish
őr guard
ördög devil
ördögi diabolical
öreg ▼ *mn* old ▼ *fn* az ~ek the old ones
öregasszony old woman (*tsz* women)
öregedik grow° old
öregember old man (*tsz* men)
öregség old age
öregszik grow° old
őriz guard, keep° an eye on; *[megtart]* keep°
őrizetlen unguarded; ~ül hagy leave° sg unattended
őrjárat patrol
őrködik watch over, keep°/stand° watch over
őrmester sergeant
őrnagy major

örök ▼ *mn* *[örökké tartó]* eternal, everlasting ▼ *fn* ~**be ad** (vmit vkinek) give° sy sg for good; ~**be fogad** adopt

örökké *[örökre]* eternally, for ever; *[folytonosan]* continually, without end

örökkévalóság eternity

öröklődik *[pl. betegség]* be° hereditary; *[vagyon]* be° handed down

örököl *átv is* inherit

örökös¹ *mn* *[folytonos]* perpetual, endless; *[örök]* eternal

örökös² ▼ *mn* hereditary ▼ *fn* heir

örökre for ever (and ever)

örökség inheritance, heritage

örökzöld *átv is* evergreen; ~ **növények** evergreens

őröl grind°

őrölt ground

öröm joy, pleasure

őrs *kat* sentry; *[cserkész]* (scout) patrol

őrség guard

örül (*vminek*) be° delighted/pleased (at sg)

őrült ▼ *mn* mad, crazy ▼ *fn* madman (*tsz* -men)

őrültség madness

örvény whirlpool

ős ancestor

ősbemutató world première

ősember primitive man (*tsz* men)

őserdő jungle, virgin forest

ősi ancient

őskor prehistoric times *tsz*

őslény fossil

ősrégi ancient

ösvény path

ősz¹ *mn* grey(-haired)

ősz² *fn* autumn

őszi autumnal

őszibarack peach

őszies autumn(al)

őszinte sincere, honest

őszinteség sincerity, honesty

összead *[számokat]* add (up/together); *[pénzt vmire]* contribute money (to sg); *[összeesket]* marry

összeállít assemble; *[bizottságot]* set° up

összebarátkozik (*vkivel*) make° friends (with sy)

összecsap *[ellenféllel]* clash (with sy); ~**ja a kezeit** clap one's hands

összecserél (*vmit vmivel*) confuse (sg with sg)

összecsomagol pack (up)

összecsuk close

összecsukható folding, collapsible

összedől collapse

összeesik *[személy]* collapse; *[egybeesik]* coincide

összefogás union, collaboration

összefoglal sum up, summarise

összefoglalás summary

összefügg (*vmivel*) be° connected (with sg)

összefüggés connection

összefüggő *[folytonos]* unbroken, continuous; (*vmivel*) connected with *ut*

összeg sum

összegez summarise, sum up

összegyűjt collect; *[embereket]* gather/get° together

összegyűlik *[tömeg]* collect, come° together; *[pénz]* pile up

összegyűr crumple

összehajt fold (up)

összehangol coordinate

összehasonlít (*vmit/vkit vmivel/vkivel*) compare (sg/sy with sg/sy)

összehasonlítás comparison

összeházasodik get° married

összehív call together

összeillik match
összeír (*vmit*) make° a list (of sg)
összejön *[összegyűlik]* gather; *[felgyülemlik]* pile/heap up; *[sikerül]* work out, come° off
összejövetel meeting
összekapcsol connect
összekever mix/blend (together); *[összetéveszt]* confuse (sg with sg)
összeköt *[zsineggel]* tie (up); *[összekapcsol]* connect
összeköttetés connection
összemegy *[ruha]* shrink°; *[összehúzódik]* contract
összenyom compress
összeomlás collapse
összeomlik collapse
összerak *[rendbe rak]* put°/place sg in order; *[összeállít]* put° together, assemble
összes *[egész, teljes]* all; *[mindegyik]* **az ~ ba**rátja all his friends; **(vki) ~ művei** sy's complete works
összesen altogether
összesít add up, total
összeszed collect, gather; *[pénzt]* scrape together; *[betegséget]* catch°; **~i a bátorságát** pluck up courage
összetart hold°/keep° together; (*vkivel*) hang°/stick° together
összetartás solidarity, team spirit
összetartozik belong together
összetép tear° (up)
összetéveszt (*vmit/vkit vmivel/vkivel*) mistake° (sg/sy for sg/sy)
összetevő component
összetör *átv is* break°
összetörik break° (up)
összeütközik (*vmivel*) collide (with sg)
összevarr sew° up
összevissza *[rendetlenül]*

upside down; *[válogatás nélkül]* indiscriminately; *[rendszertelenül]* irregularly

összevisszaság confusion, disorder

összevon *[összehúz]* pull/ draw° together; **~ja a szemöldökét** knit° one's eyebrows; *[csapatokat]* concentrate

összezavar *[keveredést csinál]* muddle (up) (sg); *(vkit)* confuse (sy)

összhang *átv is* harmony

összkomfortos with/ having all (the) modern conveniences *ut*

összpontosít *(vmire)* concentrate (on sg)

ösztön instinct

ösztöndíj scholarship

ösztöndíjas scholar

ösztönös instinctive

ösztönöz *(vkit vmire)* urge/ encourage (sy to do sg)

őszül turn white

őszvér mule

öt five

ötlet idea

ötórai *[időpont]* five o'clock; *[időtartam]* lasting/of five hours *ut*

ötöd fifth (part)

ötödik fifth

ötös ▼ *mn [számú]* (the number) five; *[öt részes]* fivefold; **~ busz** bus number five ▼ *fn [osztályzat]* very good

ötször five times

öttusa pentathlon

ötven fifty

ötvös goldsmith

öv *[ruhán]* belt; *földr* zone

övé *[hímnem]* his; *[nőnem]* hers

övez encircle, surround

övezet zone

őz deer; *[húsa]* venison

özön deluge

özönlik stream

özvegy ▼ *mn* widowed ▼ *fn [asszony]* widow, *[férfi]* widower

P

pác *[fapác]* stain, dye; *[húspác]* marinade
páciens patient
pácol *[fapáccal]* stain, dye; *[húst]* marinade
pacsirta skylark
pad bench
padlás attic
padlástér loft
padlizsán aubergine *US* eggplant
padló floor
páfrány fern
páholy box
pajta barn
pajzs shield
pakli pack
pakol pack

pala slate
palack bottle
palacsinta pancake
palánta seedling, (young)-plant
pálca stick; *zene* baton
pálinka *kb.* brandy
pálma *átv is* palm
palota palace
pályafutás career
pályakezdő novice
pályaudvar (railway *US* railroad) station
pályaválasztás choosing a career
pályázat competition, tender
pályázik (*vmire*) apply/compete/tender (for sg)
pályázó competitor
pamut cotton
panasz complaint
panaszkodik complain
panaszkönyv complaints book
páncél armour
páncélszekrény safe, deposit

panelház prefabricated house

pánik panic

paníroz coat in egg and breadcrumbs

panzió pension

pap priest

papa papa, dad(dy)

pápa Pope

papagáj parrot

papír paper

papírkosár wastepaper basket

papírpénz paper money

papírzsebkendő paper hankie

paplan quilt, duvet

paprika pepper; *[fűszer]* (Hungarian) paprika

paprikás ▼ *mn* (seasoned) with paprika *ut* ▼ *fn* ~ **csirke/krumpli** chicken/potato paprika

papucs slippers *tsz*

pár ▼ *fn* pair (of sg); *[ember]* couple ▼ *szn [néhány]* a couple (of)

pára vapour; *[köd]* mist

parabolaantenna (satellite) dish

paradicsom tomato *(tsz* -toes); *vall* paradise

parafa cork

parallelogramma parallelogram

parancs command

parancsnok commander

parancsnokság headquarters *tsz; [tevékenység]* command

parancsol command

párás misty

paraszt peasant; *[sakkban]* pawn

parasztasszony peasant woman (*tsz* women)

parasztház peasant cottage, farmhouse

páratlan *[szám]* odd; *[egyedülálló]* matchless

parázs embers *tsz*

párbaj *átv is* duel

párbajozik *átv is* duel

párbeszéd dialogue

párduc leopard

parfé parfait

parfüm perfume

párhuzamos *mn, fn* parallel

park park

parketta parquet (floor)

parkol park (the car)

parkoló car park

parkolóház multi-storey (car park)

parkolóhely parking space

parkolóóra parking meter

parlament parliament

párna pillow, cushion

paróka wig

párol steam

párolog evaporate

párolt steamed

páros ▼ *mn* paired; *[szám]* even ▼ *fn sp* doubles *tsz*

párosával in pairs/twos

part *[tengeré]* coast, *[folyóé]* (river) bank, *[tóé, tengeré]* shore

párt party

pártatlan impartial

pártfogás patronage

partner partner

pártol support, patronise

partvidék coast, coastal area

partvis broom

párzás mating

passzív passive

pásztor *vall is* shepherd

pata hoof (*tsz* hooves)

patak brook, stream

patkány rat

patkó horseshoe

patron cartridge

pattanás pimple, spot

pattanásos pimpled

pattogatott kukorica popcorn

páva *[hím]* peacock, *[nőstény]* peahen

pavilon pavilion

pazarlás waste

pazarol waste, squander

pázsit lawn, grass

pech too bad, tough/hard luck

pecsenye roast

pecsét *[pecsételéshez]* stamp; *[folt]* stain

pedagógus teacher

pedál pedal
pedig yet, although, nevertheless
pehely flake
pék baker
pékség bakery
péksütemény (bread)rolls *tsz*
példa example
példakép model
példány copy
például for instance/example (*röv* e.g.)
pelenka nappy *US* diaper
pelenkáz change nappies *US* change diapers
penész mould
penészes mouldy
penge blade
penget *zene* pluck
péntek Friday
pénz money
pénzalap funds *tsz*
pénzátutalás (money) transfer
pénzautomata automated teller machine (*röv* ATM), cashpoint

pénzbírság fine
pénzérme coin
pénzesutalvány money order
pénzösszeg amount
pénztár cash desk
pénztárca wallet, purse
pénztáros cashier
pénzügyek finances
pénzváltás exchange (of currency)
pénzváltóhely bureau de change
per (law)suit
perc minute; **egy ~ és itt vagyok** I'll be back in a moment/minute
perec pretzel
perel sue
perem *[tárgyé]* rim, edge, *[városé]* periphery
periszkóp periscope
permetez *[eső]* drizzle; *[növényt]* spray
peron platform
persely money box, piggy bank; *[templomban]* collecting box

persze of course
perzsel scorch
petárda cracker
pete egg
petefészek ovary
petesejt ovum (*tsz* ova)
petrezselyem parsley
petty spot, *[piszok]* speck
pettyes spotted, spotty, *[piszkos]* specked
pezsgő ▼ *mn* sparkling ▼ *fn* champagne
pezsgőfürdő bubble bath
piac market
piactér market-place
pici tiny
pihe fluff
pihen rest
pihenés rest
pihenő rest
pihenőhely *[útmenti]* lay-by (*tsz* -bys)
pikk spade(s)
pikkely scale
pillanat moment, instant
pillanatnyilag at/for the moment
pillangó butterfly

pillangóúszás butterfly (stroke)
pillantás glance, look
pilóta pilot
pilótafülke cockpit
pince cellar
pincér waiter
pincérnő waitress
pingpong ping-pong, table tennis
pingponglabda ping-pong/table-tennis ball
pingpongozik play ping-pong/table-tennis
pingpongütő (table-tennis) bat
pingvin penguin
pinty chaffinch
pióca *átv is* leech
pipa pipe; *[búváré]* snorkel
pipacs (corn) poppy
pipázik smoke a pipe
piramis pyramid
pirít *[kenyeret]* toast, *[hagymát, húst]* fry
pirítós *[kenyér]* toast
piros red

pirospaprika (Hungarian) paprika
pisi pee
pisil pee
piskóta sponge (cake)
pislog blink
piszkos dirty, filthy
piszok dirt
pisztácia pistachio
pisztoly pistol, gun
pisztráng trout
pitypang dandelion
pizza pizza
pizsama pyjamas *tsz*
plafon *átv is* ceiling
pléd rug, blanket
pletyka gossip
plusz plus
Plútó Pluto
pocak tummy
pocok vole
pocsolya puddle
poén point (of a joke), joke
pofon slap, smack
pogácsa *kb.* savoury scone
poggyász luggage *esz/tsz*
poggyászfeladás regis-

tration of luggage/baggage
poggyászkiadás baggage claim
poggyászmegőrző left-luggage office
pohár glass
pohárköszöntő toast
pók spider
pókháló (spider's) web
pokol *átv is* hell
pokoli hellish
pokróc blanket
polc shelf (*tsz* shelves)
polgár citizen
polgári civil
polgármester mayor
polip octopus (*tsz* -puses)
politika politics *esz; [elv]* policy
politikus ▼ *mn* politic ▼ *fn* politician
politizál talk politics
póló *sp [lovas]* polo; *[vízilabda]* water polo; *[ing]* T-shirt
poloska *átv is* bug
pólus pole

pólya *orv* bandage; *[ba-báé]* swaddling-clothes *tsz*

pólyás baba/gyerek infant, babe in arms

pólyáz *orv* bandage; *[ba-bát]* swaddle

pompa pomp

pompás lavish, luxurious

pongyola ▼ *mn* careless ▼ *fn* dressing gown

pónifló pony

pont point; *[írásjel]* full stop *US* period

pontatlan inexact; *[időben]* late, unpunctual

pontos exact; *[időben]* punctual, on time

pontosvessző semicolon

pontszám *sp is* score

ponty carp

ponyva canvas; *[irodalom]* pulp (fiction)

popsi bum *US* fanny

popzene pop (music)

por *[piszok]* dust; *[pl. gyógyszer]* powder

póráz lead

porc cartilage

porcelán porcelain

porcukor icing sugar

póréhagyma leek

porlasztó *műsz* carburettor; pulveriser

porol *[takarít]* dust; *[felveri a port]* raise the dust

poroló duster

poroltó fire extinguisher

porond ring; *átv is* arena

poros *átv is* dusty

porrongy duster

porszívó hoover, vacuum cleaner

porszívózik hoover, vacuum-clean

porta lodge, *[hotel, iroda]* reception

portás porter, doorman (*tsz* -men); *[hotelben, irodában]* receptionist

portré portrait

portugál *mn, fn* Portuguese

Portugália Portugal

pórus pore

posta post (office)

postafiók post office box (*röv* PO Box, POB)

postafordultával by return (of post)

postahivatal post office

postai; ~ **kézbesítés** postal delivery; ~ **küldemény** mail; ~ **úton** by post

postaköltség postage

postaláda postbox *US* mailbox, *inform* mailbox, *[utcán]* pillar box

postás *[férfi]* postman (*tsz* -men), *[nő]* postwoman (*tsz* -women)

poszter poster

posztmodern ▼ *mn* postmodern ▼ *fn* postmodernism

posztó cloth

pótágy spare bed

pótdíj *[vasúti]* excess fare

pótkerék spare wheel/tyre

pótkocsi trailer

pótlás substitution; *[fogé]* dental prosthesis

pótlék bonus; *[helyettesítő]* substitute

pótol (*vkit/vmit vkivel/vmivel*) replace (sy/sg with sy/sg)

pótolhatatlan irreplaceable; *[veszteség]* irrecoverable

pótvizsga resit

potyautas stowaway

pozíció position; *[tisztség, állás]* post

pozitív *mn, fn* positive

pörget spin

pörgettyű *[búgócsiga]* (humming-)top

pörköl roast

pörkölt ▼ *mn* roasted ▼ *fn kb.* (Hungarian paprika) stew

pörög spin

pötty spot, *[piszok]* speck

pöttyös spotted, spotty, *[piszkos]* specked

praktikus practical

precíz precise

prédikál preach

prém fur

premier première

presszó café, coffee bar

prézli breadcrumbs *tsz*

príma first-rate

primitív primitive

prizma prism; *[járművön fényvisszaverő]* reflector

próba test; *zene, szính* rehearsal

próbababa dummy, mannequin

próbaidő *[dolgozóé, elítélté]* term of probation

próbál *[kipróbál]* try out; *[megpróbál vmit]* try (to do sg); *[öltözéket]* try on; *[színdarabot]* rehearse

próbálkozik try

probléma problem

professzor professor

próféta prophet

profi pro(fessional)

profil profile

program programme

programoz programme

programozó programmer

prospektus prospectus

prostituált prostitute

protekció influence

protestáns Protestant

protézis prosthesis (*tsz* -theses)

próza prose

pszichológus psychologist

pucér stark, (stark) naked

pucol *[tisztít]* scrub, clean; *[hámoz]* peel

puccs coup (d'état) (*tsz* coups d'état), putsch

púder face powder

puding mousse

pufók chubby

puha soft

puli «type of Hungarian sheepdog» puli

pulóver pullover, sweater, jersey

pult *[bolti]* counter; *[karmesteri]* rostrum

pulzus pulse

pulyka turkey

puma puma *US* cougar

pumpa pump

pumpál pump
puncs punch
púp hump
pupilla pupil
púpos ▼ *mn* hump-backed ▼ *fn* humpback
puska rifle, gun; *[iskolai]* crib
puskázik crib, use a crib
puszi peck, kiss

puszta ▼ *mn* barren ▼ *fn* *[magyar]* the puszta
pusztít devastate
pusztítás devastation
pusztul go° to rack and ruin
pusztulás destruction
pünkösd Whit, Whitsun(tide)
püré purée

R

rá on/onto/sg

ráad [ruhadarabot] put° (sg on sy); [hozzátesz] add (to sg)

ráadás addition, extra; [színházban] encore

ráadásul besides, what's more

ráakad (vki vmire) come° across (sg); [fennakad] get° caught (on sg)

rab ▼ mn captive ▼ fn prisoner; [vkinek/vminek a rabja] slave

rabbi rabbi

rábeszél (vkit vmire) persuade (sy to do sg)

rábíz (vkire vmit) entrust (sg to sy v. sy with sg)

rablás robbery

rabló robber

rabol rob; [embert] kidnap

rabság captivity

racionális rational

rács grating, grid; ~ mögött van be° behind bars

rácsos trellised

radar radar

radiátor radiator

rádió radio

rádióállomás radio station

rádióműsor radio programme

rádiós óra clock radio

radír rubber US eraser

radíroz erase

ráér have° (the) time

ráfizet [pl. jegyre] pay excess fare; [veszít] lose° (by/on sg)

ráfog [fegyvert vkire] point (at sy); átv (vkire

vmit) accuse sy falsely of (doing) sg

ráfordít *[pénzt vmire]* spend money (on sg); **~ja a kulcsot** turn the key, (*vkire*) lock sy in; **sok energiát fordított rá** she/he put a lot of effort into it

ráfordítás expenditure

rag inflection(al affix)

rág chew

ragad stick°, adhere; *[ragadós]* be° sticky; **ott~ vhol** get° stuck swhere; *[megragad]* seize

ragadós sticky

ragadozó ▼ *mn* predatory ▼ *fn* predator

rágalmaz *[szóban]* slander; *[írásban]* libel

rágalom *[szóban]* slander; *[írásban]* libel

ragaszt stick°

ragasztó adhesive

ragasztószalag adhesive tape

rágógumi chewing gum

rágós tough

ragoz inflect

ragtapasz sticking plaster

ragyog shine°, glitter

ragyogó bright; *átv* brilliant

rágyújt light° up, light° a cigarette

ráhagy *[örökségként]* leave° sg (by will) to sy; *[nem ellenkezik]* indulge (sy in sg); *[helyet hagy neki]* allow (for)

ráismer (*vkire/vmire vmiről*) recognise (sy/sg by sg)

raj *[rovaroké]* swarm; *kat* squad

Rajna Rhine

rajong (*vmiért*) be° enthusiastic (about sg); (*vkiért*) adore (sy)

rajongás passion, adoration; *[lelkesedés]* enthusiasm

rajongó ▼ *mn* passionate, enthusiastic ▼ *fn* (*vkié*) admirer (of sy)

rájön *[megtud]* find° (sg) out; (*vmi vkire*) sg comes over sy, sy is overcome by sg

rajt start

rajta ▼ *hsz [vmin, vmi felületén, vkin]* on him/her/it; ~ **múlik** it is up to her/him ▼ *isz* go!

rajz drawing

rajzfilm cartoon (film)

rajzol draw°

rajzoló *[műszaki is]* draughtsman (*tsz* -men)

rak *[tesz]* put°; *[elrendez]* arrange

rák crab; *[folyami]* crayfish; *[homár]* lobster; *orv* cancer; *csill* **R~** Cancer

rakás *[halom]* pile

rakéta rocket

rakomány load

rákos cancerous

rakpart quay, embankment

raktár store(-room); *[kész-let]* stock; **nincs ~on** be° out of stock

raktáráruház warehouse

raktároz store

Ráktérítő Tropic of Cancer

rálép step on (to)

rámosolyog (*vkire*) smile (at/on sy)

rámutat (*vkire/vmire*) point (at/to sy/sg); *[felhívja vmire a figyelmet]* point out (sg)

ránc *[arcon]* wrinkle; *[ruhán]* crease

ráncolja a homlokát knit° one's eyebrows

ráncos *[arc]* wrinkled; *[ruha]* creased

randevú rendezvous

rándulás sprain

ránevet (*vkire*) smile (at sy)

ránéz (*vkire/vmire*) look/glance (at sy/sg)

rang rank

ránt jerk, give° sg a pull

rántott fried in bread-crumbs *ut*

rántotta scrambled eggs *tsz*

rányom (im)print, (im)-press

rápillant (*vkire/vmire*) glance (at sy/sg)

rászán *[összeget vmire]* assign/allot to sg; **~ja magát** (**vmire**) decide (to do sg), make° up one's mind (to do sg)

rászed deceive, fool

rászól rebuke

rátalál *[keresve]* find°, discover; *[véletlenül]* hit°/chance (upon sg)

rátámad attack

ráér *[útra]* take°; *[elkezd]* take° up; **~ a tárgyra** come° to the point

rátesz (*vmit vmire*) put°/lay°/place (sg on sg); **~ a tűzre** feed° the fire

ráül sit° (on sg)

ravasz¹ *mn* sly, crafty

ravasz² *fn* trigger

ravatal bier

rávesz *[ruhát]* put° on top (of sg); (*vkit vmire*) get°/persuade (sy to do sg)

ráz shake°; *[jármű]* jolt; *[áram]* give° a shock

reagál react, respond

reakció reaction

reális real

recepció reception desk

recept recipe; *orv* prescription

redőny shutter

reflektor searchlight; *[színházi]* spotlight; *[autón]* headlights *tsz*

reflex reflex

reform reform

reformáció Reformation

református Calvinist

régen long ago

regény novel

régész archaeologist

régészet archaeology

reggel ▼ *fn* morning ▼ *hsz* in the morning

reggeli ▼ *mn* morning ▼ *fn* breakfast
régi old; *[előző]* former; *[ócska]* dilapidated
régimódi old-fashioned
régió region
régiség antique
régóta for a long time
rejt hide°
rejtély mystery
rejtélyes mysterious
rejtett hidden
rejtvény riddle, puzzle
rekedt hoarse
rekesz compartment; *[láda]* crate
reklám *[reklámozás]* advertising; *[maga a reklám]* advertisement
reklamáció complaint
reklamál make°/lodge a complaint (about sg)
reklámoz advertise
reklámszatyor plastic bag
reluxa *kb.* Venetian blind
rekord record
rém ▼ *fn* spectre, apparition ▼ *hsz biz* awfully

remeg tremble
remek ▼ *mn* superb, splendid ▼ *isz* great!
remekel excel (in sg)
remekmű masterpiece
remél (*vmit*) hope (for sg)
remény hope
reménytelen hopeless
rémes awful
remete hermit
rémhír rumour
rémül; halálra ~ be° scared/frightened to death
rémület fright, terror
rémült frightened, horrified
rend order; *[tisztaság]* tidiness; **~ben van** be° in order; **~ben!** all right!; **~be hoz** repair, mend
rendel *[árut]* order; *[jegyet]* book; (*vkit vki mellé*) assign (sy to sy); **magához ~ (vkit)** summon (sy); *[rendelést tart]*

have°/hold° one's surgery

rendelés *[áruké]* ordering; *[orvosé]* surgery

rendelet order, decree

rendelkezés *[rendelet]* order, decree; *(vmi fölött)* disposition, disposal

rendellenes abnormal

rendelő surgery, consulting room

rendelőintézet clinic

rendes *[rendszerető]* tidy; *[derék]* decent; *[megszokott]* usual; *[szabályszerű]* normal; *[teljes jogú, pl. tag]* ordinary

rendetlen untidy; *[hanyag]* careless

rendetlenség disorder

rendez *[elrendez]* arrange; *[elintéz]* sort out; *[szervez]* organise; *[filmet, színdarabot]* direct

rendezés *[elsimítás]* putting in order; *[szerve-* zés] organisation; *[színházi]* direction

rendező *[filmé, darabé]* director; *[eseményé]* organiser

rendezvény programme, event

rendkívül extraordinarily

rendkívüli extraordinary

rendőr policeman *(tsz -men)*

rendőri police

rendőrkapitányság police station, police headquarters *tsz*

rendőrség police

rendreutasít call sy to order

rendszám registration number

rendszámtábla number plate *US* license plate

rendszer system

rendszeres *[rendszerezett]* systematic; *[állandó]* constant; *[megszokott]* habitual

rendszerint usually, as a rule

rendszertelen unsystematic, irregular

reng shake°; *[föld]* quake

rengeteg countless, a vast number of; **~et dolgozik** work very hard

répa carrot

reped crack, burst; *[ruha]* tear°

repedés *[folyamat]* bursting; *[eredmény]* burst

repkény (ground) ivy

repül fly°; **levegőbe ~** blow° up, be° blown up

repülés flying; *[utazás]* flight; *[technika]* aviation

repülő ▼ *mn* flying; **~ csészealj** flying saucer, unidentified flying object (*röv* UFO, ufo) ▼ *fn* *[személy]* flier v. flyer; *[gép]* airplane

repülőgép airplane, aeroplane, plane, aircraft

repülőjegy air ticket

repülőtér airport

repülőút flight

rés slit; **~en van** be°/ stand° on guard/the alert

rész part; *[adag]* share; *[terület]* section

részeg ▼ *mn* drunk(en) ▼ *fn* drunk

részeges drunken

reszel file; *[ételt]* grate

reszelő file; *[ételhez]* grater

részesül be° given

reszket tremble, shake°; **~ a félelemtől** tremble with fear; *[hidegben]* shiver

részleg section

részlet detail; *[műből]* extract; *[részletfizetésnél]* instalment

részletes detailed

részletez detail

részletfizetésre vásárol buy° (sg) on hire purchase (v. on hp) *US* buy° (sg) on an instalment plan részmunkaidős part-time

részvény share

részvényes shareholder

részvénytársaság joint-stock company

részvét *[együttérzés]* compassion; *[halálesetkor]* condolence; **kifejezi ~ét (vkinek)** offer one's condolences (to sy)

részvétel participation

rét meadow

réteg layer; *[festék]* coat(ing); *[földben]* stratum; *[társadalmi]* stratum, layer

retek radish

rétes strudel

retesz bolt

retikül (hand)bag

retteg (*vmitől/vkitől*) dread/fear (sg/sy), be° terrified (of sg/sy)

rettenetes terrible, horrible

retúrjegy return (ticket)

reuma rheumatism

reumás rheumatic

rév *[komp]* ferry(boat); *[kikötő]* harbour

révén *[vki által]* through (sy), *[jóvoltából]* with the help (of sy)

révész ferryman (*tsz* -men)

réz *[vörös]* copper; *[sárga]* brass

rezeg tremble, vibrate

rezgés vibration

rezsi(költség) overheads *tsz*

riadó alarm

riaszt alert

riasztó ▼ *mn* alarming ▼ *fn* alarm

rigó thrush; *[fekete]* blackbird

rikító *[szín]* glaring; *[szembeszökő]* conspicuous

rím rhyme

ring rock, swing°; *[hajó]* sway

ringat rock; **(vmiben) ~ja magát** cherish the hope that ...; *[csípőjét]* swing°, sway

ringló greengage

riport report

riporter reporter

ritka *[nem gyakori]* rare; *[nem sűrű]* thin

ritkaság rarity

ritmus rhythm

rivaldafény *szính* footlights *tsz; átv is* limelight

rizs rice

robaj din

robban explode

robbanás explosion

robbant blow° up

robogó ▼ *mn* rushing ▼ *fn* scooter

rockzene rock music

roham attack

rohamos rapid

rohan run°, rush

rojt fringe

rojtos fringed; *[kikopott]* frayed

róka *átv is* fox

rokkant ▼ *mn [ember]* disabled ▼ *fn* disabled person

rokon ▼ *mn (vkivel/vmivel)* related (to sy/sg) ▼ *fn* relative, relation

rokonság *[kapcsolat]* relationship; *[rokonok]* family, relatives *tsz*

rokonszenv sympathy

rokonszenves pleasant, congenial

róla *[hely]* from him/her/it; *[felőle]* of/about him/her/it

roller scooter

rollerozik scooter, ride° a scooter

roló *[vászon]* blind(s) *US* window shade

rom ruin; *[maradvány]* remains *tsz*

román ▼ *mn [romániai]* Romanian; ~ **nyelvek** Romance languages; *[stílus]* Romanesque ▼ *fn [ember, nyelv]* Romanian

Románia Romania

romantika *[irányzat]* Romanticism; *[érzület]* romance

romantikus ▼ *mn* romantic ▼ *fn* Romantic author/poet

rombol destroy

rombusz rhombus (*tsz* rhombuses v. rhombi)

romlandó perishable

romlott; a hús ~ the meat is off; *átv* corrupt(ed)

romos ruined

roncs *átv is* wreck

ronda ugly, nasty

rongál damage

rongy rag

rongyos ragged

ront *[rongál]* spoil°, damage, corrupt

ropi cracker (sticks *tsz*), salty sticks *tsz US* bread sticks *tsz*

ropog crack; *[fegyver]* rattle; *[hó]* crunch

ropogós crisp

ropogtat crack(le); *[ételt]* crunch

roppant[1] ▼ *mn* huge ▼ *hsz* extremely

roppant[2] *ige* crack(le)

rost fibre

rostély grate

rostélyos braised steak

rostonsült grill(ed meat)

rostos fibrous

rossz ▼ *mn* bad; *[gyerek]* naughty; *[időjárás]* foul, rotten; *[minőség]* poor, inadequate; ~ **számot hívott** you've got the wrong number; *[nem működő]* out of order *ut* ▼ *fn* evil; **nincs abban semmi** ~ there's nothing wrong with it, there's no harm in it

rosszall (*vmit*) disapprove (of sg)

rosszindulatú malicious; *orv* malignant

rosszkedv low spirits *tsz*

rosszkedvű moody

rosszkor *[helytelen időben]* at the wrong time; *[alkalmatlan pillanat-*

ban] at an inconvenient time

rosszul ill; ~ **érzi magát** feel° unwell; *[helytelenül]* wrong(ly)

rosszullét sickness, feeling unwell

rothad rot

rothadt rotten

rovar insect

rovat column

rozmár walrus

rozoga *[épület]* dilapidated; *[beteges]* frail

rozs rye

rózsa rose

rózsabimbó rosebud

rózsafüzér rosary, beads *tsz*

rózsaszínű rose, pink

rozsda rust

rozsdamentes acél stainless steel

rozsdás rusty

rozskenyér rye bread

rög *[göröngy]* clod; *[arany]* nugget; *[vér]* clot

rögös bumpy

rögtön at once, immediately

rögtönzött extempore

rögzít secure, fasten; *[írásban vmit]* put° sg down (in writing); *[pl. hangot]* record

röhög guffaw

röntgenez x-ray

röntgenfelvétel x-ray (photograph)

röpdolgozat test

röpirat pamflet

röplabda volleyball

rövid short; ~**re fog (vmit)** cut°/make° sg short; *[tömör]* brief

rövidesen shortly

rövidhullám short wave

rövidít shorten; *[szöveget]* cut°

rövidlátó *átv is* short-sighted

rövidzárlat short circuit

rőzse brushwood

rúd bar, rod

rúdugrás pole vault

rúg kick; *[gólt]* score/

kick; *[összeg vmire]* amount/come° (to sg)

rugalmas *átv is* elastic

rúgás kick(ing); *[labdáé]* shot

rugdalózó baby-grow *US* sleeper

rugó spring

ruha clothes *tsz; [tisztításhoz]* cloth

ruhacsipesz clothes-peg *US* clothespin

ruhadarab article of clothing, outfit

ruhafogas *[akasztó]* hatrack; *[álló]* coat-stand

ruhásszekrény wardrobe

ruhaszárító ▼ *mn* ~ kötél clothesline ▼ *fn* clotheshorse

ruhatár *[színházi]* cloakroom *US* checkroom; *[vki összes ruhája]* wardrobe

ruhatáros cloakroom attendant *US* checkroom attendant

ruházat clothes

rulett roulette

rum rum

rutin experience, practice

rutinos experienced

rúzs lipstick

rügy bud

S

s and

sablon *[betűhöz]* stencil, *[forma]* mould, pattern; *átv* cliché

saccol *biz* gues(s)timate

saját ▼ *nm* own; ~ **kezével** with/by one's own hands ▼ *fn* (one's) own (property)

sajátos singular

sajátosság feature, trait, characteristic

sajnál *(vkit)* feel°/be° sorry (for sy); **~om!** I'm sorry; *(vkitől vmit)* begrudge (sy sg)

sajnálat pity

sajnálatos regrettable

sajnálkozik *(vmi miatt)* be° sorry (for/about)

sajnos unfortunately

sajog ache

sajt cheese

sajtó; a ~ the press

sajtóper libel case

sakk chess

sakkfigura chessman *(tsz* -men)

sakkjátszma game of chess

sakkozik play (a game of) chess

sakkparti game of chess

sakktábla chessboard

sál scarf *(tsz* scarves)

salak slag

saláta *növ* lettuce; *[étel]* salad

salátaöntet (salad) dressing

sámfa shoetree

sampon shampoo

sánc rampart

sánta lame

sántít limp

sápadt pale

sapka hat, cap; *[üvegen]* cap

sár mud

sárga yellow

sárgabarack apricot

sárgadinnye honeydew melon

sárgarépa carrot

sárhányó mudguard

sark pole

sarkal *[cipőt]* heel

sarkall induce, encourage

sárkány *[mesében]* dragon; *[játék]* kite

sarkkör polar circle

sarló sickle

sarok *[szöglet]* corner; *[lábé, cipőé, harisnyáé]* heel; *[ajtósarok]* hinge; *[pólus]* pole

sáros muddy

sas eagle

sás sedge

sáska locust

sátán Satan

sátor tent

sátorozik tent, go° camping

satu vice

sav acid

sáv *[csík]* stripe; *[övezet/ zóna]* zone; *[rádió]* band, wavelength; *közl* lane

savanyú sour

savanyúság pickle(s), relish

se neither

seb wound

sebes[1] *[gyors]* quick, swift

sebes[2] *[sérült/sebesült]* wounded

sebesség speed; *gépk [sebességfokozat]* gear

sebességkorlátozás speed limit

sebességváltó *gépk* gear lever *US* gear shift

sebesülés wound

sebesült ▼ *mn* wounded, injured ▼ *fn* casualty

sebesvonat fast train

sebész surgeon

sebészet surgery

sebhely scar

sebtapasz (sticking) plaster

segéd *[bolti]* (shop) assistant; *[iparos]* apprentice

segédkezik (*vkinek vmiben*) help (sy do v. to do sg)

segédmunkás unskilled worker/labourer

segély *[másik országnak]* aid, relief; *[juttatás]* benefit, allowance

segélyez assist

segélykérő telefon (emergency) hotline

segít (*vkinek vmiben*) help (sy do v. to do sg); (*vkin*) help (sy)

segítség help

sehogyan not at all, by no means, on no account

sehol nowhere

sehonnan from nowhere

sejt[1] *fn* cell

sejt[2] *ige* suspect

sekély shallow

selejt reject, faulty product

selejtez weed out

selyem silk

sem *[tagadószó]* neither; **semmi** ~ nothing (at all v. of the kind)

semleges ▼ *mn pol, kém* neutral ▼ *fn nyelv* neuter

semmi nothing, no

semmiféle no

semmiképp(en) on no account, in no way

semmiség (a mere) trifle

senki nobody

seper sweep°

seprű broom

serdülő *mn, fn* adolescent

serdülőkor adolescence, puberty

sereg *[hadsereg]* army; *[sokaság]* a host (of sg), multitude (of sg)

sérelem *[jogtalanság]* insult, affront

serleg goblet, *sp* cup

serpenyő *[edény]* (frying)

pan; *[mérlegé]* scale-(pan)

sért *[testileg/lelkileg]* assault, abuse, insult; *jog* violate, abuse

sertés pig

sértés insult; *jog [testi]* bodily harm; *[törvényé]* breach/violation of (the) law

sertéshús pork

sertéssült roast pork

sértetlen unhurt, unharmed; *átv* intact

sértő offensive

sérülés *[seb]* injury; *[tárgyon]* damage

sérült ▼ *mn [ember]* injured; *[tárgy]* damaged ▼ *fn* casualty, injured (person)

sérv hernia (*tsz* hernias v. herniae)

séta walk

sétahajó pleasure boat

sétál walk, go° walking

sétáló ▼ *mn* walking ▼ *fn* walker

sétálómagnó Walkman (*tsz* Walkmans)

sétálóutca pedestrian precinct

sétány walk, promenade

sí skis *tsz*

síel ski, go° skiing

síelő skier

siet hurry; (*vhová*) hurry/hasten (to/swhere); *[óra]* be° fast

sietős hasty

sietség hurry

sík ▼ *mn* even, plane ▼ *fn földr* plain; *[terület, felület]* plane

sikátor alley(way)

siker success

sikeres successful

sikertelen unsuccessful

sikerül succeed, *[összejön]* work (out); *[vmit megcsinálni]* succeed (in doing sg)

síkidom geometric figure

sikít scream

siklik glide

sikló ▼ *mn* gliding ▼ *fn*

[kígyó] grass snake; *[vasút]* funicular (railway)

sikoly scream

síkos slippery, slick

síkság plain

silány inferior

síléc ski(s)

sima *[felület]* smooth; *átv [egyszerű]* plain

simogat stroke

sín *[vasút]* rail(s); *orv* splint

sincs *[létezés]* sy/sg is not (v. isn't) … either; *[birtoklás]* sy/sg has not (v. hasn't) … either

síp whistle

sípálya (ski) course

sípol blow° a whistle

sír¹ *fn* grave

sír² *ige* cry

sirály gull

sírás crying

sírhely burial place, grave

sírkő tombstone

sisak helmet

sivár *[kopár, puszta]* bleak

sivatag desert

skála scale

skanzen outdoor museum

Skócia Scotland

skorpió scorpion; *csill* S~ Scorpio

skót ▼ *mn* Scottish ▼ *fn* *[ember]* Scot, *[férfi]* Scotsman (*tsz* -men), *[nő]* Scotswoman (*tsz* -women); *[nyelv]* Scottish

sláger hit

slágerlista hit list

slicc flies *tsz*

slusszkulcs car/ignition key

smink make-up

SMS *röv* SMS *[Short Message Service]*

só salt

sóder gravel

sofőr driver, chauffeur

sógor brother-in-law (*tsz* brothers-in-law)

sógornő sister-in-law (*tsz* sisters-in-law)

soha never

sóhaj sigh

sóhajt sigh

sohasem never

sok a lot (of sg)

sokáig for a long time

sokall find° sg too much

sokan many people

sokaság multitude, crowd

sokféle diverse

sokgyermekes having many children *ut*

sokk shock

soknemzetiségű multinational

sokoldalú many-sided

sokszor many times

sokszorosít duplicate

sólyom falcon

sonka ham

sor queue, line; **~ban áll** queue (up), stand° in line; *[írás]* line, *[táblázat]* row

sorakozik line up

sorbanállás queuing up

sorol *[besorol]* classify; (*vkit/vmit vkihez/vmihez*) class/rank (sy/sg among/ as sy/sg); *[felsorol]* list, enumerate

sorompó barrier

sorozás *kat* enlistment

sorozat series *esz/tsz*

sorrend order

sors fate, destiny

sorsjegy lottery/raffle ticket

sorsol draw° lots

sorsolás draw (of lots)

sorszám serial/ordinal number

sort shorts *tsz*

sós salty; *[sózott]* salted

sósav hydrochloric acid

sóska sorrel

sóspálcika salty sticks *tsz*

sósrúd salty sticks *tsz*

sótartó salt cellar

sótlan saltless, *[ételre]* it needs salt

sovány thin, *[étel is]* lean

sóvár longing

sóvárog (*vki/vmi után*)

yearn/long (for/after sy/sg)

sóz salt

söpör sweep°

söprű broom

sör beer

sörény mane

sörét shot

sörnyitó bottle opener

söröskorsó beer mug

söröspohár beer glass

sörözik drink°/have° a beer

söröző brasserie, beer hall

sőt moreover, what is more

sötét *mn, fn* dark; *[sakk]* black

sötétedik darken; *[esteledik]* get° dark, darken

sötétség darkness

sövény hedge

spanyol ▼ *mn* Spanish ▼ *fn* *[ember]* Spaniard, *[nyelv]* Spanish

Spanyolország Spain

spárga *[zsineg]* string; *[növény]* asparagus; *[tánc/torna]* (the) splits *tsz*

speciális special

specialitás speciality *US* specialty

spenót spinach

spirál spiral, *[fogamzásgátló]* coil

spórol skimp, pinch pennies

sport sport

sportág branch of sport

sportcipő trainers *tsz*, training shoes *tsz*

sportcsarnok sports hall/arena

sportegyesület sports club

sportkocsi sports car

sportol do° sports

sportoló *[férfi]* sportsman (*tsz* -men); *[nő]* sportswoman (*tsz* -women)

sportos sporty

sportpálya sports field/ground

sportszerű fair

sporttáska sports holdall

stadion stadium (*tsz* stadiums v. stadia)

statisztika statistics *esz,* *[adatok]* statistics *tsz*

státus status, payroll

stb. *röv* etc. *[etcetera]*

stég (landing) stage

steril *orv* sterile

stewardess stewardess, flight attendant

stílus style

stimmel tally, be° correct

stopperóra stop-watch

stoppol *[foltoz]* darn; *[időt mér]* clock; *[autóstoppal utazik]* hitch(-hike)

stoppos hitch-hiker

stoptábla stop sign

strand *[épített]* open-air swimming pool, *[természetes]* beach

stressz stress

strucc ostrich

stúdió studio

súg whisper; *[iskolában]* prompt

sugár *[víz]* jet, *[fény]* ray;

mat radius (*tsz* radii v. radiuses)

sugárhajtású repülőgép jet

sugároz radiate; *[rádió, tv]* transmit

sugárút avenue

sugárzás radiation

sugárzik radiate

súgó *szính* prompter; *inform* help

sújt *[üt/villám]* strike°; *[vmivel büntet vkit]* inflict (sg on sy)

súly weight; *átv* emphasis, weight

súlyemelés weightlifting

súlyemelő weightlifter

súlylökés shot-put

súlylökő shot-putter

súlyos *átv is* heavy

súlyzó dumb-bell

súrol *[sikál]* scour; *[érint]* brush

súrolókefe scrubbing-brush *US* scrub brush

suttog whisper

süket ▼ *mn* deaf ▼ *fn*
deaf person

süketnéma ▼ *mn* deaf-
and-dumb ▼ *fn* deaf-
and-dumb person

sül *[hús]* fry, *[sütőben]*
roast; *[kenyér, tészta]*
bake

sült ▼ *mn [kenyér, tészta]*
baked ▼ *fn [hús]* roast

süllyed sink°

sün(disznó) hedgehog

süpped sink°

sürget (*vkit*) hurry (sy),
urge (sy on)

sürgős urgent

sűrített *[tej]* condensed,
[levegő] compressed

sűrítmény concentrate

sűrű *[folyadék, levegő]*
thick, dense; *[gyakori]*
frequent

sűrűség *[tulajdonság]*
thickness, density; *[bo-
zót, erdő]* thicket

süt *[húst]* fry, roast; *[ke-
nyeret, tésztát]* bake;
[égitest] shine

sütemény *[péksütemény]*
(bread) roll; *[édes]* cake

sütő oven

sütöde bakery

sütőpor baking powder

sütőtök pumpkin

svábbogár cockroach

Svájc Switzerland

svájci *mn, fn* Swiss

svéd ▼ *mn* Swedish ▼ *fn*
[ember] Swede; *[nyelv]*
Swedish

svédasztal buffet; **~os
reggeli** buffet break-
fast

Svédország Sweden

SZ

szab *[árat]* set°; *[ruhát]* cut° out

szabad ▼ *mn* free; *[vmit tenni]* allowed/permitted; **ki ~ nyitni az ablakot?** may I open the window?; **itt nem ~ dohányozni** you must not smoke here ▼ *fn* **a ~ban** outdoors

szabadidő leisure

szabadidőruha leisure wear

szabadnap day off *(tsz* days off)

szabadrúgás free kick

szabadság freedom, liberty; *[üdülés]* holiday

szabadtéri open-air

szabadul *(vkitől/vmitől)* get° rid of; *[ki-/elszabadul]* be° set free, be° released

szabály rule; *jog* law, regulation

szabályellenes against the rules *ut*

szabályos regular; *[megengedett]* allowed; *[arc]* symmetric(al)

szabályoz *jog* regulate; *[irányít]* control

szabálysértés breach/infringement of law; *jog* contravention

szabálytalan irregular; *[nem szabályszerű]* unallowed; *[arc]* asymmetric(al)

szabályzat rule, regulation

szabás *[ruha kiszabása, fazon]* cut

szabó tailor

szabvány standard

szag smell

szaglás *[emberé]* (sense of) smell; *[kutyáé]* nose

szagol smell°, sniff

szagos *[illatos]* fragrant

szagtalan odourless

száguld speed°

száj mouth

szájkosár muzzle

szájpadlás palate

szak *[szakma, szakirány]* profession; *[időszak]* period, time

szakács cook, chef

szakácskönyv cookery book

szakácsnő (woman) cook/ chef (*tsz* women cooks/ chefs)

szakad *[elszakad]* tear°; ~ az eső it is pouring (with rain), it's bucketing down

szakadás tear; *átv is* rupture

szakadék precipice

szakáll beard

szakállas bearded

szakasz *[elhatárolt rész]* section, period; *[folyamatban]* phase; *[vasúti fülke]* compartment

szakember expert

szakértő (*vmiben*) expert (in/at sg)

szakít *[tép]* tear°; *[gyümölcsöt, virágot]* pick; (*vkivel*) break° (with sy); *sp* snatch

szakképzett qualified

szakképzettség qualification

szakkifejezés technical term

szakkönyv specialist/ technical book

szakkör study circle/group

szakközépiskola vocational secondary school

szakma *[foglalkozás, szakterület]* profession; *[ágazat]* business, trade

szakmunkás workman (*tsz* -men), skilled worker/ labourer

szakmunkástanuló (trade) apprentice

szakorvos specialist
szakszerű expert
szakszervezet trade union
szaktanácsadó consultant
szaktekintély (*vmiben*) authority (on sg)
szakterület (special) field
szaktudás specialist knowledge
szaküzlet specialist store
szakvélemény expert opinion
szál *átv is* thread
szalad run°
szalag tape, ribbon
szalámi salami
szálka *[fa]* splinter; *[halé]* (fish) bone
száll *[repül]* fly°; *[felszáll vmire]* board, get° on, take°
szállás accommodation
szállásfoglalás booking (of accommodation)
szállít carry, transport, convey
szállítás *[szállítmány is]* transport

szállítható transportable
szállítmány consignment
szállítmányozás transportation
szállítmányozó shipping (and forwarding) agent
szálló hotel; *[ifjúsági]* youth hostel
szálloda hotel
szalma straw
szalmakazal stack of straw
szalmaszál straw
szalon parlour
szaloncukor (Christmas) fondant
szalonna bacon
szalvéta (table) napkin
szám *[számjegy]* number (*röv* no., No.); *[ház, telefon, műsor]* number; *[cipő-/ruhaméret]* size; *nyelv* **egyes** ~ singular; **többes** ~ plural
szamár *átv is* donkey, ass
számára for him/her
számít (*vmit*) count; *[fontos]* count; (*vminek*) reckon/rank (as); (*vkire*/

vmire) depend/count (on sy/sg)

számítás *átv is* calculation

számítástechnika computer science; information technology (*röv* IT)

számító *[önző]* calculating

számítógép computer

számjegy figure, digit

számla *gazd* invoice, bill; *[bank]* account

számlakivonat statement (of account), bank statement

számlatulajdonos account holder

számláz invoice

szamóca strawberry

számol count; (*vmivel/ vkivel*) reckon (with sg/sy)

számológép calculator

számos numerous

számoz number

számozás numbering

számtalan innumerable

számtan arithmetic

száműz exile

szán¹ *fn* sledge

szán² *ige [sajnál]* pity; (*vmit vkinek*) mean°/ intend (sg for sy/sg)

szánalmas *átv is* pathetic

szánalom pity

szanaszét all over the place

szanatórium sanatorium (*tsz* sanatoriums v. -toria)

szandál sandals *tsz*

szándék intention

szándékos intentional

szándékozik (*vmit tenni*) intend (to do sg)

szánkó toboggan

szánkózik toboggan

szánt plough

szántóföld ploughland

szapora *[termékeny]* prolific; *[gyors]* quick

szaporodás *[biológiai]* reproduction; *[növekedés]* growth, increase

szaporodik *[biológiailag]* reproduce, propagate;

[számban növekszik] increase

szappan soap

szappanbuborék soapbubble

szappanopera soap (opera)

szappanoz soap

szappantartó soap dish/holder

szár *[növényé]* stem; *[nadrágé]* leg

szárad dry

száraz dry

szárazföld (main)land

szárazság drought

szardínia sardine

szárít dry

származás origin, *[leszármazás]* descent

származik (vki/vmi vkitől/vmitől) come°/originate (from sy/sg)

szárny wing

szárnyal soar

szárnyashajó hydrofoil

szaru horn

szarv horn

szarvas deer *esz/tsz*

szarvasmarha cattle *esz/tsz*

Szaturnusz Saturn

szatyor bag

szauna sauna

szaval read°/recite poetry

szavatosság *[garancia]* guarantee, warranty; *[élelmiszeré]* expiry

szavatossági idő expiry date

szavaz vote

szavazás vote

szavazat vote

szavazó voter

szaxofon saxophone

száz (one/a) hundred

század ▾ *fn [századrész]* hundredth (part); *[évszázad]* century (*röv* c.); *kat* company ▾ *szn* hundredth

századik hundredth

százados *kat* captain

százalék per cent

százas ▾ *mn* (the number) (one) hundred ▾

fn [számjegy] hundred; *[bankjegy]* a hundred-pound/dollar note *US* bill

szecesszió art nouveau

szed *[gyűjt]* pick, gather; *[ételből vesz]* have°; *[bevesz]* take°; *[adót, díjat, vámot]* levy; *[nyomdászat]* set°

szeder blackberry

szédül feel°/be° dizzy

szédülés dizziness

szeg *[beszeg]* hem, seam; *[kenyeret]* cut; *[esküt, ígéretet, szabályt]* break°, violate

szegély border, edge; *[ruháé, függönyé]* hem

szegélyez border, flank

szegény ▼ *mn* poor ▼ *fn [a szegények]* the poor *tsz*

szegényes poorly

szegénység poverty

szegfű carnation

szegfűszeg clove

szégyell *(vmit/vkit)*

feel°/be° ashamed (of sg/sy); ~**i magát** *(vmiért, vmi/vki miatt)* feel°/be° ashamed (for sg/sy)

szégyen shame

szégyenkezik *(vmi miatt)* feel°/be° ashamed (of sg)

szégyenlős shy

széjjel apart

szék *[bútor]* chair

szekér cart

székesegyház cathedral

székház headquarters *esz/tsz,* centre

székhely seat, headquarters *esz/tsz*

széklet motion(s)

székrekedés constipation

szekrény cupboard, wardrobe

szekta sect

szel *[vág]* slice

szél¹ wind

szél² *[szegély]* edge

szélcsend calm

szelep valve

szélerősség wind force

szeles windy; *[ember]* reckless

széles wide, broad

szélesség breadth; *földr* latitude

szelet *[kenyér, torta stb.]* slice; *[csokoládé]* bar

szeletel slice

szélhámos swindler

szelíd *[állat]* tame; *[ember]* gentle

szelídít tame

szélirány wind direction

széljegyzet marginal note

szellem spirit; *[kísértet]* ghost, spirit

szellemes witty

szellemi intellectual, mental

széllovaglás windsurfing

széllovas windsurfer

szellő breeze

szellős breezy

szellőzés ventilation

szellőzik air

szellőztet *átv is* air

szélső ▼ *mn* (out)side ▼ *fn sp* winger

szélsőség extreme

szélsőséges *pol* extremist

szelvény coupon

szélzsák wind-sock

szem *[testrész]* eye; *[gabona, homok]* grain; *[szöveté]* stitch; *[láncszem]* link

szembejön *(vkivel)* come°/go° (towards sy)

szembejövő forgalom oncoming traffic

szemben *(vmivel)* opposite (to sg)

szembenéz *(vkivel/vmivel)* face (sy/sg)

szembeszáll *(vkivel/vmivel)* oppose/brave

szemcse grain

szemcsepp eye drops *tsz*

szemcsés granular

személy person

személyazonosság identity

személyazonossági igazolvány identity card (*röv* ID card)

személyes personal

személygépkocsi (passenger) car/vehicle

személyi personal; ~ **igazolvány** identity card (*röv* ID card)

személyiség personality

személynév personal name

személytelen impersonal

személyvonat passanger train; slow train

személyzet staff, *[járműé]* crew; *[házi]* staff

szemérem bashfulness

szemérmes bashful

szemérmetlen shameless

szemész ophthalmologist

szemét rubbish, garbage

szemetel scatter rubbish/litter

szemetes *[ember]* dustbin man (*tsz* men); *[tartó]* dustbin *US* garbage can

szemeteskocsi dustcart

szemétkosár waste-paper basket

szemfesték mascara

szemgolyó eyeball

szemhéj eyelid

szemközti opposite

szemle *[megszemlélés, folyóirat]* review

szemlélet view, attitude

szemléletes descriptive, vivid

szemölcs wart

szemöldök eyebrow

szempilla eyelashes

szempont viewpoint, perspective

szemrehányás reproach

szemrehányó reproachful

szemtanú eyewitness

szemtelen cheeky

szemtelenség cheekiness

szemüveg glasses

szemüveges wearing glasses *ut*

szén coal, carbon

széna hay

szénaboglya haycock

szénanátha hay fever

szendvics sandwich

szénsav carbonic acid

szénsavas carbonated, fizzy

szénsavmentes still, uncarbonated

szent ▼ *mn* saint v. Saint ▼ *fn* saint

szentel *vall, átv (vminek)* consecrate (to sg)

szenteste Christmas Eve

szenved *(vmitől)* suffer (from sg)

szenvedély passion; *[beteges]* addiction

szenvedélyes passionate

szenvedés suffering

szenvedő ▼ *mn* suffering; *nyelv* passive ▼ *fn [ember]* sufferer

szenzáció sensation

szenzációs sensational

szenny filth

szennyes ▼ *mn* filthy ▼ *fn* laundry

szennyez pollute

szennyeződés pollution

szennyvíz sewage

szép beautiful

szépirodalom literature

szépítőszer cosmetics *tsz*

szeplő freckle

szeplős freckled

szépség beauty

szépségszalon beauty parlour

szeptember September *(röv* Sep., Sept.)

szépül become° more beautiful

szer substance

szerb ▼ *mn* Serbian ▼ *fn [ember]* Serb; *[nyelv]* Serbian

Szerbia Serbia

szerda Wednesday

szerel fix, repair

szerelem love

szerelmes ▼ *mn (vkibe)* (be°) in love (with sy) ▼ *fn* lover, sweetheart

szerelő repairman *(tsz* -men)

szerelvény fittings *tsz; vasút* train

szerencse luck, fortune

szerencsejáték game of chance

szerencsés lucky, fortunate

szerencsétlen unlucky, unfortunate

szerencsétlenség misfortune; *[baleset]* accident

szerény modest, humble

szerep part, role

szerepel *[fellép]* perform; *[előfordul]* occur, figure

szereplő *szính [férfi]* actor, *[nő]* actress; **~k** cast; *[irodalmi műben]* character

szeret *[érzelmileg kötődik]* love; *[kedvel vkit/ vmit]* like (sy/sg), (*vmit tenni*) like (to do sg); *[kívánság]* **nagyon ~ném** I should/would very much like to

szeretet love

szeretkezik (*vkivel*) make° love (to sy)

szerető ▼ *mn* loving ▼ *fn* lover, *[csak férfié]* mistress

szerez get°, obtain, acquire; *[okoz]* cause

szerint according to

szerintem I think, in my opinion

szerkeszt *[megépít]* construct; *[újságot]* edit, compile

szerkesztő editor

szerkesztőség *[dolgozók]* editorial staff; *[iroda]* editorial office

szerkezet structure, construction; *[készülék]* device

szerszám tool, utensil, implement

szerszámoskamra toolshed

szerszámtáska tool bag

szertár *kat* depot; *[iskolai]* storeroom

szertartás ceremony; *vall* ceremony, rite

szerte throughout, (all) over

szerv organ

szerves organic

szervetlen inorganic
szervez organise
szervezet *biol* organism;
　[intézmény] organisation
szervezett organised
szervező organiser
szervi organic
szerviz service
szerzetes monk
szerző *[írásműé]* author,
　writer
szerződés contract, agreement
szesz alcohol, spirit
szeszély caprice
szeszélyes capricious
szeszes alcoholic; ~
　italok alcoholic drinks/
　beverages
szét apart
szétesik fall° apart, decay
szétnéz look round *US*
　look around
szétoszt distribute, deal°
　out
szétszakít tear° (sg) apart
szétszed take° (sg) apart,
　disassemble

szétszerel dismantle
szétszór scatter, strew°
szétszóródik scatter
széttép tear°/rip ((sg) up)
széttör break° (sg) up,
　shatter
szex sex
szexi sexy
szexis sexy
szexuális sexual
szezon season
szia *[találkozáskor]* hi,
　hello; *[elköszönéskor]*
　bye, cheers
szid scold
sziget island
szigetel insulate
szigetelés insulation
szigony harpoon
szigor strictness, rigour
szigorú strict
szíj strap
szikla rock
sziklamászás rock-climbing
sziklamászó rock-climber
sziklás rocky
szikra *átv is* spark

szikrázik *átv is* sparkle

szilánk splinter

szilárd *átv is* firm

szilva plum

szilveszter New Year's Eve

szilveszterezik see° the old year out

szimatol *átv is* sniff

szimfónia symphony

szimpátia sympathy

szimpatikus nice, agreeable

szín¹ colour

szín² *szính [színpad]* stage; *[jelenet]* act

színárnyalat shade

színdarab play

színes coloured; *átv* colourful

színész actor

színésznő actress

színez *átv is* colour

színház theatre

színházjegy theatre ticket

színhely venue, location, scene

színmű play

színművész actor

színművészet acting

színművésznő actress

színpad stage

szint level; *[emelet]* floor, level

szinte almost

színtelen colourless

szintén also

színvak colour-blind

színvonal standard

színvonalas high-standard

szippant *[levegőt]* sniff; *[dohányfüstből]* draw° (at/on)

szippantás *[levegőből]* breath; *[dohányfüstből]* draw

szirén siren

sziréna siren

szirénázik sound the siren

szirom petal

szirt cliff

sziszeg hiss

szita sieve

szitakötő dragonfly

szitál *[szitával]* sift; *[eső]* drizzle

szitok abuse

szív¹ *fn* heart

szív² *ige [belélegez]* inhale; *[dohányzik]* smoke

szivacs sponge

szivar cigar

szivárog leak

szivarozik smoke a cigar

szivárvány rainbow

szivattyú pump

szivattyúz pump

szívélyes hearty; *[levél végén]* ~ **üdvözlettel** kind regards

szíves hearty

szívesen gladly, with pleasure; *[válaszként]* **nagyon** ~! you're welcome

szívesség favour; ~**et tesz (vkinek)** do° (sy) a favour

szívós durable

szívószál straw

szívtelen heartless

szja *röv* personal income tax

szláv ▼ *mn* Slavonic ▼ *fn [ember]* Slav; *[nyelv]* Slavonic

szlovák *mn, fn* Slovak

Szlovákia Slovakia

szlovén ▼ *mn* Slovene, Slovenian ▼ *fn [ember, nyelv]* Slovene

Szlovénia Slovenia

szmog smog

szmoking dinner jacket *US* tuxedo

szó word; ~**ra sem érdemes** don't mention it

szoba room

szobafestő decorator

szobalány housemaid *US* chambermaid

szobanövény house plant

szobapincéri szolgálat room service

szobatárs room-mate

szóbeli oral

szobor sculpture; *[emlékmű]* statue, memorial

szobrász sculptor

szobrászat sculpture

szociális social

szocialista *mn, fn* socialist

szóda soda

szódavíz soda water

szója soya

szokás [*megszokás*] habit; [*hagyomány*] custom, practice

szokásos usual

szokatlan unusual

szokik (*vmihez*) get° accustomed/used (to sg); [*szokott vmit tenni*] do° sg; [*múltban*] used (to do sg)

szoknya skirt

szoktat (*vmihez*) get° accustomed/used (to sg)

szól [*beszél*] speak, talk; (*vkinek/vkihez*) be° addressed (to sy); [*megszólít*] address; (*vmiről*) be° about (sg)

szolárium solarium (*tsz* -ria v. -riums)

szólás [*beszéd*] speech; *nyelv* idiom

szolgál serve; (*vkit vmivel*) serve (sy with sg); (*vmire*) serve (as), be° used (for/as sg)

szolgálat service

szolgálati of service *ut*, service

szolgáltat supply; [*nyújt*] provide

szolgáltatás service

szolgáltató service *ut*

szólít [*hív*] call; [*nevez vkit/vmit vkinek/vminek*] call (sy/sg sy/sg)

szombat Saturday

szomjas thirsty; ~ **vagyok** I'm thirsty

szomjazik *átv is* (*vmire*) thirst (for/after sg)

szomjúság thirst

szomorkodik (*vmi miatt*) be° upset/sad (about sg)

szomorú sad

szomszéd ▼ *mn* neighbouring; [*ház, szoba stb.*] adjacent, adjoining ▼ *fn* neighbour

szomszédasszony neighbour

szomszédos neighbouring; *[ház, szoba stb.]* adjacent, adjoining

szomszédság neighbourhood

szónok speaker

szónokol preach

szopik suck

szopogat suck

szoprán soprano

szoptat breastfeed°

szór sprinkle

szórakozás entertainment; **jó ~t!** enjoy yourself!

szórakozik have° a good time, enjoy oneself

szórakozóhely place of entertainment

szórakozott absentminded

szórakoztat entertain

szórakoztató entertaining

szórás scattering

szorgalmas diligent, hardworking

szorgalom diligence

szorít press, *[össze]*, squeeze

szorong *[zsúfolódik]* be° squeezed together; *átv [fél]* be° anxious

szoros ▼ *mn* tight, compact ▼ *fn földr [hegy]* pass; *[tenger]* strait

szoroz multiply

szorul get° jammed/stuck

szórványos sporadic

szorzás multiplication

szósz sauce, gravy

szótag syllable

szótár dictionary

szótlan wordless, silent

szóval *[röviden]* in a word, briefly

szóvivő *[férfi]* spokesman (*tsz* -men), *[nő]* spokeswoman (*tsz* -women)

sző *átv is* weave°

szöcske grasshopper

szög¹ nail

szög² *mat* angle

szöglet corner; *sp* corner (kick)

szögletes angular

szögmérő protractor

szőke ▼ *mn* blond ▼ *fn* blonde

szökés *[menekülés]* flight; *[börtönből]* escape

szökik *[menekül]* flee, escape; *kat* desert

szökőév leap year

szökőkút fountain

szőlő *[gyümölcs]* grapes *tsz; [növény]* (grape)-vine; *[terület]* vineyard

szőlőcukor grape-sugar, dextrose

szőlőfürt a bunch of grapes

szőlőtőke grape-vine, vine-stock

szőnyeg carpet

szőnyegpadló carpet floor

szőr hair

szörf *[vitorlás]* windsurfing, *[vitorla nélküli]* surf-riding; *[deszka]* surf-board

szörfözik (wind)surf; *inform* surf

szőrme *[nyers]* coat; *[kikészített]* fur

szörny monster

szörnyen horribly, terribly

szörnyeteg monster

szörnyű horrible, terrible

szőrös hairy

szörp *[ital]* squash; *[sűrítmény]* syrup

szőrzet *[emberi]* (body) hair, *[állati]* coat

szöveg text

szövegszerkesztő *inform* word processor

szövet *[textil]* fabric, cloth; *biol* tissue

szövetkezet cooperative

szövetkezik collaborate, team up

szövetség *[szövetkezés]* alliance; *[egyesülés]* association

szövetséges ▼ *mn tört* allied ▼ *fn* ally

szövetségi federal

szövődmény *orv* complication

sztár star

sztereó stereo

sztrájk strike

sztrájkol strike, be° on strike

szú wood-boring beetle

szúnyog mosquito

szúnyogháló mosquito net

szuper super

szupermarket supermarket

szúr prick, *[késsel]* stab

szurkol *(vkinek)* keep° one's fingers crossed (for sy); *[hangosan]* cheer on

szurkoló fan

szurok pitch, tar

szúrós *átv is* prickly

szuszog snuffle

szűcs furrier

szűk *[keskeny]* narrow; *[szorít]* tight

szűklátókörűség narrow-mindedness

szűkölködik *(vmiben)* be° lacking (in sg)

szükség necessity, want

szükséglet need

szükségszerű necessary

szükségtelen unnecessary

szűkszavú taciturn

szűkül narrow

szül have° a baby, give° birth

szülés childbirth

szülész obstetrician

szülészet obstetrics *esz; [kórházi osztály]* maternity ward

szülésznő midwife (*tsz* -wives)

születés birth

születési; ~ **anyakönyvi kivonat** birth certificate; ~ **hely** place of birth; ~ **idő** time of birth

születésnap birthday; **boldog ~ot!** happy birthday!

született *[leánykori név]* née

születik be° born; *átv* come° into being

szülő parent

szülőföld native country/ land

szülőhely place of birth

szülői parental

szülőszoba labour ward

szünet pause, break; holiday(s)

szüneteltet suspend

szünidő holiday(s)

szűnik come° to an end; *[fájdalom]* wear° away; **szűnni nem akaró** unceasing

szünnap holiday

szüntelen unceasing, relentless

szűr strain

szüret *[szőlőé]* vintage; *[egyéb gyümölcsé]* gathering

szüretel harvest/pick

szürke *átv is* grey

szürkül *[alkonyodik]* it is getting dark; *[szürke lesz]* go°/turn grey

szürkület twilight

szűrő strainer, filter

szűz ▼ *mn* virgin ▼ *fn* virgin; *csill* Sz~ Virgo

T

tábla *[iskolai]* blackboard; *[játéktábla]* board; *[üveg]* sheet

táblás játék board game

táblázat table, chart

tabletta tablet

tabló *[fénykép]* group photograph

tábor *átv is* camp

tábornok general

táborozik camp; *[sátorral]* tent

tábortűz campfire

tacskó dachshund

tag member

tág *[bő]* loose; *[széles]* átv is wide

tagad deny, disclaim

tagadhatatlan undeniable

tagállam member-state

tágas spacious

tagdíj membership fee

taglal discuss

tagozat section

tagság membership

táj area, region

tájékozatlan uninformed, ignorant

tájékozódási; ~ **futás** orienteering; ~ **futó** orienteer

tájékozódik *[térben]* orient(ate); *[informálódik]* enquire

tájékozott well-informed

tájékoztat inform (sy about/of sg)

tájékoztatás information

tájékoztató ▼ *mn* informative ▼ *fn [útmutató]* guide

tájkép *[táj, festmény]* landscape

tájszólás dialect

takar *[beborít]* cover; *[elrejt]* hide

takarékbetétkönyv savings book

takarékos *[személy, dolog]* economical

takarékoskodik economise, *[pénzt félretesz]* save

takarékosság economy

takarékpénztár savings bank

takarít clean

takarító(nő) cleaner

takarmány fodder, forage

takaró blanket

tál dish

talaj soil

talajvíz subsoil/ground water

talál find°; *(vmilyennek)* find°; *[eltalál vhova]* find° one's way swhere

tálal serve; *átv* present

találat hit

találékony inventive, resourceful

találkozás meeting, encounter

találkozik *vkivel/vmivel)* meet° (sy/sg *US* with sy/sg); *[vkivel véletlenül]* bump (into sy)

találkozó meeting

találmány invention

találó megjegyzés spot-on remark

találomra at random

találós kérdés puzzle, riddle

talált found; ~ **gyerek** foundling; ~ **tárgyak osztálya** lost property office

talán perhaps

talapzat pedestal

tálca tray

talicska (wheel)barrow

talp *[emberé, cipőé]* sole

talpbetét insole(s)

talpraesett quick-witted

támad *[keletkezik]* arise°; *(vkire/vkit/vmit)* attack (sy/sg)

támadás attack

támasz *átv is* support

támaszkodik *(vmihez)* prop (against sg); *(vmire)* lean (on sg)

támaszpont base

támaszt *(vmit/vkit vmihez)* lean°/prop (sg/sy against sg)

támla back

támogat support; *[szponzorál]* sponsor, support

tampon tampon; sanitary pad

támpont *átv* point of reference

tan doctrine

tanács *[jó tanács]* advice *esz; [testület]* council

tanácsadás counselling, giving (of) advice; *[hely]* counselling/advice centre

tanácsadó *[személy]* adviser; *[hely]* counselling/advice centre

tanácskozás discussion

tanácskozik discuss, *[testület]* deliberate

tanácsol *(vkinek vmit)* advise (sy to do sg)

tanácsos ▼ *mn* recommended, advisable ▼ *fn* councillor

tanácstalan helpless, baffled

tananyag syllabus *(tsz* syllabuses v. syllabi)

tanár teacher

tanári (szoba) staff room

tanárnő teacher

tanársegéd assistant lecturer

tánc dance

táncol dance

táncos dancer

táncosnő dancer

táncterem dance hall

tánczene dance music

tandíj tuition (fee)

tanév school year; *[felsőoktatásban]* academic year

tanfolyam course

tanintézet educational institution

tanít *(vkit vmire v. vkinek vmit)* teach° (sy sg v. sg to sy v. sy to do sg)

tanítás teaching
tanító (primary school) teacher
tanítónő (woman) teacher (*tsz* women teachers)
tanítvány *[diák]* student; *[tanuló, követő]* pupil
tank *[harckocsi, tartály]* tank
tankol fill (up)
tankönyv textbook
tanköteles schoolable
tanrend timetable
tanszék department
tantárgy subject
tanterem classroom
tanterv curriculum (*tsz* curricula v. curriculums)
tantestület teaching staff
tántorog stagger
tanú witness
tanul learn°
tanulmány *[tanulás]* studies *tsz;* *[mű]* study
tanulmányoz study
tanulmányút study trip
tanuló pupil; *[lány]* schoolgirl, *[fiú]* schoolboy

tanulság lesson; *[erkölcsi]* moral
tanulságos educational
tanúsít *[igazol, jelét adja vminek]* give° evidence/ proof (of sg)
tanúskodik (*vmiről*) give° evidence (of sg)
tanúvallomás testimony, evidence
tanya (small) farm
tányér plate
táp forage
tapad cling°, stick°
tápanyag nutrient
tapasz (sticking) plaster
tapaszt *[ragaszt]* stick°; *[betöm]* plaster over
tapasztal experience
tapasztalat experience
tapasztalatlan inexperienced
tapéta wallpaper
tapétáz (wall)paper
tapétázó decorator
tapint touch
tapintás (sense of) touch
tapintat tact

tapintatlan tactless

tapintatos tactful

táplál *átv is* feed°

táplálék food

táplálkozás nutrition

táplálkozik eat°, feed°

tápláló nourishing

tapogat feel°

tapos (*vmire/vmit*) tread°/ trample (on sg)

taps clap, applause

tapsol clap

tápszer nutriment

tár¹ *fn* [*raktár*] store room; [*múzeumi*] case, cabinet; [*fegyveré*] magazine

tár² *ige* open (up)

taraj comb

tárca [*pénztárca*] wallet; [*miniszteri*] portfolio

tárcsa [*telefoné*] dial; *műsz* disc

tárcsáz [*telefonszámot*] dial

taréj comb

tárgy [*dolog*] object; [*műé, hivatalos levélé*] subject; *nyelv* object

tárgyal discuss, meet; *jog* hold° a hearing/trial

tárgyalás meeting; [*bírósági*] hearing

tárgyalóterem conference/meeting room; [*bírósági*] courtroom

tárgyi material

tárgyilagos objective

tárgytalan null and void

tárház *átv* a wealth (of sg)

tarhonya «pasta granules made with flour and eggs»

tarifa tariff

tarisznya satchel

tarka multicolour(ed), colourful

tarkó nape

tárlat (art) exhibition

tárol store

tároló storage

társ partner, companion

társadalmi social

társadalom society

társadalombiztosítás social insurance

társadalomtudomány social science

társalgás conversation

társalog (*vkivel*) converse/talk (with sy)

társas [*társaságkedvelő*] social, gregarious; [*kollektív*] collective

társaság company, society

társasjáték parlour/indoor game

társasutazás group trip/holiday

társít (*vkit/vmit vkivel/vmivel*) associate (sy/sg with sy/sg)

társul (*vkihez/vmihez*) accompany (sy/sg)

társulás association

társulat *szính* (theatre) company

tart hold°; [*erősen*] grasp; [*gyűlést*] hold° (a meeting), [*beszédet*] give° (a speech); [*értékel*] (*vkinek/vminek v. vmilyennek*) deem, esteem; (*vkitől/vmitől*) be° afraid (of sy/sg); [*időben*] **meddig ~?** how long does it last?

tartalék *sp is* reserve

tartalékol reserve

tartalmas substantial

tartalmatlan empty

tartalmaz contain

tartalom [*vminek a lényege*] content; [*könyvé*] contents *tsz*

tartalomjegyzék contents *tsz*

tartály container

tartályhajó tanker

tartam duration

tartás firmness; [*testtartás*] posture

tartó holder, case; [*súlyt*] support

tartogat hold°/have° in store

tartomány province; [*behatárolt szakasz*] domain

tartós [*maradandó*] lasting, durable; [*hosszan tartó*] long-lasting

tartósít preserve

tartósítószer preservative

tartozás debt; (*vkihez/vmihez*) belonging (to sy/sg)

tartozék attachment, accessory

tartozik (*vkinek vmivel*) owe (sy sg); (*vkihez/vmihez*) belong (to sy/sg); (*vkire*) concern (sy); **nem ~ rá** it has nothing to do with her/him

tartózkodás (*vhol*) stay; (*vmitől*) abstinence; [*magatartás*] reserve

tartózkodási hely place of residence

tartózkodik (*vhol*) stay (in/at); (*vmitől*) refrain (from sg)

tasak case

táska bag

taszít push

tát gape

tataroz renovate, do° up

tátong gape

táv distance

tavaly last year

tavalyelőtt the year before last

tavalyi last year's

tavasz spring

távcső binoculars *tsz*

távfutás long-distance running

távfűtés district heating

távirányító remote control

távirat telegram

távirati iroda news agency

táviratozik send° a telegram

tavirózsa water lily

távközlés telecommunications *tsz*

távlat prospect, perspective

távol ▼ *fn* ~**ban** in the distance ▼ *hsz* far (away)

távoli distant

távollátó long-sighted

távollét absence

távollevő ▼ *mn* absent ▼ *fn* absentee

távolodik move away, *átv* become° distant

távolság distance

távolsági long-distance; ~ **busz** coach

távolugrás long jump

távozás departure; *[állásból]* retirement

távozik leave°

távvezérlés remote control

taxi taxi

taxiállomás taxi rank

taxisofőr taxi driver, cabby

te you; *[birtokos jelzőként]* your

tea tea

teacserje tea bush

teáscsésze teacup

teáskanál teaspoon (*röv* tsp)

teáskanna *[forraló]* kettle; *[tálaló]* teapot

teasütemény biscuit(s) US cookies *tsz*

teázik have° tea

technika *[műszaki tudomány]* technology; *[módszer]* technique

technikus technician

technológia technology

teendő task

téged you

tégla brick

téglalap rectangle

tegnap yesterday

tegnapelőtt the day before yesterday

tegnapi yesterday's

tehát so, for this reason

tehén cow

tehenészet dairy farm

teher *átv is* burden

tehergépkocsi lorry, truck

teherhajó freighter

tehermentes *[ingatlan]* unencumbered

tehermentesít *[ingatlant]* disencumber

teherszállítás transport of goods US transportation of goods

tehervonat goods train US freight train

tehetetlen *[személy]* helpless, impotent

tehetős well-to-do

tehetség talent, gift; *[személy]* talented person

tehetséges talented, gifted

tehetségtelen untalented, ungifted

tej milk

tejbedara semolina pudding

tejbegríz semolina pudding

tejberizs rise/milk pudding

tejcsokoládé milk chocolate

tejeskávé white coffee

tejfel sour cream

tejfog milk-tooth (*tsz* -teeth)

tejföl sour cream

tejpor milk powder

tejszín cream

tejszínhab whipped cream

Tejút Milky Way

teke *[9 fával]* skittles *esz;* *[10 fával]* bowling *US* tenpins *esz; [golyó]* ball

tekepálya skittle ground, bowling alley

teker (*vmi köré vmit v. vmire vmit*) wind° (sg around sg v. sg on sg)

tekercs *[film stb.]* reel; **diós ~** walnut roll

tekint (*vkire/vmire*) look (at sy/sg); (*vminek/vmilyennek*) consider (sg), regard as (sg)

tekintély authority, prestige; *[személy]* authority

tekintélyes *[személy]* influential; *[pozíció]* prestigious

tekintet glance, look; *[vonatkozás, figyelembevétel]* respect, regard; **ebben a ~ben** in this respect; **~be vesz** *(vmit)* take° sg into consideration

teknő trough

teknős(béka) tortoise; *[tengeri]* turtle

tékozol squander

tél winter

Télapó Santa Claus, Father Christmas
tele *(vmivel)* full (of sg)
telefon telephone *(röv tel.)*
telefonál telephone
telefonbeszélgetés (telephone) call
telefonfülke phone-box
telefonhívás call
telefonkagyló receiver
telefonkártya phone card
telefonkészülék telephone
telefonkönyv (telephone) directory
telefonszám (tele)phone number
telefonvonal telephone line
telefonzsinór telephone cord
telek *[hétvégi]* plot; *[házhely]* building plot
telekkönyv land register
telep *[ipari stb.]* establishment, works *esz/tsz*
telepít *[telepeseket]* settle; *[gyümölcsöt stb.]* plant

település settlement
teletölt *(vmivel)* fill (up) (with sg)
televízió television *(röv TV)*
telhetetlen insatiable
téli winter
telihold full moon
télikabát winter coat
télisportok winter sports
telitalálat direct hit
teljes complete, whole
teljesít perform, carry out; *[kérést]* fulfil (a request)
teljesítmény performance
teljesül *[kívánság]* be° granted, be° fulfilled, be° realised
telt *(vmivel)* full (of sg) *ut*; *[alak]* fleshy
téma *[műé]* theme, subject; *[beszélgetésé]* topic
temet bury
temetés funeral
temetkezési hely burial-ground

temető cemetery

templom church

tempó *[gyorsaság]* speed; *[járásban]* pace

Temze Thames

tengely *[keréké]* axle; *mat, fiz, átv* axis (*tsz* axes)

tenger sea

tengeralattjáró submarine

tengerentúl overseas countries tsz

tengerész sailor, seaman (*tsz* -men)

tengerfenék sea-bottom

tengeri[1] *mn* sea(-)

tengeri[2] *fn* maize *US* corn

tengeribeteg seasick

tengerimalac guinea-pig

tengerpart *[vízpart]* (sea)-shore; *[partvidék]* coast; *[mint üdülőhely]* seaside

tengerszint sea-level

tengerszoros straits *tsz*

tenisz (lawn-)tennis

teniszezik play tennis

teniszező tennis player

teniszlabda (tennis) ball

teniszpálya tennis court

teniszütő (tennis) racket

tenor tenor

tény fact

tenyér palm

tenyészt breed°, raise

tényező factor

tényleg indeed, really

tényleges real, actual

tép tear°

tépőzár Velcro

tér[1] *fn [férőhely]* room; *[űr]* space; *[városban]* square; *[vonatkozás]* respect; *ezen a ~en* in this respect

tér[2] *ige* (*vhová/vmerre*) turn; **magához ~t** she/he regained consciousness

terasz terrace

térbeli spatial

térd knee

térdel kneel°

térdkalács kneecap

tereget *[ruhát]* hang° out/up (to dry)

terel direct; *átv* **másra**

~i a szót change the subject

terelőút diversion

terem[1] *fn* hall

terem[2] *ige* produce, yield; *átv* give° rise/birth (to sg)

teremt produce, create

teremtés creation; *[személy]* creature

teremtmény creature

teremtő ▼ *mn* creative **▼** *fn* creator

terep ground, area

terepjáró (autó) jeep, landrover

terepmunka field-work

terepszemle survey

terepszín protective colouring

térfogat volume

térhatású three-dimensional, 3-D

terhel *(vmivel)* load (with sg), burden (with sg)

terhelés load, burden

terhes *[vmi vki számára]* burdensome; *[nő]* pregnant

terhesség pregnancy

terít *(vmit vhová)* spread° (sg on/over sg/sy); *[asztalt]* lay° the table

térít *(vkit vmerre)* direct (sy swhere), turn (sy swhere); *vall* convert

teríték cover

térítés *vall* conversion

térítésmentes free of charge *ut*

terítő *[ágyon]* bed-spread; *[asztalon]* table-cloth

terjed spread°

terjedelem *[kiterjedés]* extent; *[szövegé]* length

terjedelmes *[szélességben]* wide, extensive; *[magasságban is]* large, voluminous; *átv* long, bulky; *[szöveg]* lengthy

terjeszt spread°; *(vmit vki/vmi elé)* submit/put° (sg to sy)

térkép map

térképész cartographer

termálfürdő *[intézmény]*

hot springs *tsz; [kezelésként]* thermal baths *tsz*

termék *[ipari, szellemi]* product; *[mezőgazdasági]* produce

termékeny fertile, productive

termékenység fertility, productivity

terméketlen unfruitful, barren

termel produce

termelékenység efficiency, productivity

termelés production

termelő *[ipari]* productor; *mezőg* farmer

termény (farm/agricultural) produce

termés fruit; *mezőg* crop

természet nature

természetellenes unnatural

természetes natural

természetesen of course, naturally

természeti natural

természettudomány(ok) natural science(s)

természetvédelem environmental protection

természetvédelmi terület nature reserve, national park

termeszt grow°

termet build, stature

termosz thermos (flask)

termőföld agricultural land

terror terror

terrorista *mn, fn* terrorist

terrorizmus terrorism

térség region

terület area, region, territory; *mat* surface; *átv* domain

terv plan; *[építési]* plans *tsz,* design

tervez (*vki vmit*) plan (sg); *[épületet]* design

tervezet draft (plan)

tervező planner, designer

tervezőiroda *[építészeti]*

planning/designing office

tervrajz blueprint, draft

tervszerű planned

tessék *[legyen szíves]* please ...; *[étel kínálásakor]* help yourself (v. yourselves)!; *[kopogásra]* come in!

test body; *mat mértani ~* geometric solid

testalkat build

testápoló body lotion

testes *[ember]* stout, corpulent; *[tárgy]* bulky

testi bodily

testmagasság body height

testnevelés physical education/training (*röv* PE, PT)

testőr bodyguard

testrész part of the body

testsúly body weight

testtartás posture, bearing

testület corporate, (corporate) body

testvér *[fiú~]* brother; *[lány~]* sister

testvéri brotherly, sisterly, fraternal

testvériség brotherhood, sisterhood, fraternity

tesz do°; *tégy, amit akarsz* do as you please; *[helyez]* put°, place; (*vmivé*) make°

teszt test

tészta *[sütemény]* cake; *[főtt]* pasta

tesztel test

tét *[játékban]* stake

tétel *[tudományos]* theorem; *zene* movement; *[felsorolásban]* item; *[vizsgán]* examination topic

tétlen inactive

tetovál tattoo (*alakjai* tattoos, tattooed, tattooing)

tetoválás tattooing

tető *[házé]* roof; *[vminek a fedele]* lid; *[vminek a felső része]* top

tetőablak skylight

tetőcsomagtartó roof rack
tetőpont high(est) point
tetőtér attic
tetőterasz roof terrace/ garden
tetszés (*vkié*) approval; **~ szerint** at will, as you please/wish
tett action; **~re kész** ready to act *ut,* determined; *[bűncselekmény]* crime
tettes perpetrator
tettet pretend (to … v. that)
tetthely the scene of the crime
tettvágy desire to act
tetű louse (*tsz* lice)
tetves lousy; *[haj]* nitty
teve camel
tévé TV, telly
téved make° a mistake, be° mistaken/wrong; *[véletlenül vhová]* stray swhere
tévedés mistake, fault, error

tevékeny busy, active
tevékenység activity
tévéműsor television/TV programme
tévénéző viewer
téves wrong, mistaken
téveszt; célt ~ miss target; **szem elől ~** (*vkit/ vmit*) lose° sight (of sy/sg)
textil textile
ti you; *[birtokos jelzőként]* your
tied yours
tigris tiger
tilalom prohibition
tilos forbidden, not allowed; **dohányozni ~!** no smoking!
tilt forbid, prohibit
tiltakozás protest
tincs curl
tinédzser teenager
tinta ink
tintahal cuttlefish
tipikus typical, characteristic
tipp tip, hint

típus type, category; *[gyártmány]* modell

tiszt officer; *[sakkban]* ~ek major pieces, chessmen

tiszta ▼ *mn* clean; *[tisztított]* clear; *[nem piszkos]* pure; *[világos]* átv is clear; *[erkölcsileg]* pure ▼ *fn [tiszta ruha]* clean laundry; ~ba tesz change the baby's nappy *US* change the baby's diaper; ~ban van azzal, hogy ... be° (fully) aware that ...

tisztás clearing

tisztaság cleanness; *[beszédé, gondolkodásé]* clarity; *[erkölcsé]* pureness, purity

tisztáz *[vitás ügyet]* clear (up); *(vkit vmi alól)* clear (sy of sg)

tisztel respect

tiszteleg *(vki/vmi előtt)* bow (before sy/sg)

tisztelet respect, esteem; ~ben tart *(vkit/vmit)* respect (sy/sg); *(vki)* ~ére in honour (of sy)

tiszteletbeli honorary

tiszteletdíj *[szerzői]* royalty

tiszteletlen disrespectful

tiszteletre méltó respectable

tisztelettudó respectful

tisztelő devotee, admirer

tisztelt *[levél kezdése]* T~ Hölgyem/Uram! Dear Madam/Sir, ...

tisztesség honesty

tisztességes honest

tisztességtelen *[becstelen]* dishonest; *gazd* unfair

tisztikar staff (of officers)

tisztiorvos health/medical officer

tisztít clean

tisztító cleaner's

tisztítószer detergent

tisztség office, position

tisztviselő *[irodai]* clerk; *[állami]* civil servant

titkár secretary
titkárnő secretary
titkárság secretariat
titkol conceal, hide°
titkos secret, hidden
titok secret
titoktartás secrecy
tíz ten
tized tenth (part); **hat egész hét ~** six point seven (*számmal* 6.7)
tizedes ▼ *mn* decimal ▼ *fn kat* corporal (*röv* corp.)
tizedesvessző (decimal) point
tizedik tenth
tizenegy eleven
tizenegyedik eleventh
tizenéves ▼ *mn* teenage ▼ *fn* teenager
tizenhárom thirteen
tizenhat sixteen
tizenhét seventeen
tizenkettedik twelfth
tizenkettő twelve
tizenkilenc nineteen
tizennégy fourteen

tizennyolc eighteen
tizenöt fifteen
tízes ▼ *mn [számú]* (the number) ten; *[tíz részes]* tenfold; **~ busz** bus number ten ▼ *fn [bankjegy]* a ten-pound note; *[érme]* a ten-forint coin
tízezer ten thousand
tízszer ten times
tó lake
toalett *[öltözet]* woman's dress; *[vécé]* toilet
toboroz recruit
toboz cone
tócsa puddle
tódul *[folyadék vhova]* flow/rush (to); *[sokaság vhova]* throng/stream (to)
tojás egg
tojásfehérje white (of egg)
tojáshéj egg-shell
tojásrántotta scrambled eggs *tsz*
tojássárgája (egg) yolk
tok case, box

toka *[emberé]* double chin; *[sertésé]* chops *tsz*

tol push

tolakodás intrusion

tolakodó intrusive, pushy

tolat *[vonat]* shunt; *[autóval]* back

told lengthen; (*vmihez vmit*) add (sg to sg)

toll pen; *[töltő~]* fountain pen; *[golyós~]* ballpoint pen, biro; *[madáré]* feather

tollaslabda badminton; *[a labda]* shuttlecock *US* birdie

tollbamondás dictation

tollbetét cartridge

tolltartó pencil-case

tolmács interpreter

tolmácsol interpret

tolóajtó sliding door

tolókocsi wheelchair

tolószék wheelchair

tolótető sunshine roof, sunroof

tolvaj thief (*tsz* thieves)

tombola tombola

tompa *[életlen]* blunt; *[ész]* dull

tompít *[vminek az élét]* make° (sg) blunt, take° the edge (of sg)

tompított fényszóró dipped headlight(s) *US* dimmed headlight(s)

tonhal tuna

tonna (metric) ton *[1000 kg]*; long ton *[1016 kg]* *US* short ton *[907 kg]*

torkolat *[folyóé]* mouth (of a river)

torkos *[falánk]* greedy

torlasz barrier, barricade

torma horse-radish

torna *[sportág]* gymnastics *esz*; *[testgyakorlás]* (physical) exercises *tsz*, gymnastics *tsz*

tornacipő gym shoes *tsz* *US* sneakers *tsz*

tornász gymnast

tornaterem gym(nasium)

torok throat

torokgyulladás inflammation of the throat

torony tower

toronyház tower block *US* high rise building

toronyóra (church-)clock

torpedó torpedo (*tsz* torpedoes)

torta cake, gateau

torz deformed; *[kép, hang]* distorted

torzul become° deformed/distorted

totó (football) pools *tsz*

totószelvény (football) pools coupon

totyog toddle

tovább *[időben]* longer, on; **nem várhat ~** she/he cannot wait any longer; *[térben]* further, onward; **és így ~** and so on/forth, etcetera (*röv* etc.)

továbbá besides, moreover

további further, additional

továbbít (*vkinek vmit*) send° (sy sg v. sg to sy), forward (sg to sy)

továbbjut *sp* qualify (for the next round)

továbbképzés further education/training

továbbmegy go° on

tő *[növényé]* stock; *nyelv* stem; *átv* **tövestül** radically, root and branch

több *[sok középfoka]* more; **~ mint** more than; **még ~** even more; **valamivel ~, mint** a little more than

többé (no) longer, '(no) more

többé-kevésbé more or less

többen (*vkik közül*) several (of us/you/them)

többes multiple

többféle many (different) kinds (of sg), ... of many (different) kinds *ut*

többi the other/remaining; *[személyek]* the others *tsz*, the rest, *[tárgy]* the rest (of it/them)

többlet surplus

többnyire mostly

többség majority

többször several times, repeatedly

többszöri repeated, frequent

többszörös manifold

tőgy udder

tök (vegetable) marrow

tőke[1] *[szőlőé]* vine-(stock); *[hentesnél]* block

tőke[2] *gazd* capital

tőkehal cod(fish)

tökéletes perfect, excellent

tökéletesít perfect, make° (sg) perfect

tőkés capitalist

tökmag pumpkin seed

tölcsér funnel; *[fagylalté]* cone

tőle from/by him/her/it

tölgy oak (tree)

tölt *[önt vmit vmibe]* pour (sg into sg); *(vmit vmivel)* fill (sg with sg); *[akkumulátort]* charge; *[időt]* spend°

töltelék *[ételben]* stuffing; *[édes]* filling

töltény cartridge

töltés *[folyamat]* filling; *[földből emelt]* bank; *[folyó mellett]* dam; *elektr* charge

töltőtoll fountain pen

töltött *[étel]* stuffed; ~ **káposzta** stuffed cabbage

töm stuff, cram; *[fogat]* fill

tömb block

tömeg *fiz is* mass; *[sokaság]* crowd

tömeges mass

tömegközlekedés public transport *US* public transportation

tömegközlekedési eszközök public transport *US* public transportation *esz*

tömegsport public/mass sport

tömegtájékoztatás mass communications *tsz*, (mass) media *tsz*

tömény concentrated

tömít caulk

tömítés filler

tömlő hose

tömör *[anyagú]* solid; *[megfogalmazás]* concise

tönk *[fáé]* stump

tönkremegy *[dolog]* go° wrong; *[anyagilag]* be° ruined; *[kapcsolat, házasság]* break° up

tönkretesz (*vkit/vmit*) ruin (sy/sg)

töpörtyű (pork) crackling(s)

töpreng (*vmin*) brood (over/about sg)

tör break°; *[vmi cél felé]* aim (at doing sg v. to do sg); **~i a fejét** rack one's brains; **~i az angolt** speak° broken English

tőr dagger

tördel *[darabokra]* break° (sg) into pieces

töredék *[rész]* portion; *[műé]* fragment

törékeny fragile

törekvés ambition

törekvő ambitious

törés breaking; *orv* fracture

törhetetlen unbreakable

törleszt *[kölcsönt]* pay° off (by instalments)

törlesztés *[kölcsöné]* payment by instalments; *[a részlet]* instalment

törlőruha cloth; *[konyharuha]* (kitchen) towel

törmelék debris *tsz*

török ▼ *mn* Turkish ▼ *fn* *[ember]* Turk; *[nyelv]* Turkish

Törökország Turkey

törökülés sitting cross-legged

töröl *[szárazra stb.]* wipe; *[adatot, szöveget]* *inform is* delete; *[járatot, rendelést]* cancel

törölget *[edényt]* dry

törött broken; **~ bors** ground pepper

törpe dwarf (*tsz* dwarfs)

tört fraction
történelem history
történelmi historical, history
történész historian
történet story
törülközik dry (oneself)
törülköző towel
törvény law
törvényellenes illegal
törvényes legal
törvényhozás legislation
törvénykezés administration of justice
törvénykönyv (legal) code
törvénytelen illegal
tőrvívás foil fencing
törzs *[fáé, testé]* trunk; *[hajóé]* hull; *[népcsoport]* tribe
törzsvásárló regular (customer)
törzsvendég patron
tőszám cardinal number
tövis thorn
tőzsde stock exchange
trafik tobacconist's
tragédia tragedy

tragikus tragic
trágya manure, dung
trágyáz manure
traktor tractor
tranzit transit
trapéz *mat* trapezium *US* trapezoid; *[légtornászoké]* trapeze
tréfa joke
tréfál joke
tréfás funny, amusing
treff club
tréningruha tracksuit *US* sweat suit
tribün (grand)stand
trikó *[alsóing]* vest *US* undershirt; *[ujjatlan]* singlet, *[rövidujjú]* T-shirt
trió trio
trófea trophy
trolibusz trolley-bus
trombita trumpet
trombitál play/blow° the trumpet
trón throne; ~ra lép come° to the throne
trónkövetelő pretender

trónörökös heir apparent (to the throne)
trópus (the) tropics *tsz*
trópusi tropical
trükk trick
tubus tube
tucat dozen; **fél ~ alma** half a dozen (of) apples
tud *[ismer]* know° (sg); (*vmiről/vkiről*) know° (about/of sy/sg); *[képes vmit tenni]* can° (do sg), be° able (to do sg)
tudakozó *[helyiség]* inquiry/enquiry office, information
tudás *[szellemi]* knowledge, learning; *[jártasság]* skill
tudat[1] *fn* consciousness
tudat[2] *ige* (*vkivel vmit*) inform (sy of sg), let° sy know sg
tudatlan ignorant
tudatos conscious; *[szándékos]* deliberate
tudatosít (*vkiben vmit*)

make° sy realise/understand sg
tudniillik that is to say, or rather
tudnivaló information *esz/tsz; [útmutató]* instructions *tsz*
tudomány *[ált, természettud.]* science; *[a többi területé]* study (of)
tudományág branch of science/learning
tudományegyetem university
tudományos *[természettud.]* scientific; *[humán tud.]* scholarly, learned
tudomás (*vmiről*) knowledge (of sg); **~a szerint** as far as she/he knows; **~ára jut** come° to sy's knowledge
tudós ▼ *mn* scholarly ▼ *fn [főleg természettudós]* scientist
tudósít (*vkit vmiről*) inform (sy of/about sg);

[sajtónak vmiről] report (on sg)

tudósítás information; *[sajtónak vmiről]* (news) reporting

tudósító correspondent

túl[1] *[térben]* beyond, over, across; *[időben]* beyond, over, past, after

túl[2] *[túlságosan]* too

tulajdon ▼ *mn* own ▼ *fn* property, belongings *tsz*

tulajdonképp(en) *[ténylegesen]* in fact, actually, after all, as a matter of fact; *[eredetileg]* originally

tulajdonnév proper name/noun

tulajdonos owner

tulajdonság quality, feature

túlbuzgó eager beaver; *[tolakodó]* officious

túlél *(vmit)* survive (sg)

túlélő survivor

tulipán tulip

túllép *[mértéket]* exceed

túloldal the opposite/other side; **lásd a ~on** see overleaf

túlóra overtime

túloz exaggerate

túlsó of the other side *ut,* opposite

túlteljesít exceed

túlterhel *átv is* overload, overburden

túltesz *(vkin)* outdo°/surpass (sy in sg); **~i magát (vmin)** make° light (of sg), get° over (sg)

túlvilág the other/next world

túlzás exaggeration; *[viselkedésben]* extravagance; *[beszédben]* overstatement

túlzott exaggerated

túr *[földet]* dig°

túra trip, tour; *[gyalog]* walk, hike; *[rövid]* excursion

túrázik go° on a tour

turista tourist

turistacsoport tourist group

turistajelzés trail marking, blaze

turistaszálló tourist hotel

turistaút *[gyalogút]* walking path; *[turistautazás]* trip, tour

turizmus tourism

turkál search, ransack, rummage; ~ **az ételben** pick at one's food; ~ **a fiókokban** rummage in the drawers

turmix *[ital]* milk-shake

turmixgép liquidizer

turné tour; **ausztráliai ~ra megy** go° on a tour round Australia

túró cottage cheese

tus¹ *[festék]* (Indian) ink

tus² shower

tus³ *[birkózásban]* fall; *[vívásban]* hit

tuskó *[fa]* stump

tusol take°/have° a shower

túsz hostage

tutaj raft

tutajozik raft, go° by raft

tű *[kötő~, varró~]* needle; *[gombos~]* pin; *[fenyőé]* pine-needle

tücsök cricket

tüdő lung

tüdőgyulladás pneumonia

tükör mirror, looking-glass; *[vízé]* surface (of the water)

tükörtojás fried egg

tükröz *átv is* reflect, mirror

tűlevél pine-needle

tűlevelű coniferous

tündér fairy

tünet sign, sympton

tűnik (*vmilyennek*) seem (to be), appear (to be), look as if …; *[eltűnik]* disappear, vanish

tüntet (*vmi mellett, vmi ellen*) demonstrate (for sg, against sg); *[eltüntet]* make° (sg) disappear

tüntetés (*vmi mellett, vmi ellen*) demonstration (for sg, against sg)

tüntető ▼ *mn* demonstrative ▼ *fn* demonstrator

tűpárna pincushion

tűr endure; *[vmit/vkit elvisel]* put° up (with sg/sy)

türelem patience; *pol, vall* tolerance

türelmes (*vkivel*) patient (with sy)

türelmetlen (*vkivel*) impatient (with sy)

türelmetlenség impatience; *pol, vall* intolerance

tűrhetetlen *[viselkedés]* intolerable; *[fájdalom]* unbearable

tűrhető bearable, passable, tolerable

tűrőképesség tolerance

tüske thorn, spine

tüskés thorny, spiny

tüsszent sneeze

tűz¹ *fn átv is* fire

tűz² *ige;* ~ **a nap** the sun is blazing; *[gombostűvel]* pin

tűzálló fireproof

tüzel burn°; *[lő]* fire

tüzelőanyag fuel

tüzérség artillery

tüzes red-hot, white-hot; *átv* fiery, passionate, ardent

tüzetes minute

tűzfal fire wall

tűzforró boiling-hot

tűzhányó volcano (*tsz* -noes)

tűzhely (electric/gas) cooker *US* stove

tűzijáték fireworks *tsz*

tűzjelző készülék fire alarm, *[érzékelő]* fire detector

tűzoltó fireman (*tsz* -men)

tűzoltóság the fire brigade *US* fire department

tűző *[napsütés]* blazing, scorching

tűzvész fire, conflagration

tűzveszélyes inflammable

TY

tyúk hen
tyúkól henhouse *US* chicken coop
tyúkszem corn

U, Ú

uborka cucumber
udvar (court)yard; *[királyi]* (royal) court
udvarias polite
udvariasság polite behaviour, politeness
udvariatlan impolite
udvarol (*vkinek*) court (sy)
ufó *röv* ufo, UFO *[unidentified flying object]*
ugat bark
ugrál jump (about/around)
ugrás jump(ing)
ugrik jump
ugródeszka springboard
ugróiskola hopscotch

ugrókötél skipping rope *US* jump rope
úgy so, in that way
ugyan *[bár]* though
ugyanakkor *[időben]* at the same time; ~, **amikor ...** at the same time as ..., while ...; *[másrészt]* on the other hand
ugyanakkora of/just the same size *ut*
ugyanannyi of/just the same quantity/amount *ut*
ugyanaz the same, one and the same
ugyanígy in the same way
ugyanis as, since
ugyanolyan of the same kind *ut,* the same
ugyanott in/at the same place
ugyanúgy in the same way
ugye; ~, igaza van? (s)he is here, isn't (s)he?; **na, ~!** there you are!
úgyhogy so

úgyis anyway

úgynevezett so-called

úgyse(m) not, not at all

új new

újabban recently

újból again

újdonság novelty

újév *[napja]* New Year's Day

újévi new year's; ~ üdvözlet New Year's greetings *tsz*

újhagyma spring onion *US* scallion

újhold new moon

újít innovate

újítás innovation

ujj *[kézen: hüvelykujj]* thumb; *[többi]* finger; *[lábon]* toe; *[ruháé]* sleeve

újjáalakít reconstruct, reorganise

újjáépít reconstruct, rebuild°

újjáépítés reconstruction, rebuilding

újjászervez reorganise

újjászületik be° reborn

ujjatlan *[ruha]* sleeveless

ujjhegy fingertip

ujjlenyomat fingerprint

ujjong rejoice (at/in)

újkor modern age

újra again

újraéleszt *orv [beteget]* resuscitate; *átv* revive

újrakezd begin°/start again/anew

újrakezdés beginning again

újság *[hírlap]* newspaper; *[hír]* news *esz*

újságárus newsagent

újságcikk (newspaper) article

újsághirdetés (newspaper) advertisement

újságíró journalist

újságos newsagent

újságosbódé newsagent's (shop)

újszülött ▼ *mn* newborn ▼ *fn* newborn baby

Ukrajna the Ukraine

ukrán *mn, fn* Ukrainian

un (*vmit*) be° sick/tired (of sg)

unalmas boring, dull

unalom boredom

unatkozik be° bored

undor (*vmitől*) disgust (of sg); (**vmi vkiben**) ~t kelt (sy) is disgusted (at/by/with sg)

undorító disgusting

undorodik (*vkitől/vmitől*) have°/take° an aversion (to sy/sg)

unió union

unoka grandchild (*tsz* -children)

unokahúg *[unokatestvér]* (younger) cousin; *[testvér lánya]* niece

unokaöcs *[unokatestvér]* (younger) cousin; *[testvér fia]* nephew

unokatestvér cousin

untat (*vkit*) bore/tire (sy)

úr gentleman (*tsz* -men); *[gazda]* master; *[megszólítás]* sir; *vall* the Lord

uralkodik *[uralkodó]* reign;

átv (*vmin/vkin*) dominate (sg/sy)

uralkodó ▼ *mn* reigning, ruling ▼ *fn* sovereign, ruler

uralom domination

Uránusz Uranus

URH *röv [rádión]* FM *[frequency modulation]*

urna *[választási]* ballot box; *[hamvaké]* (cinerary) urn

úrnő lady

uszály *[hajó]* barge; *[ruháé]* train

úszás swimming

úszik swim°; *[tárgy vízen]* float

úszó ▼ *mn* swimming; *[tárgy]* floating ▼ *fn* swimmer

uszoda (swimming-)pool

úszógumi life belt *US* rubber ring

úszómedence (swimming-)pool

úszómester (swimming) instructor

úszónadrág swimming/ bathing trunks *tsz*

uszony fin

úszósapka swimming/ bathing cap

út road, *átv is* way; *[utazás]* journey; *[hajóval]* voyage; *[repülővel]* flight

utal (*vmire/vkire*) refer (to sy/sg); *[vmit sejtet]* suggest (sg); (*vkit vhova/vkihez*) refer (sy to sy); *[pénzt]* transfer

utál hate

utalás (*vmire/vkire*) reference; *[célzás]* allusion

utálat disgust

utálatos disgusting

utalvány voucher; *[postautalvány]* money order

után after (sg), following (sg); *[szerint]* according (to sg), after (sg)

utána *[vki/vmi után]* after her/him/it; *[aztán]* after that, after- (wards)

utánajár *[tájékozódik]* in- quire about; *[vizsgálódik]* look into (sg)

utánanéz (*vkinek/vminek*) see° to/about (sy/sg)

utánfutó trailer

utánoz imitate

utánpótlás supply; *kat* reserves *tsz*

utánzat imitation, copy; *[hamisítvány, pénzé]* counterfeit; *[műtárgyé]* forgery

utas passenger, traveller

utasít (*vkit vmire*) instruct/direct (sy to do sg)

utasítás order(s), instruction(s)

utaskísérő *[repülőn]* flight attendant, *[nő]* stewardess, air-hostess, *[férfi]* steward, air-host

utaslista passenger list

utasszállító *[repülőgép]* airliner, passenger plane

utazás travel; *[út]* journey

utazási travel; ~ biztosí-

tás travel insurance; ~ **csekk** traveller's cheque; ~ **iroda** travel agency

utazik (*vhova*) go° (to), leave° (for); [*mint turista*] travel

utazó ▼ *mn* travelling ▼ *fn* traveller

utca street (*röv* st.); **az** ~**n** in the street

utcaseprő street sweeper/cleaner

útelágazás junction, fork (in the road)

útépítés road construction

úthálózat road network/system

úthasználati díj [*autópályán*] toll

útikalauz guide(book)

útiköltség travel expenses *tsz*

útikönyv guide(book)

útiokmányok travel documents

útirány route, direction

útitárs travelling companion; fellow passanger

útjelző tábla signpost

útkereszteződés [*városban*] crossing, junction; [*országúton*] crossroads *tsz*

útközben on the way

útleírás record of a journey; [*könyvként*] travel book

útlevél passport

útmutatás direction, guidance

útmutató guide

utóbb later on, at a later time; **előbb vagy** ~ sooner or later

utóbbi ▼ *mn* [*térben*] latter; [*időben*] last ▼ *fn* the latter (one)

utód [*pl. hivatalban*] successor; [*leszármazott*] descendant

utóirat postscript (*röv* PS, P.S.)

utókor posterity

utólag subsequently; [*később*] later, afterwards

utolér catch° up with (sy)

utoljára for the last time

utolsó ▼ *mn* last ▼ *fn* **az ~** (the) last

utónév first/Christian name

utószezon off-season, late season

útpadka (hard) shoulder

útszűkület bottleneck

úttest roadway, carriageway

úttörő ▼ *mn* pioneering ▼ *fn* pioneer

útviszonyok road conditions *tsz*

útvonal route; *[vasúti]* line

uzsonna (afternoon) tea

Ü, Ű

üde fresh
üdít refresh, freshen
üdítőital soft drink, *[szénsavas]* carbonated drink *US* soda
üdül *[szabadságon van]* be° (away) on holiday
üdülés holiday
üdülő *[személy]* holiday-maker; *[épület]* holiday home
üdülőhely holiday resort
üdvözlés greeting
üdvözlet greeting(s); *[pl. képeslapon]* Ü~ Pécsről greetings from Pécs; *[levél végén]* Ü~tel ... Yours sincerely ...

üdvözöl *[köszön vkinek]* greet (sy); *[vkit vmilyen alkalomból]* congratulate (sy on ...); *[üdvözletét küldi]* give° sy one's (best) regards
ügy *[dolog]* matter; *gazd is* business; *jog* case; *[eszme]* cause
ügyel *[vigyáz vmire/vkire]* take° care of sg/sy; *[figyel]* mind; *[ügyeletet tart]* be° on duty
ügyelet duty
ügyeletes ▼ *mn* on duty *ut* ▼ *fn* person on duty
ügyes *[ember]* clever, skilful
ügyesség cleverness, skilfulness
ügyész public prosecutor
ügyészség public prosecutor('s department/ office)
ügyetlen clumsy
ügyetlenség clumsiness

ügyfél client; *gazd* customer

ügyfélszolgálat customer service

ügyintézés administration

ügyintéző administrator

ügyirat file, document

ügynök (business) agent; *[házaló, férfi]* salesman (*tsz* -men), *[nő]* saleswoman (*tsz* -women); *pol* agent

ügynökség agency

ügyvéd lawyer; *[polgári ügyekben]* solicitor

ügyvezető ▼ *mn* managing, acting ▼ *fn* director, manager

ükanya great-great grandmother

ükapa great-great grandfather

ül sit°; *(börtönben)* be° in jail

üldöz pursue, chase

üldözés pursuit, chase

üldöző pursuer, chaser

üldözött pursued

ülés *[tevékenység]* sitting; *[ülőhely]* seat; *[gyűlés]* meeting

ülésezik have° a meeting

üllő anvil

ülőhely seat

ültet (*vkit*) seat; *[növényt]* plant

ünnep holiday; *[szűkebb körben]* celebration

ünnepel celebrate

ünnepély celebration

ünnepélyes *[pl. hang]* solemn; *[szertartásos]* ceremonial

ünnepi festive

ünnepnap holiday, ceremonial

ünnepség celebration

űr void; *[világűr]* (outer) space

űrállomás space station

üreg hole, hollow, cavity

üreges hollow

üres empty; *[pl. állás]* vacant

üresedés vacancy

üresség emptiness

űrhajó spaceship, spacecraft

űrhajós spaceman (*tsz* -men), [*nő*] spacewoman (*tsz* -women)

űrhajózás [*űrrepülés*] space flight; [*űrkutatás*] space research

ürít empty; ~i poharát (vmire) drink° (to sg)

űrkutatás space research

űrlap form

űrmérték measure of capacity

űrrepülés space flight

űrrepülőgép space shuttle

űrsikló space shuttle

űrtartalom cubic capacity

űrutazás space flight/travel

ürü [*hús*] mutton

ürügy pretext

üst cauldron

üstdob kettledrum

üstökös comet

üt beat° (sg), hit° (sg); [*óra, pl. hatot*] strike° (six)

ütem rhythm, time

ütemes rhythmic(al)

ütés blow, hit; [*óráé*] stroke

ütközés [*pl. járműveké*] collision; [*érdekeké*] conflict

ütközik [*tárgy vmibe*] knock (against sg)

ütő [*tenisz*] racket

ütődik (*vmibe*) knock (against sg)

ütőér artery

ütőhangszer percussion instrument

üveg ▼ *mn* glass ▼ *fn* [*anyag*] glass; [*ablaké*] (window-)pane; [*palack*] bottle

üveges ▼ *mn* glassed-in; [*palackozott*] bottled ▼ *fn* [*iparos*] glazier

üvegez glaze

üveggolyó marble

üvegház glass-house

üvegnyitó bottle opener

üvegszilánk glass splinter, chip of glass
üvölt howl
üvöltés howl
űz chase, pursue; *[foglalkozást]* practise
üzem factory, plant; *[kisebb]* workshop
üzemanyag fuel
üzemel work, run°
üzemeltet operate, run°
üzemképes in working order *ut*
üzemvezető (works) manager
üzemzavar breakdown
üzen (*vkinek*) send° a message (to sy)
üzenet message
üzenetrögzítő (telephone) answering machine, answerphone

üzlet *[adásvétel]* business; *[helyiség]* shop
üzletág (branch of) business
üzletasszony businesswoman (*tsz* -women)
üzletember businessman (*tsz* -men)
üzletfél custormer, (business) connection
üzletház firm, house
üzlethelyiség shop
üzleti business
üzletközpont shopping centre
üzletlánc chain store
üzletrész business share
üzlettárs (business) partner
üzletvezető (business) manager
üzletzárás closing (time)

V

vacog shiver

vacsora dinner, supper; *[vendégség]* dinner party

vacsorázik have° supper/dinner

vad ▼ *mn* wild, *[erős]* violent ▼ *fn [vadállat]* game

vád charge

vadállat wild animal, *átv is* beast

vadász hunter

vadászat hunt

vadászgép fighter/combat aircraft

vadászház shooting box

vadászik (*vmire/vkire*) *átv is* hunt (for/after sg/sy)

vadászkutya (blood)hound

vadászpuska shotgun

vaddisznó wild boar

vadgesztenye *[fa]* horse-chestnut, *[termése]* conker

vadhús game

vádirat bill of indictment

vadkacsa wild duck

vádli calf

vadliba wild goose (*tsz* geese)

vádló *jog* plaintiff

vádlott *jog* the accused

vádol (*vkit vmivel*) accuse (sy of sg)

vadon[1] *fn* wilderness

vadon[2] *hsz* (in the) wild

vadonatúj brand new

vadőr gamekeeper

vadvirág wild flower

vág cut°; *[aprít]* chop; *[öl]* slaughter

vágány *[peron]* platform; *[sínpár]* (railway) track

vágás *[metszés]* cut; *[ölés]* slaughter

vágóhíd slaughterhouse

vagon *[teher]* wagon

vágta gallop

vágtat gallop

vagy or; ~ ..., ~ ... either ..., or ...

vágy desire

vágyakozás craving

vágyakozik (*vki/vmi után*) crave (for/after sy/sg)

vágyik desire

vágyódik (*vmire v. vmi/vki után*) yearn/long (for sg/sy)

vagyis that is to say

vagyon property; assets *tsz; [nagy]* fortune

vagyonos wealthy

vaj butter

váj hollow (out)

vajas buttered; ~ **kenyér** bread and butter

vajon if, whether

vajtartó butter-dish

vajúdik be° in labour

vak ▼ *mn* blind ▼ *fn* blind man/woman (*tsz* men/women)

vakáció holiday *US* vacation

vakar scratch

vakarózik scratch

vakbél appendix (*tsz* -dices)

vakbélgyulladás appendicitis

vakít blind

vakmerő daring

vakol plaster

vakolat plaster

vakság *átv is* blindness

vaku flash(-gun)

váladék discharge

valaha *[régen]* once, formerly; **nagyobb, mint** ~ bigger than ever

valahogy(an) somehow (or other), in one way or another

valahol somewhere

valahonnan from somewhere

valahova somewhere

valaki *[állításkor]* somebody; *[tagadás/kérdés esetén]* anyone/anybody

valameddig *[térben]* (for/ to) a certain distance; *[időben]* for some time

valamelyik one (of them)

valamennyi *[kevés]* some, a few, handful; *[mind]* all

valamerre somewhere

valami *[állításkor]* something; *[tagadás/kérdés esetén]* anything; *[valamennyi]* some

valamikor *[múltban]* once, sometime; *[jövőben]* some day

valamilyen some sort/ kind of

válás divorce

válasz answer

válaszfal partition

válaszol (*vkinek/vmire*) answer (sy/sg)

választ choose° (*kettő közül* between, *több közül* from among); *pol* elect

választás choice, selection; *pol* election

választék *[áru]* selec-

tion, choice, range; *[haj]* parting

választó voter, elector

válik (*vkitől*) get° divorced (from sy), divorce (sy); (*vmivé*) become° (sy/sg)

vall *[vallomást tesz vmi elkövetéséről]* confess (sg v. to doing sg v. to have done sg); *[beismer]* admit

váll shoulder

vállal (*vmit*) undertake° (sg v. to do sg); **magára ~ja a felelősséget** take° responsibility (for sg)

vállalat company, firm

vállalkozás business, enterprise

vállalkozik (*vmire*) undertake° (sg v. to do sg); *gazd* set° up a business

vállalkozó ▼ *mn* ~ **kedvű/szellemű** enterprising ▼ *fn* **egyéni ~**

self-employed person, private entrepreneur; *épít* contractor

vallás religion

vállas broad/square-shouldered

vallásos religious

vallat interrogate

vállfa (clothes/coat) hanger

vállkendő shawl

vallomás *jog* testimony, deposition; *[beismerés]* confession

válltáska shoulder bag

válltömés shoulder pad

való ▼ *mn [illik]* proper; **hova ~ vagy?** where do you come from?; *[alkalmas]* (be°) suited/suitable (for sg); *[készült]* be° made (of sg) ▼ *fn [igazság]* truth; **~t mond** tell°/speak° the truth

valóban indeed, truthfully

valódi real, genuine

válogat choose°, pick (out); *[finnyás]* be° fussy (about sg)

válogatás *[kiválasztás]* choosing; *[irodalmi művekből]* selection

válogatós fussy

válogatott ▼ *mn* choice ▼ *fn sp [csapat]* national team, *[futball]* national eleven; *[játékos]* international (player)

válóper divorce suit/case

valóság reality; *[igazság]* truth

valószínű probable

valószínűtlen improbable

valótlan untrue, false

válság crisis (*tsz* -ses)

válságos critical

vált *[cserél]* change, replace; *[pénzt apróra]* change; *[más pénznemre]* exchange, convert; *[vonat-, színházjegyet]* buy°/book seats/tickets

váltakozik alternate

váltás change; *[műszak]* shift

váltó *gazd* bill (of exchange); *[vasút]* points; *sp* relay (race); *[kerékpáron]* gear(s)

váltópénz (small) change

változás change

változat version, variant; *zene* variation

változatlan unchanged

változatos varied

változatosság variety

változékony changeable

változik change, alter; *[átalakul vmivé]* change/ turn (into sg)

változó ▼ *mn* changing ▼ *fn mat* variable

változtat change, alter

változtatás change, alteration

váltságdíj ransom

valuta currency

valutaárfolyam exchange rate

vám *[díj]* (customs) duty;

[országhatáron] customs *tsz*

vámáru customs goods *tsz*

vámáru-nyilatkozat customs declaration

vámhivatal customs *tsz*

vámkezel clear

vámkezelés customs clearance

vámköteles subject to duty *ut*

vámmentes duty-free

vámos customs officer

vámtiszt customs officer

vámvizsgálat customs (clearance/inspection)

van *[létige]* be°; *[létezik]* be°, exist; *(vhol)* there is/are …; *[birtoklás kifejezésére]* have°, own, possess

vándor ▼ *mn* itinerant ▼ *fn* rover, wanderer

vándormadár bird of passage, migratory bird

vándorol *[céltalanul]* wander; *[nép, állat]* migrate

vanília vanilla

vár¹ *fn* castle, fortress

vár² *ige* wait; (*vkire/vmire*) wait (for sy/sg); (*vkit/vmit*) wait (for sy/sg), expect (sy/sg); **meglepetés ~ rá** a surprise awaits him/her

várakozás wait; *[elvárás]* expectation(s)

várakozási idő waiting time/period

várakozik wait

várakoztat keep° sy waiting

várandós pregnant

várat keep° sy waiting

váratlan unexpected

varázs *átv is* magic

varázslat magic, witchcraft

varázslatos magical, enchanting

varázsló wizard, magician

várható probable

varjú crow

várólista waiting list

város town, *[közigazgatásilag]* municipality

városháza town hall

városi town *ut*, *[közigazgatásilag]* municipal

városközpont town/city centre

városnézés sightseeing

városrész district, quarter

váróterem waiting room

varr sew°

varrógép sewing machine

varrónő dressmaker, seamstress

vas iron; **nincs egy ~am sem** I am skint/broke

vasal *[vasalóval]* iron, press; *[ajtót]* furnish/cover with iron; *[lovat]* shoe°

vasaló iron

vásár *[alkalmi, nagyobb]* fair; *[állandó, kisebb]* market; *[üzlet]* bargain

vásárcsarnok market-(hall)

vásárlás purchase, buying

vásárló shopper

vasárnap ▼ *fn* Sunday ▼ *hsz* on Sunday

vásárol *[járja a boltokat]* shop; *[vesz]* buy°

vasbeton reinforced concrete

vasérc iron ore

vasmacska anchor

vastag *[dolog]* thick; *[ember]* stout

vastagság thickness

vasút railway *US* railroad

vasútállomás railway *US* railroad station

vasutas railwayman (*tsz* -men), railway *US* railroad worker

vasúti railway *US* railroad; ~ **átjáró** level crossing *US* ground crossing; ~ **csatlakozás** connection, link; ~ **kocsi** (railway *US* railroad) coach v. carriage; ~ **menetrend** (railway *US* railroad) timetable

vasútvonal railway line *US* railroad line

vászon linen; *[vetítéshez]* screen; *műv* canvas

vatta cotton wool

váz frame; *átv* framework

váza vase

vázlat draft, sketch

vázlatos sketchy, brief

vázol outline, sketch

vécé lavatory, *biz* loo; **nyilvános** ~ public lavatory *US* restroom

vécépapír toilet paper, *biz* loo paper

véd (*vkitől/vmitől*) defend/ protect (from/against sy/ sg); *jog* defend

védekezés defence, protection; *jog* plea(ding); *orv [terhesség ellen]* contraception

védekezik (*vki/vmi ellen*) protect/take° precautions (against sy/sg); *orv [terhesség ellen]* use/ take° contraceptives

védelem *[oltalom]* shelter, protection; *[ellenállás]* defence; *jog* defence; *sp* a ~ the defence

védelmez (*vkitől/vmitől*) defend/protect (from/ against sy/sg); *jog* defend; *[ügyet]* support, advocate

védenc protégé; *jog* client

védett protected; ~ **faj** protected species; *épít* ~ **épület** listed building

védjegy trademark

védő ▼ *mn* protective ▼ *fn sp is* defender; *jog* counsel for the defence

védőbeszéd plea(ding)

védőjátékos defender

védőkorlát crash barrier *US* guardrail

védőnő health visitor

védőoltás vaccine

védőügyvéd counsel for the defence

védtelen unprotected; *[fegyvertelen]* unarmed

vég end; *[tárgyé]* tip

végállomás *[távolsági busz, vonat]* terminal, *[busz, vonat]* terminus (*tsz* termini v. -nuses)

végcél (ultimate) goal

vegetál scrape by

végeredmény (final) outcome/result

végérvényes final, definitive

véges limited; *átv* transient

végez *[befejez]* finish, end, stop; *[csinál, folytat]* do°; *[teljesít]* perform; *[tanulmányokat befejez]* complete a college/university course, *US* graduate (from); *[megöl]* dispatch

véghezvisz accomplish, execute, carry out/ through/off

végig ▼ *hsz* to the (very) end ▼ *nu [keresztül vmin]* across (sg); *[vmi mentén]* along (sg)

végkiárusítás clearance sale

végleg finally, conclusively

végleges final, definitive

véglegesít (*vmit*) finalise (sg)

véglet extreme

végösszeg (sum) total

végre finally, at last

végrehajt (*vmit*) complete, execute, carry out; *jog* execute, implement

végrehajtás completion, execution; *jog* execution, implementation

végrehajtó ▼ *mn* executive; ~ **hatalom** executive authority/power ▼ *fn jog* bailiff

végrendelet will, testament

végrendelkezik make° a/one's will

végső last, ultimate

végtag limb

végtelen ▼ *mn* endless, infinite ▼ *fn* inifinity

végül eventually, in the end, finally

végzés decree, order

végzet destiny, fate

végzetes fatal

végzettség qualification(s)

végződik end, finish

vegyes mixed; [*különféle*] assorted, diverse

vegyész chemist

vegyi chemical

vegyipar chemical industry

vegyít (*vmit vmivel*) mix/blend/combine (sg with sg)

vegyszer chemical

vegyül combine, mix

vegyület compound

vekker alarm clock

vékony thin, slender

vél believe, think°

vele with him/her/it; ~**m** with me

vélekedik be° of the opinion (that)

vélemény opinion; ~**em**

szerint in my opinion; *[felfogás, nézet]* belief

véleményez (*vmit*) give° an opinion (about/on sg)

véletlen *mn, fn* chance

véletlenül accidentally, by chance/accident

velő *[csonté, gerincé]* (bone) marrow; *[gyümölcsé]* pulp, flesh; *[agyvelő]* brain(s); *átv [lényeg]* gist, essence

vén old

véna vein

vendég guest, *[látogató]* visitor

vendéglátás reception/ entertainment of guests

vendéglátó ▼ *mn* ~ **ország** host country; ~ **ipar** hospitality industry ▼ *fn* host/hostess

vendéglő restaurant; *[fogadó]* tavern, inn

vendégmunkás guest worker, Gastarbeiter

vendégség *[a vendégek]* (the) guests *'tsz;* *[esemény]* party, at-home; ~**ben van** *[hoszszabb]* (s)he is staying as a guest, *[alkalmi]* (s)he is at a party

vendégszeretet hospitality

vendégszerető hospitable

vendégszoba spare room, *[hotelben]* (guest) room

ventilátor ventilator

Vénusz Venus

ver beat°, pound; **gyorsan ~t a szíve** her heart beat rapidly, his heart thumped/throbbed

vér blood

véradó blood donor

vércsoport blood group/ type

veréb sparrow

verejték sweat, perspiration

verejtékezik sweat, perspire

verekedés fight
verekedik fight
verem pit; *[csapda]* pitfall, trap
verés beating, thrashing; *[szívé]* beat
véres *átv is* bloody, bloodstained; *[esemény, jelenet]* gory, gruesome
vereség defeat
veretlen unbeaten
veríték sweat, perspiration
vérkeringés (blood) circulation
vérmérséklet temperament
vérnyomás blood pressure
vérrokon blood relative, relative by blood
vers poem
verseny competition
versenyautó racing car
versenyez *sp is* (*vkivel vmiért*) compete/contend (with sy for sg)
versenyfutás *sp* running race; *átv* race

versenyző *sp* competitor
vérszegény *orv* anaemic
vérzés bleed, discharge of blood
vérzik bleed°
vés chisel, inscribe
vese kidney
vesz *[fog, elvesz]* take°; *[rádió-/tv-adást]* receive; *[vásárol]* buy°, purchase; *[órát, leckét]* **zongoraórát** ~ take° piano lessons
veszedelmes dangerous
veszekedés quarrel, argument
veszekszik quarrel, argue
veszély danger
veszélyes dangerous
veszélyeztet endanger
veszett *[állat]* rabid
veszettség *[betegség]* rabies *esz*
vészfék emergency brake, communication cord
veszít lose°
vészkijárat emergency exit

vesződik struggle, wrestle, *[problémával]* grapple (with sg)

vesződség bother

vessző *[ág]* twig, shoot; *[írásjel]* comma

veszt lose°

vesztegel be° held up/ stranded

vesztes loser

veszteség loss; *[háborús/üzleti]* losses *tsz*

veszteséges *gazd* loss-making

vet *[magot]* sow°; *[dob]* throw°

vét *(vki ellen)* harm (sy), do° (sy) harm; *[hibázik]* make° a mistake

vétek error, sin

vétel *[adásé, levélé]* reception; *[vásárlás]* purchase

vételár price

vetélkedik *(vkivel vmiért)* contend (with sy for sg)

vetélkedő contest, *[tvben]* quiz show

vetélytárs rival

vetemény vegetables *tsz*

veteményeskert kitchen garden

vetés *mezőg* sowing

vetít project

vetítés projection

vetítőgép projector

vétkes guilty; ő a ~ (s)he is to blame

vétkezik *(vmi/vki ellen)* offend (against sg/sy), do° wrong

vetkőzik undress, get° undressed

vetkőztet *(vkit)* undress (sy), get° undressed (sy)

vétlen innocent

vetődik *[kerül]* find° oneself (swhere); *[veti magát]* throw°/fling° oneself

vetőmag seed grain

vétség offence

vevő *[vásárló]* buyer, customer; *[vevőkészülék]* receiver

vevőszolgálat customer service/information

vezényel *kat* command, (*vhová*) deploy (swhere); *zene* conduct

vezér chief, leader; *[sakk]* queen

vezérel control

vezérigazgató director-general (*tsz* director-generals)

vezet lead°, *[autót]* drive°, *[műsort]* present; (*vhová*) lead° (swhere)

vezeték *elektr* cable, flex, *[cső]* pipe(line); ~ **nélküli** cordless

vezetéknév surname

vezetés leading, *[autóé]* driving, *kat* command, *[szervezeté]* leadership

vezető ▼ *mn* leading ▼ *fn* leader; *[sofőr]* driver, chauffeur/-se; *[főnök]* manager; *elektr* conductor

vezetőség leadership, management

viasz wax

vibrál vibrate

vicc joke; **ez egy** ~ it's a laugh

viccel (*vkivel*) joke (with sy)

vicces funny

vidám cheerful, cheery

vidámpark amusement park

vidámság gaiety

vidék *[táj]* country(side); *[nem nagyváros]* (the) provinces *tsz;* ~**en** in the country

vidéki ▼ *mn* provincial, rural ▼ *fn* man (*tsz* men)/woman (*tsz* women) from the country

videó video

videokamera video camera

videokazetta video cassette

videotéka video library

víg cheerful, cheery

vigasz comfort

vigasztal console

vigasztalhatatlan inconsolable, heart-broken

vigasztalódik comfort v. console oneself

vígjáték comedy

vigyáz *[ügyel vkire/vmire]* be° careful (about/of sy/sg); *[felügyel vmire]* look after (sg)

vigyázat caution

vihar storm

viharjelzés storm alert/ warning

viharos *átv is* stormy

világ world

világbajnok world champion

világbajnokság world championship

világcsúcs world record

világegyetem *[elv is]* universe, *[űr]* cosmos

világgazdaság global/ world economy

világháború world war; **II.** ~ World War II

világhírű world-famous

világi wordly, mundane

világirodalom world literature

világít emit/give° light, shine

világítás lighting

világítótorony lighthouse

világjáró globetrotter

világkiállítás world exhibition

világnyelv world language

világos clear, bright; *átv* lucid; *[sakk]* white

világosodik brighten, *[virrad]* dawn

világosság (day)light; *[érthetőség]* clarity

világpiac international/ world market

világrész continent

világtáj world region; *[égtáj]* point of the compass

világűr (outer) space; *[mindenség]* universe

villa¹ fork

villa² *[ház]* villa

villám lightning

villámcsapás stroke of lightning

villámgyors lightning-fast

villámhárító lightning conductor *US* lightning rod

villámlás lightning

villámlik it is lightning

villamos ▼ *mn* electric(al) ▼ *fn* tram

villan flash

villanegyed garden suburb

villany *[világítás]* light; *[áram, villamosság]* electricity

villanyborotva electric razor

villanyfúró power drill

villanyfűrész power saw

villanykapcsoló (light) switch

villanykörte light bulb

villanymotor electric motor

villanyóra electricity meter

villanyoszlop pole

villanyszerelő electrician

villanytűzhely electric cooker *US* electric stove

villanyvilágítás electric lighting

villásdugó plug

villog flash

vipera viper

virág flower

virágágy flower bed

virágállvány flower stand

virágláda window-box

virágcserép flowerpot

virágcsokor bunch of flowers, bouquet

virágkor heyday

virágos flowery

virágpor pollen

virágvasárnap Palm Sunday

virágzik *növ* flower; *átv* flourish

virgács birch(-rod)

virgonc sprightly

virít bloom

virrad dawn

virradat dawn

virraszt be°/stay up (all night), keep° vigil

virsli (Vienna) sausage

virul *növ* flower, bloom;
átv flourish, thrive

vírus *orv, inform* virus

visel *[ruhát]* wear°; *[fájdalmat]* tolerate

viselet dress, costume

viselkedés behaviour

viselkedik behave

visz *[eljuttat]* take°; *[hordoz]* carry; *[fuvaroz]* transport; *[szállít]* convey; *[vezet]* lead°

viszket itch

viszlát *biz* good bye, bye

viszonoz return, reciprocate

viszont *[ellenben]* however, on the other hand

viszonthallásra *kb.* good bye

viszontlát see°/meet° (sy/sg) again

viszontlátás seeing (sy/sg) again; ~ra! good bye

viszonzás reciprocation; ~képpen (vmiért) in return (for sg)

viszony relation(ship)

viszonyít (*vmit vmihez*) compare (sg with/to sg)

viszonylag comparatively

viszonylagos relative

viszonyul (*vkihez/vmihez*) relate (to sy/sg)

vissza back

visszaad give° back, return; *[pénzből]* give°/return (sy) his/her change

visszaél (*vmivel*) abuse (sg)

visszaélés abuse (of sg)

visszaér come°/get° back

visszaesik fall° back; *jog* relapse

visszafelé backwards

visszafizet repay° (sg)

visszafordul turn (back/round)

visszahív call (sy) back; *[telefonon]* call/ring° (sy) back

visszahoz return, retrieve

visszahúz withdraw°, pull back

visszahúzódik withdraw°

visszaigazol acknowledge (sg v. the receipt of sg)

visszája reverse

visszajár (*vki vhová*) keep° going/coming back; *[pénz]* **egy tízes még ~** you owe me a tenner

visszajáró pénz change

visszajelzés feedback, response

visszajön return, come° back

visszakap get° back

visszakér ask (back)

visszakeres look up

visszalép step back; *átv* step down

visszamegy return

visszamenőleg retrospectively

visszapillant glance/look back

visszapillantás *átv* retrospect

visszapillantó tükör rear-view mirror

visszaszámlálás countdown

visszaszerez get° back, retrieve

visszatart hold°/keep° back

visszataszító revolting, repulsive

visszatér return

visszatérés return

visszatesz put° (sg) back

visszatetszés distaste, displeasure

visszatükröz reflect

visszatükröződik reflect

visszaút homeward/return journey; *átv* **nincs ~** there's no turning back

visszautasít refuse

visszautasítás refusal

visszautazás return journey

visszautazik travel back, return

visszavág *[erővel]* strike°/hit° back; *[szóban]* retort; *növ* cut° (back), trim (off/away)

visszaváltható üveg returnable bottle

visszaver *[ellenséget]* repulse, repel; *[fényt]* send/throw° (back), reflect

visszaverődik *[fény]* be° reflected, *[hang]* echo

visszavesz *[visszavásárol]* buy° back; take° back

visszavezet take° (back); *[eredetet]* retrace

visszavisz take° (back), return

visszavon withdraw°

visszavonul withdraw°; *[hadsereg]* retreat

visszér vein

visszeres *[visszere van]* have° varicose veins

visszhang echo

visszhangzik echo

vita dispute, argument, debate

vitamin vitamin

vitás problematic, disputed

vitat dispute

vitathatatlan indisputable

vitatható disputable

vitatkozik argue, debate

viteldíj fare

vitéz ▼ *mn* gallant ▼ *fn* *[hős, katona]* cavalier

vitorla sail

vitorlás *[hajó]* sailing boat

vitorlázás sailing

vitorlázik sail

vitorlázó *[repülő]* glider

vitrin glass case/cabinet

vív *[karddal, tőrrel]* fence; *[harcol]* fight

vívás *sp* fencing

vívmány achievement, feat

vívó *sp* fencer

vívódik wrestle (with sg/oneself)

víz water

vízálló waterproof

vízcsap tap *US* faucet

vizelet urine, *biz* piss

vízelvezető árok gutter

vizes wet, damp

vízesés waterfall

vízfesték watercolour

vízfestmény watercolour

vízhatlan impermeable

vízhólyag blister

vízi water-, hydro-; ~ **energia** water-power; ~ **erőmű** hydroelectric power station; ~ **út** waterway

vízibicikli water-cycle

vízilabda water-polo

vízililiom water lily

víziló hippopotamus (*tsz* -muses v. -mi)

vízisí water-skis *tsz*

vízisportok water sports

vizit visit; *orv [kórházi]* (doctor's) round(s)

vízmű waterworks *esz/tsz*

vízóra water meter

Vízöntő Aquarius

vízözön flood

vízszintes horizontal

vízum visa

vízvezeték water pipes *tsz*

vízvezeték-szerelő plumber

vizsga examination (*röv* exam)

vizsgál examine

vizsgálat *orv is* examination; *tud* study, research

vizsgázik take° an examination v. exam/test

vizsgáztat test/examine (in)

von *[tárgyat, vonalat]* draw°; **felelősségre** ~ call sy to account

vonakodik be° reluctant (about v. to do sg)

vonal line

vonalas lined

vonalkód bar code

vonalzó ruler

vonás *[jel]* line; *[jellemző]* trait, feature

vonat train

vonatjegy train ticket

vonatkozik (*vkire/vmire*) concern (sy/sg), apply (to sy/sg)

vonatkozó relevant, relative

vonó *[hangszeré]* bow

vonós ▼ *mn* ~ **hangszer**
string(ed) instrument ▼
fn [zenész] string player;
a ~ok the strings
vonszol drag
vontat tow, pull
vonul *[menetel]* march;
proceed (swhere)
vonz attract; *[érdekel]*
interest
vonzalom attachment
vonzerő attraction
vonzó attractive, capti-
vating

vonzódik (*vkihez/vmihez*)
be° attracted/attached
(to sy/sg)
vő son-in-law (*tsz* sons-
in-law)
vödör bucket
vőlegény fiancé
völgy valley
vörös red
vörösbor red wine
vöröshagyma onion
Vöröskereszt Red Cross
vulkán volcano
vulkanikus vulcanic

W

walkman personal stereo,
Walkman

WC lavatory, *biz* loo;
nyilvános ~ public
lavatory *US* restroom

WC-papír toilet paper,
biz loo paper

westernfilm western (film/
movie)

whisky whisky (*tsz*
whiskies) *US, ír*
whiskey (*tsz* whiskeys)

X

x-szer umpteen
x-edszer the umpteenth
time
X-kromoszóma X chro-
mosome
x-tengely x-axis

Y

Y-kromoszóma Y chromosome

y-tengely y-axis

Z

zab oats *tsz*

zabál *[állat]* feed°, eat°; *[ember]* guzzle

zabolátlan unbridled

zabpehely oatmeal

zacskó bag

zaj noise; *[lárma]* racket

zajlik *[folyamatban van]* be° under way; *[jég]* break° up

zajong clamour

zajos noisy

zajtalan noiseless

zakatol *[vonat]* clatter; ~**t a szíve** his/her heart raced

zaklat harass

zakó jacket

zálog pawn; ~**ba ad** pawn

zamat *átv is* flavour

zamatos *[étel]* tasty, succulent

zápfog molar (tooth) (*tsz* teeth)

zápor shower

záptojás bad/rotten egg

zár ▼ *fn* lock ▼ *ige (vmit)* close, lock; *(vhova)* shut (up) in

záradék *jog* (additional) clause

zárás *[bolté]* closing

zárka cell

zárkózott withdrawn

zárlat *elektr* short circuit; *gazd* balancing of the books

záródik shut°, close

zárójel *[kerek]* parentheses *tsz*; *[szögletes]* brackets *tsz*

zárójelentés final communiqué

zárol *[titkosít]* classify

záróra closing time

záróvonal *[magyar: folyamatos]* continuous white line, *[GB, US: szaggatott]* double white line

zárt *[ajtó]* closed; *[kórházban]* ~ **osztály** mental ward

zártkörű private

zárul; jó hangulatban ~t ended on an upbeat note

zárva closed

zászló flag

zátony *[homok]* sandbank, *[szikla]* reef

zavar ▼ *fn [zavarodottság, zűr]* confusion; *[pénzügyi]* difficulty; *műsz, orv* disorder ▼ *ige* disturb

zavarás disturbance, disturbing

zavarodott *[félszeg]* confused, disturbed; *[őrült]* deranged

zavaros *[folyadék]* murky, turbid; *[kusza]* turbid, nebulous

zavart troubled

zavartalan undisturbed

zavartat; nem ~ja magát (s)he will not be thrown out of his/her stride

zebra zebra; *[átkelőhely]* zebra crossing

zeller *[gumó]* celeriac; *[szár]* celery

zene music

zeneakadémia academy/college of music

zenei musical

zenekar orchestra; *[kisebb]* ensemble

zenél make° music, play an instrument

zenés musical

zenész musician

zeneszerző composer

zeneszó music

zeng ring°, echo°, resound

zéró zero

zilált *[kócos, rendetlen]* untidy, scruffy; *[kusza]* in disorder/confusion *ut*

zivatar thunderstorm

zizeg *[papír, lomb]* rustle
zodiákus zodiac
zokni socks *tsz*
zokog sob
zokszó nélkül without complaint, without a word
zománc enamel
zóna zone
zongora piano (*tsz* -nos)
zongoradarab composition for (the) piano
zongoraművész pianist
zongoratanár piano teacher
zongoraverseny *[verseny]* piano competition; *[mű]* piano concerto
zongorázik play the piano
zongorista pianist
zord grim, bleak, dismal
zökkenőmentes smooth
zökkenőmentesen without a hitch
zöld ▼ *mn* green ▼ *fn pol* Green
zöldbab string/runner/French beans *tsz*

zöldborsó peas *tsz*
zöldellik green
zöldövezet green belt
zöldpaprika green pepper/paprika
zöldség vegetable
zöldséges *[árus]* greengrocer
zöldül (become°/turn) green
zörej clatter, rattle
zörget (*vmit*) rattle (sg)
zörög clatter, rattle
zug nook, cranny
zúg rumble
zúgolódik (*vmi miatt*) grumble (about sg)
zuhan plunge, fall°; *[ár(folyam)]* slump
zuhanás fall; *[ár(folyam)é]* slump
zuhany shower
zuhanyozik take° a shower
zuhanyozó shower(-bath)
zuhatag waterfall, cascade
zuhog; ~ (**az eső**) it's pouring

zúz *[apróra tör]* crush;
  [zúzódást okoz] bruise
zúzmara hoar-frost, frost
zúzódás bruise
züllik go°/run° to seed
züllött decayed, seedy

zümmög *[rovar]* buzz
zűr mess, chaos
zűrös helter-skelter, chaotic
zűrzavar confusion, chaos
zűrzavaros chaotic

ZS

zsák sack
zsákbamacskát vesz buy° a pig in a poke
zsákmány loot, plunder; *[vadászatból]* bag
zsákmányol plunder, loot
zsákutca *átv is* cul-de-sac, blind alley
zsalu shutters *tsz*
zsámoly (foot) stool
zsarnok tyrant
zsarnoki tyrannical
zsarol blackmail
zsaroló blackmailer
zseb pocket
zsebkendő handkerchief
zsebkés pocket knife (*tsz* knives)

zsebkönyv pocketbook
zseblámpa torch
zsebóra watch
zsebpénz pocket money
zsebszótár pocket dictionary
zsebtolvaj pickpocket
zsemle roll
zsenge *átv is* green, immature, unripe
zseni genius (*tsz* geniuses)
zseniális ingenious, brilliant
zsibbad become°/go° numb/stiff
zsibong murmur, buzz, hum
zsidó ▼ *mn* Jewish ▼ *fn* Jew
zsilip sluice, lock
zsinagóga synagogue
zsinór string
zsír fat; *[kiolvasztott]* lard
zsiradék lard, fats *tsz*
zsiráf giraffe
zsírfolt grease stain
zsírkréta (wax) crayon

zsíros fatty, greasy; ~
  kenyér bread and drip-
  ping; *[bőr, haj stb.]* oily
zsíroz *műsz* grease,
  lubricate
zsivaj din, racket
zsoké jockey
zsold (soldier's) pay
zsoldos *átv is* mercenary

zsoltár psalm
zsonglőr juggler
zsöllye stalls *tsz*
zsömle roll
zsúfol cram
zsúfolt crammed
zsugori ▼ *mn* miserly ▼
  fn miser
zsűri jury

FÜGGELÉK

Földrajzi nevek

Magyar név	Angol név
Adriai-tenger	Adriatic (Sea)
Afganisztán	Afghanistan
Afrika	Africa
Albánia	Albania
Algéria	Algeria
Alpok	Alps
Amerika	America
Amerikai Egyesült Államok	United States of America
Amszterdam	Amsterdam
Andorra	Andorra
Anglia	England
Angola	Angola
Antarktisz	Antarctica
Argentína	Argentina
Athén	Athens
Atlanti-óceán	Atlantic (Ocean)
Ausztrália	Australia
Ausztria	Austria
Ázsia	Asia
Bagdad	Baghdad
Bahama-szigetek	Bahamas
Bahrain	Bahrain
Baktérítő	(Tropic of) Capricorn

Magyar név	Angol név
Balaton	(Lake) Balaton
Balti-tenger	Baltic Sea
Banglades	Bangladesh
Barbados	Barbados
Bécs	Vienna
Belfast	Belfast
Belgium	Belgium
Belgrád	Belgrade
Benin	Dahomey
Berlin	Berlin
Bermuda-szigetek	Bermuda
Bern	Bern(e)
Bhutan	Bhutan
Birmingham	Birmingham
Bolívia	Bolivia
Botswana	Botswana
Brazília	Brazil
Brunei	Brunei
Brüsszel	Brussels
Budapest	Budapest
Bukarest	Bucharest
Bulgária	Bulgaria
Burma	Burma
Burundi	Burundi
Cardiff	Cardiff
Chile	Chile
Ciprus	Cyprus
Costa Rica	Costa Rica
Csád	Chad

Magyar név	Angol név
Csecsenföld	Chechnya
Cseh Köztársaság	Czech Republic
Csendes-óceán	Pacific Ocean, Pacific
Dánia	Denmark
Dél-Afrika	South Africa
Déli-sark	South Pole, Antarctic
Dominika	Dominica
Dublin	Dublin
Duna	Danube
Dunántúl	Transdanubia
Ecuador	Ecuador
Edinburgh	Edinburgh
Egyenlítő	Equator
Egyesült Királyság	United Kingdom
Egyiptom	Egypt
El Salvador	El Salvador
Erdély	Transylvania
Északi-sark	North Pole
Észtország	Estonia
Etiópia	Ethiopia
Európa	Europe
Fehéroroszország	Belarus, White Russia
Fekete-tenger	Black Sea
Fertő-tó	Lake Fertő, Lake of Neusiedl
Fidzsi-szigetek	Fiji
Finnország	Finland
Földközi-tenger	Mediterranean (Sea)
Franciaország	France

Magyar név	Angol név
Független Államok Közössége	Commonwealth of Independent States
Fülöp-szigetek	Philippines
Gabon	Gabon
Gambia	Gambia
Genfi-tó	Lake of Geneva, Lac Léman
Ghana	Ghana
Gibraltár	Gibraltar
Glasgow	Glasgow
Görögország	Greece
Grenada	Grenada
Grönland	Greenland
Grúzia	Georgia
Guatemala	Guatemala
Guinea	Guinea
Guyana	Guyana
Haiti	Haiti
Hollandia	Holland
Honduras	Honduras
Hongkong	Hong Kong
Horvátország	Croatia
India	India
Indiai-óceán	Indian Ocean
Indonézia	Indonesia
Irak	Iraq
Irán	Iran
Írország	Ireland
Izland	Iceland
Izrael	Israel

Magyar név	Angol név
Jamaica	Jamaica
Japán	Japan
Jáva	Java
Jemen	Yemen
Jeruzsálem	Jerusalem
Jordánia	Jordan
Jugoszlávia	Yugoslavia
Kairó	Cairo
Kalifornia	California
Kambodzsa	Cambodia
Kamerun	Cameroon
Kanada	Canada
Kanári-szigetek	Canary Islands, Canaries
Karib-tenger	Caribbean Sea
Kárpát-medence	Carpathian Basin
Kárpátok	Carpathian Mountains, Carpathians
Kasmír	Kashmir
Kenya	Kenya
Kijev	Kiev
Kína	China
Kolumbia	Colombia
Kongó	Congo
Koppenhága	Copenhagen
Korea	Korea
Korzika	Corsica
Közép-Európa	Central Europe
Kréta	Crete
Kuba	Cuba

Magyar név	Angol név
Kuvait	Kuwait
Laosz	Laos
Lappföld	Lapland
Leeds	Leeds
Lengyelország	Poland
Lettország	Latvia
Libanon	Lebanon
Libéria	Liberia
Líbia	Libya
Liechtenstein	Liechtenstein
Lisszabon	Lisbon
Litvánia	Lithuania
Liverpool	Liverpool
London	London
Luxemburg	Luxemburg
Madagaszkár	Madagascar
Magyarország	Hungary
Malajzia	Malaysia
Malawi	Malawi
Mali	Mali
Málta	Malta
Manchester	Manchester
Marokkó	Morocco
Mauritánia	Mauritani
Mauritius	Mauritius
Mexikó	Mexico
Moldávia	Moldavia
Monaco	Monaco
Mongólia	Mongolia

Magyar név	Angol név
Moszkva	Moscow
Mozambik	Mozambique
Nagy-Britannia	Great Britain
Nauru	Nauru
Németalföld	Netherlands
Németország	Germany
Nepál	Nepal
Nicaragua	Nicaragua
Niger	Niger
Nigéria	Nigeria
Normandia	Normandy
Norvégia	Norway
Nyugat-India	West Indies
Olaszország	Italy
Oroszország	Russia
Oslo	Oslo
Pakisztán	Pakistan
Panama	Panama
Paraguay	Paraguay
Párizs	Paris
Peking	Peking, Beijing
Peru	Peru
Portugália	Portugal
Prága	Prague
Rajna	Rhine
Ráktérítő	Tropic of Cancer
Róma	Rome
Románia	Rumania
Ruanda	Rwanda

Magyar név	Angol név
San Marino	San Marino
Seychelles-szigetek	Seychelles
Sheffield	Sheffield
Sierra Leone	Sierra Leona
Skandinávia	Scandinavia
Skócia	Scotland
Spanyolország	Spain
Srí Lanka	Sri Lanka
Svájc	Switzerland
Svédország	Sweden
Szamoa	Samoa
Szardínia	Sardinia
Szaúd-Arábia	Saudi Arabia
Szenegál	Senegal
Szerbia	Serbia
Szicília	Sicily
Szingapúr	Singapore
Szíria	Syria
Szlovákia	Slovakia
Szlovénia	Slovenia
Szomália	Somalia
Szudán	Sudan
Szumátra	Sumatra
Szváziföld	Swaziland
Tahiti	Tahiti
Tajvan	Taiwan
Tanzánia	Tanzania
Thaiföld	Thailand
Tibet	Tibet

Magyar név	Angol név
Tobago	Tobago
Togo	Togo
Tokió	Tokyo
Tonga	Tonga
Törökország	Turkey
Trinidad	Trinidad
Tunézia	Tunisia
Uganda	Uganda
Új-Zéland	New Zealand
Ukrajna	Ukraine
Uruguay	Uruguay
Varsó	Warsaw
Vatikán	Vatican
Venezuela	Venezuela
Vietnam	Vietnam
Washington	Washington(,) D.C.
Zaire	Zaire
Zambia	Zambia
Zimbabwe (Rodézia)	Rhodesia

Az Egyesült Királyság részei

Magyar név	Angol név
Anglia	England
Észak-Írország	Nothern Ireland
Skócia	Scotland
Wales	Wales

Az Amerikai Egyesült Államok tagállamai és rövidítésük

Alabama *(Ala)*	Montana *(Mont)*
Alaska *(Alas)*	Nebraska *(Nebr* v. *Neb)*
Arizona *(Ariz)*	Nevada *(Nev)*
Arkansas *(Ark)*	New Hampshire *(NH)*
California *(Cal* v. *Calf)*	New Jersey *(NJ)*
Colorado *(Colo)*	New Mexico *(NM)*
Connecticut *(Conn)*	New York *(NY)*
Delaware *(Del)*	North Carolina *(NC)*
District of Columbia *(DC)*	North Dakota *(ND)*
Florida *(Fla)*	Ohio *(O)*
Georgia *(Ga)*	Oklahoma *(Okla)*
Hawaii *(HI)*	Oregon *(Ore* v. *Oreg)*
Idaho *(Id)*	Pennsylvania *(Penn* v. *Pa)*
Illinois *(Ill)*	Rhode Island *(RI)*
Indiana *(Ind)*	South Carolina *(SC)*
Iowa *(Ia)*	South Dakota *(SD)*
Kansas *(Kan)*	Tennessee *(Tenn)*
Kentucky *(Ken* v. *Ky)*	Texas *(Tex)*
Louisiana *(La)*	Utah *(Ut)*
Maine *(Me)*	Vermont *(Vt)*
Maryland *(Md)*	Virginia *(Va)*
Massachusetts *(Mass)*	Washington *(Wash)*
Michigan *(Mich)*	West Virginia *(W Va)*
Minnesota *(Minn)*	Wisconsin *(Wis)*
Mississippi *(Miss)*	Wyoming *(Wy* v. *Wyo)*
Missouri *(Mo)*	

Számok

Számjegyek	Tőszámnevek	Sorszámnevek	
1	one	1st	first
2	two	2nd	second
3	three	3rd	third
4	four	4th	fourth
5	five	5th	fifth
6	six	6th	sixth
7	seven	7th	seventh
8	eight	8th	eighth
9	nine	9th	ninth
10	ten	10th	tenth
11	eleven	11th	eleventh
12	twelve	12th	twelfth
13	thirteen	13th	thirteenth
14	fourteen	14th	fourteenth
15	fifteen	15th	fifteenth
16	sixteen	16th	sixteenth
17	seventeen	17th	seventeenth
18	eighteen	18th	eighteenth
19	nineteen	19th	nineteenth
20	twenty	20th	twentieth
21	twenty-one	21st	twenty-first
22	twenty-two	22nd	twenty-second
23	twenty-three	23rd	twenty-third
30	thirty	30th	thirtieth

Számjegyek	Tőszámnevek	Sorszámnevek	
40	forty	40th	fortieth
50	fifty	50th	fiftieth
60	sixty	60th	sixtieth
70	seventy	70th	seventieth
80	eighty	80th	eightieth
90	ninety	90th	ninetieth
100	a/one hundred	100th	a/one hundredth
200	two hundred	200th	two hundredth
1 000	a/one thousand	1 000th	a/one thousandth
2 000	two thousand	2 000th	two thousandth
10 000	ten thousand	10 000th	ten thousandth
100 000	a/one hundred thousand	100 000th	a/one hundred thousandth
1 000 000	a/one million	1 000 000th	a/one millionth

A leggyakoribb mértékegységek

Súlyok

1 dram		= 1,77 gramm
1 ounce (oz.)	= 16 drams	= 28,35 gramm
1 pound (lb.)	= 16 ounces	= 45,36 dkg
1 stone	= 14 pounds	= 6,35 kg
1 quarter	= 2 stone	= 12,70 kg
1 (GB) hundred-weight (cwt.)	= 4 quarters	= 50,80 kg
1 (US) hundredweight	= 100 pounds	= 45,36 kg
1 ton	= 20 cwt.	= 1016,05 kg

Űrmértékek

1 gill		=	0,142 liter
1 pint	= 4 gills	=	0,568 liter
1 quart	= 2 pints	=	1,136 liter
1 gallon	= 4 quarts	=	4,543 liter
1 peck	= 2 gallons	=	9,097 liter
1 bushel	= 4 pecks	=	36,348 liter
1 quarter	= 8 bushels	=	290,789 liter

Hosszmértékek

1 line		= 2,54 mm
1 inch	= 10 lines	= 2,54 cm
1 foot	= 12 inches	= 30,48 cm
1 yard	= 3 feet	= 91,44 cm
1 fathom	= 2 yards	= 1,83 méter
1 pole/perch/rod	= 5½ yards	= 5,03 méter
1 furlong	= 40 poles	= 201,16 méter
1 statute mile	= 8 furlongs	=
	= 1760 yards	= 1609,33 méter
1 nautical mile	= 2026 yards	= 1852 méter
1 league	= 3 stat. miles	= 4,828 km
	= 3 naut. miles	= 5,556 km

Területmértékek

1 square inch		$= 6,45$ cm^2
1 square foot	$= 144$ sq. inches	$= 929,01$ cm^2
1 square yard	$= 9$ sq. feet	$= 0,836$ m^2
1 square	$= 100$ sq. feet	$= 9,29$ m^2
1 acre	$= 4840$ sq. yards	$= 0,41$ hektár
		$= 0,703$ kat. hold
		$= 4046,78$ m^2
		$= 1125$ négyszögöl
1 square mile	$= 640$ acres	$= 258,99$ hektár
		$= 2,59$ km^2
		$= 450$ kat. hold

Köbmértékek

1 cubic inch		$= 16,38$ cm^3
1 cubic foot	$= 1728$ c. inches	$= 28\ 316$ cm^3
1 cubic yard		$= 0,764$ m^3
1 register ton	$= 100$ c. feet	$= 2,831$ m^3

Metrikus mértékek angol megfelelői

1 méter	$= 39,371$ inches	$= 1,094$ yards
1 kilométer	$= 1093,6$ yards	$= 0,621$ mile
1 négyzetméter	$= 1550$ sq. inches	$= 1,196$ sq. yards
	$= 10,764$ sq. feet	
1 kilogramm	$= 2,204$ lb	$= 2$ lb 3¼ oz
1 liter		$= 1,75$ pints
1 hektoliter		$= 22$ gallons

Hőmérőrendszer

212° Fahrenheit = + 100 ° Celsius = + 80 ° Réaumur

32° Fahrenheit =   0 ° Celsius =   0 ° Réaumur

0° Fahrenheit   =   18 ° Celsius = – 14 ° Réaumur

Átszámítási képletek

$$+ X \,°\text{Fahrenheit} = \frac{(X - 32) \cdot 5}{9} \,°\text{Celsius}$$

$$- X \,°\text{Fahrenheit} = \frac{(X + 32) \cdot 5}{9} \,°\text{Celsius}$$

$$X \,°\text{Celsius} = \frac{9X°}{9} + 32 \,°\text{Fahrenheit}$$

Pénzrendszer

Nagy Britannia
(1971. február 15-ig)

1 guinea	=	21 shillings
1 pound sovereign (£1)	=	20 shillings
1 crown	=	5 shillings
1 half crown	=	2 shillings 6 pence
1 florin	=	2 shillings
1 shillings (1s.)	=	12 pence
1 penny (1d.)	=	4 farthings

(1971. február 15-től)

1 pound (£1)	=	100 pence (100p)

Amerikai Egyesült Államok

1 dollár ($1)	=	100 cents (100 ¢)
1 quarter	=	25 cents
1 dime	=	10 cents
1 nickel	=	5 cents

Rendhagyó igék

Infinitive	Past Tense	Past Participle	
abide	abode	abode	tartózkodik, lakik
	abided	abided	elvisel; megmarad vmi mellett
arise	arose	arisen	keletkezik
awake	awoke	awoken	felébreszt, -ébred
be (am, is, are)	was, were	been	van
bear	bore	borne	hord
	bore	born	szül
beat	beat	beaten	üt
become	became	become	vmivé tesz
beget	begot	begotten	nemz
begin	began	begun	kezd
bend	bent	bent	hajlít
beseech	besought	besought	könyörög
bet	bet, betted	bet, betted	fogad
bid	bid	bid	ajánl
	bade	bidden	megparancsol
bind	bound	bound	köt
bite	bit	bitten	harap
bleed	bled	bled	vérzik
bless	blessed, blest	blessed, blest	áld
blow	blew	blown, blowed	fúj
break	broke	broken	tör
breed	bred	bred	tenyészt
bring	brought	brought	hoz
build	built	built	épít
burn	burnt, burned	burnt, burned	ég
burst	burst	burst	szétreped
buy	bought	bought	vásárol
can	could	–	tud, ...hat, ...het
cast	cast	cast	dob
catch	caught	caught	megfog
chide	chided, chid	chided, chid, chidden	szid
choose	chose	chosen	választ

Infinitive	Past Tense	Past Participle	
cleave[1]	cleave, clove, cleft	cleaved, cloven, cleft	hasít
cleave[2]	cleaved, clave	cleaved	ragaszkodik
cling	clung	clung	ragaszkodik
come	came	come	jön
cost	cost	cost	vmibe kerül
creep	crept	crept	csúszik
crow	crowed, (régi) crew	crowed	kukorékol
cut	cut	cut	vág
deal	dealt	dealt	ad, oszt; foglalkozik (with …val/vel)
dig	dug	dug	ás
dive	dived; US dove	dived	lemerül; fejet ugrik
do	did	done	tesz
draw	drew	drawn	húz
dream	dreamt, dreamed	dreamt, dreamed	álmodik
drink	drank	drunk	iszik
drive	drove	driven	hajt, vezet
dwell	dwelt	dwelt	lakik
eat	ate	eaten	eszik
fall	fell	fallen	esik
feed	fed	fed	táplál
feel	felt	felt	érez
fight	fought	fought	harcol
find	found	found	talál
flee	fled	fled	menekül
fling	flung	flung	hajít
fly	flew	flown	repül
forbid	forbade, forbad	forbidden	tilt
forecast	forecast, forecasted	forecast, forecasted	előre jelez
forget	forgot	forgotten	elfelejt
forgive	forgave	forgiven	megbocsát
forsake	forsook	forsaken	elhagy
freeze	froze	frozen	fagy
get	got	got; US gotten	kap
gild	gilded, gilt	gilded, gilt	aranyoz
gird	girded, girt	girded, girt	övez
give	gave	given	ad

Infinitive	Past Tense	Past Participle	
go	went	gone	elmegy
grind	ground	ground	őröl
grow	grew	grown	nő
hang	hung	hung	akaszt, függ
	hanged	hanged	felakaszt
have (has)	had	had	vmije van
hear	heard	heard	hall
heave	heaved, hove	heaved, hove	emel
hew	hewed	hewed, hewn	üt
hide	hid	hidden	rejt
hit	hit	hit	üt
hold	held	held	tart
hurt	hurt	hurt	megsért
input	input, inputted	input, inputted	betáplál
keep	kept	kept	tart
kneel	knelt; főleg US	knelt; főleg US	térdel
	kneeled	kneeled	
knit	knitted	knitted	köt, egyesít
	knit	knit	egyesül
know	knew	known	tud; ismer
lay	laid	laid	fektet
lead	led	led	vezet
lean	leant, leaned	leant, leaned	hajol
leap	leapt, leaped	leapt, leaped	ugrik
learn	learnt, learned	learnt, learned	tanul
leave	left	left	hagy
lend	lent	lent	kölcsönöz
let	let	let	hagy
lie[1]	lied	lied	hazudik
lie[2]	lay	lain	fekszik
light	lighted, lit	lighted, lit	meggyújt
lose	lost	lost	elveszít
make	made	made	csinál
may	might	–	szabad
mean	meant	meant	jelent
meet	met	met	találkozik
mow	mowed	mown, mowed	lekaszál
must	–	–	kell
output	output, outputted	output, outputted	kiad
pay	paid	paid	fizet
plead	pleaded; US pled	pleaded; US pled	szót emel
prove	proved	proved; US proven	bizonyít

Infinitive	Past Tense	Past Participle	
put	put	put	tesz
quit	quit, quitted	quit, quitted	otthagy, elmegy
read [ri:d]	read [red]	read [red]	olvas
rend	rent	rent	hasít
rid	rid	rid	megszabadít
ride	rode	ridden	lovagol
ring	rang	rung	cseng
rise	rose	risen	felkel
run	ran	run	szalad
saw	sawed	sawn; US sawed	fűrészel
say	said	said	mond
see	saw	seen	lát
seek	sought	sought	keres
sell	sold	sold	elad
send	sent	sent	küld
set	set	set	helyez; beállít stb.
sew	sewed	sewn, sewed	varr
shake	shook	shaken	ráz
shall	should	–	segédige
shave	shaved	shaved, shaven	borotvál(kozik)
shear	sheared	shorn, sheared	nyír
shed	shed	shed	elhullat
shine	shone	shone	ragyog
	shined	shined	(cipőt) fényesít
shit	shitted, shat	shitted, shat	kakál
shoe	shod	shod	megpatkol
shoot	shot	shot	lő
show	showed	shown, showed	mutat
shred	shred	shred	darabokra tép
shrink	shrank, shrunk	shrunk	összezsugorodik
shrive	shrived, shrove	shrived, shriven	gyóntat
shut	shut	shut	becsuk
sing	sang	sung	énekel
sink	sank	sunk	süllyed
sit	sat	sat	ül
slay	slew	slain	öl
sleep	slept	slept	alszik
slide	slid	slid	csúszik
slink	slunk	slunk	lopakodik
slit	slit	slit	felvág
smell	smelt, smelled	smelt, smelled	megszagol
smite	smote	smitten	rásújt

Infinitive	Past Tense	Past Participle	
sow	sowed	sown, sowed	vet
speak	spoke	spoken	beszél
speed	sped	sped	száguld,
	speeded	speeded	siettet; gyorsan hajt
spell	spelt, spelled	spelt, spelled	betűz (betűket)
spend	spent	spent	költ
spill	spilt, spilled	spilt, spilled	kiönt
spin	spun, (régi) span	spun	fon
spit	spat; főleg US spit	spat; főleg US spit	köp
split	split	split	hasít
spoil	spoilt, spoiled	spoilt, spoiled	elront
spread	spread	spread	kiterjeszt, terjed
spring	sprang	sprung	ugrik
stand	stood	stood	áll
stave	staved, stove	staved, stove	bever
steal	stole	stolen	lop
stick	stuck	stuck	ragaszt
sting	stung	stung	megszúr
stink	stank, stunk	stunk	bűzlik
strew	strewed	strewed, strewn	hint
stride	strode	stridden	lépked
strike	struck	struck	üt
string	strung	strung	felfűz
strive	strove	striven	igyekszik
swear	swore	sworn	megesküszik
sweep	swept	swept	söpör
swell	swelled	swollen, swelled	dagad
swim	swam	swum	úszik
swing	swung	swung	leng(et)
take	took	taken	fog, vesz
teach	taught	taught	tanít
tear	tore	torn	szakít
tell	told	told	elmond
think	thought	thought	gondol(kozik)
thrive	thrived, throve	thrived, (régi) thriven	boldogul
throw	threw	thrown	dob
thrust	thrust	thrust	döf
tread	trod	trodden, trod	tapos
wake	woke, (régi) waked	woken, (régi) waked	felébred, felébreszt

Infinitive	Past Tense	Past Participle	
wear	wore	worn	visel
weave	wove	woven	sző
	weaved	weaved	kanyarog
wed	wedded, wed	wedded, wed	összeházasodik
weep	wept	wept	sír
wet	wet, wetted	wet, wetted	benedvesít
will	would	–	(segédige)
win	won	won	nyer
wind¹	wound	wound	teker(edik)
wind²	winded, wound	winded, wound	kürtöl
wring	wrung	wrung	kicsavar
write	wrote	written	ír

A

a egy, egy bizonyos

abandon *(sg)* elhagy (vmit), felhagy (vmivel)

abate alábbhagy

abbey apátság *[intézmény, épület]*

abbot apát

abbreviation rövidítés

abdicate lemond *[megbízatásról, trónról]*

abdomen hasüreg; potroh

abduct elrabol (vkit)

abide (abode, abode) lakik, tartózkodik (vhol)

ability képesség, adottság

ablaze; be° ~ lángokban áll, ég

able alkalmas; rátermett; **be° ~ to do** *(sg)* meg tud tenni (vmit), megtehet (vmit)

abnormal abnormális

aboard a fedélzeten, a fedélzetre *[hajón, repülőgépen]*

abode → abide

abolish megszüntet, eltöröl

abominable borzalmas, utálatos *[időjárás]*, kritikán aluli *[munka]*

aborigine bennszülött, őslakó

abort félbehagy, abbahagy *[idő előtt]*; *orv* elvetél

abortion vetélés, abortusz

abound *(in sg)* bővelkedik (vmiben), sok/rengeteg van (vmiből)

about ▼ *hsz* körülbelül, majdnem; **at ~ 9 o'clock** úgy kilenc óra körül ▼ *elölj* -ról/-ről; **what's it ~?** miről szól?; **what ~ a cup of tea?** mit szólnál egy teához?

above ▼ *mn* fenti; **the ~ example** a fenti példa ▼ *elölj* felett; **~ the clouds** a felhők felett; **~ the age of 14** 14 éves kor felett

abroad külföldön, külföldre

absence hiányzás *[iskolából]*, távollét (vhonnan)

absent; be° ~ *(from swhere)* hiányzik (vhonnan)

absent-minded szórakozott, feledékeny

absolute teljes, totális

absolutely teljesen; **she's ~ amazing** elképesztően gyönyörű *[nő]*

absolve *vall (sy from sg)* feloldoz (vkit vmi alól)

absorb felszív, beszív

abstain *(from sg)* tartózkodik *[ivástól, szavazástól]*

abstinence önmegtartóztatás

abstract ▼ *mn* elvont, absztrakt ▼ *fn tud* kivonat *[cikké, előadásé]*

absurd képtelen, abszurd

abundance bőség

abuse ▼ *fn* visszaélés, (nemi) erőszak ▼ *ige (sg)* visszaél (vmivel); *(sy)* bántalmaz (vkit), erőszakot követ el (vkin)

academic ▼ *mn* egyetemi; elméleti; **~ year** tanév ▼ *fn* egyetemi oktató, tudós

academy akadémia

accelerate gyorsít, gyorsul

accelerator gázpedál

accent kiejtés, (idegen) akcentus; ékezet; hangsúly

accept elfogad

acceptable elfogadható

acceptance elfogadás

access ▼ *fn* (*to sg*) hozzáférés (vmihez), eljutás, bejutás (vhová); ~ **road** bekötőút ▼ *ige* (*to sg*) hozzáfér (vmihez)

accessible hozzáférhető, elérhető

accessory tartozék, kellék

accident baleset; **by ~** véletlenül

accidental véletlen

acclimate, acclimatise hozzászokik az éghajlathoz/új környezethez, akklimatizálódik

accommodate elszállásol

accommodation szállás (és étkezés)

accompanist *zene* kísérő

accompany (*sy*) (el)kísér (vkit vhová); *zene* kísér *[hangszeren]*

accomplice bűntárs

accomplish (*sg*) elér (vmit), (sikeresen) elvégez, teljesít

accomplishment (be)-

teljesítés, teljesülés *[célkitűzésé]*

accord egyetértés; **of one's own ~** saját elhatározásból, önként

accordance egyetértés, megfelelés (vminek); **in ~ with sg** vminek megfelelően

according (*to sg*) vmi szerint, vmihez képest, vminek megfelelően

accordingly eszerint, ennek megfelelően

accordion harmonika

account ▼ *fn* (bank)számla; **the ~s** *tsz* könyvelés; **take° into ~** számításba/figyelembe vesz ▼ *ige* (*for sg*) megmagyaráz (vmit)

accountable (*for sg*) felelős (vmiért), számon kérhető rajta (vmi)

accountancy könyvelés

accountant könyvelő

accumulate felhalmoz; felhalmozódik, összegyűlik

accuracy pontosság, precizitás

accurate pontos, precíz

accusation vád

accuse (*sy of sg*) (meg)-vádol (vkit vmivel)

accused vádlott

accustom (*sy to sg*) hozzászoktat (vkit vmihez); **I'm not ~ed to it** nem vagyok hozzászokva

ace ász

ache ▼ *fn* fájdalom ▼ *ige* fáj

achieve *átv* elér

achievement (elért) eredmény, teljesítmény

acid sav; **~ rain** savas eső

acknowledge elismer, beismer; üdvözöl (vkit)

acknowledgement elismerés, beismerés; *tsz is* köszönetnyilvánítás *[pl. könyv elején]*

acorn *növ* makk

acoustic akusztikus

acoustics *esz* akusztika

acquaint (*sy with sg*)

megismertet (vkit vmivel), (*sy with sy*) összeismertet (vkit vkivel); **get° ~ed** *(with sy)* összeismerkedik (vkivel)

acquaintance ismerős *[ember]*

acquire (*sg*) beszerez (vmit), szert tesz (vmire), elsajátít (vmit)

acquisition beszerzés, szerzemény, elsajátítás

acquit felment *[vád alól]*

acre *[mértékegység, kb. 4000 m²]* «angol hold»

acrobat akrobata

acrobatics *esz* akrobatika, *tsz* akrobatamutatványok

across ▼ *hsz* szemben, a túloldalon ▼ *elölj* át, keresztül

act ▼ *fn* tett, cselekedet; *jog* törvény; *szính* felvonás ▼ *ige* eljátszik *[szerepet]; (as sg)* szolgál (vmiként)

acting ▼ *mn* ügyvezető,

megbízott *[vezető]* ▼ *fn* színészet

action tett, cselekedet; **take°** ~ cselekszik

activate aktivál, beindít *[folyamatot]*

active aktív

activist aktivista

activity tevékenység

actor színész

actress színésznő

actual valóságos

actually a valóságban, igazából, valójában

ad *biz* (apró)hirdetés

A.D., AD *röv [Anno Domini]* i. sz. *[időszámításunk szerint];* Kr. u. *[Krisztus után]*

adapt *(sg to/for sg)* adaptál, alkalmaz (vmire), alkalmassá tesz; alkalmazkodik (vmihez)

adaptable (könnyen) alkalmazkodó

adapter, adaptor adapter, átalakító

add *(sg to sg)* hozzáad, hozzátesz (vmit vmihez); ~ **up** összead *[számokat]*

addict ▼ *fn* rabja vminek; **drug** ~ kábítószeres *[személy]* ▼ *ige* **be°** ~**ed** (*to sg*) rabja (lett) *[szenvedélynek]*

addiction függőség

addition összeadás; hozzátétel, kiegészítés; **in** ~ **to sg** azon felül (még), a tetejébe (még)

additional további, kiegészítő

address ▼ *fn* (lak)cím; **e-mail** ~ e-mail cím ▼ *ige* megcímez *[borítékot]*

addressee címzett

adept ▼ *mn* ügyes, hozzáértő; **be°** ~ (*in/at sg*) ért (vmihez), jártas (vmiben) ▼ *fn* szakértő(je vminek)

adequate megfelelő, adekvát

adhere (*to sg*) odaragad (vmihez); ragaszkodik

(vmihez), tartja magát (vmihez)

adhesive ragadós; ~ **(tape)** ragasztószalag; ~ **plaster** ragtapasz

adjacent szomszédos, egymás melletti

adjective melléknév

adjourn berekeszt *[ülést]*

adjust *(sg to sg)* beállít, (hozzá)igazít (vmit vmihez)

administer vezet, irányít; *orv* alkalmaz *[eljárást]*, bead *[injekciót]*

administration szervezés, adminisztráció; kormányzat

administrative adminisztratív

administrator szervező, adminisztrátor

admirable csodálatos

admiral admirális

admiration csodálat

admire csodál

admission belépés; ~ **fee** belépődíj

admit beismer; beenged; felvesz *[kórházba, iskolába]*

admittedly kétségkívül

adolescence serdülőkor

adolescent serdülő

adopt örökbe fogad; átvesz, bevezet *[módszert, eljárást]*

adoption örökbefogadás

adorable csodálatos

adore csodál

Adriatic (Sea) Adria(i-tenger)

adult felnőtt, nagykorú

adultery házasságtörés

adulthood felnőttkor

advance ▼ *fn* előretörés, előrehaladás; **in** ~ előre, előzetesen ▼ *ige* előrehalad, előrenyomul

advanced fejlett; haladó *[tanfolyam]*

advantage előny; **take°** ~ *(of sg/sy)* kihasznál (vmit/vkit)

advantageous előnyös

Advent advent

adventure kaland

adventurous kalandos

adverb határozószó

adverse kellemetlen, káros

adversity nehézség, balsors

advert hirdetés, reklám

advertise hirdet, reklámoz

advertisement hirdetés, reklám

advertising ▼ *mn* hirdetési; ~ **agency** reklámiroda ▼ *fn* reklámszakma

advice *esz/tsz* tanács

advisable ajánlott, tanácsos

advise tanácsol, tanácsot ad; (*sy on/of sg*) tájékoztat (vkit vmiről)

adviser, advisor tanácsadó

aerial ▼ *mn* légi ▼ *fn* antenna

aerobics *esz* aerobik

aeroplane repülőgép

aesthetic esztétikai, esztétikus

afar; from ~ messziről, távolból; ~ **off** messze

affair ügy

affect[1] (*sy/sg*) hat (vkire/vmire); **it doesn't** ~ **you** ez téged nem érint

affect[2] affektál, felvesz *[stílust, viselkedést]*

affection érzelmi kötődés, szeretet

affectionate érzelmes

affinity (*to sg*) vonzódás (vmihez), affinitás

affirm megerősít, (határozottan) állít

afford megenged(het) magának (vmit); **I can't** ~ **to buy it** nincs rá pénzem

afraid; be° ~ (*of sg*) fél (vmitől); **I'm** ~ **(that ...)** attól tartok ...

afresh újonnan, újból

Africa Afrika

African *mn, fn* afrikai

after ▼ *hsz* **the day** ~

másnap ▼ *elölj* után; ~
all végtére is

afternoon délután; **in the**
~ (a) délután (folyamán); **good** ~! jó napot! *[kb. 12:00–18:00 óráig]*

afterward(s) vmi után, utólag

again újra, még egyszer

against vmi ellen(ében);
I'm ~ **it** ellene vagyok, ellenzem

age ▼ *fn* kor; ~ **limit**
korhatár; **the middle**
~s középkor ▼ *ige*
öregszik, korosodik

aged koros, idős; **the** ~
az idősek

agency ügynökség;
travel ~ utazási iroda

agenda napirend

agent ügynök, képviselő
[cégé]

aggression agresszió

aggressive agresszív

aghast döbbent, rémült

agile mozgékony, agilis

agitate felizgat, felkavar;
pol agitál

agitation izgalom, zavarodottság; *pol* agitáció

ago ezelőtt; **two weeks** ~
két hete, két héttel ezelőtt

agonise kínoz, gyötör;
kínlódik, gyötrődik; ~
over a decision a döntés súlyától szenved

agony kínszenvedés; **in**
~ kínok között

agree (*with sg*) egyetért
(vmivel); (*to sg*) beleegyezik (vmibe)

agreement megegyezés, megállapodás

agricultural mezőgazdasági

agriculture mezőgazdaság

ahead előre; (*of sy/sg*)
vki/vmi előtt; **go** ~!
rajta!, folytasd!

aid segítség, segély; **first**
~ elsősegély

aide segítő *[személy]*, segéd

aim ▼ *fn* cél(kitűzés) ▼
ige (*at sg*) céloz (vmire)

air ▼ *fn* levegő; *[médiá-
ban]* **on** ~ adásban ▼
ige hangot ad *[véle-
ménynek]*; ~ **the room**
szellőztet

airbag *gépk* légzsák

air-conditioning légkon-
dicionálás

aircraft légi jármű, repü-
lőszerkezet, repülőgép

airfield *[kisebb]* repülő-
tér

air-hostess légiutas-kí-
sérő *[nő]*

airline légitársaság

airliner utasszállító repü-
lőgép

airmail légiposta; **send°**
(by) ~ légipostával küld

airport repülőtér

airsickness rosszullét,
émelygés *[repülőgépen]*

airtight légmentes

air-traffic légi forgalom;
~ **controll** légiirányí-
tás

airy levegős

aisle *US [széksorok kö-
zötti]* folyosó

akin (*to sg*) hasonló
(vmihez)

alarm ▼ *fn* nyugtalanság,
riadalom; riadó; ~
clock ébresztőóra ▼ *ige*
nyugtalanít; riadóztat

alas sajnos, fájdalom(,
de …)

Albania Albánia

Albanian *mn, fn* albán,
albániai

album album

alcohol alkohol

alcoholic ▼ *mn* alkoho-
los *[ital]*; ~ **drinks** *tsz*
alkoholos ital ▼ *fn* al-
koholista

ale ale *[világos sör]*

alert ▼ *mn* éber ▼ *fn* ria-
dókészültség

algebra algebra

Algeria Algéria

Algerian *mn, fn* algériai

alibi alibi; mentség

alien ▼ *mn* idegen ▼ *fn*

idegen *[külföldi]*; idegen lény

alienate elidegenít

alienation elhidegülés; elidegenedés

alike ▼ *mn* hasonló, egyforma ▼ *hsz* hasonlóan, egyformán

alimony tartásdíj

alive élve; **dead or ~** élve vagy halva; **keep° sy ~** életben tart

all ▼ *mn, nm* minden, az összes, az egész; **~ the children** az összes gyerek ▼ *hsz* teljesen; **this is ~ wrong** ez teljes tévedés; **~ over the place** mindenhol, mindenfelé

all-clear; she gave the ~ jelezte, hogy „tiszta a levegő", zöld jelzést adott

allege feltételez (vmit)

allegedly állítólag, feltételezések szerint

allergic *átv is (to sg)* allergiás (vmire)

allergy allergia

alleviate enyhít *[fájdalmat, gondot]*

alley sikátor, köz; sétány *[parkban]*

alliance szövetség

allied szövetséges; **the ~ forces** a szövetséges erők

alligator aligátor

all-night éjszakai

allocate kihelyez, juttat *[pénzt, eszközt]*

allot kioszt, juttat

allotment kiskert

all-out totális, teljes; **~ war** totális háború

allow megenged

allowance járadék, pótlék; engedmény; **make° ~s** engedményt tesz *[elvárásokból]*

alloy ötvözet

allusion célzás; *műv* utalás; **make° ~s (to sg)** célzást tesz (vmire)

ally ▼ *fn* szövetséges ▼ *ige* szövetséget köt

almighty mindenható; **God A~!** Szentséges Isten!

almond mandula
almost majdnem
alone egyedül
along ▼ *hsz* tovább; (*with sy/sg*) együtt (vkivel/vmivel); **move ~** továbbhalad ▼ *elölj* mentén
alongside mellett
aloud hangosan
alphabet ábécé
alpine alpi, alpesi
Alps; the ~ az Alpok
already már
Alsatian német juhászkutya
also szintén
altar oltár
alter megváltoztat
alteration változtatás
alternate ▼ *mn* váltakozó; **on ~ days** minden második nap ▼ *ige* váltakozik
alternative ▼ *mn* alternatív ▼ *fn* más megoldás, alternatíva
alternatively vagy pedig, esetleg

although (ha)bár
altitude (tengerszint feletti) magasság
alto alt
altogether teljesen; öszszesen; **that's £52 ~** összesen 52 font lesz
altruism önzetlenség, altruizmus
altruist önzetlen (ember), emberbarát (személy)
altruistic önzetlen, emberbarát
aluminium foil alufólia
always mindig
am → be
a.m., A.M., am, AM *röv [ante meridiem = before noon]* de. *[délelőtt]* **at 2 a.m.** hajnali kettőkor; **at 8 a.m.** reggel nyolckor; **at 11 a.m.** délelőtt tizenegykor
amateur amatőr
amaze bámulatba ejt
amazement ámulat
amazing bámulatos, fantasztikus

ambassador nagykövet

amber ▼ *mn* borostyánsárga ▼ *fn* borostyán

ambiguity kétértelműség

ambiguous kétértelmű, homályos, félreérthető

ambition becsvágy, ambíció

ambitious becsvágyó

ambulance mentőautó

ambulanceman (*tsz* -men) mentős

ambush ▼ *fn* (rajtaütésszerű) támadás ▼ *ige* (*sy*) megtámad (vkit), rajtaüt (vkin)

amend módosít, kiegészít *[törvényt]*

amendment módosítás, kiegészítés *[törvényé]*

America Amerika

American *mn, fn* amerikai

amiable barátságos

amicable békés

amiss; something is ~ valami nem stimmel

ammonia ammónia

ammunition lőszer

amnesty amnesztia, közkegyelem

among(st) *[sok dolog]* között; ~ other things egyebek mellett

amount ▼ *fn* összeg; mennyiség ▼ *ige* kitesz *[összeget];* the costs ~ to £1500 a költségek 1500 fontra rúgnak

ample megfelelő

amplifier erősítő

amputate amputál

amuse szórakoztat

amusement szórakozás; ~ arcade játékterem; ~ park vidámpark

an egy, egy bizonyos

anachronism anakronizmus

anaemic vérszegény

anaesthetic *orv* érzéstelenítő

analyse elemez, analizál

analysis elemzés, analízis

analyst elemző

analytic(al) elemző, analitikus

anarchist anarchista
anatomy anatómia
ancestor ős
anchor horgony
anchovy szardella; ~
paste szardellapaszta
ancient ősi, ókori
and és
anecdote anekdota
anew újonnan, újból
angel angyal
anger ▼ *fn* harag, düh ▼
ige megharagít, feldühít
angle[1] *fn* sarok, szög;
right ~ derékszög; acute
~ hegyesszög; obtuse
~ tompaszög
angle[2] *ige* (*for sg*) horgá-
szik (vmire)
angler horgász, pecás
Anglican *mn, fn* anglikán
angling sporthorgászat
angrily dühösen, dühödten
angry (*with sy*) mérges,
dühös (vkire)
anguish ▼ *fn* fájdalom;
szorongás, aggodalom
▼ *ige* gyötör

animal állat
angular szögletes, sar-
kos; *átv* akadékoskodó
animate ▼ *mn* élő ▼ *ige*
életre kelt; *film* animál
animation animáció;
computer ~ számítógé-
pes animáció
ankle boka
annex elfoglal, annektál,
magához csatol [*terüle-
tet*]
annihilate megsemmisít
anniversary évforduló
announce bejelent
announcement bejelentés
announcer [*médiában*]
bemondó
annoy idegesít, bosszant
annoyance bosszanko-
dás, bosszúság
annoying idegesítő, bosz-
szantó
annual évenkénti, évi,
éves; *növ* évelő
annul érvénytelenít,
megsemmisít [*hivatalo-
san*]

anonymous névtelen, anonim

another (egy) másik; ~ one másik, még egy; one ~ egymás; they love one ~ szeretik egymást

answer ▼ fn válasz ▼ ige válaszol

answerable felelős

answerphone üzenetrögzítő

ant hangya

antagonism ellenszenv, ellentét

antagonise szembeállít, maga ellen fordít

Antarctic ▼ mn déli-sarki; ~ Circle déli sarkkör ▼ fn the ~ Antarktisz, Déli-sark(vidék)

antecedent előzmény, előd

antelope antilop

anthem; national ~ (nemzeti) himnusz

anthropology antropológia

anti-aircraft kat légvédelmi; ~ defence légvédelem; ~ missile légvédelmi rakéta

antibiotic antibiotikum

anticipate megsejt, előre lát

anticipation várakozás, sejtés

anticlockwise az óramutató járásával ellentétes irányba(n)

anticyclone anticiklon

antidote ellenszer

antifreeze gépk fagyálló

antihistamine orv antihisztamin

antiperspirant izzadásgátló/-csökkentő (szer)

antiquated elavult, divatjamúlt

antique ▼ mn régi, antik ▼ fn régiség

antiquity ókor; régiségek; ókori emlékek

anti-Semitism antiszemitizmus

antiseptic ▼ mn fertőtlenített, steril ▼ *fn* fertőtlenítő(szer)

antisocial társadalomellenes, közösségellenes

antler agancs

anus végbélnyílás

anvil üllő

anxiety aggódás, szorongás, aggodalom

anxious (*about sg*) nyugtalan, gondterhelt (vmi miatt); **be°/get°** ~ aggódik, idegeskedik; **be°** ~ **to do** (*sg*) türelmetlenül vár (vmit)

any (egyáltalán) valami/valamennyi *[kérdésben];* (egyáltalán) semmi/semennyi *[tagadásban];* bármely(ik), bármennyi *[állításban]*

anybody valaki *[kérdésben];* senki *[tagadásban];* bárki *[állításban]*

anyhow ▼ *hsz* bárhogyan ▼ *ksz* akárhogyan is, na mindegy, szóval

anyone valaki *[kérdésben];* senki *[tagadásban];* bárki *[állításban]*

anything valami *[kérdésben];* semmi *[tagadásban];* bármi *[állításban]*

anyway ▼ *hsz* amúgy is; akárhogyan is ▼ *ksz* nos, szóval, végül is

anywhere valahol *[kérdésben];* sehol *[tagadásban];* bárhol *[állításban]*

apart szét; (*from sg*) vmitől eltekintve; **fall°** ~ szétesik; **they are worlds** ~ *átv is* egy világ választja el őket egymástól

apartheid faji megkülönböztetés/elkülönítés *[Dél-Afrikában]*

apartment lakás; ~ **house/ building** *US* bérház

apathetic közömbös, apatikus

ape *[farkatlan]* majom
aperitif aperitif
apex csúcs; *mat* csúcspont
APEX *röv;* *[advance purchase excursion]* ~ ticket APEX-jegy
apiece; they sell for £5 ~ darabja 5 font
apologetic bocsánatkérő
apologise *(for sg)* bocsánatot/elnézést kér (vmiért)
apology bocsánatkérés
apostrophe aposztróf *[felső vessző]*
appal elborzaszt; be° ~led *(by sg)* elborzad vmitől
appalling szörnyű, rettentő, borzalmas
apparatus készülék, berendezés; apparátus, gépezet *[politikában]*
apparent látszólagos; (szemmel) látható
apparently látszólag, szemmel láthatóan, úgy tűnik ...

appeal ▼ *fn* fellebbezés; vonzerő ▼ *ige* *(against sg)* fellebbez (vmi ellen); *(to sy for sg)* folyamodik (vkihez vmiért); *(to sy)* vonz (vkit)
appealing vonzó
appear megjelenik, feltűnik; nyomtatásban megjelenik; tűnik
appearance megjelenés
appendices → appendix
appendicitis vakbélgyulladás
appendix *(tsz* appendices v. ~es) függelék *[könyvben];* vakbél
appetite étvágy
appetizer előétel
applaud tapsol, megtapsol
applause taps
apple alma; Adam's ~ ádámcsutka
appliance berendezés, (háztartási) gép
applicant pályázó, jelentkező
application alkalmazás(a

vminek); *inform* program, alkalmazás; kérvény; pályázat, jelentkezés; ~ **form** jelentkezési lap

apply (*to sg/sy*) vonatkozik (vmire/vkire); (*for sg*) pályázik (vmire); alkalmaz *[módszert]*

appoint (*sy to sg*) kijelöl *[vkit feladatra]*, kinevez, megbíz

appointment kinevezés; időpont *[találkozóhoz]*; **make°** an ~ időpontot egyeztet

appraisal értékelés

appreciate (*sg*) (nagyra) értékel (vmit), hálás (vmiért)

appreciation nagyrabecsülés, elismerés, hála

apprehend őrizetbe vesz

apprentice inas, tanonc

apprenticeship tanulóidő

approach ▼ *fn* közeledés; *átv is* megközelítés

▼ *ige* közeledik; *átv is* megközelít

approachable megközelíthető *[fizikailag]*; nyitott, (könnyen) megközelíthető *[személy]*

appropriate megfelelő, alkalmas, helyénvaló

approval beleegyezés, jóváhagyás

approve (*sg*) egyetért (vmivel); jóváhagy (vmit), beleegyezik (vmibe)

approximate ▼ *mn* megközelítő, hozzávetőleges ▼ *ige* megközelít

approximately körülbelül

approximation közelítés, becslés

apricot sárgabarack

April április

apron kötény

apt megfelelő, találó; tehetséges

aquarium *[főleg: nagy állatkerti]* akvárium

Arab ▼ *mn* arab ▼ *fn* arab *[ember]*

Arabic ▼ *mn* arab ▼ *fn* arab *[nyelv]*

arable művelésre alkalmas *[föld]*

arbitrary véletlenszerű, önkényes

arcade árkádsor, fedett üzletsor

arch boltív

archaeology régészet

archbishop érsek

architect építész

architecture építészet

archive archívum

Arctic ▼ *mn* északi-sarki; ~ **Circle** északi sarkkör ▼ *fn* the ~ Északisark(vidék)

ardent lelkes, megszállott

arduous nehéz, fárasztó

are → be

area terület

arena *átv is* aréna

argue (érvként) kifejt, érvel; vitatkozik, veszekszik

argument érv; vita, veszekedés

Aries Kos *[csillagkép]*

arise (arose, arisen) felmerül, adódik

arisen → arise

aristocrat arisztokrata

aristocratic(al) arisztokratikus

arithmetic számtan

arm[1] *fn* kar *[testrész]*

arm[2] ▼ *fn* ~s *tsz* fegyver; ~s **race** fegyverkezési verseny; **coat of** ~s címer ▼ *ige* felfegyverez

armchair karosszék

armistice fegyverszünet

armour ▼ *fn* fegyverzet ▼ *ige* felfegyverez

armpit hónalj

armrest karfa

army hadsereg

arose → arise

around ▼ *hsz* a közelben, itt (valahol) ▼ *elölj* körül; ~ **the clock** éjjelnappal

arouse kelt, ébreszt (vmit); **~ interest** érdeklődést kelt

arrange elrendez; (előre) megszervez; *zene* hangszerel

arrangement elrendezés; megegyezés; *zene* hangszerelés; **~s** előkészületek; **make° the ~s** *(for sg)* megszervez (vmit)

array sor; **an ~** *(of sg)* (látványos) sokasága (vminek)

arrears *tsz* hátralék; **in ~** (fizetési/törlesztési) elmaradásban/késedelemben

arrest ▼ *fn* letartóztatás, elfogás ▼ *ige* letartóztat, elfog

arrival (meg)érkezés

arrive *(at/in sg)* (meg)érkezik (vhova)

arrogant arrogáns, beképzelt

arrow nyíl

art művészet; **~s** bölcsé-szettudományok; **~ gallery** képtár; **~ school** képzőművészeti iskola/akadémia

artery ütőér, artéria

arthritis ízületi gyulladás

artichoke articsóka

article újságcikk; (áru)-cikk; *jog* cikk(ely); *nyelv* névelő

articulate ▼ *mn* érthető, szépen/tisztán beszélő ▼ *ige* kifejt, kifejez, elmond; érthetően beszél, artikulál

articulated lorry kamion

artificial mesterséges

artillery tüzérség

artist művész

artistic művészi

as olyan, mint, (a)mint, ahogyan; **~ big ~ a house** akkora, mint egy ház; **~ you know** mint tudod; amikor, amint (éppen); mivel(hogy); **~ if/though** mintha

ascend *(sg)* felmászik,

feljut *[magaslatra];* (fel)-
emelkedik

ascent felszállás, emel-
kedés, (fel)mászás

ascertain *(sg)* megbizo-
nyosodik (vmiről), meg-
állapít (vmit)

ash hamu; ~**es** hamvak

ashamed; be°/feel° ~
szégyelli magát; **be°** ~
to do *(sg)* szégyell meg-
tenni (vmit)

ashore (a) parton; (a)
partra

ashtray hamutartó

Asia Ázsia

Asian *mn, fn* ázsiai

aside félre

ask (meg)kérdez (vkitől
vmit); kér *(sy sg/sy for
sg* vkitől vmit); megkér;
(meg)hív

asleep; be° ~ alszik

asparagus *növ* spárga

aspect nézőpont, aspek-
tus; vonatkozás(ai vmi-
nek)

asphalt aszfalt

asphalting aszfaltozás

aspiration ambíció, tö-
rekvés, vágy

aspire *(to/after sg)* törek-
szik (vmire), vágyik
(vmire)

aspirin aszpirin

ass szamár

assassin merénylő

assassinate *(sy)* merény-
letet követ el (vki el-
len), meggyilkol (vkit)

assault ▼ *fn* támadás ▼
ige megtámad, bántal-
maz

assemble összegyűjt; ösz-
szeszerel; összegyűlik

assembly gyűlés; össze-
szerelés; **general** ~
közgyűlés; ~ **line** futó-
szalag

assert *(sg)* állít (vmit)

assertion állítás

assess meghatároz, (ki)-
értékel, felbecsül

assessment értékelés,
becslés

asset erőforrás, tartalék;

tőke; **Jane is an ~ to our company** Jane „kincset ér" a cégünknek

assign (*sy to sg*) beoszt (vkit vhová), kijelöl *[feladatra]*

assignment megbízatás, feladat

assimilate (*to sg*) asszimilál, hasonít (vmihez); asszimilálódik, beilleszkedik, hasonul (vmihez)

assist segít, segédkezik

assistance segítség

assistant segéd; **shop ~** (bolti) eladó

associate ▼ *mn* társult ▼ *fn* társ ▼ *ige* barátkozik, közösködik (vkivel); asszociál, társít, azonosít (vkivel/vmivel)

association szövetség, klub; asszociáció, képzettársítás; **in ~ with** közösen

assorted válogatott

assortment válogatás, gyűjtemény

assume feltételez; magához ragad *[hatalmat, irányítást]*

assumption feltevés, feltételezés; **~ of power** a hatalom megragadása

assurance ígéret; biztosítás; önbizalom

assure (*sg*) (be)biztosít (vmit); (*sy of sg*) biztosít (vkit vmiről)

asterisk csillag *[nyomdai jel]*

asthma asztma

astonish megdöbbent

astonishing döbbenetes, elképesztő

astonishment döbbenet

astound megdöbbent, meglep

astray; go° ~ elkóborol, eltévelyedik

astrology asztrológia

astronaut űrhajós, asztronauta

astronomer csillagász

astronomy csillagászat

asylum menedék(jog);

menhely; **political** ~ politikai menedékjog; **lunatic** ~ bolondokháza

asymmetric bars *tsz* felemás korlát

at -on, -en, -ön; -ban, -ben, -kor; ~ **the station** az állomáson; ~ **the supermarket** az ábécében; ~ **seven (o'clock)** hétkor

ate → **eat**

atheist ateista

Athens Athén

athlete sportoló; atléta

athletics *esz* atlétika

Atlantic ▼ *mn* atlanti(-óceáni) ▼ *fn* **the** ~ **(Ocean)** Atlanti-óceán

atlas atlasz

atmosphere atmoszféra, légkör; *átv* légkör, hangulat

atom atom

atrocious gyalázatos, kegyetlen

atrocity atrocitás, (háborús) kegyetlenkedés

attach (*sg to sg*) (hozzá)-csatol, hozzákapcsol (vmit vmihez); tulajdonít *[jelentőséget, értéket vminek]*

attaché attasé; ~ **case** diplomatatáska

attachment kötődés, vonzalom; *inform* csatolt fájl *[e-mailhez]*

attack ▼ *fn* támadás; megbetegedés ▼ *ige* megtámad

attacker támadó, merénylő

attain elér *[célt, eredményt]*

attempt ▼ *fn* próbálkozás, kísérlet ▼ *ige* megkísérel, kísérletet tesz

attend (*sg*) jelen van (vhol); jár (vhova); (*sy*) gondoskodik (vkiről)

attendance (rendszeres) jelenlét; látogatottság

attendant kísérő, kiszolgáló; **flight** ~ légiutaskísérő

attention figyelem; **pay°**
~ (*to sg*) figyel(met
fordít) (vmire)
attentive (oda)figyelő, fi-
gyelmes
attic padlás; padlásszoba
attitude hozzáállás, atti-
tűd
attorney *US* ügyvéd
attract vonz; **be°** ~**ed** (*to
sy*) vonzódik (vkihez)
attraction *fiz* vonzás;
vonzerő; vonzódás (vmi-
hez); attrakció
attribute ▼ *fn* sajátosság,
tulajdonság ▼ *ige* (*to sg*)
tulajdonít (vmit vmi-
nek)
aubergine padlizsán
auburn vörösesbarna,
gesztenyebarna
auction ▼ *fn* árverés,
aukció ▼ *ige* (el)árverez
audible hallható
audience hallgatóság,
közönség
audit ▼ *fn* pénzügyi el-
lenőrzés, revízió ▼ *ige*

(pénzügyileg) ellenőriz,
auditál
audition ▼ *fn* meghallga-
tás, próbajáték *[színé-
szé, énekesé]* ▼ *ige* meg-
hallgat *[próbajátékon]*
augment növel
August augusztus
aunt nagynéni
au pair au pair, háztartá-
si alkalmazott *[külföl-
dön, nyelvtanulás céljából]*
Australia Ausztrália
Australian *mn, fn* auszt-
rál, ausztráliai
Austria Ausztria
Austrian *mn, fn* osztrák,
ausztriai
authentic eredeti, hami-
sítatlan, hiteles
author szerző, alkotó
authoritarian tekintélyel-
vű, diktatórikus
authority hatalom; felha-
talmazás, jog; hatóság;
**(s)he is an ~ on Shakes-
peare** nagy tekintélyű
Shakespeare-szakértő

authorisation felhatalmazás, engedély

authorise (*sg*) engedélyez (vmit); (*sy to sg*) felhatalmaz (vkit vmire)

autobiography önéletrajz(i regény)

autograph (saját kezű) aláírás

automatic önműködő

autonomous autonóm, önálló

autonomy autonómia, önállóság

autopsy boncolás

autumn ősz; őszi

auxiliary ▼ *mn* kisegítő, kiegészítő ▼*fn* segédige

availability elérhetőség, beszerezhetőség

available elérhető, beszerezhető, kapható

avalanche lavina

avant-garde avantgárd

avenge megbosszul (vmit), bosszút áll (vmiért)

avenue (fákkal szegélyezett) sugárút

average ▼ *mn* átlagos ▼ *fn* átlag

averse; be° ~ (*to sg*) ellenez (vmit)

aversion ellenszenv, utálat

avert elkerül, elhárít *[ütést, veszélyt]; ~ one's thoughts* eltereli gondolatait

aviary madárház

avocado avokádó

avoid *átv is* elkerül (vmit)

await vár

awake ▼ *mn* be° ~ ébren van ▼ *ige* (awoke, awoken) felébreszt, felkelt

awakening ébredés

award ▼ *fn* díj ▼ *ige* adományoz, odaítél *[díjat]*

aware; be° ~ (*of sg*) tudatában van (vminek)

awareness vmi jelenléte vki gondolkodásában; **raise sy's ~** tudatosít (vkiben vmit)

away el; messze; **go ~!**
menj el (innen)!; **far ~**
messze, a távolban
awe csodálat, tisztelet
awe-inspiring csodálatra
méltó, tiszteletet pa-
rancsoló
awful borzalmas, szörnyű
awfully rettenetesen, ször-
nyen
awhile egy rövid ideig
awkward különös, furcsa

[helyzet, személy]; eset-
len *[mozgás, járás]*
awl ár *[szerszám]*
awning napellenző *[ab-
lak fölött]*
awoke → **awake**
awoken → **awake**
ax(e) fejsze, csákány,
balta
axes → **axis**
axis (*tsz* axes) tengely
azure azúrkék

B

babble ▼ *fn* gagyogás, motyogás, fecsegés ▼ *ige* gagyog, motyog, fecseg

baby csecsemő; kedvesem, drágám *[nőről]*; ~ **boom** népességrobbanás

baby-grow rugdalózó

bachelor agglegény; B~'s **degree** «kb. főiskolai szintű diploma»

back ▼ *mn* hátsó ▼ *fn* háta vkinek/vminek; *sp* hátvéd ▼ *hsz* hátra(felé), vissza ▼ *ige* támogat; hátrál

backbone gerinc; the ~ **of sg** oszlopos tagja *[pl. csapatnak]*

backdate visszadátumoz

backfire *átv* visszafelé sül el, balul üt ki

background *átv is* háttér; ~ **knowledge** háttérismeret

backhand *sp* fonák *[ütés]*

backing támogatás, megerősítés

backpack *US* hátizsák

backpacker hátizsákos turista/világjáró

backside *biz* hátsófél, alfél, ülep

backstage a színfalak mögött

backstroke hátúszás

backup tartalék; *inform* biztonsági fájlmásolat

backward hátrafelé/visszafelé (irányuló)

backwards hátrafelé, visszafelé

backyard *US* (hátsó) kert

bacon (angol)szalonna, baconszalonna

bad (*kfok* worse, *ffok*

worst) rossz; *átv* súlyos;
~ **cough** erős köhögés
badge kitűző, jelvény
badger borz
badly (*kfok* worse, *ffok* worst) rosszul; *biz* nagyon
badminton tollaslabda
bad-tempered rosszkedvű, ünneprontó, nehezen elviselhető *[ember]*
baffle összezavar, *biz* megkavar; **be° ~d** *(by sg)* értetlenül áll (vmi előtt)
bag zsák, táska, zacskó; **plastic ~** nejlonzacskó
baggage csomag(ok) *[utazásnál];* ~ **allowance** pótdíjmentesen szállítható csomagmennyiség *[repülőgépen];* ~ **reclaim** csomagkiadás *[repülőtéren]*
bagpipes *tsz* skót duda
bail óvadék; **be° released on ~** óvadék ellenében szabadlábra helyezik
bailiff *jog* végrehajtó

bait *átv is* csalétek, csali
bake (meg)süt; sül
baker pék
bakery pékség
baking; ~ **powder** sütőpor; ~ **tin** tepsi; ~ **pan** *US* tepsi
balance ▼ *fn* egyensúly; *[két serpenyős]* mérleg; ~ **sheet** (pénzügyi) mérleg ▼ *ige* kiegyensúlyoz; egyensúlyoz
balanced kiegyensúlyozott
balcony erkély
bald kopasz
bale bála
ball¹ golyó, labda
ball² bál; **I'm having a ~** istenien érzem magam
ballet balett
balloon léggömb
ballot titkos szavazás
ballpoint (pen) golyóstoll
ballroom bálterem
Baltic balti; **the ~ Sea** a Balti-tenger
ban ▼ *fn* (*on sg*) tilalom

(vmi ellen) ▼ *ige* betilt
(vmit); (*from swhere*)
kitilt (vkit vhonnan)
banal banális, lapos, fan-
táziátlan
banana banán
band¹ szalag; csík, vonal;
távk hullámsáv
band² banda, csapat; ze-
nekar, együttes
bandage ▼ *fn* kötés, pó-
lya ▼ *ige* bekötöz
bandit bandita, útonálló
bang ▼ *fn* bumm; csapó-
dás, robbanás; **the big
~** ősrobbanás ▼ *ige* be-
üt, odaüt
banish (*sy from swhere*)
kitilt (vkit vhonnan),
kiutasít *[országból]*
banister korlát
bank¹ part *[folyóé, áro-
ké]*; töltés
bank² bank; **~ account**
bankszámla; **~ card**
bankkártya; **~ state-
ment** számlakivonat
banker bankár

banking bankszakma
banknote bankjegy, pa-
pírpénz
bankrupt csődbe ment,
fizetésképtelen; **go°/be-
come°** **~** tönkremegy,
csődbe jut
bankruptcy csőd
banner (vászon)transz-
parens
baptism keresztelés
baptise megkeresztel
bar ▼ *fn* vasrúd, korlát,
rács; bár, büfé; *zene*
ütem; **behind ~s** rács
mögött; **~ code** vonal-
kód ▼ *ige* (*sy from doing
sg*) akadályoz (vmi-
ben), eltilt (vmitől)
barbaric barbár
barbecue ▼ *fn* faszénen,
roston sütött/grillezett
hús; hússütés *[szabad-
ban]* ▼ *ige* roston süt
barber borbély, (férfi)-
fodrász
bare csupasz, meztelen,
puszta, kopár; *nyelv* ~

infinitive „to" nélküli főnévi igenév

barefoot mezítláb

barely alig(hogy)

bargain ▼ *fn* alku, üzletkötés; előnyös vétel; ~ **price** engedményes ár ▼ *ige* alkuszik

barge ▼ *fn* uszály ▼ *ige* tolakszik; ~ **in** közbeszól

bark¹ *fn* fakéreg

bark² ▼ *fn* ugatás ▼ *ige* ugat

barley árpa

barmaid csaposnő

barman (*tsz* -men) csapos *[férfi]*

barn csűr; *US* istálló

barometer barométer

baron báró

baroness bárónő

barracks *tsz* laktanya

barrel hordó

barricade ▼ *fn* úttorlasz, barikád ▼ *ige* eltorlaszol

barrier korlát

barrister ügyvéd

barrow talicska

bartender *US* csapos

barter ▼ *fn* (áru)csere, cserekereskedelem ▼ *ige* elcserél, barterügyletet folytat

base ▼ *fn* alap, bázis *[katonai is]* ▼ *ige átv* (*sg on sg*) alapoz (vmit vmire); **be°** ~**d** (*on sg*) alapszik (vmin)

baseball *US sp* baseball; baseball labda

basement pince(szint), alagsor

bases → **basis**

bash ▼ *fn* (kemény) ütés ▼ *ige biz* bever, beüt, bevág

bashful szemérmes

basic ▼ *mn* alapvető, elemi ▼ *fn* **the** ~**s** (*of sg*) az alapok, vminek az alapjai

basically alapjában véve, tulajdonképpen

basil bazsalikom

basin tál, medence; *földr* vízgyűjtő terület, medence

basis (*tsz* bases) *átv* alap

bask sütkérezik, napozik

basket kosár

basketball kosárlabda

Basque *mn, fn* baszk

bass basszus *[hang/szólam/hangszer]*

bassoon fagott

bat[1] ▼ *fn* ütő *[krikett, baseball]* ▼ *ige sp* üt *[labdát]*

bat[2] *fn* denevér

batch köteg, kupac

bath fürdőkád; fürdés; **give°** **the baby a ~** megfürdeti a gyereket

bathe fürdet; fürdik

bathing; ~ cap fürdősapka; **~ suit** *US* fürdőruha

bathrobe fürdőköpeny

bathroom fürdőszoba; *US* WC

bathtub fürdőkád

batter ▼ *fn* palacsintatészta ▼ *ige* ütlegel, ver

battered ütött-kopott

battery elem, akkumulátor; csoport, sorozat, készlet

battle ▼ *fn* csata ▼ *ige* harcol

battleship csatahajó

bay öböl; kocsiállás *[buszpályaudvaron]*

bay leaf (*tsz* leaves) babérlevél

bay leaves → **bay leaf**

bayonet szurony

be (*jelen* am, are, is, *múlt* was, were, *mn. ign.* been) van, létezik; *[segédige összetett igealakok képzésében]* **Sally is swimming** Sally (éppen) úszik

beach tengerpart, tópart, strand

beacon jelzőfény *[magaslaton, világítótornyon]*

bead gyöngy(szem)

beak csőr

beam[1] *fn* gerenda

beam² ▼ *fn* fénysugár ▼ *ige* sugárzik

bean bab

bear¹ *fn* medve

bear² *ige* (bore, borne) hordoz, visel; elvisel; **I can't ~ it** nem tudom elviselni; **be° born** (meg)születik

bearable (még éppenhogy) elviselhető

beard szakáll

bearded szakállas

bearings *tsz;* **lose one's ~** eltájolódik, nem tudja, hol van

beast (vad)állat, fenevad

beastly állati(as); undok, gonosz

beat ▼ *fn* ütés; *zene* ritmus ▼ *ige* (beat, beaten) megüt, megver; legyőz *[sportban]*

beaten → beat

beautician kozmetikus

beautiful gyönyörű, szép; *átv* kitűnő; **this soup is ~** kitűnő a leves

beauty szépség

beaver hód

became → become

because ▼ *elölj* ~ **of** miatt ▼ *ksz* mert

beckon magához int

become (became, become) válik vmivé; **Peter finally became a pilot** Péter(ből) végül pilóta lett

bed ágy; ~ **linen** ágynemű

bedclothes *tsz* ágynemű

bedridden ágyhoz kötött *[beteg]*

bedroom hálószoba

bedside table éjjeliszekrény

bedspread ágytakaró

bedtime a lefekvés ideje; ~ **story** esti mese

bee *áll* méh

beech bükk

beef marhahús

beehive méhkas, kaptár

been → be

beer sör; ~ **mug** söröskorsó

beetle bogár
beetroot cékla
before ▼ *hsz* azelőtt, régen ▼ *elölj* vmi előtt
beforehand (még) azelőtt, (még azt) megelőzőleg
beg koldul, könyörög
began → begin
beggar koldus
begin (began, begun) (el)kezd; (el)kezdődik
beginner kezdő
beginning kezdet
begun → begin
behalf; on ~ of sy vki nevében/képviseletében
behave viselkedik
behaviour viselkedés
behead lefejez
behind ▼ *hsz* hátul, lemaradva ▼ *elölj* vmi mögött
beige bézs *[szín]*
Beijing Peking
being lét; lény; **human ~** ember(i lény)
Beirut, Beyrouth Bejrút
Belgian *mn, fn* belga

Belgium Belgium
belief hit
believe (el)hisz
believer *vall* hívő; **a great ~** (*in sg*) nagy/lelkes híve (vminek)
belittle bagatellizál, lekicsinyel; **~ oneself** kicsinyíti saját jelentőségét, szerénykedik
bell harang; ajtócsengő
bellow bömböl, bőg, elbődül
belly has, pocak; **~ button** köldök
belong (*to*) tartozik (vkihez), valakié; **this book ~s to the library** ez könyvtári könyv
belongings *tsz* (személyes) holmi
beloved (hőn) szeretett
below ▼ *hsz* odalent ▼ *elölj* vmi alatt; vmi alá
belt öv, szíj
bench pad
bend ▼ *fn* hajlás, hajlítás; kanyar *[úton]* ▼ *ige*

(bent, bent) meghajlik; hajol (vki/vmi vmerre)

beneath vmi alatt

benefactor adományozó

beneficial jótékony (hatású)

benefit ▼ *fn* (vmiből származó) előny; (szociális) juttatás, segély ▼ *ige* (*from sg*) profitál (vmiből), hasznára válik (vmi)

benevolent jóindulatú, kedves; jótékony(sági)

benign jóságos; *orv* jóindulatú *[daganat]*

bent → **bend**

berry bogyó

berserk (őrülten) dühödt; **go°** ~ megbolondul, megvadul

berth fekhely *[vonaton, hajón]*; hajó kikötőhely

beside vki/vmi mellett; vki/vmi mellé

besides ▼ *hsz* ezenkívül, ezenfelül ▼ *elölj* vmi mellett, vmin kívül

best; → **good;** → **well;** ~ **man** tanú *[vőlegényé]*

bestseller sikerkönyv, bestseller

bet ▼ *fn* fogadás (vmiben); tét ▼ *ige* (bet/betted, bet/betted) (*sy sg; on/against sg*) fogad (vkivel vmiben; vmire, vmi ellen)

betray elárul *[hűtlenül]*; árulkodik vmiről *[látható jele van]*

better[1] ▼ *mn* → **good** ▼ *hsz* → **well**

better[2] *fn* fogadó *[személy]*

betting fogadás (vmiben); ~ **shop** fogadóiroda

between *[két dolog]* között

beware (*of sg*) óvakodik (vmitől)

bewilder összezavar (vkit)

beyond túl vmin

bias ▼ *fn* elfogultság ▼ *ige* elfogulttá tesz

bib partedli

Bible Biblia
biblical bibliai
bibliography irodalom-
jegyzék
bicycle ▼ fn kerékpár,
bicikli ▼ ige biciklizik,
kerékpározik
bicyclist kerékpáros
bid ▼ fn árajánlat; ját be-
mondás, licit ▼ ige (bid,
bid) árajánlatot tesz;
ját bemond, licitál
bidder ajánlattevő; ját li-
citáló
bidding árajánlattétel
[árverésen]
biennial ▼ mn kétéven-
kénti; növ kétnyári ▼ fn
kétnyári növény
bifocals tsz bifokális
szemüveg
big nagy; B~ Dipper US
Nagymedve, Göncöl-
szekér
bike ▼ fn biz bicikli ▼ ige
biz biciklizik
bikini bikini
bilateral kétoldalú

bile epe
bilingual kétnyelvű
bill ▼ fn számla; falra-
gasz; US bankjegy; pol
törvényjavaslat ▼ ige
számláz; kiplakátol
billboard US hirdetőtáb-
la
billiards esz ját biliárd
billion milliárd
billow ▼ fn ~ of smoke
gomolygó füst ▼ ige da-
gad (a szélben) [vitor-
la]; gomolyog [füst]
bin ▼ fn papírkosár, hul-
ladékgyűjtő, szemétlá-
da ▼ ige biz kidob [a
szemétbe]
bind (bound, bound)
összeköt(öz); beköt
[könyvet]; átv megköti
a kezét; (sy to do sg)
kötelez (vkit vmire)
binder könyvkötő
binding ▼ mn kötelező ▼
fn kötés, könyvkötés
bingo ▼ fn ját bingó ▼ isz
nagyszerű!

binoculars *tsz* látcső, kukker

biochemistry biokémia

biography életrajz

biological biológiai

biology biológia

birch nyírfa

bird madár; ~'s eye view madártávlat

biro golyóstoll

birth születés; ~ certificate születési anyakönyvi kivonat; ~ control védekezés *[teherbe esés ellen]*

birthday születésnap

birthmark anyajegy

birthplace születési hely

biscuit keksz

bishop püspök; *ját* futó *[sakkban]*

bit¹ *fn* darab(ja)/rész(e vminek)

bit² *fn inform* bit

bit³ *ige* → bite

bitch szuka, nőstény

bite ▼ *fn* harapás ▼ *ige* (bit, bitten) megharap, harap

biting csípős *[hideg, fagy]*; *átv* csípős *[megjegyzés]*

bitten → bite

bitter keserű

bitterness *átv* keserűség

bizarre bizarr

black fekete

blackberry földi szeder

blackbird feketerigó

blackboard tábla *[tanteremben]*

blacken befeketít, beárnyékol

blackleg sztrájktörő

blacklist ▼ *fn* feketelista ▼ *ige* feketelistára tesz

blackmail ▼ *fn* zsarolás ▼ *ige* zsarol

blackout eszméletvesztés; elsötétítés *[háborúban]*; áramszünet

blacksmith kovács

bladder húgyhólyag

blade él, penge *[késé, kardé]*; lapát *[evezőé, propelleré]*; a ~ of grass fűszál blame ▼ *fn* felelősség *[elkövetett hibáért]*; **put°** **the ~** (*on sy*) (vkire) hárítja a felelősséget ▼ *ige* (*sy for sg*) hibáztat, felelőssé tesz (vkit vmiért)

bland íztelen *[étel]; átv* sótlan

blank ▼ *mn* üres; **~ cheque** biankó csekk ▼ *fn* kitöltendő rovat *[nyomtatványon, teszten]*

blanket ▼ *fn* pléd, takaró ▼ *ige* befed, letakar *[teljesen]*

blare harsog, bömböl

blasphemy istenkáromlás

blast ▼ *fn* robbanás; széllökés ▼ *ige* szétbombáz; **~ off** robbanással indul, kilövik *[rakétát]*

blast-off kilövés *[rakétáé]*

blaze ▼ *fn* tűz ▼ *ige* ég, lángol

blazer blézer

bleach ▼ *fn* fehérítő *[textíliát]* ▼ *ige* (ki)fehérít; kifehéredik

bleat mekeg, béget

bled → bleed

bleed (bled, bled) vérzik

blemish *átv is* szépséghiba

blend ▼ *fn* keverék *[tea, whisky]* ▼ *ige* (öszsze)kever, vegyít; keveredik, vegyül

blender turmixgép

bless (blessed/blest, blessed/blest) (meg)áld

blessing áldás

blest → bless

blew → blow

blind ▼ *mn* vak; **~ date** „összehozott" randevú *[ismeretlenek között]* ▼ *fn* **the ~** a vakok ▼ *ige* megvakít; elvakít *[pl. düh]*

blindfold beköti vki szemét

blink pislog

bliss tökéletes (mennyei) boldogság

blister bőrhólyag

blizzard hóvihar

block ▼ *fn* tömb *[anyag]*; tömb *[pl. gyűjtőjegy]*; háztömb; ~ **letter** nyomtatott nagybetű ▼ *ige* akadályoz, eltorlaszol *[forgalmat]*; eltömít *[csövet]*

blockade ▼ *fn* blokád ▼ *ige* blokád alá vesz *[várost]*; eltorlaszol *[utakat]*

blonde *mn, fn* szőke

blood vér; ~ **donor** véradó; ~ **group** vércsoport; ~ **pressure** vérnyomás

bloodhound véreb

bloodless vértelen

bloodshed vérontás

bloodthirsty vérszomjas

bloody véres

bloom ▼ *fn* virág; virágzás ▼ *ige* (ki)virágzik

blossom ▼ *fn* virág; virágzás ▼ *ige* virágzik, virágot hoz

blouse blúz

blow ▼ *fn* széllökés; ütés ▼ *ige* (blew, blown) fúj *[szél]*; megfúj *[sípot]*, felfúj *[léggömböt]*; elfúj *[gyertyát]*; leng a szélben

blown → **blow**

blue kék; pornográf; **feel°** ~ szomorú

blueprint tervrajz

bluff ▼ *fn* blöff ▼ *ige* blöfföl

blunder melléfogás, baklövés

blunt tompa, életlen *[kés]*; *átv* nyers, őszinte

blur ▼ *fn* homály ▼ *ige* elhomályosít

blush elpirul

boar kandisznó; vadkan

board ▼ *fn* deszka, tábla; koszt *[étkezési ellátás]*; testület, bizottság, tanács; **on** ~ a fedélzeten ▼ *ige* hajóra/repülőgépre száll

boarding; ~ card beszállókártya *[repülőtéren]*; **~ school** bentlakásos iskola

boast dicsekszik

boat csónak, hajó

boating csónakázás

bode előre jelez, tartogat *[a jövőre nézve]*

bodily testi

body test; testület

body-building testépítés

bodyguard testőr

bodywork karosszéria

bogus ál, hamis(ítvány)

boil forral; főz *[tojást]*; (fel)forr

boiling forrásban lévő; **~ hot** tűzforró; **~ point** forráspont

bold bátor, vakmerő; szemtelen; félkövér *[betű]*

bolt zárnyelv; villámcsapás

bomb ▼ *fn* bomba ▼ *ige* (le)bombáz

bombard *kat* bombáz; *átv* bombáz (vkit) *[pl. kérdésekkel]*

bombardment bombázás

bomber bombázó *[repülőgép]*

bombshell gránát; *biz* **the news came as a ~** bombaként robbant a hír

bond ▼ *fn* (érzelmi) kapcsolat, kötelék; *gazd* kötvény ▼ *ige* (meg)köt *[anyag]*; összeragaszt

bondage rabszolgaság

bone csont

bonfire tábortűz, örömtűz

bonnet füles sapka; *gépk* motorháztető

bonus jutalom *[pénz]*

bony csontos

book ▼ *fn* könyv ▼ *ige* lefoglal *[helyet]*; felír, bejegyez; *gazd* könyvel

bookcase könyvszekrény

booking helyfoglalás; **~ office** jegypénztár

bookkeeper könyvelő

booklet füzet, könyvecske

bookseller könyvkereskedő

bookshelf (*tsz* -shelves) könyvespolc

bookshelves → **bookshelf**

boom¹ ▼ *fn* dörgés *[pl. ágyúé]* ▼ *ige* dörög

boom² ▼ *fn gazd* felívelő periódus, konjunktúra ▼ *ige* fellendül, virágzik

boost ▼ *fn* give° a ~ (*to sg*) lökést ad (vminek) ▼ *ige* növel, erősít, buzdít *[harci kedvet]*

booster rocket gyorsítórakéta *[űrhajó kilövésénél]*

boot ▼ *fn* bakancs, csizma; *gépk* csomagtartó; *inform* rendszerindítás ▼ *ige inform* betölt *[rendszerprogramot]*

booth fülke; phone ~ telefonfülke *[ajtó nélküli, burokszerű]*

border ▼ *fn* (ország)határ; szegély, keret ▼ *ige* szegélyez, keretez

borderline határvonal; ~ case határeset

bore¹ ▼ *fn* szörnyen unalmas ember ▼ *ige* untat

bore² *ige* → **bear²**

boredom unalom

boring unalmas

born; be° ~ (meg)születik

borne → **bear²**

borough város; kerület

borrow kölcsönvesz

bosom kebel

boss ▼ *fn biz* főnök ▼ *ige biz* játssza a főnököt, diktálja a tempót

botany botanika

botch ▼ *fn* hiba, baklövés ▼ *ige* elszúr, eltol

both mindkét

bother ▼ *fn* nyűg, gond ▼ *ige* (meg)zavar, zaklat; zavartatja magát, izgatja magát/érdekli vmi annyira, hogy vmit meg-

tegyen; **she didn't even
~ to phone me** még arra sem vette a fáradságot, hogy felhívjon
bottle ▼ *fn* üveg(palack)
▼ *ige* palackoz
bottleneck útszűkület
bottom alj(a vminek), fenék
bottomless feneketlen
bough faág
bought → **buy**
bounce pattogtat *[labdát]*; pattog *[labda]*; ugrál, ugrándozik
bouncer kidobóember
bound¹ *mn* biztos; **it is ~
to happen** biztosan meg fog történni, meg kell történnie
bound² ▼ *fn* **~s** határ(ai vminek) ▼ *ige* határol *[vidéket, országot]*
bound³ *ige* → **bind**
boundary határ(vonal)
bounty vérdíj; nagylelkűség, jó szándék, adakozási kedv

bouquet virágcsokor; illat *[boré]*
bourgeois polgár(i)
bow¹ *fn* masni *[cipőfűzőből]*; *sp* íj; *zene* vonó *[hangszeré]*; **~ tie** csokornyakkendő
bow² ▼ *fn* meghajlás ▼ *ige* meghajol
bow³ *fn* orr-rész *[hajón]*
bowels belek
bowl tál
bowling *sp* golyós teke, bowling; **~ alley** tekepálya
box¹ ▼ *fn* doboz; jelölőnégyzet, kocka *[nyomtatványon]*; *szính* páholy, fülke; **~ office** jegypénztár ▼ *ige* dobozol
box² *ige sp* bokszol
boxer *fn* bokszoló
boxing *sp* boksz
Boxing Day «karácsony másnapja»
boy ▼ *fn* fiú ▼ *isz biz* **~!** öregem!

boycott ▼ *fn* bojkott ▼ *ige* bojkottál
boyfriend fiú(ja vkinek)
boyish (kis)fiús
bra *biz* melltartó
brace ▼ *fn* fogszabályozó ▼ *ige* ~ oneself kapaszkodik, megfeszíti minden izmát *[rázós élmény előtt]*
bracelet karkötő
bracket ▼ *fn* zárójel ▼ *ige* zárójelbe tesz
brag kérkedik, henceg
braid *US* copf
brain agy
brake ▼ *fn* fék ▼ *ige* fékez
bramble szeder
bran korpa *[gabonáé]*
branch ág *[fáé, tudományé]*; *gazd* fióküzlet
brand *gazd* márka(név)
brand-new vadonatúj
brandy konyak
brass sárgaréz; rézfúvós; ~ band rézfúvós zenekar

brassière melltartó
bravado hősködés
brave ▼ *mn* bátor ▼ *ige* (sg) kihív maga ellen, dacol (vmivel)
bravery bátorság
brawl verekedés
Brazil Brazília
Brazilian *mn, fn* brazil
breach megszegés *[törvényé, ígéreté]*
bread ▼ kenyér; ~ and butter vajaskenyér ▼ *ige* paníroz
breadcrumbs *tsz* (kenyér)morzsa
breadline létminimum
breadth szélesség
breadwinner kenyérkereső
break ▼ *fn* törés; szünet *[órák között]* ▼ *ige* (broke, broken) (össze)tör; feltör *[kódot]*; megszakít; megszeg, megsért *[törvényt, megállapodást]*; (össze)törik; mutál *[hang]*

breakdown összeomlás, megfeneklés *[folyamaté]*, kudarc *[tárgyalásoké]*; bontás *[kisebb kategóriákra]*

breakfast reggeli

breakthrough *átv is* áttörés

breakwater hullámtörő gát

breast mell, *[női]* kebel; **chicken ~** csirkemell

breast-fed → **breast-feed**

breast-feed (breast-fed, breast-fed) szoptat

breaststroke mellúszás

breath lélegzet; **short of ~/out of ~** kifullad, nem kap levegőt

breathe lélegzik

breathless kifulladt

breathtaking lélegzetelállító

bred → **breed**

breed ▼ *fn* fajta ▼ *ige* (bred, bred) tenyészt *[állatot]*; termeszt, nevel, nemesít *[növényt]*; szaporodik

breeze szellő

breezy szellős

brevity rövidség

brew ▼ *fn* főzet *[sör, tea]* ▼ *ige* főz *[teát, sört]*; (ki)ázik *[teafű]*

brewery sörfőzde

bribe ▼ *fn* (meg)vesztegetés; kenőpénz ▼ *ige* megveszteget

brick tégla

bricklayer kőműves

bride menyasszony *[esküvőn]*

bridegroom vőlegény *[esküvőn]*

bridesmaid koszorúslány

bridge[1] ▼ *fn* híd ▼ *ige átv is* áthidal

bridge[2] *fn ját* bridzs

bridle kantár *[lovon]*

brief ▼ *mn* rövid ▼ *fn* rövidnadrág ▼ *ige* megbíz *[ügyvédet]*; (röviden) eligazít

briefcase aktatáska

brigade brigád; **fire ~** tűzoltók

bright világos, fényes; okos

brighten (ki)fényesít, felvidul; ~ **up** kiderül *[idő]*

brilliance csillogás; kiválóság, mesteri képesség (vmire)

brilliant fényes; *átv* káprázatos, mesteri

brim szél, perem *[edényé, kalapé]*

bring (brought, brought) hoz

brink a széle vminek; *átv* **on the ~ of war** a háború küszöbén

brisk fürge, friss

bristle ▼ *fn* sörte *[keféé]* ▼ *ige* felborzol *[szőrt a hátán]*; feláll *[szőr a hátán]*

Britain; (Great) ~ Nagy-Britannia

British ▼ *mn* brit ▼ *fn* esz/tsz brit *[ember]*

brittle törékeny

broad széles

broadcast ▼ *fn* adás ▼ *ige* (broadcast, broadcast) közvetít, sugároz, ad

broadcasting közvetítés, műsorszórás

broaden szélesít; kiszélesedik

broadly nagyjából

brocade brokát

broccoli brokkoli

brochure prospektus

broil *US* roston süt

broke → break

broken törött; → break

broken-hearted (mélyen) lesújtott, elkeseredett

broker ▼ *fn* ügynök, bróker ▼ *ige* összehoz *[üzletet, megegyezést]*

bronchitis hörghurut

bronze bronz

brooch bross(tű)

brood¹ *fn* fészekalja

brood² *ige* (on/over sg) szomorkodik, rágódik (vmin)

brook patak

broom ▼ *fn* seprű ▼ *ige* seper

broth csontleves

brother fiútestvér

brother-in-law (*tsz* brothers-in-law) sógor

brotherly testvéri

brought → bring

brown ▼ *mn* barna ▼ *ige* megbarnít *[pl. húst]*; megbarnul *[pl. hagyma]*

browse nézeget, böngészik *[könyvek között]*; legelészik; *inform* böngészik *[Interneten]*

bruise ▼ *fn* véraláfutás, kék folt ▼ *ige* beüt *[testrészt]*

brunette barna hajú nő

brush ▼ *fn* kefe, ecset ▼ *ige* kefél; (*against sg/sy*) nekidörzsölődik (vminek/vkinek)

Brussels Brüsszel

brussels sprouts *tsz* kelbimbó

brutal brutális

brutality brutalitás, durva erőszak

bubble ▼ *fn* buborék; ~ **bath** habfürdő ▼ *ige* bugyborékol

buck bak *[őz, nyúl]*

bucket vödör

buckle ▼ *fn* csat ▼ *ige* becsatol; *gépk* ~ **up** becsatolja magát

bud ▼ *fn* bimbó ▼ *ige* bimbózik, rügyezik

Buddhism buddhizmus

budding bimbózó

budgerigar törpepapagáj

budget ▼ *fn* költségvetés; (pénzügyi) keret ▼ *ige* betervez, beépít *[költségvetésbe]*

buff ▼ *fn* sárgásbarna (szín); *biz* szenvedélyes kedvelője vminek; **film** ~ filmrajongó; *biz* **in the** ~ egy szál semmiben, meztelen(ül) ▼ *ige* kifényesít, fényesre dörzsöl

buffalo bivaly

buffer ▼ *fn vasút* ütköző; *inform* ideiglenes tároló, puffer *[memória]* ▼ *ige* megvéd *[ütéstől]*

buffet büfé; ~ **(meal)** svédasztal(os étkezés)

buffoon mókamester, bohóc

bug poloska; *US* bogár; *inform* programhiba

build ▼ *fn* testfelépítés ▼ *ige* (built, built) épít

builder építési vállalkozó

building épület

built → **build**

built-in beépített; ~ **wardrobe/cupboard** beépített szekrény

bulb hagyma *[növényé]*; **light** ~ villanykörte

Bulgaria Bulgária

Bulgarian *mn, fn* bolgár

bulge ▼ *fn* dudor ▼ *ige* kidudorodik

bulk nagy mennyiség; **the** ~ **of sg** túlnyomó része/zöme vminek; ~

buy° nagy tételben vásárol

bull bika

bulldog buldog *[kutyafajta]*

bulldozer buldózer

bullet töltény, golyó *[lőfegyverben]*; *inform* felsorolásjelző karakter *[bekezdésjel vagy vmilyen pötty]*

bulletin; news ~ (rövid) híradó *[médiában]*; hírlevél *[rendszeres belső kiadvány]*

bulletproof golyóálló

bump ▼ *fn* (*on/against sg*) nekiütközés (vminek); púp *[fejen]*; bukkanó *[úton]* ▼ *ige* (*sg on/against sg*) beüti (vmijét vhova); (*into sy*) belebotlik (vkibe) *[véletlenül]*

bumper *gépk* lökhárító

bumpy göröngyös, rázós *[út]*

bun zsemle; konty

bunch csokor *[virág]*; fürt *[banán, szőlő]*; biz társaság, banda; ~ **of keys** kulcscsomó

bundle ▼ *fn* köteg ▼ *ige* beprésel; bepréseli magát *[kis helyre, autóba]*

bungalow nyaraló, bungaló

bungle elront, eltol

bunk hálóhely *[hajón, vonaton]*; ~ **bed** emeletes ágy

bunker bunker

bunny nyuszi

buoy bója

buoyant képes fennmaradni a víz tetején; biz repes az örömtől

burden ▼ *fn* teher ▼ *ige* (*sy with sg*) terhel (vkit vmivel)

bureau szekreter; iroda, hivatal

bureaucracy hivatal, (szervezet/állam)igazgatás(i rendszer); *pejor* bürokrácia, aktatologatás

bureaucrat *pejor* bürokrata

burglar betörő; ~ **alarm** lakásriasztó

burglary betöréses lopás

burgle betör vhová, kirabol *[lakást, üzletet]*

burial temetés

burly nagy darab, testes

Burma Burma

Burmese ▼ *mn* burmai ▼ *fn* esz/tsz burmai *[ember, nyelv]*

burn ▼ *fn* égés(i sérülés) ▼ *ige* (burnt/burned, burnt/burned) (el)éget; (el)ég

burnable gyúlékony

burner gázrózsa, égőfej

burnt → **burn**

burrow ▼ *fn* lyuk, odú *[állaté]* ▼ *ige* feltúr

bursary tanulmányi ösztöndíj

burst ▼ *fn* csőtörés ▼ *ige* (burst, burst) szétrepeszt *[csövet]*, kidurrant *[léggömböt]*; szétreped *[cső]*, kidurran *[léggömb]*

bury eltemet, elás

bus autóbusz

bush bokor; *Ausz* bozótos terület, ausztráliai őserdő

bushy bokros *[terület]*; bozontos *[szemöldök]*

business üzlet; dolog, ügy; foglalkozás; ~ **card** névjegykártya

businessman (*tsz* -men) üzletember

busker utcai zenész/énekes

bust felsőtest, mellkas, (női) mell; ~ **size** mellbőség; mellszobor

bustle ▼ *fn* **hustle and** ~ nyüzsgés, forgatag *[városban]* ▼ *ige* ~ **(about)** tesz-vesz, sertepertél

busy elfoglalt; forgalmas *[üzlet]*; *US* line ~ foglalt *[telefonvonal]*

but ▼ *elölj* kivéve ▼ *ksz* de

butane butángáz

butcher ▼ *fn* hentes ▼ *ige* (le)mészárol

butt ▼ *fn* lökés ▼ *ige* nekimegy (vminek) *[fejjel, szarvval]*

butter ▼ *fn* vaj ▼ *ige* megvajaz

buttercup *növ* boglárka

butterfly lepke, pillangó; *sp* ~ **(stroke)** pillangóúszás

buttock farpofa; ~s fenék

button ▼ *fn* gomb ▼ *ige* begombol

buttress támfal

buy ▼ *fn biz* vétel; **it's a good** ~ érdemes megvenni ▼ *ige* (bought, bought) (meg)vesz, (meg)vásárol

buyer vevő

buzz ▼ *fn* zümmögés; izgalom ▼ *ige* alacsonyan elhúz (vmi felett) *[repülőgép]*; zümmög; ~ **around** izgatottan jönmegy, nyüzsög

by ▼ *hsz* el vki/vmi mellett; **people walked** ~ **him** elmentek mellette; ~ **and** ~ fokozatosan, apránként ▼ *elölj* vmi mellett, vmikorra, vki/vmi által; ~ **the door** az ajtónál; ~ **6 o'clock** hatra; **directed** ~ **Milos Forman** rendezte: Milos Forman

by-and-by a jövő/holnap

bye-bye viszlát!, szia(sztok)!

by-election időközi választás

bygone letűnt *[kor]*

bypass ▼ *fn* ~ **(road)** elkerülő út; ~ **operation** bypass műtét ▼ *ige* kikerül, elkerül; *(sy)* mellőz (vkit)

by-product melléktermék

byroad mellékút

bystander; the ~**s** bámészkodók, nézelődők

byte *inform* byte

C

cab taxi
cabbage káposzta
cabin kabin, kunyhó; ~ crew repülőgép-személyzet; ~ cruiser jacht
cabinet vitrin, szekrény; *pol* kormány
cable kábel, vezeték; kábeltelevízió; ~ car drótkötélpályás felvonó
cacti → cactus
cactus (*tsz* cactuses v. cacti) kaktusz
café kávéház
cafeteria önkiszolgáló étterem
caffein(e) koffein

cage ▼ *fn* ketrec, kalitka ▼ *ige* kalitkába/ketrecbe zár
cake sütemény
calculate (ki)számít
calculating ravasz, számító
calculation számítás
calculator számológép
calendar naptár
calf (*tsz* calves) borjú
call ▼ *fn* kiáltás; (telefon)hívás ▼ *ige [telefonon]* felhív; kiált; hív; nevez; ~ sy's attention (*to sg*) felhívja a figyelmét (vmire); he is ~ed Rob Robnak hívják
caller hívó fél
calm ▼ *mn* csendes, nyugodt; keep° ~ nyugodt marad ▼ *fn* (szél)csend, nyugalom ▼ *ige* ~ down lecsendesedik, (vkit) lecsillapít
calorie kalória
calves → calf
camcorder videokamera

came → **come**

camel teve

camera fényképezőgép, filmfelvevő, kamera

cameraman (*tsz* -men) operatőr

camouflage ▼ *fn* álca ▼ *ige* álcáz

camp ▼ *fn* tábor ▼ *ige* táborozik, kempingezik

camper táborozó; *US* ~ (**van**) lakókocsi

campsite táborhely, kemping

campus campus *[az egyetem területe]*

can ▼ *fn* konzerv- (doboz); ~ **opener** konzervnyitó ▼ *ige* (could, *tagadása* can't, cannot) tud, képes (vmire); -hat/-het; **he** ~ **go** elmehet; *[érzékelést kifejező igékkel]* **I** ~ **see you** látlak

Canada Kanada

Canadian *mn, fn* kanadai

canal csatorna

canary kanári

cancel töröl *[programból]*, lemond; érvénytelenít; **it is** ~**led** elmarad

cancellation lemondás; érvénytelenítés

cancer *orv* rák; **C**~ Rák *[csillagkép]*

candid őszinte

candidate jelölt

candle gyertya

candlestick gyertyatartó

candour őszinteség

candy *US* cukorka

cane ▼ *fn* nád; nádpálca; sétabot ▼ *ige* megver; náddal befon

canine kutyaféle

canned konzervált; ~ **beer** dobozos sör

cannon ágyú

canoe ▼ *fn* kenu ▼ *ige* kenuzik

canoeing kenuzás

canteen étkezde, büfé; **students'**~ menza

canvas (vitorla)vászon; olajfestmény

canvass kampányol, házal

canyon kanyon

cap sapka; kupak

capability képesség, tehetség

capable (*of sg*) képes, alkalmas (vmire)

capacity kapacitás; térfogat; **sy's ~ as sg** vki vmilyen minősége/funkciója

cape (hegy)fok; köpeny

capital ▼ *mn* fő, főbenjáró; **~ punishment** halálbüntetés ▼ *fn* főváros; *gazd* tőke; *nyomd* nagybetű

capitalism kapitalizmus

capitalist *mn, fn* kapitalista

capitalise tőkésít; nagybetűvel ír

capitulate megadja magát

Capricorn Bak [*csillagkép*]

caps *röv* [*capital letters*] nagybetűk

capsize felborul

capsule kapszula; kabin [*űrhajóé*]; **space ~** űrkabin

captain kapitány

caption képaláírás

captive fogoly

capture ▼ *fn* elfog(lal)ás ▼ *ige* elfog(lal)

car autó, kocsi; **~ hire** autókölcsönző; **~ insurance** gépjármű-biztosítás; **~ rental** autókölcsönzés; **~ park** parkoló; **~ wash** autómosó

carat karát

caravan ▼ *fn* lakókocsi; karaván ▼ *ige* lakókocsival utazik

carbohydrate szénhidrát

carbon szén

card kártya; névjegy; hitelkártya; bankkártya; telefonkártya; levelezőlap, üdvözlőlap

cardboard kartonpapír
cardiac szív-
cardigan kardigán
cardinal ▼ *mn* legfőbb;
~ **number** tőszám ▼ *fn*
bíboros
cardphone kártyás telefon
care ▼ *fn* gondoskodás;
take° ~ (*of sy/sg*) vigyáz
(vkire/vmire) ▼ *ige*
(*about/for sg*) törődik
(vmivel); (*for sy*) törődik (vkivel), gondoz
(vkit); **I don't ~** nem
érdekel; **I couldn't ~
less** hidegen hagy
career karrier, pálya
carefree gondtalan
careful óvatos, gondos
careless gondatlan, hanyag; gondtalan
carelessness gondatlanság
caress ▼ *fn* dédelgetés ▼
ige dédelget
caretaker gondnok; gondviselő

cargo szállítmány; rakomány
caring gondoskodó
carnation szegfű
carnival farsang, karnevál
carol (karácsonyi/vallási)
ének
carp ponty
carpenter asztalos
carpet szőnyeg
carriage lovaskocsi; vagon; testtartás; szállítás
carrier fuvarozó, szállító;
táska, szatyor; repülőgép-anyahajó
carrot sárgarépa
carry (el)visz, (el)szállít;
hord(oz); visel; ~ **on**
folytat; ~ **out** végrehajt
cartel kartell
carton karton(doboz)
cartoon karikatúra; rajzfilm; képregény
cartridge töltény; patron
carve farag
carving faragás
case ügy; eset; láda, do-

boz, tartó; **in** ~ hátha; **in** ~ **of fire** tűz esetén; **just in** ~ biztos, ami biztos; **lower** ~ kisbetű; **upper** ~ nagybetű

cash ▼ *fn* (kész)pénz; **pay (in)** ~ készpénzzel fizet; ~ **card** bankkártya; ~ **desk** pénztár; ~ **dispenser** pénzkiadó automata; ~ **flow** (kész)pénzforgalom; ~ **point** bankjegykiadó/pénzkiadó automata; ~ **register** pénztárgép ▼ *ige* [csekket] bevált

cashier pénztáros

cashmere kasmír [szövet]

casing burkolat

casino kaszinó

casket (ékszeres) ládika; *US* koporsó

cassette kazetta

cast ▼ *fn* szereposztás; dobás; öntvény; ~ **iron** öntöttvas ▼ *ige* (cast, cast) (le)dob; hajít; [szerepet] kioszt; [fémet] önt; ~ **light** (*on sg*) fényt derít (vmire); ~ **a vote** szavaz

caster sugar porcukor

casting szereposztás; öntvény; ~ **vote** döntő szavazat

castle vár, kastély

casual wear lezser öltözék

casualty halott; áldozat [baleseté, háborúé]; baleseti osztály

cat macska(féle)

catalogue katalógus

catalyst katalizátor

catapult csúzli, parittya

catastrophe katasztrófa

catch ▼ *fn* fogás; zsákmány ▼ *ige* (caught, caught) (meg)fog, elkap; *átv is* megragad; [betegséget] megkap; [járműre] felszáll; [járművet] elér; ~ **fire** meggyullad; ~ **cold** megfázik; ~ **up** (*with sg/sy*) utolér (vmit/vkit)

catchphrase vki kedvenc fordulata, szavajárása

catchy fülbemászó; feltűnő

categoric(al) feltétlen

category kategória

cater (*for sy*) vendégül lát *[étellel]*, gondoskodik (vkiről)

caterer (élelmiszer)szállító cég

catering élelmezés; ~ **trade** vendéglátóipar

caterpillar hernyó

cathedral székesegyház

catholic (római) katolikus

cattle *esz/tsz* (szarvas)marha

caught → catch

cauliflower karfiol

cause ▼ *fn* ok; ügy ▼ *ige* okoz

caution ▼ *fn* óvatosság; figyelmeztetés ▼ *ige* (*against sg*) figyelmeztet (vmire)

cautious óvatos

cavalry lovasság

cave ▼ *fn* barlang ▼ *ige* ~ **in** beomlik

caviar(e) kaviár

cavity üreg; fogszuvasodás

cc, cc., c.c. *röv [carbon copy]* indigómásolat; *inform* e-mail másolatcím; *[cubic centimetre(s)]* köbcenti(méter)

CD *röv [compact disc]* CD

CD-ROM *röv [compact disc read-only memory]* CD-ROM, kompakt lemez

cease abbahagy, megszüntet; (meg)szűnik

cedar cédrus(fa)

ceiling mennyezet; csúcs

celebrate (meg)ünnepel

celebrity híresség

celery zeller

cell cella; sejt

cellar pince

cello cselló

Celt kelta *[ember]*

Celtic ▼ *mn* kelta; ~ **cross** kelta kereszt ▼ *fn* kelta *[nyelv]*

cement cement

cemetery temető

censor ▼ *fn* cenzor ▼ *ige* cenzúráz

censure ▼ *fn* korholás, bírálat ▼ *ige* elítél, korhol

census népszámlálás

cent *US* cent *[dollár századrésze]*

centenary ▼ *mn* százéves ▼ *fn* százéves/századik évforduló

centigrade Celsius (fok)

centimetre centiméter

central köz(ép)ponti; **C~ Europe** Közép-Európa; ~ **heating** központi fűtés

centralise központosít

centre ▼ *fn* köz(ép)pont; *[létesítmény]* centrum; középcsatár ▼ *ige* középpontba állít; összpontosít

century (év)század

ceramic kerámia-

ceramics *esz* kerámia; *tsz* kerámiatárgyak

cereal gabona; kukoricapehely; műzli

ceremonial szertartásos

ceremony szertartás

certain (*of/about sg*) biztos (vmiben); bizonyos

certainly biztosan; ~! természetesen!, persze!

certainty bizonyosság

certificate bizonyítvány

certify tanúsít

chain ▼ *fn* lánc(olat); ~ **store** üzletlánc, fióküzlet ▼ *ige* megláncol

chair ▼ *fn* szék; elnök ▼ *ige* elnököl *[ülésen]*

chairman (*tsz* -men) elnök

chalk kréta

challenge ▼ *fn* kihívás ▼ *ige* kihív; kétségbe von

chamber kamara; **torture** ~ kínzókamra; ~ **music** kamarazene

champagne pezsgő *[ital]*
champion bajnok
championship bajnokság
chance véletlen; alkalom; esély
chancellor kancellár; **C~ of the Exchequer** pénzügyminiszter
chandelier csillár
change ▼ *fn* változ(tat)ás; (pénz)váltás; (visszajáró) aprópénz ▼ *ige (sg into sg v. from sg to sg)* (meg)változtat, (át)változtat (vmit vmivé v. vmiről vmire); (meg)változik, (át)változik; *[pénzt]* (fel)vált, *[csekket]* bevált; átöltözik; átszáll *[másik járműre]*
changeable változékony
channel ▼ *fn* csatorna; tengerszoros; **the C~** a La Manche csatorna ▼ *ige* terel
chant ▼ *fn* egyhangú dal(lam); (egyházi) ének;

kántálás ▼ *ige* kántál, skandál; énekel
chaos káosz; zűrzavar
chap pasas, hapsi
chapel kápolna
chaplain káplán
chapter fejezet
character jelleg(zetesség); jellem; szereplő; karakter, betű
characteristic ▼ *mn* jellegzetes ▼ *fn* jellemvonás
characterise jellemez
charcoal faszén; rajzszén
charge ▼ *fn* költség; vád ▼ *ige* felszámít; *[számlát]* megterhel; megvádol; *[akkumulátort]* feltölt
charitable jótékony
charity jótékonyság; jótékonysági szervezet
charm ▼ *fn* (bű)báj ▼ *ige* elbűvöl, megbabonáz
charming bájos
chart táblázat, diagram, grafikon, folyamatábra;

slágerlista; (tengerészeti) térkép

charter okirat; **~ flight** charterjárat *[repülésnél]*

chase ▼ *fn* vadászat ▼ *ige* (*sg*) üldöz (vmit), vadászik (vmire)

chassis alváz

chastity szüzesség

chat ▼ *fn* csevegés; *inform* chat ▼ *ige* cseveg; *inform* chattel

chatter ▼ *fn* csacsogás; csicsergés ▼ *ige* csacsog; csicsereg *[madár]*; vacog *[fog]*

chatty csevegő

chauffeur ▼ *fn* sofőr ▼ *ige [sofőrként]* vezet

cheap ▼ *mn* olcsó ▼ *hsz* olcsón

cheat ▼ *fn* csaló ▼ *ige* (meg)csal, becsap, puskázik *[vizsgán]*

check ▼ *fn* átvizsgálás, ellenőrzés; éttermi számla; *US* csekk ▼ *ige*

átvizsgál, ellenőriz; *US* kipipál; **~ in** (be)jelentkezik *[repülőtéren, szállodában]*

checkers *tsz US* dámajáték

checking account *US* folyószámla

checkout pénztár *[szupermarketben]*; kijelentkezés *[szállodából]*

checkpoint ellenőrzési pont *[határon]*

checkroom *US* ruhatár, csomagmegőrző

checkup *[orvosi]* kivizsgálás

cheek arc; arcátlanság

cheekbone pofacsont

cheeky szemtelen

cheer ▼ *fn* éljenzés, taps; **~s** egészségére! *[iváskor]* ▼ *ige* éljenez; megtapsol; **~ up!** fel a fejjel!

cheerful vidám

cheese sajt; *US biz* **say "~"!** tessék mosolyogni! *[fényképezés-kor]*

cheeseboard sajttál

cheetah gepárd

chef konyhafőnök, fő-szakács

chemical ▼ *mn* vegyi ▼ *fn* vegyszer

chemist gyógyszerész; vegyész

chemistry kémia; kémiai összetétel

cheque csekk; ~ **card** csekk-kártya

cherish dédelget; táplál *[reményt]*

cherry cseresznye(fa)

chess sakk

chessboard sakktábla

chest mellkas; láda

chestnut gesztenye

chew (meg)rág

chewing gum rágógumi

chick csibe

chicken csirke, csibe; csirkehús

chicory cikória

chief ▼ *mn* fő ▼ *fn* főnök

chiefly főképpen

child (*tsz* children) gyer-(m)ek

childbirth (gyerek)szülés

childhood gyermekkor

childish gyermeki; gyerekes

childlike gyermeki

children → child

Chile Chile

Chilean *mn, fn* chilei

chili chili

chill ▼ *mn* hűvös ▼ *fn* hideg(ség); meghűlés ▼ *ige* (le)hűt

chilly hűvös; hideg

chime ▼ *fn* harangjáték ▼ *ige* harangoz

chimney kémény

chimpanzee csimpánz

chin áll

china porcelán

China Kína

Chinese ▼ *mn* kínai ▼ *fn* esz/tsz kínai *[ember, nyelv]*

chip (mikro)csip; hasáb-burgonya

chiropody pedikűr

chirp ▼ *fn* csicsergés ▼ *ige* csicsereg

chisel ▼ *fn* véső ▼ *ige* vés, csiszol

chlorine klór

chloroform kloroform

chocolate ▼ *mn* csokoládébarna ▼ *fn* csokoládé; kakaó

choice (ki)választás; választék

choir kórus

choirboy karénekes

choke ▼ *fn* fuldoklás; *gépk* szivató ▼ *ige* fojtogat, megfojt, megfullad; elfojt

cholesterol koleszterin

choose (chose, chosen) (ki)választ

choosy *US* finnyás

chop ▼ *fn* hússzelet ▼ *ige* (fel)vág

chord *fn zene* akkord

choreography koreográfia

chorus énekkar; refrén; kórusmű

chose → choose

chosen → choose

Christ Krisztus

christen (meg)keresztel

Christian keresztény

Christianity kereszténység

Christmas karácsony; ~ Day *[dec. 25.]* karácsony első napja; ~ Eve *[dec. 24.]* karácsony este, szenteste; ~ tree karácsonyfa

chrome króm

chromosome kromoszóma

chronic idült

chronicle krónika

chronological időrendi

chuckle ▼ *fn* kuncogás ▼ *ige* kuncog

chunk jókora, (nagy) darab

church templom; egyház

churchyard temető

chute csúszda

cider almabor; *US* rostos almalé

cigar szivar

cigarette cigaretta

cinder salak

Cinderella Hamupipőke

cinema mozi; filmművészet

cinnamon ▼ *mn* fahéj színű ▼ *fn* fahéj

circle ▼ *fn* kör, körvonal; karika; (baráti) kör ▼ *ige* körbejár; bekarikáz

circuit áramkör

circular ▼ *mn* kör alakú; körkörös ▼ *fn* körlevél

circulate kering; forgalomba hoz

circulation keringés; vérkeringés; forgalom

circumflex *nyelv* kúpos ékezet

circumstance körülmény

circumstantial körülményektől függő

circus cirkusz; körtér

CIS *röv [Commonwealth of Independent States]* FÁK *[Független Államok Közössége]*

cistern víztartály, víztároló

citizen állampolgár; *[városi]* polgár

citizenship állampolgárság

city város

civic városi; polgári

civil polgári; udvarias

civilian ▼ *mn* polgári ▼ *fn* polgári személy

civilisation civilizáció

clad → **clothe**

claim ▼ *fn* (*to sg*) igény (vmire); követelés; állítás ▼ *ige* igényel; követel; állít

claimant igénylő

clamber kapaszkodik

clamp ▼ *fn* kampó; kerékbilincs ▼ *ige* összekapcsol; kerékbilincset szerel fel *[autóra]*

clan *[skót]* klán

clang ▼ *fn* csengés ▼ *ige* cseng

clap ▼ *fn* taps ▼ *ige* tapsol

claret ▼ *mn* borvörös ▼ *fn* bordeaux-i vörös bor

clarify tisztáz; megvilágosít

clarinet klarinét

clarity világosság

clash ▼ *fn* összeütközés; csattanás ▼ *ige* (*with sg*) összeütközik (vmivel)

clasp ▼ *fn* kapocs; ölelés ▼ *ige* összekapcsol, bekapcsol; átkarol

class osztály; (tan)óra

classic ▼ *mn* klasszikus ▼ *fn* [*íróról*] klasszikus

classical klasszikus; hagyományos

classified bizalmas

classify osztályoz; titkosít

classmate osztálytárs

classroom tanterem

classy *biz* klassz

clatter ▼ *fn* zörgés; zsivaj ▼ *ige* zörög; lármázik

clause *nyelv* tagmondat; *jog* cikkely

claustrophobia klausztrofóbia

clave → **cleave²**

claw ▼ *fn* karom ▼ *ige* (meg)karmol; karmával megragad

clay agyag

clean ▼ *mn* tiszta; üres ▼ *ige* (ki)tisztít; (ki)takarít

cleaner takarító(nő); tisztító [*pl. gép*]

cleanly tisztaságszerető

cleanse (meg)tisztít

cleanser tisztítószer

clean-shaven frissen borotvált

clear ▼ *mn* világos; tiszta; nyilvánvaló ▼ *hsz* világosan; teljesen ▼ *ige* (meg)tisztít; [*utat*] szabaddá tesz

clearance megtisztítás; vámkezelés

clear-cut világos; határozott

clearing tisztás

cleavage hasadás; dekoltázs

cleave¹ (cleaved/clove/

cleft, cleaved/cloven/ cleft) (szét)hasít; (szét)-hasad

cleave² (cleaved/clave, cleaved) (to sg/sy) ragaszkodik (vmihez/vkihez)

clef hangjegykulcs

cleft ▼ mn hasított ▼ fn hasadás ▼ ige → cleave¹

clench összeszorít [pl. öklöt]

clergy papság

clergyman (tsz -men) pap

clerical ▼ mn papi ▼ fn pap

clerk hivatalnok; US eladó

clever okos; ügyes

click ▼ fn kattanás; inform kattintás ▼ ige kattint; csattog

client ügyfél; vásárló; inform kliens(program)

cliff szikla

climate éghajlat; átv légkör

climax ▼ fn tetőpont ▼ ige betetőz, tetőpontra hág

climb ▼ fn mászás; emelkedés ▼ ige (meg)mászik [pl. fát]; emelkedik [pl. út]

climber hegymászó; kúszónövény

cling (clung, clung) (to sg) belekapaszkodik (vmibe); tapad (vmihez)

clinic rendelőintézet; klinika

clinical klinikai, kórházi

clink ▼ fn csörgés ▼ ige csörget; csörög

clip ▼ fn csipesz; (video)klip ▼ ige csíptet; lyukaszt

clique klikk

cloak ▼ fn köpeny; átv lepel ▼ ige beborít; leplez

cloakroom ruhatár

clock ▼ fn óra ▼ ige mér [időt]

clockwise az óramutató járásának megfelelő irányba(n)

clockwork óramű

clog ▼ *fn* béklyó; akadály; klumpa ▼ *ige* elzár(ódik)

cloister kolostor; kerengő

close¹ ▼ *mn* közeli; hasonló ▼ *hsz* közel; szorosan

close² *ige* bezár; befejez(ődik); becsukódik

closed zárt, zárva

closely szorosan

closeness közelség; zárkózottság

closet beépített szekrény

close-up *film* közeli felvétel

closure bezárás

clot ▼ *fn* (vér)rög ▼ *ige* összecsomósodik

cloth *[szövet]* anyag; abrosz

clothe (clad/clothed, clad/clothed) (fel)öltöztet

clothes *tsz* ruha

clothing öltözék

cloud ▼ *fn* felhő; sötétség ▼ *ige* felhőbe borít, beborul

cloudy felhős

clove¹ *fn* szegfűszeg

clove² *ige* → **cleave¹**

cloven → **cleave¹**

clover lóhere

clown ▼ *fn* bohóc ▼ *ige* bohóchodik

club ▼ *fn* klub, egyesület; furkósbot; golfütő ▼ *ige* bottal megüt

clue nyom, vezérfonal, kulcs

clumsy ügyetlen, esetlen

clung → **cling**

cluster ▼ *fn* csomó; fürt; csoport, csoportosulás ▼ *ige* csoportosul; gyűlik

clutch ▼ *fn* megmarkolás; *gépk* kuplung ▼ *ige* megragad

c/o *röv [care of] [borítékon/képeslapon címzés előtt]* … címén coach ▼ *fn* távolsági autóbusz; magántanító, edző ▼ *ige* magánórákat ad

coal szén

coalition *pol* koalíció

coarse durva; közönséges

coast (tenger)part

coastguard parti őrség

coastline tengerpart

coat ▼ *fn* kabát, felöltő, zakó; bunda *[állaté]*; ~ of arms címer ▼ *ige* bevon

coating bevonat; kabátszövet

cobbler cipész; *US* gyümölcstorta

cocaine kokain

cock csap; kakas, hím *[madáré]*

cockle kagyló

Cockney Cockney *[nyelvjárás v. kiejtés]*

cockpit pilótafülke

cockroach csótány

cocktail koktél *[ital, étel]*

cocoa kakaó

coconut kókuszdió

cocoon selyemhernyógubó

cod tőkehal

code ▼ *fn* kód; titkos írásjelrendszer; törvénykönyv ▼ *ige* rejtjelez; *inform* kódol *[programot]*

coercion kényszer(ítés)

coexist egyidejűleg létezik/van

coffee kávé

coffin koporsó

cog fogaskerék, fog *[fogaskeréké]*

cohabit együtt él

coherent összefüggő, koherens

coil ▼ *fn* tekercs; spirál ▼ *ige* felteker, felcsavarodik

coin pénzdarab; váltópénz

coinage pénzverés; kitalálás, szóalkotás

coincide egybeesik *[időben]*; egybevág

coincidence egybeesés; véletlen

coke *fn* kóla; koksz

cold ▼ *mn* hideg; *átv is* hűvös ▼ *fn* hideg; nátha, megfázás

collaborate együttműködik; együttműködik az ellenséggel

collapse ▼ *fn* összeomlás; ájulás ▼ *ige* összeomlik; összeesik, elájul

collar gallér; nyakörv; *műsz* (fém)gyűrű

collateral oldalági; kiegészítő

colleague munkatárs, kolléga

collect összegyűjt; összeszed; gyűjt; elhoz *[pl. csomagot]*

collection (össze)gyűjtés; gyűjtemény; elhozatal

collective ▼ *mn* együttes; kollektív ▼ *fn* közösség

collector gyűjtő; pénzbeszedő; áramszedő

college (angliai) egyetemi kollégium; egyetem; főiskola; testület

collide (*with sg/sy*) összeütközik (vmivel/vkivel); összeütközésbe kerül (vmivel/vkivel)

colliery szénbánya

collision (össze)ütközés; ellentét

colloquial köznyelvi

colon[1] kettőspont

colon[2] vastagbél

colonel ezredes

colonial gyarmati; koloniál (stílusú)

colonialism gyarmati rendszer; gyarmatosítás

colonise gyarmatosít

colony gyarmat; kolónia *[külföldieké];* telep(ülés)

colour ▼ *fn* szín; ~ **television** színes televízió ▼ *ige* színez

coloured színes; -színű; *biz* színesbőrű

colourful sokszínű

colouring színezés; arcszín

colt csikó

column oszlop; rovat; *nyomd* hasáb

columnist rovatvezető

coma kóma

comb ▼ *fn* fésű ▼ *ige* fésül; átvizsgál, átfésül

combat ▼ *fn* csata, harc ▼ *ige* megtámad; harcol

combination kombináció

combine ▼ *fn* kombájn ▼ *ige* kombinál; egyesül

combustion égés, gyulladás

come (came, come) jön, eljön, megjön; ~ on! gyerünk!, rajta!

comeback visszatérés; visszavágás

comedian humorista, komikus

comedy vígjáték; *átv is* komédia

comet üstökös

comfort ▼ *fn* vigasz(talás); jólét ▼ *ige* vigasztal, megnyugtat

comfortable kényelmes

comic ▼ *mn* tréfás ▼ *fn* komikus; ~ strip képregény

comical mulatságos

coming ▼ *mn* jövő, közelgő ▼ *fn* (el)jövetel; ~ of age felnőttkor elérése

comma vessző *[írásjel]*

command ▼ *fn* parancs; parancsnokság ▼ *ige* (meg)parancsol; parancsnokol

commandant parancsnok

commander parancsnok; rendőrfőnök

commandment parancs; the Ten C~ a Tízparancsolat

commemorate (*sy/sg*) megemlékezik (vkiről/vmiről)

commend dicsér; (be)ajánl

commendable dicséretes

commensurate összemérhető; arányos

comment ▼ *fn* megjegyzés; magyarázat ▼ *ige* (*on sg*) megjegyzést fűz (vmihez)

commentary magyarázat

commentator (szöveg/hír)magyarázó; helyszíni közvetítő riporter

commerce kereskedelem

commercial ▼ *mn* kereskedelmi; kommersz ▼ *fn* tévéreklám

commiserate együttérzését fejezi ki

commission ▼ *fn* megbízás; bizottság; *gazd* jutalék ▼ *ige* megbíz; megrendel *[pl. munkát]*

commissioner meghatalmazott; bizottsági tag

commit elkövet

commitment (el)kötelezettség, odaadás

committed elkötelezett

committee bizottság

commodity áru(cikk)

common közös; közönséges

commoner közember, polgár

commonly általában; közönségesen

commonplace ▼ *mn* mindennapos ▼ *fn* közhely

commonwealth nemzetközösség; **the (British) C~** a Brit Nemzetközösség

commotion felbolydulás

communal közösségi; községi

commune közösség; kommuna

communicate közöl; *(with sy)* értekezik (vkivel)

communication kommunikáció, érintkezés; összeköttetés

communion bensőséges kapcsolat; (lelki) közösség; *vall* felekezet

communism kommunizmus

communist *mn, fn* kommunista

community közösség
commute ingázik
commuter ingázó
compact ▼ *mn* tömör(í-
tett) ▼ *ige* tömörít
companion társ; kézikönyv
companionship barát-
ság, bajtársiasság
company társaság; válla-
lat; (szín)társulat; *kat*
század
comparable (*with/to sg*)
összehasonlítható
(vmivel); hasonló
comparative ▼ *mn* össze-
hasonlító *[pl. vizsgálat]*;
viszonylagos ▼ *fn* kö-
zépfok *[mn-é, hsz-é]*
comparatively viszonylag
compare (*to/with sg*) ösz-
szehasonlít (vmivel); fo-
koz *[mn-t, hsz-t]*; (*with
sg*) felér (vmivel)
comparison (össze)ha-
sonlítás; hasonlat; fo-
kozás *[mn-é, hsz-é]*
compartment rekesz, fül-
ke

compass iránytű
compassion szánalom
compassionate
együttérző
compatible összeegyez-
tethető; *inform* kompa-
tibilis
compel (*to sg*) kényszerít
(vmire)
compelling hathatós; ér-
dekfeszítő
compensate ellensúlyoz,
kompenzál; (*for sg*) kár-
talanít, kárpótol (vmiért)
compensation kártalaní-
tás; kártérítés; ellensú-
lyozás, kompenzálás
compete versenyez
competence hozzáértés,
szakértelem; hatáskör;
nyelvtudás
competent hozzáértő; il-
letékes
competition verseny, ver-
senyzés; ellenfél; pályá-
zat
competitive verseny-; *gazd*
versenyképes

competitor versenyző; versenytárs

compile összeállít

complacency (meg)elégedettség; önelégültség

complacent elégedett; önelégült

complain (*of sg*) panaszkodik (vmire); panaszt tesz (vmire)

complaint panasz(kodás); reklamáció

complement ▼ *fn* kiegészítés ▼ *ige* kiegészít

complementary kiegészítő

complete ▼ *mn* teljes; tökéletes; befejezett ▼ *ige* befejez; kiegészít; kitölt *[pl. űrlapot]*

completion befejezés; kiegészítés

complex ▼ *mn* összetett; bonyolult ▼ *fn* összesség; épületegyüttes, komplexum; *orv* komplexus

complexion arcszín

compliance teljesítés *[pl. kérésé]*; szolgálatkészség

complicate bonyolít; nehezít

complicated bonyolult

complication bonyodalom; bonyolultság; *orv* szövődmény

compliment ▼ *fn* bók; üdvözlet ▼ *ige* dicsér; bókol

complimentary hízelgő *[pl. megjegyzés]*

comply (*with sg*) eleget tesz (vminek)

component alkotóelem; alkatrész

compose *[levelet]* ír; *[zenét]* szerez

composed nyugodt

composer zeneszerző

composition összetétel; elrendezés, kompozíció; zenemű; fogalmazás; (lelki) beállítottság

composure (lelki) nyugalom

compound ▼ *fn* összeté-
tel, vegyület; *nyelv* ösz-
szetett szó ▼ *ige* elegyít;
tovább nehezít/ront
comprehend felfog, meg-
ért
comprehension felfogóké-
pesség, megértés; **reading**
~ olvasott szöveg értése
comprehensive átfogó;
~ (**school**) általános
középiskola
compress összenyom;
inform tömörít
comprise (*sg*) magában
foglal (vmit); alkot
(vmit), áll (vmiből)
compromise ▼ *fn* meg-
egyezés, kompromisz-
szum ▼ *ige* kompro-
misszumot köt
compulsion kényszer
compulsive megrögzött
compulsory kötelező
computer számítógép
computerise számítógép-
pel feldolgoz; számító-
gépesít

comrade bajtárs; elvtárs
con ▼ *fn* ellenérv ▼ *ige*
beugrat
conceal elrejt; (el)titkol
conceit önteltség, beképp-
zeltség
conceited öntelt, beképp-
zelt
conceive felfog; elgondol,
kigondol; megfogan
concentrate ▼ *fn* kon-
centrátum ▼ *ige* össz-
pontosít, koncentrál;
összpontosul
concentration összponto-
sítás; koncentráció; sűrí-
tés
concept fogalom; felfo-
gás
conception felfogóképes-
ség; koncepció, elgon-
dolás, terv(ezés); fo-
gantatás
concern ▼ *fn* érdekelt-
ség; aggodalom; cég,
vállalat ▼ *ige* (*sy/sg*)
szól (vkiről/vmiről),
érint (vkit/vmit)

concerning vonatkozólag

concert ▼ *fn* hangverseny, koncert; összhang; ~ **hall** hangversenyterem ▼ *ige* összeegyeztet; tanácskozik

concession engedmény; engedély; beismerés; *jog* koncesszió

conciliation (ki)békítés

conciliatory békéltető

concise tömör; ~ **dictionary** kéziszótár

conclude (ki)következtet; befejez

conclusion következtetés; befejezés

conclusive meggyőző, döntő

concrete ▼ *mn* konkrét; beton- ▼ *fn* beton ▼ *ige* konkretizál; betonoz

concur egyetért

concussion (meg)rázkódás; ~ **(of the brain)** agyrázkódás

condemn (el)ítél

condensation sűrítés; sűrűsödés; *átv* tömörítés

condense sűrít; (össze)sűrűsödik; *átv* tömörít

condescend leereszkedik, lekezel

condition ▼ *fn* feltétel; állapot; betegség; körülmények ▼ *ige* szabályoz; kondicionál

conditional ▼ *mn* feltételes ▼ *fn* feltételes mód

conditioner hajkondicionáló szer

conditioning kondicionálás

condolence részvét(nyilvánítás)

condom óvszer, kondom

conduct ▼ *fn* vezetés; magaviselet ▼ *ige* vezet; vezényel

conductor karmester; kalauz; vezető *[pl. hőé]*; villámhárító

cone kúp; fenyőtoboz; (fagylalt)tölcsér

confectioner cukrász

confectionery cukrászsütemény(ek); cukrászda; cukrászat

confer adományoz; tanácskozik

conference megbeszélés, értekezlet; konferencia

confess bevall, beismer; meggyón; gyóntat

confession bevallás, beismerés; gyónás, vallomás

confetti *tsz* konfetti

confide (*to sy*) bizalmasan közöl (vkivel); (*to sy*) rábíz (vkire); (*in sy*) bízik (vkiben)

confidence bizalom; önbizalom; bizalmas/titkos közlés

confident magabiztos; bizakodó

confidential bizalmas, titkos

confine bezár *[pl. börtönbe];* korlátoz

confinement szülés; bezárás

confirm megerősít; bérmál

confirmation megerősítés; bérmálás

confiscate elkoboz

conflict ▼ *fn* konfliktus; összeütközés; ellentét ▼ *ige* ellentmondásba/összeütközésbe kerül

conform (*to/with sg*) alkalmazkodik (vmihez); megfelel (vminek)

confront szembeszáll; szemben áll; szembesül

confrontation szembesítés; szembenállás

confuse összezavar, összekuszál; összetéveszt

confused zavaros; zavarodott

confusing összezavaró; zavaros

confusion zűrzavar; összetévesztés

congeal megfagy(aszt); (meg)alvaszt

congestion vértolulás; (forgalmi) dugó

congratulate (*sy on sg*) gratulál (vkinek vmihez)

congratulations (*on sg*) gratuláció (vmihez); ~! gratulálok!

congregate összegyűlik

congregation *vall* gyülekezet

congress kongresszus; *US pol* Kongresszus *[törvényhozási szerv]*

conjunctivitis kötőhártya-gyulladás

conjure elővarázsol; bűvészkedik

conjurer bűvész

connect összekapcsol; összefüggésbe hoz; kapcsol *[telefonon];* csatlakoztat

connection összekötés; összefüggés, kapcsolat; csatlakozás *[pl. vonaté]; elektr* érintkezés

connotation *nyelv* mellékjelentés, felhang

conquer meghódít, leigáz, legyőz

conqueror hódító

conquest (meg)hódítás, leigázás, győzelem

conscience lelkiismeret

conscientious lelkiismeretes

conscious tudatos; eszméleténél levő; (*of sg*) tudatában levő (vminek)

consciousness tudatosság; öntudat, eszmélet; tudat

conscript ▼ *fn* újonc ▼ *ige* besoroz

conscription sorozás; kötelező katonai szolgálat

consecrate (fel-/meg)szentel

consecutive egymást követő

consensus (köz)megegyezés

consent ▼ *fn* hozzájárulás, beleegyezés ▼ *ige (to sg)* hozzájárul (vmihez)

consequence következmény

consequently következésképpen

conservation megőrzés, fenntartás; környezetvédelem

conservative ▼ *mn* konzervatív ▼ *fn* konzervatív

conservatory üvegház; konzervatórium

conserve ▼ *fn* befőtt ▼ *ige* tartósít; megőriz

consider átgondol, megfontol; tekintettel van (vmire); (vmilyennek) tart/gondol

considerable tekintélyes; figyelemre méltó; tetemes

considerate figyelmes

consideration megfontolás; szempont; figyelmesség

considering (*sg*) tekintettel (vmire)

consign rábíz; elküld *[árut]*

consignment (el)küldés;

küldemény; bizományi áru

consist (*in/of sg*) áll (vmiből)

consistency következetesség; állag

consistent következetes

consolation vigasz

console[1] *fn* tartópillér; vezérlőpult

console[2] *ige* vigasztal

consolidate megszilárdít; megszilárdul

consonant ▼ *mn* összhangban levő ▼ *fn* mássalhangzó

consortium *gazd* konzorcium

conspicuous (tisztán) látható, feltűnő, szembetűnő

conspiracy összeesküvés

conspirator összeesküvő

conspire konspirál

constable rendőr

constant ▼ *mn* állandó, folytonos; állhatatos ▼ *fn* állandó

constellation csillagok állása; csillagzat

constipation székrekedés

constituency választókerület; választótestület

constituent ▼ *mn* alkotó ▼ *fn* alkotórész; választópolgár

constitution alkotmány; alapszabály; alkat

constitutional alkotmányos; alkati

constrain kényszerít; korlátoz

constraint kényszer(ítés); korlát(ozás); *nyelv* megszorítás

constrict (össze)szorít, (le)szűkít

construct ▼ *fn* fogalom ▼ *ige* (fel)épít; szerkeszt

construction szerkezet; felépítés; értelmezés

constructive épító, konstruktív

consul konzul

consulate konzulátus

consult tanácsot/felvilágosítást kér; utánanéz (vmiben); *(with sy)* tanácskozik/értekezik (vkivel)

consultant szakértő, szaktanácsadó; szakorvos

consultation konzultáció; szaktanácskozás

consume (el)fogyaszt *[pl. ételt]*, felhasznál; elpusztít, elemészt

consumer fogyasztó

consumption fogyasztás, felhasználás

contact ▼ *fn* érintkezés, kapcsolat; ismeretség ▼ *ige* érintkezésbe/kapcsolatba lép (vkivel)

contagious ragályos

contain tartalmaz, magában foglal

container tartály

contaminate (be)szennyez

contamination szennyez(őd)és

contemplate (meg)szemlél, szemlélődik; fontolgat

contemporary ▼ *mn* kortárs; jelenkori ▼ *fn* kortárs

contempt lenézés

contemptible megvetendő

contemptuous megvető

contend versenyez; állít (vmit)

contender versenyző

content¹ ▼ *mn* (meg)elégedett ▼ *fn* elégedettség ▼ *ige* kielégít

content² *fn* tartalom *[pl. könyvé]*

contented (meg)elégedett

contest ▼ *fn* verseny; küzdelem ▼ *ige* verseng, küzd (vmiért); vitat(kozik)

contestant versenyző

context szövegösszefüggés

continent kontinens, világrész; **the C~** «Európa Nagy-Britannia nélkül»

continental szárazföldi;

európai; **~ breakfast** kávé sütemény vaj dzsem

contingency eshetőség

continual folytonos

continuation folytat(ód)ás; meghosszabbítás

continue folytat; folytatódik

continuity folytonosság

continuous folyamatos

contour körvonal

contraband csempészáru, csempészés

contraceptive fogamzásgátló

contract ▼ *fn* szerződés, megegyezés ▼ *ige* szerződik, szerződést köt; összehúz(ódik); összevon *[pl. szavakat]*

contraction összehúz(ód)ás, összevonás

contractor vállalkozó

contradict ellentmond

contradiction ellentmondás

contradictory ellentmondó

contrary ▼ *mn* ellentétes ▼ *fn* az ördög ügyvédje; **on the ~** épp ellenkezőleg

contrast ▼ *fn* ellentét(esség) ▼ *ige* szembeállít; szemben/ellentétben áll; különbözik (vmitől)

contribute hozzájárul

contribution hozzájárulás

contributor munkatárs

control ▼ *fn* hatalom, uralom; felügyelet; kormányzás *[járműé]*; vezérlőberendezés; *inform* vezérlőpult; **~ panel** kapcsolótábla; **~ tower** irányítótorony *[repülőtéren]* ▼ *ige* irányít, vezérel; megfékez; ellenőriz

controller irányító

controversial vitás, ellentmondásos

controversy vita

convalesce lábadozik

convene egybehív; gyülekezik

convenience kényelem; illemhely

convenient kényelmes; könnyen hozzáférhető

convent kolostor

convention egyezmény, megállapodás; szokások

conventional hagyományos, konvencionális

conversation beszélgetés

conversational társalgási, hétköznapi

converse¹ ▼ *mn* ellentétes; fordított ▼ *fn* ellentét

converse² *ige* társalog

conversely viszont

conversion átalakulás, átalakítás; konverzió, konvertálás; *vall* megtér(ít)és

convert ▼ *fn* megtért *[ember]* ▼ *ige* (*sg to sg*) átváltoztat, átalakít (vmit vmivé); (*sg to sg*) átvált *[pénzt]* (vmit vmire); *vall* megtérít

convertible ▼ *mn* átalakítható; konvertibilis ▼ *fn* kabriolet

convey szállít; közvetít

convict ▼ *fn* fegyenc, elítélt ▼ *ige* elítél

conviction elítélés, büntető ítélet; meggyőz(őd)és

convince (*sy of sg*) meggyőz (vkit vmiről)

convincing meggyőző

convoy konvoj, karaván *[védőkísérettel ellátott járműveké]*

convulsion rángatózás

cook ▼ *fn* szakács(nő) ▼ *ige* (meg)főz; fő

cooker tűzhely

cookery szakácsművészet; ~ **book** szakácskönyv

cookie *US* aprósütemény

cool ▼ *mn* hűvös, hideg; nyugodt; barátságtalan; *biz* szuper, menő ▼ *fn*

hűvösség; nyugalom ▼ *ige* (le)hűt; (le)hűl

coolness hűvösség; nyugalom

co-operate együttműködik

co-operation együttműködés

co-operative ▼ *mn* együttműködésre kész ▼ *fn* szövetkezet

co-ordinate ▼ *fn* koordináta ▼ *ige* koordinál, összehangol

co-ordination koordinálás; koordináció

cop ▼ *fn biz* zsaru ▼ *ige* elkap

cope (*with sg*) megbirkózik (vmivel)

copper vörösréz

copy ▼ *fn* másolat; utánzat; példány ▼ *ige* (le)másol; utánoz

copyright szerzői jog

coral korall

cord kötél; zsinór, vezeték; *zene* húr; **vocal** ~ hangszál

cordial szívélyes

cordless (phone) vezeték nélküli (telefon)

cordon kordon

corduroy kordbársony

core ▼ *fn* mag(ház) *[pl. almáé];* (vmi) lényege ▼ *ige* kimagoz

cork parafa(dugó)

corkscrew dugóhúzó

corn gabona(szem); búza; tyúkszem; *US* kukorica

cornea szaruhártya

corner ▼ *fn* sarok ▼ *ige* sarokba szorít

cornerstone sarokpillér; alapkő; sarkalatos pont

cornet fagylalttölcsér; *zene* kornett

coronary ▼ *mn* szívkoszorúér- ▼ *fn* szívkoszorúér-trombózis

coronation (meg)koronázás

corporal[1] *mn* testi

corporal[2] *fn* káplár

corporate ▼ *mn* vállalati; testületi ▼ *fn* nagyvállalat

corporation vállalat; testület

corpse holttest

correct ▼ *mn* hibátlan, helyes ▼ *ige* (ki)javít; helyesbít

correction (ki)javítás; büntetés

correlate összefüggésbe hoz

correspond (*to sg*) megfelel (vminek), (*with sg*) összhangban van (vmivel); (*with sy*) levelez (vkivel)

correspondence kapcsolat, megfelelés; levelezés

correspondent ▼ *mn* megfelelő ▼ *fn* tudósító

corridor folyosó

corrode rozsdásodik

corrosion rozsdásodás, korrózió

corrupt ▼ *mn* megvesztegethető, korrupt; *átv* romlott ▼ *ige* megveszteget; *átv* elront corruption (meg)vesztegetés, korrupció; *átv* romlottság, romlás

cosmetic ▼ *mn* kozmetikai ▼ *fn* kozmetikum

cosmetician kozmetikus

cosmic kozmikus

cosmopolitan ▼ *mn* világpolgári; kozmopolita ▼ *fn* világpolgár, kozmopolita

cost ▼ *fn* ár, költség; kiadások ▼ *ige* (cost, cost) kerül (vmibe)

cost-effective gazdaságos

costly költséges, drága, értékes

costume viselet; öltözet; jelmez

cosy lakályos

cot gyermekágy, rácsos ágy

cottage falusi ház; nyaraló

cotton gyapot; pamutvászon; vatta

couch ▼ *fn* kanapé ▼ *ige* megfogalmaz

cough ▼ *fn* köhögés ▼ *ige* köhög

could tudott (vmit) tenni; *[feltételes képesség]* tudna, -hatna, -hetne; → can

council tanács; tanácskozás

councillor tanácsos

counsel ▼ *fn* tanács(adás); tanácskozás; szándék; ügyvéd ▼ *ige* javasol; tanácsot ad

counsellor tanácsadó; nevelőtanár *[nyári táborban]*; *US* ügyvéd

count[1] ▼ *fn* számolás; vádpont ▼ *ige* (meg)számol; számít; (*on sy*) számít (vkire/vmire)

count[2] *fn* gróf *[nem angol]*

countdown visszaszámlálás

counter[1] ▼ *mn* ellenkező, ellentétes ▼ *hsz* ellentétesen ▼ *ige* ellenáll

counter[2] *fn* pult; pénztár(ablak); számláló-(készülék)

counteract semlegesít

counterattack ▼ *fn* ellentámadás ▼ *ige* ellentámadást indít

counterbalance ▼ *fn* ellensúly ▼ *ige* ellensúlyoz

counter-clockwise az óramutató járásával ellentétes irányba(n)

counterfeit ▼ *mn* utánzott, hamis ▼ *fn* utánzat ▼ *ige* utánoz; hamisít; tettet

counterpart (vminek) a párja/megfelelője; hasonmás

countess grófnő

countless számtalan

country ország; vidék

countryman (*tsz* -men) vidéki ember; földi(je vkinek)

countryside vidék

county megye, grófság

coup merész lépés

couple ▼ *fn* pár; néhány ▼ *ige* (össze)párosít, összekapcsol; párosodik

coupon szelvény, kupon

courage bátorság

courageous bátor

courier futár; idegenvezető

course tanfolyam; (út)-irány; fogás [*étkezésnél*]; **of ~** természetesen

coursebook tankönyv

court ▼ *fn* bíróság; (sport)pálya; udvar; királyi udvar ▼ *ige* udvarol

courteous udvarias

courtesy udvariasság

court-martial hadbíróság

courtyard udvar

cousin unokatestvér

cover ▼ *fn* takaró; fedő; fedél; fedezék ▼ *ige* (be)fed; magában foglal; tudósít; leplez; *gazd* fedez (vmit)

coverage tudósítás; *gazd* fedezet

covert titkolt

cow *fn* tehén; nőstény állat

coward gyáva

cowardice gyávaság

cowardly gyáva

cowboy cowboy, marhapásztor

coy félénk, hallgatag

crab (tengeri) rák; **C~** Rák *[csillagkép]*

crack ▼ *fn* recsegés; rés, repedés; kokain ▼ *ige* (meg)reped(ezik); (fel)tör *[pl. mogyorót];* megfejt, feltör *[pl. kódot];* *átv* megtörik; ~ **a joke** viccet mond

cracker diótörő; *inform* számítógépes kalóz; *US* sós keksz

crackle serceg

cradle bölcső

craft ügyeskedés; (kézműves) mesterség; vízi jármű(vek), repülőgép

craftsman (*tsz* -men) kézműves

crafty ravasz

crag kőszirt

cram (tele)töm

cramp (izom)görcs

cramped zsúfolt

cranberry áfonya

crane ▼ *fn* *áll is* daru ▼ *ige* daruval emel; kinyújt

crash ▼ *fn* csattanás; baleset; katasztrófa; *inform* (rendszer)összeomlás; ~ **course** intenzív tanfolyam; ~ **helmet** bukósisak ▼ *ige* darabokra tör, összetör; tönkremegy *[cég];* karambolozik; lezuhan *[repülőgép];* *inform* összeomlik *[gép v. rendszer]*

crate ▼ *fn* rekesz ▼ *ige* rekeszbe csomagol

crater kráter

crawl ▼ *fn* csúszás; lassú mozgás ▼ *ige* csúszik, négykézláb mászik; vánszorog

crayfish folyami rák

crayon ▼ *fn* kréta ▼ *ige* krétával rajzol

craze divat

crazy őrült; **be°** ~ (*about sy/sg*) őrülten odavan (vkiért/vmiért)

creak ▼ *fn* nyikorgás ▼ *ige* nyikorog

cream ▼ *mn* krémszínű ▼ *fn* tejszín; krém; (arc)krém; *átv* színe-java (vminek); ~ **cheese** krémsajt

creamy krémes

crease ▼ *fn* ránc ▼ *ige* ráncol *[homlokot];* (öszsze)gyűr; ráncosodik, (össze)gyűrődik

create teremt; előidéz

creation teremtés; teremtmény; alkotás

creative kreatív

creator teremtő

creature teremtmény; lény

credible (el)hihető; hitelt érdemlő

credit ▼ *fn* hitel; biza-

lom; érdem; kredit *[tanegység];* ~ **card** hitelkártya ▼ *ige* hitelt ad (vminek); jóváír

creditor hitelező

creed hit(vallás)

creek patak

creep (crept, crept) csúszik; (be)lopódzik

creepy hátborzongató

cremate elhamvaszt

cremation (el)hamvasztás

crematorium krematórium

crepe krepp; palacsinta

crept → **creep**

crescent hold első negyede; holdsarló

crest taréj *[kakasé];* hegygerinc; (vmi) teteje/java

crew¹ *fn* legénység, személyzet; csapat

crew² *ige* → **crow**

crib ▼ *fn* gyermekágy; *biz* puska *[vizsgán]* ▼ *ige* bezár; *biz* puskázik

cricket¹ tücsök
cricket² krikett
crime bűntett; bűn; bűnözés
criminal bűnöző
crimson ▼ *mn* karmazsinvörös ▼ *ige* elvörösödik
cripple ▼ *fn* nyomorék ▼ *ige* megnyomorít; tönkretesz
crises → crisis
crisis (*tsz* crises) válság; kritikus pillanat
crisp ▼ *mn* ropogós; friss ▼ *fn* burgonyaszirom, chips
criterion ismérv, kritérium
critic kritikus, bíráló
critical kritikus; kritikai; válságos
criticism (mű)bírálat, kritika; kritizálás
criticise kifogásol, kritizál
Croatia Horvátország
Croatian *mn, fn* horvát

crochet ▼ *fn* horgolás ▼ *ige* horgol
crockery fazekasáru
crocodile krokodil
crook ▼ *fn* kampó; hajlás; szélhámos ▼ *ige* (be)hajlít; (be)hajlik
crooked hajlott, görbe
crop ▼ *fn* termény ▼ *ige* (le)vág, begyűjt *[termést]*; termést hoz
cross ▼ *mn* ellenséges, haragos ▼ *fn* kereszt; feszület ▼ *ige* átmegy, átkel, átlép; keresztbe tesz/rak; keresztez *[pl. utat]*
cross-country terepfutás
cross-examine (*sy*) keresztkérdéseket tesz fel (vkinek)
cross-eye kancsalság
crossfire kereszttűz
crossing átkelés *[pl. folyón]*; útkereszteződés; (kijelölt) gyalogátkelőhely; fajkeresztezés
cross-reference kereszt-

hivatkozás, *[könyvben]* utalás

crossword (puzzle) keresztrejtvény

crouch ▼ *fn* összekuporodás ▼ *ige* összekuporodik

crow ▼ *fn* varjú; kukorékolás ▼ *ige* (crowed/crew, crowed) kukorékol

crowd ▼ *fn* tömeg ▼ *ige* bezsúfol(ódik)

crowded zsúfolt

crown ▼ *fn* korona ▼ *ige* (meg)koronáz

crucial döntő

crucifix feszület

crucifixion keresztre feszítés

crucify keresztre feszít

crude ▼ *mn* nyers ▼ *fn* nyersolaj

cruel kegyetlen

cruelty (*to/towards sy*) kegyetlenség (vkivel szemben)

cruise ▼ *fn* (tengeri) hajóút ▼ *ige* tengeri körutat tesz; (egyenletesen) repül, halad *[repülőgép]*

cruiser cirkáló *[hajó]*

crumb ▼ *fn* morzsa ▼ *ige* morzsál; paníroz

crumble (el)morzsolódik *[pl. kenyér]*

crumbly omladozó

crumple ▼ *fn* gyűrődés ▼ *ige* összegyűr

crunch ▼ *fn* ropog(tat)ás; döntő helyzet ▼ *ige* ropogtat, ropog

crunchy ropogós

crusade ▼ *fn* keresztes hadjárat; *átv* hadjárat ▼ *ige* (*against sg*) küzd (vmi ellen)

crush ▼ *fn* összenyom(ód)ás; gyümölcslé; **have° a ~** (*on sy*) szerelmes (vkibe) ▼ *ige* összetör; *átv* megsemmisít; *[tömegben]* öszszepréselődik

crushing lesújtó

crust kenyérhéj

crutch mankó

crux lényeg

cry ▼ *fn* sírás; kiáltás, kiabálás ▼ *ige* sír, zokog; kiált, kiabál

crypt sírbolt

crystal kristály

cub (állat)kölyök; fiatalember; kiscserkész

Cuba Kuba

Cuban *mn, fn* kubai

cube kocka; köb

cubic köb-

cubicle (háló)fülke; öltöző

cuckoo kakukk

cucumber uborka

cuddle ▼ *fn* ölel(kez)és ▼ *ige* átölel; ölelkezik

cuff kézelő, mandzsetta; *biz* bilincs; *US* hajtóka

cuisine konyha(művészet)

culminate *átv* tetőz

culprit bűnös

cult (vallásos) tisztelet; kultusz

cultivate megművel *[földet]*; művel *[tudományágat]*; ápol *[barátságot]*

cultivation (meg)művelés *[földé]*

cultural művelődési, kulturális

culture művelődés; műveltség; kultúra

cumbersome ormótlan, nehézkes

cumulative halmozott

cunning ravasz, fortélyos

cup csésze; serleg, kupa; bajnokság

cupboard beépített szekrény

curable gyógyítható

curator múzeumigazgató

curb ▼ *fn* zabla; *átv* fék; *US* járdaszegély ▼ *ige* megfékez, megnyirbál

cure ▼ *fn* gyógyítás; gyógyulás; gyógyír, gyógymód ▼ *ige* (meg)gyógyít

curfew kijárási tilalom

curiosity kíváncsiság; érdekesség; ritkaság

curious kíváncsi; furcsa

curl ▼ *fn* (haj)fürt ▼ *ige* göndörít; göndörödik

curler (haj)sütővas, hajcsavaró

curly göndör *[haj]*

currant ribizli

currency pénznem; (pénz)forgalom

current ▼ *mn* mostani; forgalomban levő *[pl. pénz]* ▼ *fn* ár(amlat); (elektromos) áram

currently jelenleg

curriculum tanterv, tananyag

curry curry(mártás)

curse ▼ *fn* átok; káromkodás ▼ *ige* (cursed/ curst, cursed/curst) (meg)átkoz; káromkodik

cursor *inform* kurzor

curst → **curse**

curtail megkurtít

curtain ▼ *fn* függöny ▼ *ige* befüggönyöz

curve ▼ *fn* görbe; kanyar

▼ *ige* görbít; görbül; kanyarodik

cushion ▼ *fn* (dísz)párna ▼ *ige* kipárnáz

custard (tej)sodó

custody őrizet(be vétel)

custom (nép)szokás, hagyomány

customary szokásos

customer vevő, vásárló, fogyasztó

custom-made mértékre/rendelésre készült

customs *esz* vám; vámvizsgálat; vámhivatal

cut ▼ *mn* (le)vágott, metszett; leszállított *[ár]* ▼ *fn* (ki)vágás; csökkentés; szabás *[ruháé]*, vágás *[hajé]* ▼ *ige* (cut, cut) (el/meg)vág; csökkent; *[hajat]* levág; *[ruhát]* (ki)szab; *inform* kivág *[vágólapra]*

cute aranyos

cutlery evőeszközök

cutlet hússzelet, krokett

cutting ▼ *mn* éles, *átv*

csípős ▼ *fn* (le/ki)vágás;
(ki)szabás; csökkentés
cycle ▼ *fn* körforgás; cik-
lus; kerékpár ▼ *ige* ke-
rékpározik
cycling kerékpározás
cyclist kerékpáros
cygnet hattyúfióka
cylinder henger

cynic cinikus ember
cynical cinikus
cynicism cinizmus, cini-
kus megjegyzés
Cyprus Ciprus (szigete)
Czech ▼ *mn* cseh; C~
Republic Csehország,
Cseh Köztársaság ▼ *fn*
cseh *[ember, nyelv]*

D

dab (lágyan) megnyom, (kendővel) letörölget

dabble (at/in sg) belekontárkodik (vmibe), belekóstol (vmibe), kipróbál (vmit), kipróbálja magát (vmiben)

dachshund tacskó *[kutyafajta]*

dad *biz* apu

daddy *biz* apuci

daffodil nárcisz

daft (nagyon) buta, együgyű

dagger tőr

daily ▼ *mn* napi; ~ **paper** napilap ▼ *hsz* naponta

dairy tejüzem; ~ **product** tejtermék

daisy százszorszép

dam gát *[folyón]*

damage ▼ *fn* kár; ~**s** *tsz, jog* kártérítés(i összeg) ▼ *ige (sg)* kárt tesz (vmiben), tönkretesz (vmit)

damaging romboló, káros

damp ▼ *mn* nedves ▼ *ige* benedvesít

dance ▼ *fn* tánc ▼ *ige* táncol

dancer táncos(nő)

dandruff korpa *[fejbőrön]*

Dane dán *[ember];* (**Great**) ~ (dán) dog

danger veszély

dangerous veszélyes

dangle lógat; lóg, fityeg

Danish ▼ *mn* dán ▼ *fn* dán *[nyelv]*

dare mer(észel) *[megtenni vmit]*

daring merész; bátor, vakmerő

dark ▼ *mn* sötét ▼ *fn* sötétség

darken elsötétít, elsötétül

darkness sötétség

darling kedvesem

dart dobónyíl

dartboard céltábla *[dobónyilas játékhoz]*

darts *esz* darts, célbadobó játék

dash ▼ *fn* gondolatjel; **make°** a ~ (*for sy/sg*) odarohan (vkihez/vmihez); a ~ (*of sg*) csipetnyi, gondolatnyi (vmiből) ▼ *ige* szétzúz; rohan (vhová)

dashboard *gépk* műszerfal

data *esz/tsz inform* adat(ok); ~ **processing** adatfeldolgozás

database *inform* adatbázis

date¹ *fn* datolya

date² ▼ *fn* dátum; *biz* randi ▼ *ige* keltez; *biz* (*sy*) randizik (vkivel), jár (vkivel)

daughter vki lánya

daughter-in-law (*tsz* daughters-in-law) meny

dawn ▼ *fn* hajnal ▼ *ige* it ~ed on me that ... rájöttem, derengeni kezdett nekem

day nap *[24 óra];* nappal

daydream (daydreamt/ daydreamed, daydreamt/ daydreamed) álmodozik, mereng

daydreamt → **daydream**

daylight nappal(i fény)

day-to-day mindennapi, mindennapos *[munka, feladat]*

daze elkábít; *biz* elképeszt, meghökkent, öszszezavar

dazzle ▼ *fn* vakító fény, káprázat ▼ *ige* elvakít *[fény]*

dead ▼ *mn* halott ▼ *fn* the ~ a holtak ▼ *hsz*

holtan; ~ **or alive** élve
vagy halva

deadline határidő

deadly katasztrofális,
borzasztó

deaf süket

deafness süketség

deal ▼ *fn gazd* megegye-
zés, alku; **a great** ~ (*of
sg*) sok (vmi) ▼ *ige*
(dealt, dealt) (*with sg*)
foglalkozik (vmivel);
ját kioszt *[kártyát]*

dealer kereskedő

dealt → **deal**

dean dékán

dear ▼ *mn* kedves, drá-
ga; *átv* értékes; ~ **Bill**,
Kedves Bill! *[levélben]*
▼ *fn* my ~ aranyom

death halál; ~ **penalty**
halálbüntetés

debatable vitatható

debate ▼ *fn* vita ▼ *ige*
(meg)vitat

debit *gazd* ▼ *fn* terhelés
[bankszámlán] ▼ *ige* meg-
terhel *[bankszámlát]*

debris törmelék

debt adósság

debtor adós

decade évtized

decay ▼ *fn* rothadás; ha-
nyatlás ▼ *ige* romlik
[fog]; hanyatlik; (el)-
bomlik

deceased elhunyt

deceit csalás, becsapás

deceive megcsal; becsap

December december

decent rendes, *[a szo-
kásoknak/elvárásoknak]*
megfelelő

deception becsapás, át-
verés

deceptive csalóka, meg-
tévesztő

decide (*sg*) (el)dönt; (*to
do sg*) elhatároz (vmit);
döntést hoz, határoz

decimal *mat* tizedes, tí-
zes; ~ **point** tizedes-
vessző

decipher megfejt *[kó-
dot]*, kisilabizál *[nehe-
zen olvasható szöveget]*

decision döntés, határozat, elhatározás

decisive döntő, meggyőző

deck *hajó* fedélzet

deckchair kempingszék

declaration nyilatkozat

declare kijelent; (*sg sg*) (vminek) nyilvánít (vmit); bevall *[vámnál]*; ~ **war** (*on sy*) hadat üzen (vkinek)

decline ▼ *fn* hanyatlás ▼ *ige* hanyatlik; ~ **to do** (*sg*) nem hajlandó (vmit) megtenni

decode *inform* dekódol

decompose lebont, elbomlaszt; lebomlik; megrohad

decorate (fel)díszít *[pl. karácsonyfát]*; (ki)fest/ tapétáz *[lakást]*

decoration díszítés; szobafestés

decorative dekoratív, díszítő

decorator festő-mázoló

decrease ▼ *fn* csökkenés ▼ *ige* csökkent; csökken

decree ▼ *fn* rendelet ▼ *ige* elrendel

dedicate (*sg to sy*) (vkinek) ajánl *[pl. könyvet]*; ~ **oneself** (*to sy/sg*) (vkinek/vminek) szenteli magát

dedication ajánlás; elkötelezettség, odaadás

deduce kikövetkeztet

deduct *mat* kivon

deduction következtetés; *mat* kivonás

deed tett

deep ▼ *mn* mély ▼ *hsz* mélyen

deepen mélyít; *átv* elmélyít; *átv is* mélyül

deep-freeze ▼ *fn* mélyhűtő; mélyhűtés ▼ *ige* (deep-froze, deep-frozen) mélyhűt

deep-froze → **deepfreeze**

deep-frozen → **deepfreeze**

deep-rooted mélyen gyökerező

deer szarvas

default *jog* hiba, mulasztás; *inform* alapértelmezés; **by ~** alapértelmezés szerint

defeat ▼ *fn* vereség ▼ *ige* legyőz

defect ▼ *fn* hiba, hiányosság ▼ *ige* átáll/átszökik *[az ellenséghez]*

defective hibás, hiányos

defence védelem

defenceless védtelen

defend megvéd

defendant *jog* alperes, védenc; vádlott

defender védő; *sp* hátvéd

defensive védekező

defer elhalaszt

defiance dac

deficiency hiány; hiányosság

deficient hiányos

deficit (költségvetési) hiány, deficit

define meghatároz, definiál

definite biztos

definitely biztosan; határozottan *[vmilyen]*

definition definíció, meghatározás

defrost kiolvaszt *[mélyhűtött ételt]*

defuse *átv* felold *[feszültséget]*; *kat* hatástalanít *[bombát]*

defy dacol, szembeszáll

degenerate ▼ *mn* elkorcsosult, degenerált ▼ *ige* elkorcsosít; elkorcsosul

degrade megaláz (vkit), tönkretesz *[környezetet]*; lebomlik *[anyag]*

degree fok; diploma; mérték; **to a ~** vmilyen mértékig

delay ▼ *fn* késés, késlekedés ▼ *ige* elhalaszt, késleltet; feltart; késlekedik

delegate ▼ *fn* küldött ▼ *ige* (*sy*) delegál (vkit)

delete *inform* (ki)töröl

deliberate szándékos

deliberately szándékosan

delicacy ínyencség

delicate finom; kényes, érzékeny *[helyzet, ügy]*

delicatessen csemegeüzlet

delicious isteni finom, felséges *[étel]*

delight ▼ *fn* öröm, gyönyörűség ▼ *ige* örömöt szerez, gyönyörködtet

delightful kellemes, elbűvölő

deliver kézbesít, házhoz szállít; szülést levezet; szül; mond *[beszédet]*, *jog* hoz *[ítéletet]*

delivery kézbesítés, házhozszállítás; szülés

delude félrevezet; ~ **oneself** áltatja magát

delusion tévhit; ámítás, becsapás, félrevezetés

de luxe luxus

demand ▼ *fn* követelés; *gazd* kereslet ▼ *ige* (meg)követel, (meg)kíván

demanding igényes, sok odafigyelést/időt igénylő

demented őrült, eszement

demo *inform* bemutató/demó verzió

democracy demokrácia

democrat demokrata

democratic demokratikus

demolish lerombol

demolition (le)bontás

demon démon

demonstrate elmagyaráz, bemutat; tüntet, demonstrál

demonstration tüntetés

demonstrator tüntető

demoralise demoralizál, elveszi vki önbizalmát/tartását

demote lejjebb sorol; *kat* lefokoz

den barlang; *biz* bűnbarlang

denationalise *gazd* privatizál

denial megtagadás(a vminek vkitől); tagadás

denim farmeranyag

Denmark Dánia

denounce elítél(i vki cselekedetét)

dense sűrű *[pl. erdő];* sötét *[agyú]*

density sűrűség

dent ▼ *fn* horpadás ▼ *ige* behorpaszt

dental fog(gal kapcsolatos)

dentist fogorvos

dentistry fogászat

deny (le)tagad; megtagad

deodorant dezodor

depart elindul; meghal

department osztály; *okt* tanszék; ~ **store** áruház

departure (el)indulás (vhonnan)

depend (*on sy/sg*) függ (vkitől/vmitől); **it** ~**s** (az) attól függ!

dependable megbízható

dependant eltartott

dependent függő

depict ábrázol

depopulate elnéptelenít; elnéptelenedik

deport kiutasít, száműz; kitoloncol, deportál

deportation kitoloncolás, deportálás

depose hivatalától megfoszt, elmozdít

deposit ▼ *fn* letét; előleg ▼ *ige gazd* letétbe helyez

depot raktár

depreciate leértékel; veszít az értékéből

depressed szomorú, levert; depressziós; *gazd* nyomott *[ár, piac]*

depression fásultság, kedvetlenség; depresszió; (gazdasági) válság

deprivation megfosztás(a vkinek vmitől)

deprive (*sy of sg*) megfoszt (vkit vmitől)

depth mélység
deputy helyettes
derail kisiklat; kisiklik
derive (*sg from sg*) származtat (vmit vmiből); (*sg from sg*) nyer (vmit vmiből); származik
derogatory elítélő, rosszszalló *[megjegyzés]*
descend lemegy; (le)ereszkedik
descendant utód, leszármazott
descent lemászás *[hegyről]*; süllyedés *[repülőgépé]*; származás
describe leír
description leírás, leíró rész *[regényben]*; személyleírás
desecrate meggyaláz, megszentségtelenít
desert[1] ▼ *mn* sivatagi; lakatlan; ~ **island** lakatlan sziget ▼ *fn* sivatag
desert[2] *ige* elhagy *[házastársat, családot]*; *kat* de-

zertál, megszökik *[hadseregből]*
deserter katonaszökevény
deserve megérdemel
design ▼ *fn [esztétikai]* tervezés, dizájn ▼ *ige* (meg)tervez *[esztétikailag]*
designate (*sy for sg*) kijelöl (vkit vmire)
designer *[esztétikai]* tervező
desirable kívánatos
desire ▼ *fn* vágy; kívánság ▼ *ige* vágyik (vmire); ~ **to do** (*sg*) kíván/szeretne megtenni (vmit)
desk íróasztal
desolate elhagyatott
despair ▼ *fn* bánat, reményvesztettség, kétségbeesés ▼ *ige* szomorkodik, kétségbeesik
desperate reményvesztett; kétségbeesett *[em-

ber, tett]; (mindenre) elszánt

despise lenéz

despite vmi ellenére

dessert desszert, édesség *[étkezés végén]*

destination célállomás

destiny végzet

destroy lerombol, tönkretesz; megsemmisít, elpusztít

destruction rombolás, pusztítás; pusztulás

destructive romboló, káros, pusztító; destruktív *[magatartás]*

detach leválaszt, letép

detached house különálló ház, családi ház

detail részlet

detain fogságban/letartóztatásban tart

detect felfedez; észlel

detection felfedezés; érzékelés

detective nyomozó, detektív; ~ **story** krimi, bűnügyi regény

detector érzékelő, detektor

detention fogvatartás

deter *(sy from sg)* elrettent (vkit vmitől)

detergent mosószer

deteriorate romlik *[helyzet]*

determination (szilárd) elhatározás; határozottság

determine meghatároz, megállapít; elhatároz, eldönt

deterrent ▼ *mn* elrettentő ▼ *fn* elrettentő példa/eszköz

detest utál, gyűlöl

detonate felrobbant; (fel)robban

detour kerülőút

detrimental káros, ártalmas

devaluate *gazd* leértékel

devalue *gazd* leértékel

devastate lerombol, (nagy) pusztítást okoz; (nagyon) megráz, lesújt (vkit vmi)

develop fejleszt; (ki)fejlődik; *fényk* előhív

development fejlesztés; fejlemény *[eseményeké]*; fejlődés; *fényk* előhívás

deviate eltér

deviation eltérés

device eszköz; robbanószerkezet; készülék

devil ördög

devious agyafúrt, trükkös

devise kigondol, kitalál, megtervez

devoid (*of sg*) vmit nélkülöző, vmi híján lévő

devote (*sg to sg*) szentel (vmit vminek)

devoted (*to sg*) odaadó, hű

devotion odaadás

devour felfal, lenyel, bekap

dew harmat

diabetes cukorbetegség

diabetic cukorbeteg

diabolic(al) ördögi

diagnose diagnosztizál

diagnosis diagnózis

diagonal ▼ *mn* átlós ▼ *fn mat* átló

diagram vázlat(os rajz), diagram

dial ▼ *fn* számlap *[órán, műszeren]*; tárcsa *[tárcsás telefonon]* ▼ *ige* tárcsáz *[telefonon]*

dialect nyelvjárás, dialektus

dialling code körzetszám

dialogue dialógus *[filmben, regényben]*; *pol* párbeszéd

diameter átmérő

diamond gyémánt; rombusz; *ját* káró *[kártyában]*

diaper *US* pelenka

diarrhoea hasmenés

diary napló, határidőnapló

dice ▼ *fn esz/tsz* dobókocka ▼ *ige* kockára vág *[főzéshez]*

dictate diktál

dictation tollbamondás
dictator diktátor
dictatorship diktatúra
dictionary szótár
did → do
die meghal
diesel dízelolaj; dízelüzemű jármű
diet étrend, diéta
dietary étrendi
differ *(from sg)* különbözik (vmitől)
difference különbség; nézetkülönbség
different más(milyen), különböző; (több) különféle
differentiate megkülönböztet
difficult *átv* nehéz
difficulty nehézség
dig (dug, dug) ás
digest *átv is* (meg)emészt
digestion emésztés
digital digitális
dignified méltóságteljes
dignity méltóság

digress eltér *[a tárgytól]*
dilemma dilemma
diligent szorgalmas, alapos
dim homályos
dime *US* tízcentes *[pénzérme]*
dimension dimenzió; méret(ei vminek)
diminish csökkent, csökken
dimple gödröcske *[arcon, állon]*
dine étkezik
diner étkezőkocsi *[vonaton]*
dinghy *[kis]* csónak
dining; **~ room** ebédlő *[helyiség];* **~ car** *US* étkezőkocsi *[vonaton]*
dinner vacsora
dinosaur dinoszaurusz
dip ▼ *fn* megmártózás *[vízben]; gaszt* mártás ▼ *ige* bemárt
diploma diploma; oklevél, tanúsítvány *[tanfolyam elvégzéséről]*

diplomacy diplomácia

diplomat diplomata

diplomatic diplomáciai; diplomatikus

direct ▼ *mn* közvetlen, egyenes ▼ *ige* vezet, irányít; rendez *[filmet, színdarabot]*

direction irány; irányítás

director igazgató; rendező *[filmé, színdarabé]*

directory telefonkönyv; *inform* könyvtár, mappa

dirt kosz, mocsok; ürülék; **dog** ~ kutyakaki

dirty koszos, mocskos

disabled mozgássérült, rokkant; **mentally** ~ szellemileg sérült

disadvantage hátrány

disagree nem ért egyet, ellenkező véleményen van

disagreeable kellemetlen

disagreement nézetkülönbség; egyetértés hiánya, egyet nem értés

disallow nem enged(élyez); **sg is** ~**ed** nem szabad vmit tenni

disappear eltűnik

disappoint (*sy*) csalódást okoz (vkinek)

disappointed csalódott

disappointing elszomorító, csalódást keltő

disappointment csalódás

disapproval rosszallás

disapprove (*of sg*) helytelenít (vmit), nem ért egyet (vmivel)

disarm lefegyverez

disarmament leszerelés

disaster katasztrófa

disastrous katasztrofális

disbelieve kételkedik (vmiben), nem hisz el (vmit)

discard eldob; *tud* elvet

discharge ▼ *fn* kibocsátás *[anyagé, sugárzásé]*; elbocsátás *[kórházból]*; megfizetés *[adósságé]*; *jog* szabadlábra helyezés ▼ *ige* kibocsát *[anyagot, sugárzást];* szabadlábra helyez; hazaenged *[kórházból];* kifizet *[adósságot]*

disci→**discus**

discipline fegyelem

disclose felfed, közzétesz

disclosure felfedés, közzététel

disco diszkó

discomfort kényelmetlenség; kellemetlen érzés

disconnect kihúz *[csatlakozóból];* bont *[telefonvonalat]*

discontent elégedetlenség

discontinue *(sg)* megszakít/abbahagy (vmit), felhagy (vmivel); megszűnik

discount árengedmény

discourage *(sy from doing sg)* lebeszél (vkit vmiről), kedvét szegi (vkinek)

discover felfedez

discovery felfedezés

discreet diszkrét, tapintatos

discriminate (hátrányosan) megkülönböztet, különbséget tesz *[egyenjogúak között]*

discrimination (hátrányos) megkülönböztetés

discus *(tsz* discuses v. disci) diszkosz; **(throwing) the** ~ diszkoszvetés; ~ **thrower** diszkoszvető

discuss megbeszél, megvitat

discussion megbeszélés, vita

disdain ▼ *fn* megvetés ▼ *ige* megvet

disease betegség

disfigure elcsúfít

disgrace szégyen

disgraceful szégyenteljes

disguise ▼ *fn* álruha ▼ *ige* álcáz, elleplez *[álruhával]*

disgust ▼ *fn* undor ▼ *ige* undort kelt, undorít

disgusting undorító

dish tál, edény, étel; *távk* parabolaantenna

dishonest becstelen, tisztességtelen

dishonour ▼ *fn* szégyen ▼ *ige* (*sy*) szégyent hoz (vkire); megszeg *[ígéretet]*

dishwasher mosogatógép

disillusion ▼ *fn* kiábrándulás ▼ *ige* kiábrándít

disinfect fertőtlenít

disinfectant fertőtlenítő

disintegrate szétbomlik

disinterested pártatlan

dislike ▼ *fn* ellenszenv, idegenkedés (vmitől) ▼ *ige* nem szeret, ki nem állhat

dislocate kificamít, kificamodik

dislocation ficam

disloyal illojális, hűtlen

dismal szomorú, nyo-

masztó; borzalmas(an rossz)

dismantle szétszed, szétszerel, tönkretesz

dismiss elbocsát *[munkahelyről];* elvet *[ötletet]*

disobedient engedetlen

disobey megszeg *[szabályt]*

disorder *orv* rendellenesség; **public** ~ zavargás

disorient tájékozódásban megzavar, félrevezet

disorientate tájékozódásban megzavar, félrevezet

disown kitagad *[családból]*

dispatch küld, telepít *[haderőt]*

dispenser (kiszolgáló) automata; **cash** ~ bankautomata

disperse szétoszlat *[tömeget];* szétosztlik *[tömeg]*

display ▼ *fn elektr* ~ (**unit**) kijelző, képernyő; **sg is on** ~ megtekinthető, látható *[kiállításon]* ▼ *ige* kiállít, kitesz *[látható helyre]*; kimutat *[érzelmet]*

disposable egyszer használatos, eldobható

disposal; be° at sy's ~ vki rendelkezésére áll

dispose (*of sg*) megszabadul (vmitől)

disprove (*sg*) bebizonyítja az ellenkezőjét, megcáfol *[sikeresen]*

dispute ▼ *fn* vita, veszekedés ▼ *ige* vitat (vmit) *[kételkedik vmiben]*

disqualify kizár *[versenyből]*, diszkvalifikál

disregard figyelmen kívül hagy

disrupt megzavar, felborít *[rendet]*

dissatisfaction elégedetlenség

dissatisfied elégedetlen

dissect felboncol *[holttestet]; átv* ízekre szed, alaposan kielemez

dissertation disszertáció, doktori értekezés

**disservice; do° ** ~ (*to sy/sg*) rossz szolgálatot tesz (vkinek/vminek) *[a remélttel ellenkező hatást ér el]*

dissimilar különböző

dissolve feloszlat *[társaságot]*, feloszlik *[társaság]*; elszáll, eloszlik *[feszültség]; vegy* felold, feloldódik

dissuade lebeszél

distance ▼ *fn* távolság; (a) messzeség ▼ *ige* ~ **oneself** elhatárolódik *[nézettől, személytől]*

distant távoli

distasteful ízléstelen

distil lepárol

distillery whiskygyár

distinct jól elkülönülő, különböző; tisztán kivehető, egyértelmű

distinction megkülönböztetés; kitüntetés, megtiszteltetés

distinctive (könnyen) felismerhető

distinguish megkülönböztet *[egymástól]*

distort eltorzít

distortion torzítás, torzulás

distract (*sy*) eltereli vki figyelmét

distress ▼ *fn* aggodalom, *[belső]* feszültség; bánat, szomorúság; szenvedés, kín ▼ *ige* lesújt *[rossz hír]*

distribute szétoszt

distribution szétosztás, terítés; eloszlás

distributor márkaképviselet

district kerület

distrust ▼ *fn* bizalmatlanság ▼ *ige* bizalmatlan (vkivel szemben)

disturb (meg)zavar; felkavar; **do not ~** ne zavarj

disturbance rendzavarás; *[kisebb]* zavargás

disturbed *pszich* zavart

ditch árok

dive ▼ *fn* merülés; *sp* műugrás ▼ *ige* (dived/ US dove, dived) fejest ugrik, alámerül

diver búvár; *sp* műugró

diverge eltér (egymástól), különböző irányba tart

diverse sokféle, változatos

diversion elterelés *[figyelemé, forgalomé]*

divert elterel *[figyelmet, forgalmat]*

divide feloszt; megoszt *[közösséget]*; *mat* oszt

dividend *gazd* osztalék

divine isteni

diving búvárkodás, *sp* műugrás; **~ board** *sp* ugródeszka

division felosztás *[részekre]*; részleg, osztály *[szervezeti egység]*; *mat* osztás; *kat* hadosztály

divorce ▼ *fn* válás ▼ *ige* (*sy*) elválik (vkitől)

dizzy; feel° ~ szédül

DJ *röv [disk jockey];* lemezlovas, DJ

do (did, done) tesz, csinál; végrehajt, megtesz; tanul *[tantárgyat vhol];* megfelel; ~ **a crossword** keresztrejtvényt fejt; **that'll** ~ ez jó lesz; **how are you** ~**ing?** hogy haladsz?; ~ **away** (*with sg*) eltöröl (vmit), megszabadul (vmitől); ~ **in** megöl, kinyír; ~ **up** kicsinosít, felspéciz; *[az egyszerű jelen és múlt idő segédigéje]* ~ **you speak English?** beszélsz/tudsz angolul?; **he did not like the film** nem tetszett neki a film

dock ▼ *fn* dokk; kikötő *[folyón]* ▼ *ige* dokkol

dockyard hajógyár

doctor orvos; doktor *[tudományos fokozat]*

document ▼ *fn* okmány, dokumentum ▼ *ige* dokumentál

documentary dokumentumfilm

documentation dokumentáció

dodge félreugrik; (*sg*) kikerül (vmit)

dog kutya

dog-eared szamárfüles

dogmatic dogmatikus

dole *biz* munkanélküli segély

doll játékbaba

dollar dollár

dolphin delfin

domain saját terület(e vkinek)

dome *épít* kupola

domestic házi; ~ **animal** háziállat

dominant uralkodó, domináns

dominate uralkodik, dominál

domino dominó

donation adomány

done → do

donkey szamár

donor ajándékozó; *orv* donor

doodle firkál

doomed kudarcra ítélt

door ajtó

doormat lábtörlő

doorstep küszöb

doorway kapualj

dope ▼ *fn sp* dopping-szer ▼ *ige sp* doppingol

dormant alvó, szunnyadó

dormitory hálóterem; *US* diákszálló

dosage adag(olás)

dose ▼ *fn* adag, dózis ▼ *ige* adagol

dot ▼ *fn* pont ▼ *ige* pontot tesz *[i-re];* kipontoz *[üres helyet]*

double ▼ *mn* kettős, dupla, kétágyas *[szállodai szoba];* ~ **bed** kétszemélyes/dupla ágy; ~ **glazing** dupla üveg(e-zés); ~ **bass** *zene* nagy-

bőgő ▼ *ige* megkettőz; *ját* kontrázik

doubly kétszeresen

doubt ▼ *fn* kétség ▼ *ige* (*sg*) kételkedik (vmiben)

doubtful bizonytalan, kétséges *[dolog];* kétségekkel teli *[ember];* kétes *[ügy]*

doubtless kétségkívül

dough tészta

dove galamb

down ▼ *hsz* le(felé) ▼ *ige* földre kényszerít *[repülőgépet]*

down-and-out reménytelen helyzetű, hajléktalan

downfall *[hirtelen]* bukás

downhill lefelé *[lejtőn]*

downpour felhőszakadás

downright *átv* egyenesen (szólva)

Down's syndrome Down-kór

downstairs (oda)lent *[az alsó szinten];* le(felé) *[a lépcsőn]*

down-to-earth földhöz-ragadt, józan

downtown *US* ▼ *fn* belváros, városközpont ▼ *hsz* a belvárosba(n)

downtrodden elnyomott, megalázott

downward ▼ *mn* lefelé haladó/irányuló ▼ *hsz* lefelé

downwards lefelé

dowry hozomány

doze ▼ *fn* szundikálás ▼ *ige* szundikál

dozen tucat

draft ▼ *fn* vázlat ▼ *ige* vázol, skiccel

drag ▼ *fn* húzás; *fiz* közegellenállás ▼ *ige* húz, vonszol; vánszorog

dragon sárkány

drain ▼ *fn* ereszcsatorna; csatorna(rendszer) ▼ *ige* lefolyik *[víz]*; lecsapol, kiszárít

drainage vízelvezető rendszer; ~ **ditch** csatorna(árok)

draining board edényszárító

drainpipe csatornacső

drama színdarab, dráma

dramatic *átv is* drámai

dramatist színdarabíró

dramatise *átv* (túl)dramatizál *[helyzetet]*

drank → **drink**

drastic erőteljes, drasztikus, radikális

draught huzat; ~ **beer** csapolt sör

draw ▼ *fn* húzás; sorshúzás; *sp* döntetlen ▼ *ige* (drew, drawn) húz; előhúz, előránt *[kést, fegyvert]*; rajzol; *sp* döntetlent játszik; *átv* levon *[következtetést]*

drawback hátulütő(je vminek)

drawer fiók

drawing rajz; ~ **board** rajztábla; ~ **pin** rajzszeg

drawn → **draw**

drawnet háló, vonóháló

dread ▼ *fn* rettegés ▼ *ige* retteg, fél

dreadful borzalmas, szörnyű

dream ▼ *fn* álom; ábránd ▼ *ige* (dreamt/dreamed, dreamt/dreamed) álmod(oz)ik

dreamer álmodozó

dreamt → dream

dreary unalmas, egyhangú, kopár

drench eláztat

dress ▼ *fn* (női) ruha; ~ **rehearsal** *szính* (jelmezes) főpróba ▼ *ige* felöltöztet; **get°** ~ed felöltözik

dressing salátaöntet; ~ **gown** köntös; ~ **room** öltöző *[helyiség]*; ~ **table** toalettasztal(ka)

dressmaker varrónő

drew → draw

dribble ▼ *fn* csepegés; nyál(csepp) ▼ *ige* csepeg; nyáladzik

dried szárított

drift ▼ *fn* sodródás, áramlat ▼ *ige* sodródik

drill ▼ *fn [beidegző]* gyakorlat; *műsz* fúrógép ▼ *ige* fúr; begyakoroltat; *kat* gyakorlatozik

drink ▼ *fn* ital ▼ *ige* (drank, drunk) iszik

drip csepegtet; csepeg

drip-dry kicsavarás/centrifugálás nélkül szárít/szárad *[ruha]*

drive ▼ *fn* autózás *[kedvtelésből]*; *pszich* ösztön(ös késztetés); *gépk* meghajtás; *inform* lemezmeghajtó; **4-wheel** ~ négykerék-meghajtás; **hard disk** ~ vincseszter, merevlemez ▼ *ige* (drove, driven) vezet *[járművet]*; ~ **sy crazy** az őrületbe kerget vkit

driven → drive

driver sofőr; *inform* illesztőprogram *[hardverhez]*

driving licence *gépk* jogosítvány

drizzle szitáló eső

drop ▼ *fn* csepp ▼ *ige* elejt; (*sg*) felhagy (vmivel); (le)csökken

drought szárazság, aszály

drove → **drive**

drown vízbe fojt; vízbe fullad

drowsy álmos

drug ▼ *fn* gyógyszer; drog; ~ **addict** kábítószerfüggő ▼ *ige* elkábít

drugstore *US* gyógyszerüzlet, drogéria

drum ▼ *fn* *zene* dob ▼ *ige* dobol

drummer dobos

drunk ▼ *fn* részeg ▼ *ige* → **drink**

drunkard részeges

drunken részeg; részeges, iszákos

dry ▼ *mn* száraz ▼ *ige* szárít; aszal; szárad

dry-clean vegytisztít

dual kettős; ~ **carriage-** way autópálya, osztottpályás út

dub *film* szinkronizál

dubbing *film* (utó)szinkron

dubious kétes

duchess hercegné, hercegnő

duck¹ *fn* kacsa

duck² *ige* lebukik, elhajol *[ütés elől]*

duckling kiskacsa

due *gazd* fizetendő; **be° ~** (*to sy*) (vkinek) jár; aktuálissá válik, várható *[vmikor]*

duet ▼ *fn* duett ▼ *ige* duettet ad elő

dug → **dig**

duke herceg

dull ▼ *mn* tompa; unalmas, egyhangú ▼ *ige* (el)tompít

duly ahogy illik

dumb néma; *US* ostoba

dummy próbababa; *ját* asztaljátékos *[bridzsben]*

dump ▼ *fn* szemétlerakó hely; *kat* hadianyagraktár ▼ *ige* kidob, eldob, megszabadul (vmitől)

dune homokdűne

dung trágya

dungeon pincebörtön, várbörtön

duplicate ▼ *fn* másolat ▼ *ige* (le)másol

durable tartós, strapabíró

duration időtartam

during vmi (ideje) alatt, vmi folyamán

dusk alkony(at)

dust ▼ *fn* por ▼ *ige* (le)porol

dustbin szemétláda, kuka

dustman (*tsz* -men) szemetes *[ember]*

dusty poros

Dutch ▼ *mn* holland ▼ *fn* esz/tsz holland *[ember, nyelv]*

Dutchman (*tsz* -men) holland (férfi)

duty kötelesség; *gazd* vám, adó

duty-free vámmentes

dwarf ▼ *fn* törpe ▼ *ige átv* eltörpít

dwell (dwelt, dwelt) lakik

dwelt → dwell

dwindle (vészesen) lecsökken, hanyatlik

dye ▼ *fn* festék ▼ *ige* befest *[hajat stb.]*

dynamic dinamikus; *fiz* dinamikai

dynamics *esz* dinamika

dynamite dinamit

dynamo dinamó

dynasty dinasztia, uralkodóház

E

each mindegyik, minden egyes

eager buzgó; mohó

eagle sas

ear fül

earache fülfájás

eardrum dobhártya

earl gróf

early ▼ mn korai ▼ hsz korán

earn /pénzt/ keres

earnings tsz kereset

earring fülbevaló

earth (virág)föld; E~ a Föld

earthquake földrengés

ease ▼ fn könnyedség ▼ ige megkönnyít, enyhít

east ▼ mn keleti ▼ fn kelet ▼ hsz kelet felé, keletre

Easter húsvét

easterly keleti

eastern keleti

easy átv könnyű

eat (ate, eaten) eszik

eaten → eat

eaves tsz ereszt

eavesdrop hallgatózik

ebony ében(fa)

eccentric különc /ember/

echo ▼ fn visszhang ▼ ige visszhangzik

eclipse; solar ~ napfogyatkozás; lunar ~ holdfogyatkozás

ecology ökológia

economic gazdasági

economical gazdaságos

economics esz közgazdaságtan

economist közgazdász

economise (on sg) spórol (vmin)

economy gazdaság; ~

class turistaosztály *[repülőgépen]*

ecstasy eksztázis

edge él; szegély

edible ehető

edit szerkeszt

edition kiadás *[könyvé]*

editor szerkesztő

editorial vezércikk

educate oktat

educated művelt

education műveltség; oktatás(ügy)

eel angolna

eerie hátborzongató, kísérteties

effect hatás; *film* trükk; *zene* effektus

effective hatásos

effectively gyakorlatilag, tulajdonképpen; hatásosan

efficiency hatékonyság

efficient hatékony

effort erőfeszítés

egg tojás; pete(sejt)

ego(t)ism egoizmus, önzés

Egypt Egyiptom

Egyptian *mn, fn* egyiptomi

eight nyolc

eighteen tizennyolc

eighteenth tizennyolcadik; tizennyolcad

eighth nyolcadik; nyolcad

eightieth nyolcvanadik; nyolcvanad

eighty nyolcvan

either ▼ *nm* bármelyik *[kettő közül]* ▼ *hsz* sem; that's not very good ~ ez sem valami jó ▼ *ksz* vagy; ~ you or me vagy te, vagy én

eject katapultál; kidob *[pl. kazettát a magnó]*

elaborate bonyolult, szövevényes

elastic rugalmas

elbow könyök

elder; ~ **brother** báty; ~ **sister** nővér

elderly idős

eldest a legidősebb *[pl. testvér]*

elect megválaszt (vmivé)

election *pol* választás(ok)

elector választó; *US* elektor

electric(al) elektromos

electrician villanyszerelő

electricity (elektromos) áram

electronic elektronikus

elegance elegancia

elegant elegáns

element (alkotó)elem

elementary elemi

elephant elefánt

elevated emelkedett *[stílus]*

elevation magaslat; *földr* tengerszint feletti magasság; *épít* homlokzat

elevator *US* lift

eleven tizenegy

eleventh tizenegyedik; tizenegyed

elf *(tsz elves)* manó

elicit kivált; kiszed *[vkiből információt]*

eligible *(for sg)* jogosult (vmire)

eliminate megszüntet; megsemmisít; kizár (vmiből)

else ▼ *hsz* someone ~ valaki más ▼ *ksz* vagy(pedig)

elsewhere máshol; máshová

elude elillan; eltűnik *[vmi/vki (szeme) elől]*

elusive illékony

elves → elf

emancipate egyenjogúsít

embankment rakpart

embargo embargó

embark hajóra száll

embarrass zavarba ejt

embarrassment zavar(odottság)

embassy nagykövetség

embezzle (el)sikkaszt

embitter megkeserít

emblem embléma, jelkép

embody megtestesít

embrace ▼ *fn* ölelés ▼ *ige* átölel; *átv* felölel

embroider (ki)hímez

embroidery hímzés

embryo magzat

emerald smaragd

emerge felbukkan, elő-tűnik

emergency vészhelyzet; ~ **exit** vészkijárat

emigrant kivándorló

emigrate kivándorol

emotion érzelem

emotional érzelmi; érzelmes

emperor császár

emphasis *átv is* hangsúly

emphasise hangsúlyoz

emphatic nyomatékos, hangsúlyos

empire birodalom

employ alkalmaz, foglalkoztat *[munkahelyen]*

employee alkalmazott

employer munkáltató

employment foglalkoztatás

empower felhatalmaz

empress császárné, császárnő

empty ▼ *mn* üres ▼ *ige* kiürít

enable (*sy to do sg*) képessé tesz; feljogosít (vkit vmire)

enamel zománc

enchant elbűvöl, megbabonáz

enclose bekerít, körülvesz; mellékel *[levélhez]*

enclosure bekerített terület

encore ráadás

encounter ▼ *fn* találkozás ▼ *ige* találkozik; (*sg*) szembekerül (vmivel)

encourage bátorít

encouraging bátorító

encyclopaedia enciklopédia

end ▼ *fn* vég; cél ▼ *ige* befejez; befejeződik

endanger veszélyeztet

endeavour ▼ *fn* *[nagy]* vállalkozás, kísérlet ▼ *ige* megpróbál, megkísérel

ending vég(ződés)

endless végtelen

endurance kitartás

endure elvisel, kibír

enemy ellenség

energetic energikus

energy energia

enforce betartat *[szabályt]*

engage leköt *[figyelmet]*

engaged el van jegyezve; elfoglalt *[ember]*; foglalt *[telefonvonal]*

engagement eljegyzés

engine motor; mozdony

engineer mérnök

England Anglia

English ▼ *mn* angol; ~ **Channel** La Manche csatorna ▼ *fn esz/tsz* angol *[ember, nyelv]*

Englishman (*tsz* -men) angol *[férfi]*

Englishwoman (*tsz* -women) angol *[nő]*

engrave (rá)vés

enhance erősít, fokoz, javít

enjoy élvez

enjoyable élvezetes

enjoyment élvezet

enlarge (fel)nagyít

enlighten felvilágosít, megvilágosít

enlightened *tört* felvilágosult

enlightenment *tört* felvilágosodás

enmity ellenségeskedés

enormous hatalmas, óriási

enough ▼ *mn* elég ▼ *hsz* eléggé

enquire (*about/of sg*) érdeklődik, tudakozódik (vmiről)

enrage felbőszít

enrich gazdagít

enrol beiratkozik

enrolment beiratkozás

ensure biztosít

enter bejegyez *[könyvbe]*; benevez *[versenyre]*; *átv is* belép; *inform* bevisz *[adatot]*

enterprise vállalkozás

enterprising vállalkozó szellemű

entertain (el)szórakoztat

entertaining szórakoztató

entertainment szórakoz-(tat)ás

enthusiasm lelkesedés

enthusiastic lelkes

entice csalogat

entire egész; teljes

entirely teljesen

entitle feljogosít

entity entitás

entrance belépés; bejárat; ~ **exam(ination)** felvételi (vizsga); ~ **fee** belépődíj

entrepreneur vállalkozó

entry belépés; bejegyzés; címszó

envelope boríték

envious irigy

environment környezet

environmental környezeti

envisage elképzel, eltervez

envoy megbízott *[diplomata]*

envy ▼ *fn* irigység ▼ *ige* irigyel

enzyme enzim

epic ▼ *mn* epikus ▼ *fn* eposz; hosszadalmas cselekményű film

epidemic ▼ *mn* járványos (méreteket öltött) ▼ *fn* járvány

epilepsy epilepszia

epileptic epilepsziás

episode epizód

epoch korszak

equal egyenlő

equality egyenlőség

equalize kiegyenlít

equate egyenlőségjelet tesz vmi közé, egyenlőnek gondol

equation egyenlet

equator *földr* egyenlítő

equilibrium egyensúly

equip *(with sg)* felszerel (vmivel)

equipment felszerelés

equivalent ▼ *mn* egyenlő ▼ *fn nyelv* (más nyelvű) megfelelő *[szóé]*

ER *röv [emergency room]* sürgősségi/baleseti osztály *[kórházban]; [Elizabeth Regina]* II. Erzsébet királynő

era kor(szak)

eradicate *átv is* gyökerestül kiirt, végleg megszüntet

erase (ki)töröl, kiradíroz

eraser radír

erect ▼ *mn* jó tartású ▼ *ige* épít, (fel)állít *[sátrat, emlékművet stb.]*

erection felállítás *[épületé]*

erosion erózió

erotic erotikus

err téved, hibázik

erroneous téves, hibás

error tévedés, hiba

erupt kitör *[tűzhányó]*

escalate fokoz(ódik)

escalator mozgólépcső

escape megmenekül, elmenekül

escort ▼ *fn* kísérő ▼ *ige* elkísér vkit

Eskimo *mn, fn* eszkimó

especially különösen

espionage kémkedés

essay esszé, (esszé jellegű) dolgozat

essence lényeg

essential alapvető, elengedhetetlen *[fontosságú]*; lényeges

establish alapít *[céget, társaságot]*; megállapít

establishment intézmény

estate (föld)birtok; **real ~** ingatlan; **~ agent** ingatlanügynök; **housing ~** lakótelep

esteem ▼ *fn* nagyrabecsülés ▼ *ige* nagyra becsül; értékel

estimate ▼ *fn* becslés ▼ *ige* megsaccol, megbecsül *[közelítőleg]*

estrange elidegenít (magától), elidegenedik

etching (réz)karc

eternal örök

eternity örökkévalóság

ethical etikus

ethnic etnikai

etiquette etikett

etymology etimológia

Europe Európa

European *mn, fn* európai

euthanasia eutanázia

evacuate kiürít *[épületet, várost];* kimenekít, evakuál *[embereket]*

evade *(sg/sy)* elkerül, kikerül (vmit/vkit)

evaluate (ki)értékel

evaporate elpárolog(tat)

evasion kikerülés, elkerülés; **tax** ~ adóelkerülés

evasive kitérő, elkerülő

eve *vál* este; **New Year's E~** szilveszter; **Christmas E~** szenteste

even ▼ *mn* egyenletes; *mat* páros ▼ *hsz* még ...bb; még ... is/sem; ~ **I can understand this** ezt még én is értem; **this is** ~ **better** ez még jobb ▼ *ige* simít

evening est(e)

event esemény, rendezvény

eventful eseménydús

eventual végső

eventually végül

ever valaha

evergreen örökzöld

everlasting örökké tartó

every minden

everybody mindenki

everyday mindennapi, mindennapos

everyone mindenki

everything minden

everywhere mindenhol

evidence ▼ *fn* bizonyíték ▼ *ige* bizonyít

evident nyilvánvaló

evil ▼ *mn* gonosz ▼ *fn* gonoszság

evolution evolúció, (törzs)fejlődés

evolve kialakul, kifejlődik

ewe (anya)juh

exact pontos

exaggerate eltúloz

exaggeration túlzás

exam *biz* vizsga

examination vizsgálat; *okt* vizsga

examine megvizsgál; *okt* vizsgáztat

examiner *okt* vizsgáztató

example példa

excavate kiás

excavation ásatás

exceed túllép *[előírt adagot/sebességet]*

excel (*at sg*) kitűnik (vmiben)

excellent kitűnő

except (for) kivéve

exception kivétel; **make°** **an ~** kivételt tesz

exceptional kivételes

excerpt részlet

excessive túlzott, mértéktelen

exchange ▼ *fn* csere, diákcsere; *gazd* valuta, pénzváltás ▼ *ige* (ki)cserél; *gazd* felvált *[apróra]*, bevált, átvált *[valutát]*

excite (fel)izgat

excited izgatott

excitement izgalom

exciting izgalmas

exclaim felkiált

exclamation kiáltás; **~** **mark** felkiáltójel

exclude kizár

exclusion kizárás, kirekesztés

exclusive kizárólagos, exkluzív

excursion kirándulás

excuse ▼ *fn* mentség, kifogás ▼ *ige* **~ me!** bocsánat, elnézést (kérek)

execute elvégez *[feladatot, munkát]*, végrehajt; kivégez

execution megvalósítás, teljesítés

executive *gazd* vezető *[beosztás(ú)]*

exemplify példáz

exempt ▼ *mn* (*from sg*) mentes (vmi alól) ▼ *ige* (*from sg*) mentesít (vmi alól)

exemption mentesítés; mentesség

exercise ▼ *fn* gyakorlat;

~ **book** füzet ▾ *ige* gyakorol; edz

exhaust ▾ *fn gépk* kipufogógáz ▾ *ige* kifáraszt

exhausted kimerült

exhaustion kimerültség, fáradtság

exhaustive kimerítő, teljes körű

exhibit kiállít; jelét adja vminek

exhibition kiállítás

exile ▾ *fn* száműzetés ▾ *ige* száműz

exist létezik

existence lét(ezés)

existing létező

exit ▾ *fn* kijárat ▾ *ige* kimegy; *inform* kilép [programból]

exotic egzotikus

expand kiterjeszt; (ki)tágul; megnyúlik

expansion *pol* terjeszkedés

expatriate ▾ *fn* külföldre szakadt ember ▾ *ige* száműz

expect remél, vár; elvár

expectation remény, várakozás; elvárás

expedition expedíció

expel kiűz

expenditure *gazd* kiadás(ok)

expense költség

expensive drága, költséges

experience ▾ *fn* tapasztalat ▾ *ige* tapasztal

experienced tapasztalt

experiment ▾ *fn* kísérlet ▾ *ige* kísérletezik

experimental kísérleti

expert szakértő

expertise szaktudás

expire lejár [érvényesség]

expiry lejárat [érvényességé]

explain megmagyaráz, elmagyaráz

explanation magyarázat

explanatory magyarázó

explode felrobban(t)

exploit kihasznál, kiaknáz; kizsákmányol

exploitation kiaknázás; kizsákmányolás

explore felfedez, feltár; kutat

explorer felfedező

explosion robbanás

export ▼ *fn* export ▼ *ige* exportál

exporter exportőr

expose *(sg to sg)* kitesz (vmit vminek)

exposure kitevés *[vmi hatásának]; fényk* exponálási idő

express¹ *mn, fn* expressz

express² *ige* kifejez

expression kifejezés

expressive kifejező

expressly kifejezetten

extend meghosszabbít; *(to sg)* kiterjed (vmire)

extension meghosszabbítás; kiterjedés; telefonmellék

extensive széles körű, kiterjedt

extent kiterjedés; **to a certain ~** bizonyos fokig

exterior külső

exterminate kipusztít

external külső

extinct kipusztult *[faj]*

extinction kihalás, kipusztulás *[fajé]*

extinguish elolt *[tüzet]*

extra ▼ *mn* többlet-; extra *[minőségű]* ▼ *fn* extra *[szolgáltatás]*

extract ▼ *fn* kivonat ▼ *ige* kihúz; kivon *[anyagot]*

extraordinary rendkívüli

extravagant különc

extreme szélsőség(es)

extremely rendkívül

eye szem

eyeball szemgolyó

eyebrow szemöldök

eyelash szempilla

eyelid szemhéj

eyesight látás

eyewitness szemtanú

F

fable tanmese

fabric szövet

fabricate gyárt; kitalál *[történetet]*

fabulous mesés

face ▼ *fn* arc; előlap, fedőlap ▼ *ige* szembenéz *[problémával]*; (vmilyen irányba) fordul, (arra) néz

facial arci, arc-; ~ **expression** arckifejezés

facilitate elősegít, megkönnyít

facility berendezés, alkalmatosság

fact tény

faction *pol* frakció

factor tényező

factory gyár

factual tényszerű

faculty képesség; kar *[egyetemen]*

facsimile hasonmás *[szövegé, írásé]; távk* fax

fade elhervad; elhalványul, elhalkul

fail (*in sg*) kudarcot vall (vmiben), nem sikerül (vmi); megbukik *[vizsgán]*; (*to do sg*) elmulaszt *[megtenni vmit]*

failure sikertelenség; bukás *[vizsgán]*; elmulasztása (vminek); leállás *[motoré]*

faint ▼ *mn átv is* gyenge, halvány ▼ *ige* elájul; elhalványul

fair[1] *mn* igazságos; szőke *[haj]*; jókora; szép

fair[2] *fn* vásár

fairly igazságosan; aránylag

fairy tündér

faith hit

faithful hűséges; hiteles, valósághű

fake ▼ *mn* hamis, ál- ▼ *fn biz* hamisítvány, ál- ▼ *ige* tettet

falcon sólyom

fall ▼ *fn tört* bukás *[birodalomé]; US* ősz ▼ *ige* (fell, fallen) (le)esik; elesik, elbotlik; leereszkedik, leszáll *[köd]*

fallacy tévhit

fallen → **fall**

fallible esendő, gyarló

false téves, hamis

falsify meghamisít; megcáfol

fame hírnév

familiar ismerős, ismert *[vki számára];* közvetlen, kötetlen

familiarity megszokottság, ismerősség; jártasság (vmiben); kötetlenség

familiarise (*sy with sg*) beavat, bevezet (vkit

vmibe); (*with sg*) ismerkedik (vmivel)

family család

famine éhínség

famous híres

fan[1] ventilátor; legyező; propeller

fan[2] *biz* rajongó

fanatic fanatikus, megszállott

fancy ▼ *fn* fantázia, képzelőerő; ~ **dress** jelmez ▼ *ige* elképzel; szeret (vmit), tetszik neki (vmi/vki)

fantastic képzelt, fantáziaszülte; *biz* fantasztikus(an jó)

fantasy fantázia, képzelet; álomkép

far (*kfok* farther/further, *ffok* farthest/furthest) ▼ *mn* távoli, messzi; (a) távolabbi ▼ *hsz* messz(ir)e; nagyon, sokkal (-bb)

fare menetdíj

farewell ▼ *mn* búcsú- ▼

fn búcsú ▼ *isz* Isten önnel/veled!

farm farm, földbirtok

farmer farmer, gazda

farming gazdálkodás *[földbirtokon]*

farther → **far**

farthest → **far**

fascinate *biz* lenyűgöz

fascinating lenyűgöző, (rendkívül) izgalmas

fascination szenvedélyes érdeklődés (vmi iránt)

Fascism fasizmus

fashion divat; mód

fashionable divatos

fast¹ ▼ *mn* gyors; ~ food gyorséttermi étel ▼ *hsz* gyorsan

fast² *fn* böjt

fasten rögzít, becsatol *[biztonsági övet]*

fat ▼ *mn* kövér; vastag ▼ *fn* zsír

fatal halálos, végzetes

fatality halálos áldozat/ baleset

fate sors

father ▼ *fn* apa; *vall* atya ▼ *ige* nemz *[gyermeket]*

father-in-law (*tsz* fathers-in-law) após

fatherly atyai

fatigue fáradtság; (anyag)- fáradás

fatten hizlal; hízik

fattening hizlaló *[étel]*

fatty zsíros; kövér

faucet *US* (víz)csap

fault hiba

faulty hibás

fauna állatvilág

favour ▼ *fn* szívesség ▼ *ige* helyesebbnek/jobbnak tart

favourable kedvező

favourite kedvenc

fax ▼ *fn* fax ▼ *ige* (el)- faxol

fear ▼ *fn* félelem ▼ *ige* fél

fearful rettenetes

fearless vakmerő

feasibility megvalósíthatóság, kivi(telez)hetőség

feasible megvalósítható

feast ▼ *fn* ünnep; lakoma ▼ *ige* lakmározik

feat (hős)tett

feather toll *[madáré]*

feature ▼ *fn* (arc)vonás; paraméter(e), jellemző(je vminek); cikk, összeállítás *[újságban]; US* nagyfilm ▼ *ige* film bemutat, szerepeltet

February február

fed; be° ~ up (*with sg/sy*) elege van (vmiből/vkiből), torkig van (vmivel/vkivel); → **feed**

federal szövetségi

federation (állam)szövetség

fee díj, illetmény

feeble gyenge, erőtlen

feed ▼ *fn* etetés; takarmány ▼ *ige* (fed, fed) etet; *inform* betölt *[adatot]*

feedback visszajelzés, értékelés

feel (felt, felt) érez; (kézzel) megérint, tapint; érződik

feeling érzés, érzet

feet → **foot**

feign színlel, tettet

feline *áll* macskaféle; *átv* macskaszerű

fell → **fall**

fellow társ; *biz* hapsi, fickó

felt¹ *fn* filc

felt² *ige* → **feel**

female nő(i), nőstény

feminine női(es); *nyelv* nőnemű

feminism feminizmus

fence ▼ *fn* kerítés ▼ *ige* *sp* vív

fencing vívás

ferment ▼ *fn biz* kavar(odás), (zűr)zavar ▼ *ige* erjeszt, erjed

ferocious vad, bősz

ferocity vadság

ferry ▼ *fn* komp ▼ *ige* *[rendszeresen]* szállít, fuvaroz

fertile termékeny

fertility termékenység

fertilise (meg)termékenyít; trágyáz, talajt javít

fertiliser (mű)trágya

festival fesztivál

festivity fesztivál, vigalom

fetch elhoz (vhonnan); elkel *[vmilyen áron]*

feud ▼ *fn* ellenségeskedés, viszály ▼ *ige* ellenségeskedik

fever láz

feverish lázas

few kevés; a ~ néhány

fiancé vőlegény *[az esküvő előtt]*

fiancée menyasszony *[az esküvő előtt]*

fib ▼ *fn biz* füllentés ▼ *ige biz* füllent

fibre rost(szál)

fiction kitalált történet, mese

fictional költött, kitalált

fictitious fiktív, kitalált

fiddle ▼ *fn biz* hegedű ▼ *ige* hegedül

fidelity hűség

fidget izeg-mozog

field mező; sportpálya; (szak)terület

fiend ördög

fierce erőszakos, vad

fiery tüzes

fifteen tizenöt

fifteenth tizenötödik; tizenötöd

fifth ötödik; ötöd

fiftieth ötvenedik; ötvened

fifty ötven

fifty-fifty fele-fele alapon

fig füge

fight ▼ *fn* küzdelem, csata ▼ *ige* (fought, fought) küzd, harcol

fighter harcos; vadászrepülőgép

figurative képletes, átvitt *[értelem];* figuratív *[művészet]*

figure ▼ *fn* szám(jegy); alakzat; ábra ▼ *ige US biz* sejt, gondol; ~ **out** (*sg*) rájön (vmire), kitalál (vmit)

file¹ ▼ *fn* reszelő ▼ *ige* reszel

file² ▼ *fn* akta; iratgyűjtő,

dosszié; *inform* állomány, fájl ▼ *ige [irattárba]* iktat

fill (meg)tölt; megtelik

fillet ▼ *fn* filé(zett hús/hal) ▼ *ige* kicsontoz, filéz

filling ▼ *mn* laktató; ~ **station** *gépk* benzinkút ▼ *fn* fogtömés; töltelék

film ▼ *fn* hártya; film ▼ *ige* forgat *[filmet]*

filter ▼ *fn* szűrő ▼ *ige* (ki)szűr

filth mocsok, piszok

filthy szennyes, mocskos

fin uszony

final ▼ *mn* végső, utolsó; végleges ▼ *fn sp* döntő

finale finálé

finalist *sp* döntős

finalise véglegesít

finally végül

finance ▼ *fn* pénzügy ▼ *ige* finanszíroz, viseli a költségeket

financial pénzügyi

find (found, found) (meg)-

talál; megkeres; (vmilyennek) talál

fine¹ ▼ *mn* kiváló (minőségű), (igen) jó; finom ▼ *hsz* szépen, remekül; *biz* jól

fine² ▼ *fn* bírság ▼ *ige* megbírságol

finely szépen; remekül

finger ujj

fingerprint ujjlenyomat

fingertip ujjhegy

finish befejez(ődik)

finite véges

Finland Finnország

Finn finn *[ember]*

Finnish ▼ *mn* finn ▼ *fn esz/tsz* finn *[ember, nyelv]*

fire ▼ *fn* tűz; ~ **alarm** tűzjelző; ~ **engine** tűzoltókocsi; ~ **extinguisher** tűzoltó készülék; ~ **station** tűzoltóállomás ▼ *ige* tüzel *[fegyverből]; biz* kirúg *[állásból]*

fireman (*tsz* -men) tűzoltó

fireplace kandalló

fireproof tűzálló

firewood tűzifa

firm[1] *mn átv* kemény, szilárd

firm[2] *fn* cég

first ▼ *szn* első; ~ **aid** elsősegély; ~ **name** keresztnév ▼ *hsz* először

firstly először is

first-rate kiváló

fish ▼ *fn esz/tsz* (halfajták: *tsz* fishes) hal ▼ *ige* (ki)halászik

fisherman (*tsz* -men) halász

fishing halászat; ~ **rod** horgászbot

fishmonger halárus

fission osztódás; (mag)hasadás

fist ököl

fit ▼ *mn* egészséges, fitt ▼ *ige* jó (vkire) *[ruha];* illeszt

fitness (jó) egészség, erőnlét

five öt

fix rögzít; *US* megjavít, helyrehoz

fixation rögzítés

fizzy szénsavas

fjord fjord

flag zászló

flair (*for sg*) tehetség, adottság (vmire)

flake pehely

flaky pelyhes

flame ▼ *fn* láng ▼ *ige* lángol

flamingo flamingó

flammable gyúlékony

flank szegélyez

flannel flanell

flap verdes, csapkod *[szárnnyal]*

flare ▼ *fn* fellobbanás ▼ *ige* fellángol

flash ▼ *fn* villanás; vaku ▼ *ige* felvillant, villogtat; rövid ideig mutat; (fel)villan

flashy hivalkodó

flask *[lapos]* palack

flat[1] *mn* lapos

flat[2] *fn* lakás

flatten (le)lapít
flatter hízeleg
flattery hízelgés
flavour ▼ *fn* íz ▼ *ige* ízesít
flaw hiba
flawless hibátlan
flea bolha
fled → flee
flee (fled, fled) elmenekül
fleece ▼ *fn* gyapjú *[birkán]* ▼ *ige* (meg)nyír *[birkát]*
fleet flotta, hajóhad
Fleming flamand *[ember]*
Flemish ▼ *mn* flamand ▼ *fn* flamand *[nyelv]*
flesh hús *[emberé, gyümölcsé]*
flexible hajlékony; *átv* rugalmas
flew → fly
flicker ▼ *fn* vibrálás, ugrálás *[tévéképé]* ▼ *ige* pislákol *[gyertya]*
flight repülés; (légi)járat, repülőút; ~ **attendant**

légiutas-kísérő *[repülőgépen]*
flinch összerándul
fling (flung, flung) (el)dob
flint kova(kő); pattintott kőszerszám
flip (át)lapoz; megfordít *[palacsintát];* feldob *[pénzt]*
flippant *pejor* szellemeskedő, fárasztó *[megjegyzés],* komolytalan *[hozzáállás]*
flirt (*with sy*) csábít *[szerelemre],* szemez (vkivel)
float lebeg, úszik *[vízen]*
flock (madár)raj, nyáj, *átv* falka *[népes társaság]*
flood ▼ *fn* árvíz; *átv* özön, áradat ▼ *ige* árad, ömlik; *átv is* elönt, eláraszt
floodlight ▼ *fn* reflektorfény *[stadionban],* díszkivilágítás *[épületé]* ▼ *ige* (fényszórókkal) kivilágít
floor padló; emelet; **on**

the ~ (lent) a földön
[a padlón, a szőnyegen]

flop ▼ *fn* bukás, sikertelenség ▼ *ige* leesik, összecsuklik; megbukik *[színdarab]*

floppy ▼ *mn* (le)lógó; petyhüdt ▼ *fn inform* ~ **(disk)** hajlékonylemez

flora flóra, növényzet

florist virágüzlet-tulajdonos; ~'s virágüzlet

flour liszt

flourish *átv is* virágzik

flow ▼ *fn* áramlás, áramlat ▼ *ige* folyik, áramlik

flower virág

flowery virágos

flown → **fly**

flu influenza

fluctuate ingadozik, hullámzik

fluency beszédkészség, folyékonyság *[idegen nyelven]*

fluent folyékony

fluff szösz, boholy

fluffy bolyhos

fluid ▼ *mn* folyékony; *átv* képlékeny *[helyzet]* ▼ *fn* folyadék

flung → **fling**

fluoride fluorid

flush ▼ *fn* arcpír; özön, áradat; öblítés *[vécéé]* ▼ *ige* (el)pirul *[arc]*; leöblít, lehúz *[vécét]*

flute fuvola

flutter lebeg(tet); csapkod, verdes *[szárnnyal]*; kalapál *[szív]*

flux folyás, áradat

fly[1] *fn* légy

fly[2] *ige* (flew, flown) repül; vezet *[repülőgépet]*; elmenekül

flyover felüljáró

foal ▼ *fn* csikó ▼ *ige* ellik *[kanca]*

foam ▼ *fn* hab ▼ *ige* habzik *[mosószer]*; tajtékzik *[dühtől]*

focus ▼ *fn* középpont *[figyelemé]* ▼ *ige* (on sg) összpontosít, koncentrál (vmire)

foe *vál* ellenség

fog köd

foggy ködös

foil alufólia

fold hajt(ogat)

folder iratgyűjtő; *inform* könyvtár, mappa

folk népi

folklore néphagyomány, folklór

follow követ, utána megy; következik

follower követő

following ▼ *mn* következő ▼ *fn* kíséret *[kísérő személyek]*

fond; be° ~ **of** szeret, kedvel

font *inform* betűtípus

food élelmiszer, étel, táplálék; ~ **processor** háztartási robotgép

foodstuff *tsz* élelmiszer

fool ▼ *fn* bolond ▼ *ige* bolondít, hiteget; ~ **around** bolondozik

foolish buta, ostoba

foolishness butaság

foolproof elronthatatlan, eltéveszthetetlen

foot (*tsz* feet) láb(fej); (angol) láb *[30,48 cm]*

footage filmfelvétel

football futball(-labda)

footbridge gyaloghíd

foothold induló pozíció/állás; **get°/gain a** ~ megveti a lábát

footlights *tsz* rivaldafény

footnote lábjegyzet

footpath gyalogút, gyalogösvény

footprint lábnyom

footstep (láb)nyom; **in sy's** ~**s** vki nyomdokain

footwear cipő, lábbeli

for ▼ *elölj* vki helyett, vkiért, vki iránt; vki számára, vki érdekében ▼ *ksz* mert

forage takarmány

forbad(e) → **forbid**

forbid (forbade/forbad, forbidden) (meg/be)tilt

forbidden → **forbid**

force ▼ *fn* erő ▼ *ige* erőltet

forceful erős

ford ▼ *fn* gázló ▼ *ige* átgázol *[folyón]*

fore (vmi) eleje, elülső része

forearm alkar

forecast ▼ *fn* jövendölés, előrejelzés; **weather ~** időjárás-jelentés ▼ *ige* (forecast/forecasted, forecast/forecasted) előre jelez

forefinger mutatóujj

forefront *átv* előtér

foreground előtér *[képen]*

forehead homlok

foreign külföldi; idegen

foreigner külföldi *[ember]*

foreman (*tsz* -men) művezető

foremost legfontosabb, legjelentősebb

forename keresztnév

forerunner előfutár

foresaw → foresee

foresee (foresaw, foreseen) előre lát

foreseen → foresee

foresight előrelátás

forest erdő

forester erdész

forestry erdészet

foretell (foretold, foretold) megjósol

foretold → foretell

forever örökre

foreword előszó

forgave → forgive

forge hamisít

forgery hamisítás

forget (forgot, forgotten) (el)felejt

forgetful feledékeny

forget-me-not nefelejcs

forgive (forgave, forgiven) megbocsát

forgiven → forgive

forgiveness megbocsátás

forgot → forget

forgotten → forget

fork villa *[evőeszköz]*, vasvilla

form alak, forma; űrlap; *sp* erőnlét; *okt* osztály

formal hivatalos *[stílus]*

formality formalitás

format ▼ *fn* alak; *inform* formátum ▼ *ige inform* formáz *[lemezt]*

formation képződmény

formative (ki)alakító

former korábbi, előbbi; volt, ex-

formerly korábban, azelőtt

formidable hatalmas, félelmetes

formula képlet; recept, módszer

fort erőd

forth előre

forthcoming közelgő, eljövendő

forthright nyílt, egyenes *[modor]*

fortieth negyvenedik; negyvened

fortify megerősít

fortnight két hét

fortnightly ▼ *mn* kéthetenkénti ▼ *hsz* kéthetente

fortress erőd

fortunate szerencsés

fortunately szerencsére, hál' Istennek

fortune szerencse; vagyon

fortune-teller jós, jövendőmondó

forty negyven

forward ▼ *fn sp* csatár ▼ *hsz* előre ▼ *ige inform is* továbbít, továbbküld

fossil *átv is* kövület

foster ▼ *mn* (örökbe) fogadott *[gyerek]*; ~ **parent** nevelőszülő ▼ *ige* nevel *[örökbe fogadott gyereket]*; előmozdít, ösztönöz

fought → **fight**

foul ▼ *mn* szennyes, mocskos ▼ *fn sp* szabálysértés ▼ *ige* beszennyez, bemocskol

found¹ (meg)alapít

found² → **find**

foundation alap(ozás); alapítvány

founder alapító

fountain szökőkút; ~ **pen** töltőtoll

four négy

fourteen tizennégy

fourteenth tizennegyedik; tizennegyed

fourth negyedik; negyed

fowl baromfi

fox róka

foyer előcsarnok; hall

fraction töredék; *mat* tört

fracture ▼ *fn orv* (csont)-törés ▼ *ige* eltör(ik) *[csont]*

fragile törékeny

fragment ▼ *fn* (tört)rész ▼ *ige* darabokra tör(ik)

fragrance (kellemes) illat

fragrant illatos

frail törékeny

frame ▼ *fn* (kép)keret ▼ *ige* (be)keretez

framework *átv* keret(ek)

France Franciaország

franchise választójog; *gazd* márkanév-használati jog

frank őszinte

frankly őszintén

frantic magán kívül lévő *[dühtől, aggodalomtól]*; gyors, heves, pánikszerű

fraternal testvéri

fraternity testvéri(es)ség

fraud csalás

fraudulent csaló, hamis

freak ▼ *fn* különc *[ember]*; különleges esemény ▼ *ige* elárasztják az érzelmek

freckle szeplő

free ▼ *mn* szabad; ingyenes; (*of sg*) mentes (vmitől) ▼ *hsz* ingyen ▼ *ige* kiszabadít

freedom szabadság

freelance szabadúszó

freeze (froze, frozen) (be/meg)fagy(aszt); megdermed *[ijedtében]*

freezer fagyasztógép; *US* hűtőszekrény

freezing jeges; dermesztő *[hideg]*

freight teheráru

French ▼ *mn* francia ▼ *fn* esz/tsz francia *[ember, nyelv]*

Frenchman (*tsz* -men) francia *[férfi]*

Frenchwoman (*tsz* -women) francia *[nő]*

frenzied őrült

frenzy eksztázis, őrület

frequency gyakoriság; hullámsáv, hullámhossz *[rádión]; fiz* rezgésszám, frekvencia

frequent ▼ *mn* gyakori ▼ *ige* gyakran meglátogat, kedvel *[helyet]*

fresco *műv* falfestmény, freskó

fresh ▼ *mn* friss ▼ *hsz* frissen

freshen felfrissít, felfrissül

freshman (*tsz* -men) *US* elsőéves; újonc

fret aggódik

friar *vall* szerzetes, barát

friction *átv is* súrlódás

Friday péntek

fridge *biz* hűtő, frigó

friend barát(nő)

friendly barátságos

friendship barátság

fright ijedtség, rémület

frighten megijeszt

frightful ijesztő

fringe rojt; szél, szegély; frufru; ~ **benefit** (természetbeni) juttatás *[munkahelyen]*

frivolous komolytalan, bolondos

frog béka

frogman (*tsz* -men) búvár

from -tól, -től; -ból, -ből

front előrész(e), eleje (vminek); (időjárási) front; *kat* front; ~ **door** bejárati ajtó; ~ **page** címoldal; **in** ~ **of** (vmi) előtt *[térben]*

frontier országhatár

frost ▼ *fn* fagy; dér ▼ *ige*

(el)homályosít *[üveget]*; US melíroz *[hajat]*

frostbite fagyás(i sérülés)

frosty *átv is* jeges, fagyos

froth ▼ *fn* hab *[söré]* ▼ *ige* felhabosít; habzik

frown homlokát (össze)ráncolja *[rosszallóan]*

froze → **freeze**

frozen → **freeze**

fruit *átv is* gyümölcs; ~ **machine** *biz* félkarú rabló *[játékautomata]*

fruitful termékeny, eredményes

frustrate kedvét szegi (vkinek); idegesít (vkit); akadályoz

frustration csalódottság; idegesítő dolog

fry (zsírban) süt

frying pan serpenyő

fuel ▼ *fn* üzemanyag ▼ *ige* táplál *[üzemanyaggal]*

fugitive szökevény; menekült

fulfil teljesít

fulfilment (be)teljesítés

full (*of sg*) tele (vmivel); teljes

full-time teljes munkaidejű, főállású

fully teljesen

fumble turkál, matat *[táskában]*; ügyetlenkedik, szerencsétlenkedik

fume ▼ *fn* füst; benzingőz ▼ *ige* biz füstölög, dühöng *[magában]*

fun mulatság, móka; **have°** ~ jól érzi magát, jól szórakozik

function ▼ *fn* funkció, működés; ünnepség; *mat* függvény ▼ *ige* szerepet tölt be, funkcionál

functional működési; működőképes

fund ▼ *fn* (pénz)alap, tőke ▼ *ige* finanszíroz

fundamental ▼ *mn* alapvető; lényegbevágó ▼ *fn* ~**s** alapismeretek

funeral temetés

fungus gomba(féle); *orv* gombás betegség, lábgomba

funnel ▼ *fn* tölcsér; hajókémény ▼ *ige* tölcsérrel tölt

funny vicces; különös

fur szőrme; szőr *[állaté]*

furious dühös

furnace kemence

furnish bebútoroz, berendez

furniture bútor

furrow barázda

furry bolyhos, szőrös

further ▼ *mn* távolabbi; újabb, további; → **far** ▼ *hsz* tovább; → **far**

furthermore továbbá

furthest → **far**

fury düh

fuse ▼ *fn elektr* biztosíték ▼ *ige* egybeolvad, fuzionál

fuss hűhó, felhajtás

fussy akadékoskodó

future ▼ *mn* jövőbeli ▼ *fn* jövő

fuzzy zavaros; borzas *[haj]*

G

gabble hadar

gadget szerkentyű, kütyü, ketyere

Gael gael [ember]

Gaelic ▼ mn gael ▼ fn gael [nyelv]

gage (meg)mér [műszerrel]

gaiety jókedv, vidámság

gain ▼ fn nyereség ▼ ige nyer

galaxy galaxis

gale szélvihar

gallant bátor; udvarias

gallery képtár, galéria; szính karzat

Gallic gall; tréf francia

gallon gallon [űrmérték: 4,54 liter, US = 3,78 liter]

gallop ▼ fn vágta(tás) ▼ ige vágtat

gallows esz akasztófa

gamble ▼ fn szerencsejáték ▼ ige szerencsejátékot játszik

game játék; vad(állat); vadhús

gang csoport, banda

gangster gengszter

gaol ▼ fn börtön ▼ ige bebörtönöz

gap rés, hézag; átv szakadék

gape tátott szájjal bámul; tátong

garage garázs; autószerviz

garbage szemét

garden ▼ fn kert; park ▼ ige kertészkedik

gardener kertész

gargle öblöget [torkot], gargalizál

garland virágfüzér

garlic fokhagyma

garnish díszítés *[ételen]*

gas gáz; benzin; ~ **fire**
gázkonvektor; ~ **meter**
gázóra; ~ **station** *US*
benzinkút

gasoline *US* benzin

gasp levegő után kap-
kod; eláll a lélegzete
[csodálkozástól]

gate kapu

gateway kapu; *inform* át-
járó

gather gyűjt; szed *[gyü-
mölcsöt]*; összegyűlik;
vél, következtet *[vmi-
lyen jelből]*

gathering gyűlés

gauge (meg)mér *[mű-
szerrel]*

gave → **give**

gaze bámul

gazelle gazella

GB *röv [Great Britain]*
Nagy-Britannia

gear felszerelés; *gépk*
sebesség(fokozat)

geese → **goose**

gel gél, zselé

gem drágakő

Gemini Ikrek *[csillagkép]*

gender *nyelv* nem

general ▼ *mn* általános ▼
fn kat tábornok

generalisation általáno-
sítás

generalise általánosít

generally általában; ~
speaking általánosság-
ban

generate fejleszt *[ára-
mot]*; kivált *[érdeklő-
dést]*; produkál, ered-
ményez *[bevételt]*

generation nemzedék

generator *elektr* generátor

generic általános

generosity nagylelkűség,
bőkezűség

generous nagylelkű; bő-
kezű

genetic genetikai

genetics *esz* genetika,
örökléstan

Geneva Genf

genius lángész, zseni

gentle lágy, finom

gentleman (*tsz* -men) úr(iember)

genuine eredeti, valódi; őszinte, valóságos

geographic(al) földrajzi

geography földrajz

geology geológia

geometric(al) mértani

geometry geometria

geranium muskátli

germ baktérium; csíra

German *mn, fn* német

Germany Németország

gesture taglejtés; *átv* gesztus

get (got, got) kap; beszerez; (el)juttat; (el)jut (vhová); válik (vmivé); (meg)ért (vmit); ~ at hozzájut (vmihez); ~ on (*with sy*) kijön (vkivel); ~ on/off fel/leszáll *[járművön]*; ~ over túljut (vmin); ~ through (*to sy*) telefonon elér; ~ up felkel *[ágyból]*

geyser gejzír

ghastly rémisztő

gherkin apró uborka

ghost szellem, kísértet

giant ▼ *mn* óriási ▼ *fn* óriás

giddy szédülő

gift ajándék; adomány; tehetség; ~ voucher ajándékutalvány

gifted tehetséges

giggle ▼ *fn* kuncogás ▼ *ige* kuncog

gin gin *[ital]*

ginger ▼ *mn* vörösesszőke ▼ *fn* gyömbér

giraffe zsiráf

girl lány

girlfriend barátnő *[párkapcsolatban]*

gist lényeg

give (gave, given) ad; ~ in felad *[küzdelmet]*; ~ up abbahagy

given → give

glacier gleccser

glad; be° ~ (*of sg*) örül (vminek)

glamorous elbűvölő

glamour ragyogás

glance ▼ *fn* pillantás ▼ *ige* pillant

gland mirigy

glare ▼ *fn* ragyogás ▼ *ige* (vakítóan) ragyog

glass üveg *[anyag];* pohár; szemüveg

glaze (be)üvegez

gleam sugárzik

glide ▼ *fn* siklás ▼ *ige* siklik

glider vitorlázó repülő(gép)

gliding vitorlázó repülés

glimmer ▼ *fn* halvány fény ▼ *ige* pislákol *[fény]*

glimpse ▼ *fn* pillantás, bepillantás ▼ *ige* megpillant

glitter ▼ *fn* ragyogás ▼ *ige* ragyog

global globális, világméretű; átfogó, teljes körű

globe földgömb; gömb *[alak];* (lámpa)bura

gloomy sötét; nyomasztó

glorious dicsőséges

glory dicsőség, dicsfény

gloss[1] *fn* fény *[felületen]*

gloss[2] ▼ *fn* szómagyarázat ▼ *ige* jegyzetekkel ellát

glossary magyarázatok *[könyv végén]*

glossy fényes *[felület]*

glove kesztyű

glow ▼ *fn* izzás ▼ *ige* izzik; vöröslik; *átv* sugárzik

glue ragasztó

gnaw rágcsál; gyötör/bánt vkit

go ▼ *fn* próbálkozás, kísérlet ▼ *ige* (went, gone) (el)megy (vhová); válik (vmilyenné); (el)múlik; elkel *[vmilyen összegért];* **her face went red** elpirult; ~ **off** felrobban *[bomba];* ~ **on** folytat

goal cél; *sp* kapu, gól

goalkeeper *sp* kapus

goat kecske

gobble (be)habzsol *[ételt]*
go-between közvetítő
god isten
godchild (*tsz* -children) keresztgyermek
godchildren → **godchild**
goddaughter keresztlánya vkinek
goddess istennő
godfather keresztapa
godmother keresztanya
godson keresztfia vkinek
gold arany
golden aranyból készült
goldfish aranyhal
goldsmith aranyműves
golf golf
gone → **go**
good ▼ *mn* (*kfok* better, *ffok* best) jó ▼ *fn* ~s *tsz gazd* áru
good-looking csinos
goodness; my ~! istenem, istenem!
goodwill jóindulat
goose (*tsz* geese) liba
gooseberry egres
gorge ▼ *fn* gége, torok; szurdok ▼ *ige* degeszre eszi magát; lakmározik
gorgeous csodálatos
gorilla gorilla
gospel evangélium
gossip ▼ *fn* pletyka ▼ *ige* pletykál
got → **get**
govern kormányoz *[országot]*
government kormány(zat)
governor kormányzó
gown köntös, talár
grab megragad, elkap
grace báj, kecs; kegy(elem)
graceful bájos; kecses
gracious kegyes; kedves
grade ▼ *fn* fok; osztályzat; *US* osztály *[iskolában]* ▼ *ige* osztályoz
graded test fokozódó nehézségű feladatsor
gradual fokozatos
graduate ▼ *fn* diplomás ▼ *ige* végez *[felsőoktatásban]*, diplomát szerez

graduation diplomaszerzés; ~ **ceremony** diplomaosztó

grain mag, szem *[gabonáé]*

grammar nyelvtan; ~ **school** *kb.* gimnázium

grammatical nyelvtani

gramme gramm

gramophone gramofon

grand ▼ *mn* nagy(szabású) ▼ *fn szl* ezres *[bankjegy]*

grandchild (*tsz* -children) unoka

grandchildren → **grandchild**

granddad *biz* nagypapa

granddaughter (lány)-unoka

grandeur pompa, nagyszerűség

grandfather nagyapa

grandma *biz* nagymami

grandmother nagymama

grandpa *biz* nagypapi

grandson (fiú)unoka

granite gránit

grant ▼ *fn US* ösztöndíj ▼ *ige* engedélyez, biztosít, megad

granny *biz* nagymami

grape szőlő(szem)

grapefruit grapefruit, citrancs

grapevine szőlőinda; **I heard it through the ~** csiripelték a madarak

graph grafikon

graphic képszerű, képi; grafikai

graphics *esz* grafika

grasp megragad; megért

grass fű, pázsit

grasshopper szöcske

grassy füves

grate reszel

grateful hálás

grater reszelő

gratitude hála

grave[1] *mn* komoly; *átv* súlyos

grave[2] *fn* sír *[temetőben]*

gravel kavics

gravestone sírkő

graveyard temető

gravity gravitáció

gravy húslé; mártás

graze[1] legel(tet)

graze[2] (le)horzsol

grease ▼ *fn* zsír ▼ *ige* (be)zsíroz

greasy zsíros

great nagyszerű; nagy

Greece Görögország

greed kapzsiság, telhetetlenség, mohóság

greedy kapzsi; mohó

Greek *mn, fn* görög

green zöld; éretlen

greengrocer zöldséges

greenhouse üvegház; ~ **effect** üvegházhatás

greet üdvözöl

greeting üdvözlet

grew → grow

grey szürke; ősz *[haj]*; borús

greyhound agár

grid rács, háló

gridlock (közlekedési) dugó; patthelyzet

grief bánat

grievance sérelem, panasz

grieve elszomorít, szomorkodik

grievous fájdalmas; súlyos

grill ▼ *fn* rostély *[sütéshez]*; (roston) sült hús ▼ *ige* roston süt/sül

grim borús, semmi jót nem sejtető

grimace ▼ *fn* fintor ▼ *ige* grimaszol

grime korom

grimy kormos

grin ▼ *fn* vigyor(gás) ▼ *ige* vigyorog

grind (ground, ground) őröl, darál; csikorog, csikorgat *[fogat]*; köszörül *[kést]*

grinder daráló; köszörű

grindstone köszörűkő

grip ▼ *fn* fogás; *átv* szorítás(a vminek) ▼ *ige* (meg)fog; *átv* elragad (vkit) *[félelem]*

gripping szorító; *átv* magával ragadó(an izgalmas)

grisly szörnyű

grizzly bear grizzli medve

groan ▼ *fn* nyögés ▼ *ige* nyög

grocer fűszeres *[élelmiszer-kereskedő]*

grocery fűszeresüzlet, *[kis]* élelmiszerbolt; fűszeráru

grope tapogatódzik; ~ for words keresi a szavakat

gross kövér; *gazd* bruttó

grotesque groteszk

ground¹ ▼ *fn* talaj, föld; jogalap ▼ *ige* (meg)-alapoz *[érvet];* zátonyra fut; nem enged felszállni *[repülőgépet]*

ground² *ige* → grind

grounding megalapozottság *[érvé];* *elektr* földelés

groundless alaptalan

groundwork *átv* alap(ozás)

group ▼ *fn* csoport, popegyüttes ▼ *ige* csoportosít, csoportosul

grow (grew, grown) termeszt; növeszt *[szakállt stb.];* terem; nő; ~ old öregszik

growl ▼ *fn* morgás ▼ *ige* morog *[kutya]*

grown → grow

grown-up felnőtt

growth növekedés; hajtás; daganat

grub lárva

grudge neheztelés, harag

gruff rekedtes *[hang];* nyers *[stílus]*

grumble ▼ *fn* morgolódás, panasz ▼ *ige* (about sg) morgolódik (vmi miatt)

grunt ▼ *fn* röfögés *[malacé]* ▼ *ige* röfög

guarantee ▼ *fn* garancia, jótállás ▼ *ige* (sg) szavatol (vmit); rendelkezésre bocsát, biztosít

guard ▼ *fn* őr ▼ *ige* őriz

guardian gyám; ~ angel őrangyal

guess ▼ *fn* találgatás; tipp ▼ *ige* találgat; (egyből) rájön, kitalál; *US* hisz

guesswork találgatás, hasraütés

guest vendég

guidance irányítás, útmutatás

guide ▼ *fn* (idegen)vezető; útikalauz, útmutató; ~ **dog** vakvezető kutya ▼ *ige* vezet *[vkit idegen helyen]*

guild céh; egyesület

guillotine nyaktiló

guilt bűntudat; bűnösség

guilty bűnös

guitar gitár

gulf *földr* öböl; *átv* szakadék *[nézetek között]*

gull sirály

gullible hiszékeny

gulp ▼ *fn* nyelés ▼ *ige* (le)nyel

gum (fog)íny

gun ▼ *fn* (lő)fegyver ▼ *ige* ~ **sy down** lelő

gunman (*tsz* -men) fegyveres (rabló)

gunpowder lőpor

gunshot (ágyú)lövés

gust széllökés

gut bél

gutter esővízcsatorna; árok

guy fiú, fickó

gymnasium tornaterem

gymnast *sp* tornász

gymnastics *esz* torna *[sportág]*

gynaecology nőgyógyászat

H

habit szokás
habitable lakható
habitual (tőle) megszokott, szokás(a) szerinti
hack levág, lecsap; *inform* behatol *[rendszerbe]*
had → have
haddock tőkehal
haggle alkuszik
Hague; the ~ Hága
hail[1] *fn* jégeső
hail[2] *ige* (*sy*) odakiált (vkinek); leint *[taxit]*
hair haj(szál); szőr(szál)
hairbrush hajkefe
haircut hajvágás; frizura
hairdo frizura

hairdresser fodrász
hairgrip hullámcsat
hairnet hajháló
hairpin hajtű
hairstyle frizura
hairy szőrös
half ▼ *mn* fél ▼ *fn* (*tsz* halves) fél, vminek a fele, *sp* félidő
halfway félúton
hall (előadó)terem, (sport)csarnok; előtér, előcsarnok; ~ of residence kollégium
hallo hé!; szervusz(tok)!
hallucination hallucináció
hallway *US* előszoba
halt ▼ *fn* megállás ▼ *ige* megáll(ít)
halve (el)felez, felére csökken(t)
halves → half
ham sonka
hammer ▼ *fn* kalapács ▼ *ige* kalapál
hammock függőágy

hamper akadályoz, feltart

hand ▼ *fn* kéz; óramutató; ~ **luggage** kézipoggyász ▼ *ige* (át)ad

handbag (női) táska

handbook kézikönyv

handbrake *gépk* kézifék

handful maroknyi

handicap ▼ *fn* /testi/szellemi/ fogyatékosság; hátrány ▼ *ige* hátráltat, nehezít

handicraft kézművesség

handkerchief zsebkendő

handle ▼ *fn* fogantyú ▼ *ige* (*sy*) bánik (vkivel); (*sg*) kezel (vmit)

handmade kézzel készített

handout adomány; *okt* osztanyag, kiosztmány /hallgatóknak/

handrail korlát

handshake kézfogás

handsome szép, csinos /férfi/

handwriting kézírás

handy hasznos, kéznél levő, (éppen) jókor/kapóra jövő

hang ▼ *fn biz* **get° the ~** (*of sg*) belejön (vmibe) ▼ *ige* (hung, hung) (*on sg*) felakaszt (vmire); lóg; ~ **around** várakozik, sétálgat

hanger kampó, akasztó

hang-glider *sp* sárkányrepülő

hangman (*tsz* -men) hóhér; *ját* akasztófa

hangover *biz* másnaposság

haphazard véletlenszerű, rendszertelen

happen (meg)történik

happy boldog

harass zaklat

harassment zaklatás

harbour kikötő

hard ▼ *mn* kemény, szilárd; *átv* nehéz ▼ *hsz* keményen

hardback kemény kötésű /könyv/

harden (meg)keményít, (meg)keményedik

hardly alig(ha)

hardship nehézség, megpróbáltatás

hardware *inform* hardver

hard-working szorgalmas

hare mezei nyúl

harm ▼ *fn* ártalom ▼ *ige* árt, bánt

harmful ártalmas

harmless ártalmatlan

harmonious harmonikus

harmonise összehangol

harmony *zene is* harmónia

harp hárfa

harrowing felkavaró

harsh éles, érdes *[hang]*; (túlzottan) nehéz, kegyetlen

harvest ▼ *fn* aratás ▼ *ige* (le)arat

has → **have**

haste sietség, kapkodás

hasten siettet

hasty gyors, elkapkodott

hat kalap

hatch kikel *[tojásból]*; keltet, (ki)költ *[tojást]*

hate ▼ *fn* gyűlölet ▼ *ige* utál, gyűlöl

hateful gyűlöletes

hatred gyűlölet

haul húz, vonszol

haunt kísért, nem hagy nyugodni *[szellem/gondolat]*

haunted kísértet járta, szellemek lakta

have (*jelen* have/has, *múlt* had, *mn.ign.* had) birtokol (vmit), van (vmije); elfogyaszt *[ételt/italt]*; ~ **sy on** ugrat (vkit); ~ **to do sg** kell vmit tenni; *[segédige öszszetett igealakok kialakításában]* **has Adam written the letter yet?** megírta már Ádám a levelet?

haven menedék

hawk héja *[madár]*

hay széna; ~ **fever** szénanátha

hazard ▼ *fn* veszély, kockázat ▼ *ige* (meg)kockáztat

haze köd, homály

hazel mogyoró(fa)

hazelnut mogyoró

hazy ködös *[nap]*; elmosódott *[kép]*

he ő *[fiú/férfi]*

head ▼ *fn* fej ▼ *ige* fejel *[labdát]*; (*to sg*) halad, tart (vmerre)

headache fejfájás

heading (fejezet)cím

headlight fényszóró *[autón]*

headline címsor *[újságban]*; fő hír *[hírműsorban]*

head-on frontális *[ütközés]*

headquarters *tsz* főhadiszállás; központ *[cégé]*

headway; make° ~ haladást ér el, (jól) halad

heal (meg)gyógyít, (meg)gyógyul

healer gyógyító

health egészség(ügy)

healthy egészséges

heap halom, kupac

hear (heard, heard) (meg)hall

heard → hear

hearing hallás

hearsay mendemonda

heart szív; *[kártyában]* kőr; ~ attack szívroham

heartache *átv* szívfájdalom

heartbeat szívverés

heartburn gyomorégés

hearth kandalló előtere; (meleg) családi fészek

hearty szívélyes

heat ▼ *fn* hőség, meleg ▼ *ige* hevít, melegít; (fel)hevül, melegszik

heated heves, forró *[hangulat, vita]*

heater kályha

heating fűtés

heatwave hőhullám

heaven mennyország, paradicsom

heavenly mennyei

heavy nehéz *[súly]*

heavyweight nehézsúlyú

Hebrew ▼ *mn* héber, zsidó ▼ *fn* héber *[nyelv]*, zsidó *[ember]*

hectare hektár

hedge (élő)sövény

hedgehog sün(disznó)

hedonism hedonizmus

heed ▼ *fn* reagálás, figyelem ▼ *ige* (*sg*) reagál (vmire), figyelemre méltat

heel sarok *[cipőé, lábé]*

height magasság; magaslat

heighten növel

heir(ess) örökös(nő)

held → **hold**

helicopter helikopter

heliport helikopter-kikötő

helium hélium

hell pokol

hello halló!; szia(sztok)! *[érkezéskor]*

helmet sisak

help ▼ *fn* segítség; *inform* súgó ▼ *ige* segít

helpful segítőkész; hasznos

helping adag *[ételből]*

helpless elhagyatott, kilátástalan sorsú

hemisphere félteke

hemp kender

hen tyúk

hence innen

henceforth ezután, ezentúl

hepatitis májgyulladás

her őt *[lányt/nőt]*; neki *[lánynak/nőnek]*; az ő vkije/vmije *[lányé/nőé]*

heraldry címertan

herb (zöld)fűszer

herbal füvekből készített *[tea]*

herd gulya; csorda

here itt, ide

hereafter alább; eztán

hereby ezennel

hereditary örökletes, örökölhető

heretic eretnek

heritage örökség

hermit remete

hernia sérv

hero hős

heroic hősi(es)

heroin heroin

heroine hősnő

heroism hősiesség

herring hering

hers az övé *[lányé/nőé]*

herself (ön)maga *[lány/ nő]*

hesitant határozatlan, tétova

hesitate habozik

hexagon hatszög

heyday fénykor, csúcspont

hi *biz* szia!

hiatus kihagyás, kimaradás

hid → **hide**

hidden ▼ *mn* rejtett, titkos, rejtélyes ▼ *ige* → **hide**

hide (hid, hidden) elrejt; rejtőzködik, elbújik

hideous *biz* ronda, csúf

hierarchy hierarchia

hi-fi *röv [high-fidelity]* hifitorony

high ▼ *mn* magas; felsőbb *[körök]*; ~ **jump** magasugrás; ~ **school** *US [4 osztályos]* középiskola; ~ **season** főidény; ~ **street** főutca; ~**er education** felsőoktatás ▼ *fn biz* csúcs ▼ *hsz* magasan

highbrow értelmiségi; *pejor* elvont

high-handed fölényes, lekezelő

highlight ▼ *fn* ~**s** *tsz* legemlékezetesebb pillanat(ai), csúcspontja(i) (vminek) ▼ *ige átv is* aláhúz, kiemel *[szövegkiemelővel]*

highway országút; **H~ Code** KRESZ

hijack eltérít *[repülőgépet]*

hike ▼ *fn* (gyalog)túra ▼ *ige* túrázik

hilarious (nagyon) vicces, mulatságos

hill domb

hillside domboldal

hilltop dombtető

him őt *[fiút/férfit]*; (ő)neki *[fiúnak/férfinak]*

himself (ön)maga *[fiú/férfi]*

hinder feltart, akadályoz, hátráltat

hindrance akadály(ozás); hátráltató tényező

hindsight visszatekintés; **in** ~ visszatekintve

Hindu *mn, fn* hindu

hinge ▼ *fn* sarokvas, zsanér ▼ *ige* (*on sg*) függ (vmitől), múlik (vmin)

hint ▼ *fn* célzás; (hasznos) tanács, ötlet; kis segítség/rávezetés *[játékban]* ▼ *ige* (*at sg*) (burkoltan) utal/céloz (vmire)

hip csípő

hippopotamus víziló

hire (ki)bérel

his az ő vmije *[fiúé/férfié]*; (az) övé *[fiúé/férfié]*

hiss sziszeg; (le)pisszeg

historian történész

historic történelmi jelentőségű *[esemény]*, történelmi emléket jelentő *[épület]*

historical történelmi, történeti

history történelem; történet

hit ▼ *fn* ütés/csapás; *sp, kat* találat; *zene* sláger ▼ *ige* (hit, hit) (meg)üt; (*against sg*) (neki)ütődik (vminek)

hitch ▼ *fn* malőr, fennakadás; *biz* autóstop ▼ *ige* (*to sg*) odakötöz (vmihez)

hitch-hike autóstoppol

HIV *röv [human immunodeficiency virus]* HIV-vírus, AIDS-vírus

hoard ▼ *fn* (felhalmozott) készlet ▼ *ige* felhalmoz, begyűjt

hoarse rekedt(es)

hoax ▼ *fn* kacsa *[álhír]* ▼ *ige* becsap, félrevezet

hobble sántít, biceg

hobby hobbi

hockey jégkorong, hoki

hoe ▼ *fn* kapa ▼ *ige* kapál

hog hízó *[sertés]*

hoist ▼ *fn* emelő(szerkezet) ▼ *ige* felemel

hold (held, held) tart *[kézzel]*; vall, tart *[nézetet]*; felfüggeszt *[szolgáltatást]*; visszatart *[lélegzetet]*; (meg)tart *[öszszejövetelt]*; *átv* tartogat *[meglepetést]*

holder tulajdonos, birtokos

hole gödör; lyuk

holiday szünidő, nyaralás; ünnep(nap); ~ **resort** üdülőhely

Holland Hollandia

hollow üre(ge)s; homorú; *átv* kiüresedett, üres

holocaust holokauszt

holy szent

homage (*to sy*) tisztelgés (vki előtt)

home ▼ *mn* otthoni, házi; hazai ▼ *fn* otthon ▼ *hsz* haza

homeland haza

homeless hajléktalan

homesick; be°/feel° ~ honvágya van

homesickness honvágy

homeward hazafelé

homework házi feladat

honest becsületes, őszinte

honesty becsületesség, őszinteség

honey méz

honeymoon nászút

honk dudál

honorary tiszteletbeli

honour ▼ *fn* (*to sy*) megbecsülés, tisztelet (vki iránt); megtiszteltetés; ~**s** *tsz [katonai]* tiszteletadás; ~**s degree** kitüntetéses diploma ▼ *ige* tiszteletben tart, betart *[megállapodást]*

honourable tisztességes

hood kapucni; *US gépk* motorháztető

hoof pata

hook kampó, akasztó; horog *[halaknak]*

hooked kampós, görbe *[orr]; átv (on sg)* függőségben van (vmitől), képtelen szabadulni (vmitől)

hooligan huligán

hooray hurrá!

hoot huhog; dudál

Hoover ▼ *fn* porszívó ▼ *ige* (ki)porszívóz

hop ▼ *fn* ugrás ▼ *ige* (át)-ugrik; fél lábon ugrál

hope ▼ *fn* remény ▼ *ige* *(for sg)* remél (vmit)

hopeful reménykedő

hopeless reménytelen

horizon horizont, látóhatár

horizontal vízszintes

hormone hormon

horn szarv, agancs; *gépk* duda; *zene* kürt

horoscope horoszkóp

horrible borzalmas, rettenetes

horrid rémes

horrific borzalmas, rettenetes

horrify (meg/el)rémít

horror rémület, irtózat, horror; ~ **film** horrorfilm

horse ló

horseshoe patkó

horticulture kertészet

hose harisnya; (kerti) slag

hospice elfekvőkórház

hospitable vendégszerető

hospital kórház

hospitality vendégszeretet

host házigazda

hostage túsz

hostel diákszállás; hajléktalanszálló

hostess háziasszony; hosztesz

hostile ellenséges

hostility ellenszenv, el-

lenségesség; összetűzé-
sek, villongások

hot forró; csípős *[étel]*;
~ **dog** hot dog

hotel szálloda

hound ▼ *fn* (vadász)ku-
tya ▼ *ige* üldöz

hour óra *[időegység]*

hourly óránként(i)

house ▼ *fn* ház; ~ **arrest**
házi őrizet ▼ *ige* elszállá-
sol

household háztartás

housekeeper házvezető-
nő, bejárónő

housekeeping háztartás;
házvezetés

house-warming lakás-
szentelő

housewife[1] (*tsz* -wives)
háziasszony

housewife[2] varrókészlet

housewives → **housewife**[1]

housework házi munka,
ház körüli teendő

housing lakás(ügy), lak-
hatás; ~ **estate** lakóte-
lep, lakópark

hover lebeg *[a föld felett]*

hovercraft légpárnás jár-
mű

how hogy(an); *[mn előtt]*
mennyire/milyen

however ▼ *[mn előtt]*
bármennyire (is) ▼ *ksz*
azonban

howl ▼ *fn* üvöltés ▼ *ige*
ordít, üvölt

hue (szín)árnyalat

hug ▼ *fn* ölelés ▼ *ige* át-
ölel

huge hatalmas, óriási

hullo halló!, szia(sztok)!
[érkezéskor]

hum ▼ *fn* zümmögés, zú-
gás ▼ *ige* zümmög; dú-
dol

human ember(i)

humane emberséges

humanist *mn, fn* huma-
nista

humanitarian humanitá-
rius, emberbaráti

humanity az emberiség

humble alázatos; sze-
rény, egyszerű

humid nedves

humidity páratartalom

humiliate megaláz

humorous mulatságos, vicces

humour humor

hump púp; bukkanó

hunch ▼ *fn biz* gyanú, sejtelem ▼ *ige* homorít *[hátat];* előrehajol

hunchback púpos (ember)

hundred száz

hung → **hang**

Hungarian *mn, fn* magyar

Hungary Magyarország

hunger éh(ín)ség; ~ **strike** éhségsztrájk

hungry éhes

hunt ▼ *fn* vadászat ▼ *ige* vadászik

hunter vadász

hunting vadászat

hurdle *sp* gát, akadály

hurl dob, (oda)vág

hurrah hurrá!

hurricane hurrikán

hurried sietős, elkapkodott

hurry ▼ *fn* sietség, kapkodás ▼ *ige* siet(tet)

hurt (hurt, hurt) megsebez; fájdalmat okoz; fáj

husband férj

hush ▼ *fn* (néma) csend ▼ *ige* lecsendesít; csendben marad; ~ **up** *(sg)* elhallgat (vmit), agyonhallgat

husky[1] *mn* érdes *[hang]*

husky[2] *fn* eszkimó kutya

hustle lökdös(ődik)

hut kunyhó

hyacinth jácint

hydraulic hidraulikus

hydrofoil szárnyashajó

hydrogen hidrogén

hyena hiéna

hygiene tisztaság, higiénia

hygienic higiénikus

hymn egyházi ének, himnusz

hype *biz* beharangozás, reklám

hypermarket áruház, be-
  vásárlóközpont
hyphen kötőjel
hypnosis hipnózis
hypnotise hipnotizál
hypocrisy képmutatás

hypocrite képmutató
hypotheses → hypothesis
hypothesis (*tsz* hypoth-
  eses) feltevés
hysteria hisztéria
hysterical hisztérikus

I

I én

ice ▼ *fn* jég; ~ **cream** fagylalt; ~ **hockey** jég- korong, jéghoki ▼ *ige* jégbe hűt *[italt]*; ~ **up/over** befagy

iceberg jéghegy

iced jégbe hűtött

Iceland Izland

Icelander *fn* izlandi *[em- ber]*

Icelandic ▼ *mn* izlandi ▼ *fn* izlandi *[nyelv]*

icicle jégcsap

icing cukormáz

icon ikon

icy jeges; fagyos

idea ötlet, elképzelés

ideal ▼ *mn* ideális ▼ *fn* ideál; példakép

idealism idealizmus

idealise idealizál

identical megegyező, azonos

identification azonosítás

identify azonosít; felis- mer

identity azonosság; ~ **card** személy(azonos- ság)i igazolvány, azo- nosító kártya

ideology ideológia

idiom kifejezés, idióma

idiomatic(al) idiomatikus

idiosyncrasy egyéni jel- legzetesség

idle ▼ *mn* elfoglaltság nélküli; lusta ▼ *ige* gépk üresben jár *[motor]*

idleness semmittevés

idol bálvány

idolise bálványoz

idyll idill

idyllic idillikus

if ha, hogyha; hogy (va- jon) …-e

ignite (meg)gyújt; (meg)-
gyullad

ignition (meg)gyulladás;
gépk gyújtás; ~ **key**
slusszkulcs

ignorance tudatlanság;
(*of sg*) vmi nem ismeré-
se

ignorant tudatlan; (*of sg*)
nincs tudomása (vmi-
ről)

ignore nem vesz tudo-
másul, figyelmen kívül
hagy

ill beteg; rossz; **be°/feel°**
~ beteg, rosszul van; ~
health gyengélkedés

ill-advised meggondolat-
lan

illegal törvénytelen

illegible olvashatatlan

illegitimate törvénytelen;
jogtalan

illicit tiltott, törvényelle-
nes

illiterate írástudatlan; ta-
nulatlan

illness betegség

illogical logikátlan

ill-treat (*sy*) rosszul bánik
(vkivel)

illuminate megvilágít;
megmagyaráz

illumination (meg)világí-
tás; kivilágítás

illusion illúzió, érzékcsa-
lódás

illusionist bűvész

illustrate illusztrál; szem-
léltet; magyaráz

illustration illusztráció;
szemléltetés

illustrious híres, illusztris

image arculat, imázs; el-
képzelés; kép, szobor;
tükörkép

imagery ábrázolás; ké-
pek; szóképek

imaginable elképzelhető

imaginary képzeletbeli,
(el)képzelt

imagination képzelet,
fantázia; képzelődés

imaginative fantáziadús

imagine (el)képzel; (el)-
gondol; képzelődik

imbalance egyensúlyhiány

imbecile gyengeelméjű

imitate utánoz

imitation utánzás; után-
zat

imitator utánzó

immaculate hibátlan; tisz-
ta

immaterial lényegtelen

immature éretlen

immediate azonnali; köz-
vetlen

immediately rögtön,
azonnal; közvetlenül

immense óriási

immerse (bele)merít; be-
lemélyed

immigrant bevándorló

immigrate bevándorol

immigration bevándorlás

imminent közelgő

immobile mozdulatlan;
rögzített

immobilise [eltört végta-
got] rögzít; megbénít;
gépk mozgásképtelenné
tesz

immoral erkölcstelen

immortal halhatatlan

immovable (meg)moz-
díthatatlan; rendíthe-
tetlen

immune védett; (to sg)
immunis (vmivel szem-
ben)

immunity mentesség,
mentelmi jog; immuni-
tás

immunise immunissá
tesz, immunizál

impact ▼ fn ütközés; ha-
tás ▼ ige (on sg) (ki)hat
(vmire)

impair elront

impartial pártatlan

impassable járhatatlan

impatience türelmetlen-
ség

impatient (with sg) türel-
metlen (vkivel)

impeccable kifogástalan;
feddhetetlen

impede (meg)akadályoz

impediment akadály, gát

impending (fenyegető-
en) közelgő

impenetrable áthatolhatatlan; átláthatatlan

imperative ▼ *mn* szükséges; *nyelv* felszólító ▼ *fn* felszólító mód; kényszer

imperceptible észrevehetetlen

imperfect tökéletlen; hiányos

imperfection tökéletlenség; hiányosság

imperial császári, birodalmi

impersonal személytelen

impersonate megszemélyesít, megtestesít

impertinent szemtelen

impetuous indulatos, lobbanékony; elhamarkodott

impetus lendület; ösztönzés

implant beültet

implement ▼ *fn* eszköz, szerszám ▼ *ige* megvalósít

implicate belekever

implication belekever(e-

d)és; következmény; sejtetés

implicit beleértett, hallgatólagos

imply magában foglal, implikál; céloz, sejtet

impolite udvariatlan

import ▼ *fn* import(áru) ▼ *ige* importál

importance fontosság; jelentőség

important fontos, jelentős

impose (*on sg*) kivet, ró *[pl. vámot vmire];* (*sg upon sy*) előír (vmit vkinek)

imposing impozáns, lenyűgöző

impossibility lehetetlenség

impossible lehetetlen

impotent tehetetlen; impotens

impractical kivitelezhetetlen; nem gyakorlatias

imprecise pontatlan

impress (*sy*) hat, hatással van (vkire); (*sg upon sg*) belenyom, rányom (vmit vmibe/vmire)

impression impresszió, benyomás, hatás; lenyomat, utánnyomás

impressionable befolyásolható

impressionism impresszionizmus

impressionist *mn, fn* impresszionista

impressive hatásos

imprint ▼ *fn* nyom, lenyomat; kiadó neve, impresszum ▼ *ige* (*sg on sy/sg*) be(le)vés (vmit vkibe/vmibe)

imprison bebörtönöz

imprisonment bebörtönzés; börtönbüntetés

improbable valószínűtlen

improper helytelen, nem megfelelő; illetlen

improve (meg)javít, fejleszt; (meg)javul

improvement javulás; javítás; haladás

improvise rögtönöz

impudent pimasz

impulse ösztönzés; impulzus

impulsive lobbanékony

impure tisztátalan

impurity tisztátalanság; szennyeződés

in ▼ *hsz* be° ~ benn/itthon van ▼ *elölj* -ban, -ben; -ba, -be

inability alkalmatlanság, képesség hiánya

inaccessible megközelíthetetlen

inaccurate pontatlan

inactive tétlen

inadequate alkalmatlan, nem megfelelő

inadvisable nem tanácsos

inanimate élettelen

inappropriate nem megfelelő

inarticulate összefüggéstelen

inaudible nem hallható

inaugurate beiktat; felavat

incapable (*of sg*) képtelen (vmire)

incentive ▼ *mn* ösztönző ▼ *fn* ösztönzés

incessant szüntelen

inch hüvelyk */= 2,54 cm/*

incident váratlan esemény, incidens

incidental mellékes

incidentally mellesleg, jut eszembe

incite uszít

inclination (*to sg*) hajlam (vmire)

incline (*to sg*) késztet; hajlamos/hajlik (vmire)

include tartalmaz, magában foglal

including beleértve

inclusion beleértés, belefoglalás

inclusive magában foglaló

incoherent összefüggéstelen

income jövedelem; ~ tax jövedelemadó

incoming beérkező

incomparable összehasonlíthatatlan, semmihez sem fogható

incompatible összeférhetetlen; *inform* nem kompatibilis

incompetent hozzá nem értő

incomplete befejezetlen

incomprehensible érthetetlen

inconceivable elképzelhetetlen

inconsistent következetlen

inconspicuous alig észrevehető

inconvenience kényelmetlenség

inconvenient kellemetlen, kényelmetlen

incorporate magában foglal, beépít; bekebelez

incorporated company bejegyzett cég, részvénytársaság

incorrect helytelen

incorrigible javíthatatlan

increase ▼ *fn* növekedés; szaporulat ▼ *ige* növel; növekedik; szaporodik

increasingly mindinkább

incredible hihetetlen

incredulous hitetlen

incriminate bűnügybe kever

incubator inkubátor; keltetőgép

incur elszenved, kénytelen elviselni

incurable gyógyíthatatlan

indecent illetlen

indecision határozatlanság

indecisive határozatlan

indeed valóban; igazán

indefinite határozatlan; korlátlan; ~ article határozatlan névelő

indefinitely határozatlanul; korlátlanul

indelible le-/kitörölhetetlen

indelicate tapintatlan

indemnity kártérítés

independence (*from/of* sy/sg) függetlenség (vkitől/vmitől)

independent (*of* sy/sg) független (vkitől/vmitől); önálló

indescribable leírhatatlan

indestructible elpusztíthatatlan

index névmutató, tárgymutató; index(szám); ~ finger mutatóujj

India India

Indian *mn, fn* indiai; indián

indicate jelez; indexel

indication utalás; jel

indicative ▼ *mn* (*of* sg) (vmire) valló ▼ *fn* kijelentő mód

indicator mutató; index

indict (meg)vádol

indictment vád(irat)

indifference közöny

indifferent közönyös, közömbös

indigenous honos; bennszülött

indignant felháborodott

indignity megaláz(tat)ás

indigo indigókék

indirect közvetett; nem egyenes

indiscreet tapintatlan

indiscriminate válogatás nélküli

indispensable nélkülözhetetlen

indisputable kétségbevonhatatlan

indistinct elmosódott

individual ▼ *mn* egyéni; egyedi ▼ *fn* egyén

individuality egyéniség

individually egyénileg

indivisible oszthatatlan

indoor szobai

indoors otthon, benn

induce (*sy to do sg*) rávesz, rábír (vkit vmire); előidéz

inducement ösztönzés

indulge kedvébe jár, kényeztet; (*sy in sg*) meg-

enged/elnéz (vkinek vmit)

indulgence szenvedély

indulgent engedékeny, elnéző

industrial ipari; iparosodott

industrialist iparos

industrialise iparosít

industrious szorgalmas

industry ipar(ág)

inedible ehetetlen

ineffective hatástalan

inefficient nem hatékony

inept ügyetlen

inequality egyenlőtlenség

inert tehetetlen

inescapable elkerülhetetlen

inevitable elkerülhetetlen; elmaradhatatlan

inexcusable megbocsáthatatlan

inexpensive olcsó

inexperienced tapasztalatlan

inexplicable megmagyarázhatatlan

infallible csalhatatlan

infamous hírhedt

infancy kisgyerekkor; vminek a kezdete

infant kisgyermek, csecsemő; ~ **school** óvoda, iskolaelőkészítő

infect (meg)fertőz

infection fertőzés

infectious fertőző; ragályos

infer következtet

inferior ▼ *mn* alsóbbrendű, rosszabb minőségű ▼ *fn* alárendelt

inferiority alsóbbrendűség; rosszabb minőség

infertile terméketlen

infest eláraszt

infidelity hűtlenség

infiltrate beszivárog(tat)

infinite végtelen, határtalan

infinitive főnévi igenév

infinity végtelen(ség)

inflame meggyújt; meggyullad; feldühít; gyulladásba jön

inflammable gyúlékony

inflammation (meg)gyulladás

inflatable felfújható

inflate felfúj; (fel)emel *[árakat]*

inflation infláció; felfújás

inflexible merev

inflict (*on sy*) kiró (vkire); okoz *[fájdalmat];* ráerőltet (vmit/vkit vkire)

influence ▼ *fn* (*on sy/sg*) hatás, befolyás (vkire/vmire) ▼ *ige* befolyásol; (ki)hat

influential befolyásos

influenza influenza

influx beáramlás

inform (*about/of sg*) tájékoztat, tudósít, felvilágosít (vmiről)

informal nem hivatalos; fesztelen, kötetlen

information felvilágosítás, információ; **three pieces of** ~ három információ; ~ **desk** információs pult

infrared infravörös

infrastructure infrastruktúra

infringe megszeg

infringement megszegés

infuriate felbőszít

ingenious ügyes, eredeti

ingenuity ügyesség, eredetiség

ingenuous ártatlan; őszinte

ingratitude hálátlanság

ingredient alkotórész, hozzávaló

inhabit lakik

inhabitant lakó, lakos

inherent benne rejlő

inherit (meg)örököl

inheritance öröklés; hagyaték; örökség

inhibit (meg)akadályoz, (meg)gátol

inhibited gátlásos

inhibition gátlás

inhuman embertelen

inhumanity embertelenség

initial ▼ *mn* kezdő ▼ *fn* kezdőbetű

initiate kezdeményez; beavat

initiative kezdeményezés

inject befecskendez

injection befecskendezés

injure megsebesít

injured ▼ *mn* (meg)sérült; (meg)sebesült ▼ *fn* sérült, sebesült

injury sérülés

injustice igazságtalanság

ink ▼ *fn* tinta ▼ *ige* tintával beken

inkling sejtelem

inland ▼ *mn* belső; belföldi ▼ *fn* az ország belseje ▼ *hsz* az ország belsejében

in-laws *tsz* a házastárs családja

inlet öböl

inn (vendég)fogadó

innate veleszületett

inner belső; ~ **city** belső városrész

innermost legbelső

innocence ártatlanság

innocent ártatlan

innocuous ártalmatlan

innovation újítás

inoculate (against sg) beolt (vmi ellen)

inoculation oltás

inoffensive ártalmatlan

in-patient kórházi beteg, fekvőbeteg

input input, bemenő jel/ információ

inquest vizsgálat

inquire (about/of sg) érdeklődik, tudakozódik (vmiről)

inquiry érdeklődés, tudakozódás

inquisitive kíváncsi

insane elmebeteg, őrült

insanity elmebaj

inscription felírás; ajánlás

insect rovar

insecticide rovarirtó

insecure bizonytalan

insecurity bizonytalanság

insensitive érzéketlen

inseparable elválaszthatatlan

insert ▼ fn behelyezés, beillesztés; melléklet ▼ ige behelyez, beilleszt

insertion beszúrás; betoldás

inside ▼ mn belső ▼ fn vminek a belseje ▼ hsz belül, bent ▼ elölj vmin belül

insight bepillantás; éleslátás

insignificant jelentéktelen

insincere nem őszinte

insist (on/upon sg) ragaszkodik (vmihez); erősködik

insistent ragaszkodó; kitartó

insolent szemtelen

insolvent fizetésképtelen

insomnia álmatlanság

inspect szemügyre vesz, megvizsgál

inspection megtekintés, vizsgálat

inspector felügyelő

inspiration ihlet, ötlet

inspire megihlet, ösztönöz

instability bizonytalanság, instabilitás

install felszerel, bevezet(tet); *inform [programot]* telepít

installation felszerelés, bevezetés; *inform* telepítés

instalment törlesztőrészlet; folytatás *[regényé]*

instance példa, eset; for ~ például

instant ▼ *mn* azonnali; ~ coffee neszkávé ▼ *fn* pillanat

instantly azonnal

instead ▼ *hsz* helyette; inkább ▼ *elölj* (of sg/sy) (vmi/vki) helyett

instigate felbujt, kezdeményez

instinct ösztön

instinctive ösztönös

institute ▼ *fn* intézet, intézmény ▼ *ige* létrehoz

institution intézmény, intézet; létrehozás

institutional intézményes; intézeti

instruct utasít; eligazít; (sy in sg) tanít (vkit vmire)

instruction utasítás; tanítás

instructor oktató; egyetemi előadó

instrument eszköz; műszer; (musical) ~ hangszer

instrumental hangszeres; műszeres; be° ~ in nélkülözhetetlen (vmiben)

insufferable kibírhatatlan

insufficient elégtelen

insulate (el)szigetel

insulation szigetelés; szigetelőanyag

insulin inzulin

insult ▼ *fn* sértés ▼ *ige* megsért

insurance biztosítás; ~ policy biztosítási kötvény

insure biztosít

intact sértetlen

intake felvétel *[pl. vízé];* a felvett hallgatók létszáma

intangible megfoghatatlan

integral szerves(en hozzátartozó)

integrate egyesít, beilleszt; integrál

integration beillesztés; beilleszkedés; integrálás

integrity teljesség; becsületesség

intellect értelem

intellectual ▼ *mn* észbeli ▼ *fn* értelmiségi

intelligence értelem; hírszerzés; ~ **quotient** intelligenciahányados

intelligent értelmes, intelligens

intelligible érthető

intend szándékozik; szán

intense erős

intensify (fel)erősít, (fel)erősödik

intensity erősség

intensive alapos, inten-

zív; ~ **care unit** intenzív osztály

intent ▼ *mn* elszánt ▼ *fn* szándék

intention szándék

intentional szándékos

interact egymásra hat, beszél egymással

interactive egymásra ható; párbeszédes *[szoftver]*

intercept elfog, feltartóztat

interchange (fel)cserél

intercourse érintkezés; **(sexual)** ~ közösülés

interdependence egymásrautaltság

interest ▼ *fn* érdeklődés; érdekesség; érdek; kamat; ~ **rate** kamatláb ▼ *ige* érdekel; *(in sg)* felkelti az érdeklődését (vmi iránt)

interested érdeklődő; érdekelt

interesting érdekes

interfere *(with sg)* megbolygat, akadályoz, zavar (vmit); ~ **in** beavatkozik

interference beavatkozás; interferencia

interim ideiglenes

interior ▼ *mn* belső ▼ *fn* vmi belseje

interjection közbeszólás; *nyelv* indulatszó

interlink összefűz, összekapcsol

interlock egymásba illeszt, összekapcsol

interlude közjáték

intermediary közvetítő

intermediate közbeeső; középfokú

intermission szünet(elés)

internal belső; belföldi

international nemzetközi

interplay kölcsönhatás; összjáték

interpret értelmez, magyaráz; tolmácsol

interpretation értelmezés; tolmácsolás

interpreter tolmács

interrogate (ki)kérdez, vallat

interrogation (ki)kérdezés, vallatás

interrogative ▼ *mn* kérdő ▼ *fn* kérdőszó

interrupt félbeszakít, megzavar

interruption félbeszakítás; közbeszólás

intersect metszi egymást; kereszteződik

intersection metszőpont; útkereszteződés

interval időköz; távolság; szünet

intervene közbejön; közbenjár; közbelép

intervention beavatkozás; közbenjárás; közbelépés

interview ▼ *fn* interjú; (felvételi) beszélgetés ▼ *ige* meginterjúvol; elbeszélget *[hivatalosan]*

intestine bél

intimacy bizalmasság; intim kapcsolat

intimate bizalmas
intimidate megfélemlít
into -ba, -be; *[változásról]* -vá, -vé
intolerable tűrhetetlen
intolerance türelmetlenség
intolerant türelmetlen
intoxicated részeg
intransitive *nyelv* tárgyatlan *[ige]*
intravenous intravénás
intricate bonyolult
intrigue ▼ *fn* intrika ▼ *ige* intrikál; érdekel
intriguing érdekes
intrinsic belső, lényegi
introduce bemutat; (*sy to sy*) bemutat (vkit vkinek); bevezet *[újdonságot]*
introduction bemutatás; bevezetés
introductory bevezető
intrude (*on/upon*) megzavar (vkit); közbeszól
intruder betolakodó
intrusion alkalmatlankodás; félbeszakítás, megzavarás
intuition ösztönös megérzés
intuitive intuitív
invade lerohan, megszáll
invalid ▼ *mn* érvénytelen ▼ *fn* rokkant
invalidate érvénytelenít
invaluable felbecsülhetetlen
invariable állandó
invasion lerohanás, megszállás
invent feltalál
invention találmány; feltalálás
inventive leleményes
inventor feltaláló
inventory ▼ *fn* leltár ▼ *ige* leltároz
invert megfordít; felcserél
inverted comma idézőjel
invest (*in sg*) befektet (vmibe)
investigate tanulmányoz, nyomoz

investigation vizsgálat, nyomozás

investigator nyomozó

investment befektetés; befektetett pénz

investor befektető

invisible láthatatlan

invitation meghívás; meghívó

invite meghív; felkér

inviting hívogató

invoice ▼ *fn* számla ▼ *ige* számláz

involuntary önkéntelen

involve (*sg/sy in sg*) bevon, belekever (vmit/vkit vmibe); (*sg*) (vmivel) jár

involved bonyolult

involvement belekever(ed)és

inward ▼ *mn* belső; lelki ▼ *hsz* befelé

inwards befelé

iodine jód

ion ion

IOU *röv [I owe you]* adóslevél

IQ *röv [intellingence quo-*

tiens] intelligenciahányados

Iran Irán

Iranian *mn, fn* iráni

Iraq Irak

Iraqi(an) *mn, fn* iraki

Ireland Írország; **Republic of** ~ Ír Köztársaság

iris szivárványhártya; nőszirom

Irish ▼ *mn* ír; ~ **coffee** ír kávé *[whiskys-tejszínes kávé]* ▼ *fn* esz/tsz ír *[ember, nyelv]*

Irishman (*tsz* -men) ír *[férfi]*

iron ▼ *fn* vas; vasaló ▼ *ige* (ki)vasal

ironic(al) ironikus

ironing board vasalódeszka

ironmonger vaskereskedő

irony gúny, irónia

irrational irracionális; oktalan

irreconcilable összeegyeztethetetlen, kibékíthetetlen

irrecoverable behajthatatlan

irregular szabálytalan, rendellenes, rendhagyó

irregularity rendellenesség

irrelevant lényegtelen; nem odatartozó

irreparable helyrehozhatatlan

irreplaceable pótolhatatlan

irresistible ellenállhatatlan

irresolute határozatlan

irrespective (*of sg*) tekintet nélkül vmire

irresponsible felelőtlen

irrigate (meg)öntöz; (ki)öblít

irrigation öntözés; öblítés

irritable ingerlékeny

irritate felingerel; irritál

is → **be**

Islam iszlám vallás/világ

island sziget

islander szigetlakó

isle sziget

isolate elszigetel, elkülönít

isolation elszigetelés; elkülönítés

Israel Izrael

Israeli *mn, fn* izraeli

issue ▼ *fn* kérdés; kibocsátás; szám ▼ *ige* kibocsát; kiad

it *[pl. élettelenről, ismeretlen neműről, állatról]* ő, az

Italian *mn, fn* olasz

italics dőlt/kurzív betű

Italy Olaszország

itch ▼ *fn* viszketés; (*for sg v. to do sg*) vágyódás (vmire) ▼ *ige* viszket

itchy viszkető

item adat; darab; tétel

itemise *[számlát]* részletez

itinerary útiterv; útikönyv

its az ő …-ja/-je, annak a(z) …-ja/-je

itself maga

ivory elefántcsont

ivy repkény, borostyán

J

jab ▼ *ige* döf, üt ▼ *fn* döfés, ütés; *tréf* oltás, szuri

jack emelőbak; *ját* bubi; Union J~ a brit zászló

jackal sakál

jackdaw csóka

jacket kabát, zakó; borító

jackpot főnyeremény; hit° the ~ megüti a főnyereményt

jagged csipkézett

jaguar jaguár

jam ▼ *fn* dzsem; (forgalmi) dugó; torlódás ▼ *ige* (be)zsúfol(ódik)

Jamaica Jamaica

jangle ▼ *fn* csörömpölés ▼ *ige* csörömpöl; csörget

janitor *US* portás, házfelügyelő

January január

Japan Japán

Japanese ▼ *mn* japán ▼ *fn* esz/tsz japán [ember, nyelv]

jar korsó, lekvárosüveg, befőttesüveg

jargon (szak)zsargon

jasmine jázmin

jaundice sárgaság

javelin gerely; ~ (throw) gerelyhajítás

jaw állkapocs; pofa

jazz dzsessz

jealous (*of sy*) féltékeny (vkire); irigy

jealousy féltékenység; irigység

jeans *tsz* farmer(nadrág)

jeer ▼ *fn* gúnyolódás ▼ *ige* (*at sy*) kigúnyol (vkit)

jelly kocsonya, zselé

jellyfish medúza

jeopardise kockáztat, veszélybe sodor

jeopardy kockázat, veszély

jerk ▼ *fn* rántás; lökés ▼ *ige* (meg)ránt; (meg)lök

jersey dzsörzé(szövet); kötött pulóver

jest ▼ *fn* tréfa ▼ *ige* tréfálkozik

Jesuit *mn, fn* jezsuita

Jesus Jézus

jet ▼ *fn* kilövellés; sugárhajtású repülőgép ▼ *ige* kilövell

jettison elbocsát; elvet (vmit), felhagy (vmivel)

Jew zsidó *[ember]*

jewel ékszer, (ék)kő

jeweller ékszerész

jewellery ékszer(ek)

Jewish zsidó

jigsaw lombfűrész; ~ **puzzle** kirakós játék

jingle ▼ *fn* csöngés, csilingelés, csörgés ▼ *ige* csöng, csilingel, csörög

job munka, feladat; állás, foglalkozás

jockey zsoké; disc-jockey

jog kocog

jogging kocogás

join (össze)illeszt, összekapcsol; (*sg/sy*) csatlakozik (vmihez/vkihez); belép (vhová)

joiner asztalos

joint ▼ *mn* közös ▼ *fn* illesztés; ízület

jointly közösen

joke ▼ *fn* tréfa, vicc ▼ *ige* tréfál(kozik), viccel

joker mókamester; dzsóker

jolly ▼ *mn* vidám ▼ *hsz* nagyon

jolt ▼ *fn* zökkenés; lökés ▼ *ige* zökken(t); lök(dös)

jot down lejegyez (vmit), leír (vmit)

journal napló; folyóirat

journalism újságírás

journalist újságíró

journey utazás, út

jovial vidám

joy öröm, vidámság

joyful örömteli

joyous vidám

jubilant örvendező

jubilee jubileum, évforduló

Judaism judaizmus

judge ▼ *fn* bíró(nő) ▼ *ige* (el)ítél; ítélkezik

judicial bírói, bírósági, jogi

judiciary ▼ *mn* bíró(ság)i ▼ *fn* a bírói testület; igazságügy

judo cselgáncs, dzsúdó

jug kancsó

juggle zsonglőrködik

juggler zsonglőr

juice lé, nedv; gyümölcslé

juicy lédús

jukebox zenegép

July július

jumble ▼ *fn* összevisszaság; ~ **sale** jótékonysági vásár ▼ *ige* összekever(edik), összekuszál

jump ▼ *fn* ugrás; **high** ~

magasugrás; **long** ~ távolugrás; **triple** ~ hármasugrás ▼ *ige* (át/fel)-ugrik, ugrál

jumper ugró; pulóver; ujjatlan ruha

jumpy ideges

junction (út)kereszteződés, csomópont, elágazás

juncture időpont, fordulópont

June június

jungle őserdő

junior ▼ *mn* ifjabb; kezdő ▼ *fn* (vki) fia; alsó tagozatos *[tanuló]*

junk *fn* hulladék, limlom; ~ **mail** reklámanyag, szórólap *[postaládába bedobált]*

jurisdiction *[bíráskodási]* hatáskör

juror esküdt

jury *fn* esküdtszék; zsűri

just ▼ *mn* igazságos; igaz ▼ *hsz* épp(en), pont(osan); alig; csak

justice igazság; igazság-
szolgáltatás; bíró; **J~
of the Peace** békebíró
justiciable felelősségre
vonható
justifiable jogos, igazol-
ható

justification indoklás,
igazolás; *inform* sorki-
zárás
justify igazol, (meg)indo-
kol; *inform* (sort) kizár
juvenile ifjú(sági); fiatal-
korú

K

kaleidoscope kaleidoszkóp

kangaroo kenguru

karate karate

kayak kajak

kebab rablóhús

keen buzgó, lelkes; be° ~ (*on sg/sy*) lelkesedik (vmiért/vkiért)

keep (kept, kept) (meg)-tart; őriz; vezet *[naplót, háztartást];* (el)tart *[családot];* marad; ~ **quiet** csendben marad; ~ **smiling** mindig mosolyog; *[étel]* eláll; ~ **on doing** (*sg*) folytat (vmit)

keeper őr

keeping (meg)őrzés

kennel kutyaház

kept → **keep**

kerb járdaszegély

kernel mag; lényeg

ketchup ketchup *[fűszeres paradicsomszósz]*

kettle (teavízforraló) kanna

key ▼ *fn* kulcs; billentyű; (jel)magyarázat ▼ *ige* kulccsal bezár; *inform* ~ (**in**) begépel

keyboard billentyűzet; billentyűs hangszer

keyhole kulcslyuk

keynote vezérfonal; ~ **speech** vitaindító

khaki khaki

kick ▼ *fn* rúgás ▼ *ige* (meg)rúg, rugdal; ~ **out** kirúg

kid ▼ *fn* srác, kölyök ▼ *ige* ugrat

kidnap elrabol *[személyt]*

kidney vese

kill (meg)öl, (meg)gyilkol; be° ~**ed** életét veszti

killer gyilkos

killjoy ünneprontó

kilo kiló

kilogramme kilogramm

kilometre kilométer

kilt skót szoknya

kin ▼ *mn* rokon ▼ *fn* rokonság

kind ▼ *mn* kedves, jóindulatú, szíves ▼ *fn* faj(ta), típus; jelleg

kindergarten óvoda

kind-hearted jószívű

kindness jóság; szívesség

king király, uralkodó

kingdom királyság, birodalom; **the United K~** Egyesült Királyság

king-size extra méretű

kiosk bódé; telefonfülke; pavilon

kiss ▼ *fn* csók, puszi ▼ *ige* (meg)csókol, megpuszil; csókolódzik

kit készlet; (katonai) felszerelés

kitchen konyha; **~ sink** (konyhai) mosogató

kitchenette teakonyha

kite (papír)sárkány

kitten kismacska

knead dagaszt, gyúr; masszíroz

knee térd

kneecap térdkalács; térdvédő

kneel (knelt, knelt) térdel

knelt → **kneel**

knew → **know**

knickers *tsz* bugyi

knife ▼ *fn* (*tsz* knives) kés, tőr ▼ *ige* megkésel

knight lovag; *[sakkban]* ló, huszár

knit (knitted/knit, knitted/knit) (meg)köt

knitting kötés

knives → **knife**

knob gomb; dudor

knock ▼ *fn* kopogás, ütés ▼ *ige* (*on/at sg*) kopog(tat) (vmin); (meg)üt; **be° ~ed down** *[jármű]* elüti; **~ out** kiüt

knocker kopogtató

knot ▼ *fn* csomó, bog;

csomó *[= 1,853 km/h]*
▼ *ige* csomóz, összeköt

know (knew, known)
tud, ismer; **please let
me ~** kérem, értesítsen

know-all mindentudó

know-how hozzáértés,
szakértelem

knowledge tudomás (vmi-
ről); (*of*) tudás

knowledgeable nagy tu-
dású

known ▼ *mn* ismert, is-
meretes ▼ *ige* → **know**

knuckle ujjízület, ujj-
perc

Koran Korán

Korea Korea

Korean *mn, fn* koreai

kosher kóser

L

lab *röv [laboratory]* labor
label ▼ *fn* címke, felirat;
biz elnevezés, megjelö-
lés ▼ *ige* megcímkéz
laboratory laboratórium
laborious   fáradságos;
szorgalmas
labour munka, fáradság;
munkaerő; *orv* vajúdás
labourer munkás, fizikai
dolgozó
lace ▼ *fn* cipőfűző, zsi-
nór; csipke ▼ *ige* befűz,
összecsatol
lack ▼ *fn* hiány ▼ *ige (sg)*
nélkülöz (vmit), hiány-
zik (vmije)

lacquer ▼ *fn* lakk, zo-
mánc ▼ *ige* (be)lakkoz,
(be)zománcoz
lad fiú, fickó
ladder létra
laden megterhelt, meg-
rakott *[áruval, teherrel]*
ladle ▼ *fn* merőkanál ▼
ige mer *[levest]*
lady hölgy, úrnő; nő, asz-
szony; lady *[cím]; biz*
feleség
ladybird katicabogár
lager világos sör
lagoon lagúna
laid → lay
lain → lie²
lake tó
lamb bárány, bárány(hús)
lame sánta, béna
lament ▼ *fn* siránkozás,
panaszkodás ▼ *ige*
(meg)sirat
laminated réteges *[kő-
zet]*, laminált *[textília]*
lamp lámpa, fényszóró
lamppost lámpaoszlop

lampshade lámpaernyő

lance lándzsa

land ▼ *fn* (száraz)föld; föld, talaj; terület, ország; föld(birtok) ▼ *ige* partra tesz; letesz; partra száll, leszáll; érkezik, esik (vhová)

landing kikötés; partraszállás; leszállás; *épít* lépcsőforduló; ~ **gear** futómű *[repülőé]*

landlady főbérlő, háziasszony *[albérletben];* kocsmárosné, vendéglősné

landlord főbérlő, háziúr *[albérletben];* kocsmáros, vendéglős

landmark (feltűnő) tereptárgy; *átv is* határkő, korszakalkotó esemény

landowner földbirtokos

landscape táj, tájkép

landslide földcsuszamlás

lane ösvény; keskeny mellékutca; sáv *[autóúton, uszodában]*

language nyelv; nyelvezet, stílus

lank sovány *[ember];* vékony, tartás nélküli *[haj];* üres *[pénztárca]*

lantern lámpa, lámpás; világítótest

lap öl, térd; *sp* kör *[pályán megtett],* forduló

lapel hajtóka *[kabáté]*

lapse ▼ *fn* hiba, tévedés; múlás, folyás *[időé]* ▼ *ige* vét, hibázik; múlik, telik *[idő]*

laptop laptop, hordozható számítógép

larch vörösfenyő

lard (disznó)zsír, háj

larder éléskamra, spájz

large nagy (méretű); terjedelmes; bőséges *[étkezés]*

large-scale nagyarányú

lark pacsirta

laser lézer

lash ▼ *fn* korbács, ostor; korbácsütés, ostorcsapás ▼ *ige* (meg)korbá-

csol, ver *[ostorral];* űz,
hajszol; *átv* ostoroz, szid

last ▼ *mn* utolsó; (el)-
múlt, legutóbbi ▼ *hsz*
utoljára, utolsóként; vé-
gül, végezetül ▼ *ige* tart
(vmeddig); kitart, fenn-
marad (vmeddig)

lasting ▼ *mn* tartós, ma-
radandó ▼ *fn* tartósság,
maradandóság

lastly végül, utoljára

last-minute utolsó pilla-
natban történő *[hely-
foglalás stb.]*

latch ▼ *fn* kilincs; zár-
nyelv; rugós retesz ▼
ige kilincsre zár *[ajtót];*
bezárkózik

late ▼ *mn* késő; késői,
kései; néhai; (leg)utób-
bi, (leg)újabb ▼ *hsz* ké-
sőn, késve

latecomer későn jövő

lately az utóbbi időben

later később, aztán; ké-
sőbbi

latest legutolsó, legutóbbi

lathe ▼ *fn* eszterga(pad)
▼ *ige* esztergál

Latin ▼ *mn* latin ▼ *fn* la-
tin *[nyelv]*

Latin-America Latin-
Amerika

latitude (földrajzi) szé-
lesség

latter utóbbi, későbbi

Latvia Lettország

Latvian *mn, fn* lett, lett-
országi

laudable dicséretes

laugh ▼ *fn* nevetés, kaca-
gás ▼ *ige* nevet, kacag

laughable nevetséges, vic-
ces

laughter nevetés, kacagás

launch ▼ *fn* kilövés *[űr-
hajóé],* vízrebocsátás
[hajóé] ▼ *ige* kilő *[űr-
hajót],* el/beindít *[vál-
lalkozást, támadást]*

launder *US* tisztít, mos

laundry mosoda; szeny-
nyes (ruhanemű); fris-
sen mosott/tisztított ru-
hanemű

laurel babér(fa)

lavatory illemhely, vécé

lavender levendula

lavish ▼ *mn* pazarló, bőkezű ▼ *ige* pazarol, tékozol

law törvény, (játék)szabály; jog(tudomány); ~ **and order** törvényes rend; ~ **court** bíróság; ~ **school** *US* jogi kar *[egyetemen]*

law-abiding jogtisztelő, jogkövető

lawful megengedett, törvényes *[fizetőeszköz]*

lawless törvénytelen, törvényellenes

lawn gyep, pázsit

lawnmower fűnyíró

lawsuit per, perbe fogás

lawyer jogász, ügyvéd

lax laza, meglazult *[fegyelem]*; ernyedt, petyhüdt

laxative *orv* hashajtó

lay ▼ *mn* világi, laikus ▼ *ige* (laid, laid) tesz, helyez; → **lie²**

lay-by pihenő(hely); *gépk* parkolóhely *[út mentén]*; *hajó* kikötőhely

layman (*tsz* -men) nem szakmabeli, laikus

layout tervrajz, alaprajz

laze *biz* lustálkodik, henyél

laziness lustaság

lazy lusta, link *[ember]*

lead¹ ▼ *fn* irányítás, vezetés; póráz; előny *[versenyben]* ▼ *ige* (led, led) vezet, irányít (vmit); visz, vezet *[út vhová]*

lead² *fn* ólom, grafit

leader vezető, vezér

leadership vezetés, irányítás

leading lady *szính* primadonna, (női) főszereplő

leaf ▼ *fn* (*tsz* leaves) levél *[növényé]*, szirom ▼ *ige* kilombosodik *[fa]*

leaflet szórólap, prospektus

league liga *[pl. sportban]*, szövetség

leak ▼ *fn* szivárgás *[folyadéké vezetékből]*; kiszivárogtatás *[információé]* ▼ *ige* (ki)szivárog, csepeg; kiszivárogtat *[titkot/információt]*

lean[1] *mn* sovány, szikár; sovány *[hús]*

lean[2] *ige* (leant/leaned, leant/leaned) (*against sg*) (neki)támaszt (vminek); támaszkodik (vmire); nekidől (vminek)

leant → **lean**[2]

leap ▼ *fn* ugrás, szökkenés; ~ **year** szökőév ▼ *ige* (leapt/leaped, leapt/leaped) átugrik, ugrat; ugrik, szökken

leaper ugró

leapfrog bakugrás

leapt → **leap**

learn (learnt/learned, learnt/learned) (meg)-tanul; megtud (vmit)

learned tanult, művelt

learner tanuló, tanítvány

learnt → **learn**

lease ▼ *fn* jog (haszon)-bérlet(i szerződés) ▼ *ige* bérbe ad, kiad; bérbe vesz, lízingel

leash ▼ *fn* póráz ▼ *ige* pórázon vezet, visszafog

least legkevesebb, legkisebb

leather (kikészített) bőr

leave ▼ *fn* szabadság *[munkából]* ▼ *ige* (left, left) elhagy *[helyet]*, elindul; hagy (vmit vhol); otthagy, elhagy *[házastársat]*

leaves → **leaf**

Lebanon Libanon

lecture ▼ *fn* előadás ▼ *ige* (*on sg*) előadást tart (vkinek vmiről); előad *[egyetemen]*

lecturer (egyetemi) előadó; adjunktus

led → **lead**[1]

leech *átv is* pióca

leek póré(hagyma)

leer (*at sy*) bámul (vkit)

leeway mozgástér

left ▼ mn bal (oldali) ▼ fn bal oldal; pol baloldal ▼ hsz balra, bal oldalon ▼ ige → leave

left-handed balkezes [ember]

left-luggage (office) csomagmegőrző

left-wing pol baloldali

leg láb; szár [nadrágé]

legacy hagyaték, örökség

legal törvényes, jogos

legalise hitelesít [iratot, szerződést]; törvényesít

legally törvényesen, jogosan

legend legenda, monda; jelmagyarázat [ábrán]

legible olvasható

legislation törvényhozás, törvényhozó hatalom

legislature törvényhozás

legitimacy törvényesség, legitimitás; jogosság

legitimate ▼ mn törvényes; indokolt, jogos ▼ ige törvényesít

leisure ▼ mn szabad [idő] ▼ fn szabadidő, ráérő idő

leisurely ráérő, komótos

lemon citrom(fa); citromsárga szín; ~ tea citromos tea

lemonade limonádé

lend (lent, lent) (sy sg) kölcsönad, kölcsönöz (vkinek vmit); nyújt, ad

length hossz(úság); (idő)-tartam; távolság

lengthen (meg)hosszabbít; (meg)hosszabbodik, megnyúlik

lengthy hosszú, hossz(adalm)as

lenient elnéző, engedékeny

lens fiz lencse [üveg]

Lent vall nagyböjt

lent → lend

lentil növ lencse

Leo Oroszlán [csillagkép]

leopard leopárd

leprosy lepra

less ▼ *mn* kisebb, kevesebb ▼ *hsz* kevésbé; →
little

lessen csökkent, enyhít *[fájdalmat]*; csökken, enyhül *[fájdalom]*

lesser kisebb

lesson (tanulmányi) óra; lecke; *vall* (szent) lecke

let (let, let) kiad, bérbe ad; *(sy do sg)* hagy, enged (vkinek tenni vmit); ~ **sy know** értesít, tudat

lethal halálos

letter betű; levél

lettuce *növ* saláta

leuk(a)emia fehérvérűség, leukémia

level ▼ *mn* sík, vízszintes; ~ **crossing** vasúti átjáró, szintbeni útkereszteződés ▼ *fn* szint, színvonal; (társadalmi) réteg ▼ *ige* kiegyenlít, szintez

lever emelő; fogantyú, kar

levy ▼ *fn* adószedés, behajtott adó ▼ *ige (on sg)* kivet, kiró *[adót vmire]*

lewd buja, kéjsóvár

liabilities *tsz gazd* tartozás(ok)

liability felelősség, kötelezettség

liable *(to do sg)* köteles (vmire); hajlamos; *jog (to sg)* felelős (vmiért)

liaise összeköttetést létesít, együttműködik

liaison összeköttetés, együttműködés; (szerelmi) viszony

liar hazug ember, hazudozó

libel ▼ *fn* rágalom, rágalmazás ▼ *ige jog* (meg)rágalmaz, hamisan vádol

liberal ▼ *mn* szabad szellemű, szabadelvű; bőkezű, bőséges *[adag, ellátás]* ▼ *fn pol* szabadelvű

liberalise liberalizál, felszabadít *[szabályozás alól]* liberate megszabadít, felszabadít

liberation felszabadítás, kiszabadítás; kiszabadulás

liberty szabadság

Libra Mérleg [csillagkép]

librarian könyvtáros

library könyvtár

lice → louse

licence engedély; driving ~ jogosítvány

license engedélyez

licensed engedélyezett

lick ▼ fn (meg)nyalás ▼ ige (meg)nyal

lid fedél [dobozé], fedő [edényé]

lie¹ ▼ fn hazugság ▼ ige hazudik

lie² (lay, lain) fekszik, hever

lie-in lustálkodás [ágyban]

lieutenant kat főhadnagy, US hadnagy

life (tsz lives) élet; lét; ~ insurance életbiztosítás; ~ sentence élet-

fogytiglan(i ítélet); ~ span (átlagos) élettartam

lifeboat mentőcsónak

lifeguard US úszómester [uszodában]

lifeless élettelen

lifelike életszerű, élethű

life-size életnagyságú, eredeti nagyságú

lifestyle életmód

lifetime élet(tartam)

lift ▼ fn lift, felvonó; emelkedés, emelés ▼ ige felemel, felvesz; megszüntet, felold [korlátozást]; felvarr [ráncot]; felemelkedik, felszáll [köd]

light¹ ▼ mn világos, sápadt; szőke ▼ fn fény, világosság; megvilágítás, lámpa; ~ year csill fényév ▼ ige (lighted/lit, lighted/lit) (be/meg)világít [teret, szobát]; meggyújt [cigarettát, gyertyát, lámpát] light² ▼ *mn* könnyű, könnyed *[mozgás]* ▼ *hsz* könnyen, könnyedén

lighten kivilágosodik, kiderül *[ég];* villámlik

lighter öngyújtó, gázgyújtó

light-hearted vidám, gondtalan

lighthouse világítótorony

lighting megvilágítás, kivilágítás

lightly könnyen, könnyedén; enyhén

lightness könnyűség, könnyedség

lightning villám(lás)

light-weight könnyűsúlyú *[ökölvívó]*

like¹ ▼ *mn* hasonló, hasonlatos ▼ *hsz* úgy, mint, ahogy ▼ *elölj* mint, vmiként

like² *ige* szeret, kedvel

likeable szeretetre méltó, szeretnivaló

likelihood valószínűség

likely ▼ *mn* valószínű, hihető ▼ *hsz* valószínűleg

likeness hasonlóság

likewise ugyancsak, ugyanúgy

liking szeretet; *(for sg)* kedv (vmire)

lilac ▼ *mn* (orgona)lila ▼ *fn* orgona(fa), orgona(virág)

lily liliom

limb (vég)tag, nyúlvány; vastag faág

lime¹ ▼ *fn* mész ▼ *ige* meszez, mésszel trágyáz

lime² *fn* hárs(fa)

lime³ *fn* zöld citrom(fa), citrus

limelight rivaldafény, reflektorfény

limestone *geol* mészkő

limit ▼ *fn* korlát, határ(vonal) ▼ *ige* korlátoz, határt szab

limitation korlát(ozás), megszorítás

limited korlátozott

limousine *gépk* limuzin

limp[1] *mn* puha, erőtlen

limp[2] ▼ *fn* sántítás, sántikálás ▼ *ige* biceg, sántikál

line ▼ *fn* vonal, egyenes; vezeték, kábel; sor; (horgász)zsinór, kötél; ág(azat), családág; *közl* útvonal ▼ *ige* megvonalaz, csíkoz; sorba állít/rak; bélel, szeg; szegélyez

lined (meg)vonalazott; barázdált, ráncos *[arc, homlok]*; bélelt *[ruhadarab]*

linen ▼ *mn* vászon-, vászonból készült ▼ *fn* (len)vászon; fehérnemű

linesman *(tsz* -men*) sp* vonalbíró

line-up *sp* felállás, összeállítás *[csapaté]*

linger *[sokáig]* időzik, habozik

linguist nyelvész

linguistic(al) nyelvi, nyelvészeti

linguistics *esz* nyelvészet, nyelvtudomány

lining bélés, kibélelés

link ▼ *fn* (lánc)szem, tag; kapcsolat, kötelék ▼ *ige* összekapcsol, összeköt

lino *biz* linóleum

lint kötszer, sebkötöző géz

lion oroszlán

lioness nőstény oroszlán

lip ajak

lipstick rúzs

liqueur likőr

liquid ▼ *mn* cseppfolyós, folyékony; *gazd* folyósítható ▼ *fn* folyadék

liquidate megsemmisít, likvidál; *gazd* felszámol *[vállalatot]*

liquidation megsemmisítés, likvidálás; *gazd* felszámolás

liquidizer turmixgép

liquor *US* szeszes ital; ~ **store** *US* italbolt

Lisbon Lisszabon

lisp selypít, pöszén beszél

list ▼ *fn* lista, felsorolás ▼ *ige* felsorol, összeír

listen (*to sy/sg*) (meg)hallgat (vkit/vmit); (*to sy*) hallgat, odafigyel (vkire); hallgatózik

listless közömbös, fásult

lit → **light**[1]

literal szó szerinti

literary irodalmi

literate írni-olvasni tudó; tanult, olvasott

literature irodalom

Lithuania Litvánia

Lithuanian *mn, fn* litván

litre liter *[= 1,75 pint]*

litter ▼ *fn* szemét, hulladék; ~ **bin** szemétláda, kuka ▼ *ige* (meg)ellik, lekölykezik

little ▼ *mn* (*kfok* less, *ffok* least) kis, kicsi; kevés; ~ **finger** kisujj ▼ *hsz* kevéssé, kissé

live ▼ *mn* élő; feszültség/áram alatti; *távk* egyenes *[adás, közvetítés]* ▼ *hsz* távk egyenes/élő adásban ▼ *ige* él, lakik

livelihood kenyérkereset, megélhetés

lively élénk, eleven

liver máj

lives → **life**

livestock állatállomány

livid *biz* rettenetesen dühös

living ▼ *mn* élő, eleven ▼ *fn* megélhetés; élet(mód); ~ **conditions** életkörülmények; ~ **room** nappali(szoba)

lizard gyík

llama *áll* láma

load ▼ *fn* teher, rakomány; töltés, töltény *[fegyverben]*; ~s **of sg** sok, rengeteg ▼ *ige* megterhel, megrak *[rakománnyal]*; megtölt *[fegyvert, fényképezőgépet]*; *inform* betölt *[programot]*

loaded (meg)terhelt, megrak(od)ott *[szállítójármű]*; töltött *[fegyver]*

loading (be)rakodás *[szállítójárműbe]; inform* (program) betöltése

loaf (*tsz* loaves) vekni

loan ▼ *fn gazd* kölcsön ▼ *ige US* (pénzt) kölcsönad

loath vonakodó, kelletlen

loathe utál, gyűlöl

loaves → loaf

lobby ▼ *fn* előcsarnok, előtér; érdekcsoport, lobbi *[parlamentben]* ▼ *ige* lobbizik, befolyásol

lobe *orv* lebeny

lobster tengeri rák, homár

local helyi, helybeli; ~ **anaesthetic** *orv* helyi érzéstelenítés; ~ **authority** (helyi) önkormányzat, helyhatóság

locality környék; hely(ség)

locate helyére tesz, elhelyez; meghatároz *[vminek a helyét]*

location elhelyezkedés, fekvés *[helyé];* helyszín

lock¹ *fn* hajfürt, hajtincs

lock² ▼ *fn* zár, lakat; zsilip ▼ *ige* be/lezár(ul), becsuk(ódik)

locker öltözőszekrény

locksmith lakatos

locomotive mozdony, lokomotív

locust sáska

lodge elhelyez, elszállásol (vkit); lakik, megszáll

lodger albérlő

lodgings *tsz* albérlet

loft padlás(tér), tetőtér; galéria *[lakásban kialakítva]*

log farönk, fatuskó; napló

logic logika

logical logikus, ésszerű; logikai

logo logo, jelkép *[cégé]*

loin vesepecsenye, hátszín

loiter álldogál, ténfereg

lollipop nyalóka

London London

Londoner londoni [ember/lakos]

loneliness magány(osság), elhagyatottság

lonely magányos

long[1] ▼ mn hosszú [térben]; hosszú [időben], hosszadalmas; ~ **jump** sp távolugrás ▼ hsz hosszú ideje, régóta; hosszú ideig, sokáig

long[2] ige vágyódik, sóvárog (vmi után)

long-distance hosszú távú [verseny]; távolsági [telefonhívás]

longing vágyódás, sóvárgás

longitude földrajzi hosszúság

long-life tartós [elem, tej]

long-range kat nagy hatótávolságú [repülő]

long-sighted előrelátó, körültekintő; orv távollátó

long-standing régóta fennálló, régi

long-winded hosszú lélegzetű

loo biz vécé, klotyó

look ▼ fn tekintet, pillantás ▼ ige néz, tekint; (vmerre) néz [ablak, ház stb.]; (vminek) látszik/tűnik

look-out figyelés, őrködés

looks tsz megjelenés, külső

loom feltűnik, láthatóvá válik

loop ▼ fn hurok, csomó [kötélen]; fogantyú, fül [edényen]; sp bukfenc [repülővel], hurok [korcsolyában] ▼ ige (vmiből) hurkoz, (meg)csomóz; hurkolódik, (össze)csomósodik [kötél]

loophole kibúvó; kiskapu

loose szabad, laza; tág, bő [ruhadarab]

loosen megold, meglazít

*[övet, kötelet, ellenőr-
zést];* kiold(oz)ódik, ki-
bomlik *[csomó, kötél]*

loot ▼ *fn* fosztogatás; (ha-
di)zsákmány ▼ *ige* kifoszt;
zsákmányol; fosztogat

lord úr

lorry teherautó, teher-
gépkocsi

lose (lost, lost) elvesz(í)t;
(sg) megszabadul (vmi-
től); ~ one's way elté-
ved; ~ weight (le)fogy

loser vesztes

loss elvesztés, elveszés;
veszteség, kár

lost ▼ *mn* elveszett; el-
vesz(í)tett *[mérkőzés,
per];* eltévedt; elsza-
lasztott *[alkalom, lehe-
tőség]* ▼ *ige* → **lose**

lot sorshúzás; sors, osz-
tályrész; *biz* nagy meny-
nyiség; *US* telek, par-
cella

lotion testápoló *[tej];*
suntan ~ naptej

lottery lottó, *átv* lutri

loud hangos, zajos

loudly hangosan, zajosan

loudspeaker hangszóró,
hangosbeszélő

lounge előcsarnok, tár-
salgó; váróterem *[repü-
lőtéren]*

louse (*tsz* lice) tetű

lovable szeretetre méltó,
szeretnivaló

love ▼ *fn* szeretet, szere-
lem; vkinek a szerelme;
sp null(a); ~ affair
(szerelmi) viszony ▼ *ige*
szeret, kedvel (vkit);
imád, rajong (vkiért)

loveless szeretetlen, sen-
ki által nem szeretett

lovely bájos, csinos; *biz*
pompás, nagyszerű

lover szerelmes; szerető;
kedvelője (vminek)

low ▼ *mn* alacsony; ala-
csony(an fekvő), mély;
alsó *[rangban],* alacso-
nyabb rendű; halk, gyen-
ge *[hang];* ~ season
elő/utószezon ▼ *hsz*

alacsonyan, mélyen; olcsón, alacsony áron; halkan

lower leenged, leereszt; csökkent, leszállít *[árat, bért];* (le)süllyed, leereszkedik; csökken, esik *[ár]*

lowering leeresztés, csökkentés; leereszkedés, csökkenés

low-fat alacsony zsírtartalmú *[étel]*

lowlands *tsz* síkság, alföld

lowly alacsonyrendű *[szervezet, élőlény]*

loyal (*to sy*) hű(séges) (vkihez)

loyalty hűség

lubricant ▼ *mn* kenő, síkosító ▼ *fn* kenőanyag

lubricate ken, zsíroz

lucid világos, ragyogó; épeszű

luck szerencse; jószerencse

luckily szerencsére

lucky szerencsés; szerencsét hozó

lucrative jövedelmező, hasznot hajtó

ludicrous nevetséges, vicces

luggage poggyász, csomag; ~ **rack** poggyásztartó, csomagtartó

lukewarm langyos

lull elaltat; lecsendesít *[tengert, vihart];* *átv* csillapít *[fájdalmat]*

lullaby altatódal, bölcsődal

lumbago *orv* lumbágó, derékzsába

lumber ▼ *fn* kacat, limlom; *US* épületfa, faanyag ▼ *ige* összehord *[kacatokat],* felhalmoz; *US* kitermel *[fát]*

lumberjack *US* favágó

luminous világító; foszforeszkáló; élénk *[szín]*

lump ▼ *fn* (nagy) darab (vmiből), rög; *orv* daganat, tumor; ~ **of sugar**

egy kocka cukor; ~
sum *gazd* egyösszegű
kifizetés ▼ *ige* összeáll
[egy darabban], össze-
csomósodik *[étel]*

lumpy darabos, csomós
[étel]; dudoros, hepe-
hupás *[ágy, matrac]*

lunar *csill* hold-

lunatic elmebajos, őrült;
holdkóros

lunch ebéd

luncheon ebéd

lung tüdő

lurch ▼ *fn* megingás,
megtántorodás *[embe-
ré]*; zökkenés *[járműé]*
▼ *ige* meginog, megtán-
torodik *[ember]*; meg-
zökken, zötyög *[jármű]*

lure ▼ *fn* csalétek, csali;

vonzerő ▼ *ige* csábít,
csalogat

lurk ▼ *fn* leshely ▼ *ige*
lesben áll, leselkedik

lust testi/nemi vágy; erős
vágy

lustre fényesség, ragyo-
gás

Luxemburg Luxemburg

Luxemburger ▼ *mn* lu-
xemburgi ▼ *fn* luxem-
burgi *[ember]*

luxuriant buja, burjánzó
[növényzet]; átv gazdag,
bőséges

luxurious fényűző, pazar

luxury luxus, fényűzés;
luxustárgy, luxuscikk

lynch (meg)lincsel

lyrical lírai, *biz* érzelgős

lyrics *tsz* dalszöveg

M

macabre hátborzongató, kísérteties

macaroni makaróni

mace szerecsendió

machination áskálódás, machináció

machine (munka)gép; *átv* gépezet; **~ gun** géppuska

machinery gépezet

mackerel makréla

mackintosh esőkabát

mad őrült, bolond; *biz* mérges, dühös; (*about sg*) rajong, bolondul (vmiért)

madam *[megszólítás]* aszszonyom, hölgyem

madden megőrjít, megbolondít; felmérgesít, feldühít

made → make

madman (*tsz* -men) bolond, őrült

madness *átv* bolondság, őrültség

magazine (képes) folyóirat; magazinműsor

maggot kukac, féreg

magic ▼ *mn* varázslatos, mágikus ▼ *fn* varázslat, mágia

magician bűvész, mágus

magistrate elöljáró, bírói/közigazgatási tisztviselő

magnesium magnézium

magnet mágnes

magnetic mágneses

magnetism mágnesség; *átv* vonzerő, varázs *[személyé]*

magnificent nagyszerű, pompás

magnify (ki)nagyít, felnagyít *[képet];* eltúloz, felfúj *[eseményt]*

magnifying glass nagyító(üveg)

magnitude nagyság(rend), méret; fontosság, jelentőség

magpie szarka

mahogany ▼ *mn* mahagónibarna *[színű]* ▼ *fn* mahagóni(fa)

maid szobalány *[szállodában],* szolgálólány *[háznál]*

maiden ▼ *mn* hajadon; szűzi(es); ~ **name** leánykori név ▼ *fn* szűz; leány(zó)

mail ▼ *fn* (napi) posta *[levelek],* postaszolgálat ▼ *ige US* postáz, postán felad

mailbox *US* postaláda; *inform* (elektronikus) postaláda, e-mail postafiók

main ▼ *mn* fő-, legfontosabb; ~ **road** főút(vonal) ▼ *fn* főcső, fővezeték *[vízé, gázé, szennyvízé]*

mainframe *inform* nagyszámítógép *[központi egység]*

mainland szárazföld, földrész

mainly főleg, főként

mainstream főáram

maintain fenntart, folytat; karbantart, gondoz; eltart *[családot],* gondoskodik (vkiről)

maintenance fenntartás; karbantartás, gondozás; eltartás *[családé],* gondoskodás (vkiről)

maize kukorica

majestic fenséges, méltóságteljes

majesty felség; méltóság; **His M~** őfelsége

major¹ *fn* őrnagy

major² ▼ *mn* nagyobb, jelentősebb; nagykorú ▼ *fn US* főszak *[egyetemen, főiskolán],* fő(tan)tárgy

▼ *ige* (*in sg*) *US* főtárgyként tanul (vmit)

Majorca Mallorca

majority többség; szótöbbség; *US* abszolút többség; *jog* nagykorúság; *kat* őrnagyi rang

make ▼ *fn* gyártmány, készítmény ▼ *ige* (made, made) csinál, készít; tesz (vkit vmivé/vmilyenné); késztet; (*sy do sg*) kényszerít (vkit vmire); keres *[pénzt]*, szerez; elér *[helyet]*, odaér

make-believe színlelés, tettetés

maker gyártó, készítő

makeshift rögtönzött, sebtiben készített

make-up smink; kozmetikai szerek; ~ **remover** arclemosó

Malaysia Malajzia

Malaysian *mn, fn* malajziai, maláj

male *mn, fn* hím; férfi

malevolent rosszindulatú

malfunction ▼ *fn* működési hiba, zavar ▼ *ige* hibásan működik

malice rosszindulat, rosszakarat

malicious rosszindulatú

malign veszedelmes, vészes

malignant rosszindulatú, veszélyes; *orv* rosszindulatú *[daganat]*

mall *US* bevásárlóközpont, plaza; *US* sétálóutca

malnutrition alultápláltság; hiányos táplálkozás

malpractice szabályellenes cselekedet/viselkedés; orvosi műhiba; *jog* hanyagság, mulasztás

malt maláta

Malta Málta

Maltese ▼ *mn* máltai ▼ *fn* esz/tsz máltai *[ember/nyelv]*

mammal emlős(állat)

mammoth ▼ *mn* óriási, hatalmas ▼ *fn* mamut

man ▼ *fn* (*tsz* men) férfi, ember; emberiség ▼ *ige* *kat* legénységgel/személyzettel ellát

manage menedzsel, intéz; ~ **to do sg** sikerül *[vmit megtenni]*

manageable kezelhető *[állat, probléma],* vezethető *[autó]*

management igazgatás; igazgatóság, vezetőség

manager igazgató, ügyvezető

manageress igazgatónő, üzletvezetőnő

managerial igazgatói

mandarin mandarin

mandatory ▼ *mn* rendelkező; *US* szükséges, kötelező ▼ *fn* megbízott

mangle szétmarcangol *[testet],* eltorzít

manhandle *biz* (tettleg) bántalmaz, durván bánik (vkivel)

manhole búvónyílás, aknanyílás *[csatornáé stb.]*

manhood férfikor; férfiasság; ember/férfi volta (vkinek); *átv* férfiasság, potencia

mania *biz* mánia, hóbort; *orv* (mániás/dühöngő) elmezavar

maniac ▼ *mn* őrült, mániákus ▼ *fn biz* bolondja (vminek); *orv* dühöngő őrült

manic *orv* mániás

manicure ▼ *fn* kézápolás, manikűr ▼ *ige* kezet/körmöt ápol (vkinek)

manifest ▼ *mn* nyilvánvaló, kétségtelen ▼ *ige* (nyilvánvalóan) megmutatkozik

manifestation megnyilvánulás

manifesto *pol* kiáltvány

manifold sokféle, sokrétű

manipulate kezel, irányít *[ügyesen];* manipulál

mankind emberiség

manly férfias, férfihoz illő

man-made mesterséges, mű-

manner mód(szer); modor, viselkedés; fajta, féle

(-)mannered modorú

mannerism mesterkéltség, modorosság; *műv* manierizmus

manners *tsz* modor, viselkedés

manoeuvre ▼ *fn* [hadművelet] manőver, *átv* mesterkedés ▼ *ige* irányít; működtet, kezel [gépet]; manőverez [járművel], *átv* mesterkedik

manor majorság, uradalom

manpower emberi/kézi erő; munkaerő, munkáslétszám

mansion udvarház, urasági kastély [vidéken]; palota [városban]

mantelpiece kandallópárkány

manual ▼ *mn* kézi, kézzel végzett [munka] ▼ *fn* használati utasítás, *gépk* javítási útmutató; *zene* billentyűzet, klaviatúra

manufacture ▼ *fn* gyártás, elkészítés; gyártmány, készítmény ▼ *ige* gyárt, készít [terméket]; *átv* gyárt, kiagyal [történetet]

manufacturer gyártó, készítő; gyáros, iparos

manure trágya

manuscript ▼ *mn* kéziratos, kézzel írott ▼ *fn* kézirat

many (*kfok* more, *ffok* most) sok, számos

map ▼ *fn* térkép ▼ *ige* (fel)térképez

maple juhar(fa)

mar elront, tönkretesz

marathon *sp* maraton(futás)

marble ▼ *fn* márvány; színes játékgolyó; *ját* golyójáték ▼ *ige* (be)márványoz

March március

march ▼ *fn* menet(elés), gyaloglás; *zene* induló ▼ *ige* menetel, masíroz

mare kanca

margarine margarin

margin szél; határ, margó; eltérés; *US* árrés, haszonkulcs

marginal csekély, jelentéktelen

marigold körömvirág

marijuana marihuána

marine ▼ *mn* tengeri, hajózási ▼ *fn* tengerészet; (hadi)tengerész, tengerészgyalogos

marital házassági

marjoram majoránna

mark ▼ *fn* folt, nyom *[ruhán]*; jel, jelzés; jegy, osztályzat ▼ *ige* foltot/nyomot hagy; (meg)jelöl, jelez; osztályoz *[dolgozatot]*

marked feltűnő, szembetűnő; megjelölt

marker szövegkiemelő

[filctoll]; *sp* eredményjelző, találatjelző

market ▼ *fn* piac; vásár; tőzsde; ~ **research** *gazd* piackutatás ▼ *ige gazd* piacra dob, értékesít

marketing *gazd* marketing; piaci adásvétel, értékesítés; piacra dobás

marketplace piactér

marking jel, jelzés *[állaton]*; felségjel *[repülőgépen]*

marksman (*tsz* -men) mesterlövész

marmalade narancslekvár

maroon vörösesbarna, bordó (színű)

marriage házasság(kötés); ~ **certificate** házassági anyakönyvi kivonat

married házas

marrow (csont)velő; *növ* tök

marry (sy) feleségül vesz (vkit), férjhez megy (vkihez); összead [pap jegyeseket]; (meg)házasodik

Mars Mars (isten); csill Mars [bolygó]

marsh ingovány, láp

marshal kat tábornagy, marsall

marshy ingoványos, lápos

martial katonás, harcias; ~ art harcművészet

martyr vértanú, mártír

martyrdom vértanúság; átv szenvedés

marvel ▼ fn csoda ▼ ige csodálkozik, elámul

marvellous csodálatos, bámulatos

Marxist mn, fn marxista

marzipan marcipán

mascot(te) szerencsefigura, kabala(figura)

masculine férfias; nyelv hímnemű [szó]

masculinity férfiasság

mash ▼ fn biz (burgonya)püré, pép ▼ ige péppé zúz, össze/áttör [burgonyát]

mask ▼ fn maszk, álarc ▼ ige álcáz, álarccal eltakar/elrejt

mason kőműves; szabadkőműves

masonry kőművesmesterség; kőművesmunka

masquerade ▼ fn álarcosbál, maszkabál ▼ ige átv komédiázik, szerepet játszik

mass¹ csomó, rakás; fiz tömeg; ~ media tsz tömegtájékoztatás(i eszközök); ~ production tömeggyártás, tömegtermelés

mass² mise

massacre ▼ fn mészárlás ▼ ige (le)mészárol

massage ▼ fn masszázs, masszírozás ▼ fn masszíroz, gyúr

masses a tömegek

masseur masszőr *[férfi]*

masseuse masszőz *[nő]*

massive masszív, erős

mass-produce tömegesen/nagy szériában gyárt

mast árboc; oszlop, torony *[antennáé]*

master ▼ *fn* úr, gazda *[cselédé, háziállaté];* tanár, tanító; *[iparos, kézműves]* mester; ~ of **ceremonies** (*röv* MC) műsorvezető ▼ *ige [tökéletesen]* elsajátít, megtanul *[nyelvet stb.]*

masterly mesteri, kiváló

mastermind ▼ *fn* kitűnő koponya, lángész ▼ *ige* kiagyal, megtervez *[bűncselekményt]*

masterpiece mestermű

masterstroke mesterfogás

mastery alapos/teljes ismeret *[tárgyköré];* (*of sg*) uralom (vmi fölött)

mat ▼ *fn* (durva) szőnyeg; lábtörlő; (edény)alátét ▼ *ige* fon

match¹ *fn* gyufa, gyújtó; kanóc

match² ▼ *fn* méltó párja (vkinek); egymáshoz illés; házasság, parti; *sp* mérkőzés, meccs ▼ *ige* (össze)illik, megy; felér, vetekszik; (*with sy*) összeházasít (vkivel)

mate ▼ *fn* társ, pajtás; segéd; *áll* pár ▼ *ige* pároztat, fedeztet; párosodik, párzik

material ▼ *mn* anyagi, tárgyi ▼ *fn* anyag; ~s *tsz* kellék, felszerelés

materialistic anyagias; materialista

materialise megvalósul, valóra válik

maternal anyai

maternity anyaság

math *US biz* matek, matematika

mathematical matematikai

mathematician matematikus

mathematics *esz* matematika

maths *esz biz* matek

matinee délutáni előadás *[színházban]*

matriculate egyetemre felvételizik, felvételt nyer; egyetemre felvesz/beír(at) *[diákot]*

matriculation (egyetemi) felvételi vizsga; beiratkozás *[egyetemre]*

matrimony házasság, házasságkötés

matrix mátrix

matron főnővér; családanya, matróna; felügyelőnő, gondnoknő *[kollégiumban stb.]*

matter ▼ *fn* ügy, dolog; anyag; tárgy *[könyvé, beszédé]*, téma; **what's the ~?** mi baj? ▼ *ige* fontos, számít

matter-of-fact tárgyilagos, száraz

matt(e) matt, fénytelen

mattress matrac

mature ▼ *mn átv* érett; *gazd* lejárt, esedékes *[betét stb.]* ▼ *ige* érlel *[sajtot, bort]*; megérik, kiforr; *átv* kidolgoz *[ötletet]*; *gazd* lejár, esedékessé válik

maturity érettség; *gazd* esedékesség, lejárat

mausoleum síremlék, mauzóleum

mauve mályvaszín(ű)

maximum ▼ *mn* legnagyobb ▼ *fn* maximum, legfelső fok/határ

may (might) lehet; szabad; bárcsak

May május; **~ Day** május elseje

maybe talán, esetleg

mayhem felfordulás, zűrzavar

mayonnaise majonéz

mayor polgármester

mayoress polgármesternő/né

maze labirintus, útvesztő

me engem; nekem; én

meadow rét

meagre sovány; *átv* soványka, csekély

meal étkezés, evés

mean¹ ▼ *mn* közepes, átlagos; középszerű; zsugori, fukar ▼ *fn* középút, átlag

mean² *ige* (meant, meant) jelent *[szó vmit]*, vmi értelme van; ért (vmit vhogyan); *(to do sg)* szándékozik, akar (tenni vmit); szán (vmire)

meander kanyarog, kígyózik *[folyó, út]*

meaning jelentés, értelem

meaningful értelmes, értelemmel bíró; jelentőségteljes, sokatmondó

meaningless értelmetlen, semmitmondó

meanness közepesség, átlagosság; zsugoriság, fösvénység

means *tsz* (anyagi) eszközök, vagyon

meant → **mean²**

meantime; in the ~ időközben

meanwhile ezalatt, ezenközben

measles *esz* kanyaró

measure ▼ *fn* intézkedés, rendszabály; mérték; méret; mérőedény, mérőrúd ▼ *ige* (meg)mér; *átv* felmér

measurement méret

meat hús

Mecca Mekka

mechanic szerelő

mechanical mechanikus, mechanikai; *átv* gépies, önkéntelen *[mozdulat]*

mechanics *esz* mechanika

mechanism szerkezet, mechanizmus

medal érem, kitüntetés

medallion (emlék)érem, medalion

meddle *(in/with sg)* beleavatkozik, beleártja magát (vmibe)

media *tsz* média, tömegtájékoztatás(i eszközök)

mediate közvetít *[felek között]*

mediator közvetítő, közbenjáró

medical orvosi, egészségügyi

medication gyógyítás, gyógykezelés; gyógyszer

medicinal gyógyító, gyógyhatású

medicine orvostudomány; orvosság

medieval középkori

mediocre középszerű, közepes

mediocrity középszerűség

meditate tervez, latolgat; meditál, elmélkedik

Mediterranean ▼ *mn* mediterrán; földközi-tengeri ▼ *fn* ~ (**Sea**) Földközi-tenger

medium ▼ *mn* közepes, közép- ▼ *fn* közép; közeg, közvetítő eszköz; *pszich* médium

medley keverék, *zene* egyveleg

meek szelíd, jámbor

meet (met, met) *(sy)* találkozik (vkivel), megismerkedik (vkivel); vár *[vkire állomáson];* összecsap *[ellenséggel, ellenféllel],* szembeszáll; kielégít *[szükségletet, követelményt]*

meeting megbeszélés, értekezlet

megalomaniac megalomán, nagyzási hóbortban szenvedő

megaphone szócső, hangosbeszélő

melancholy búskomorság, mélabú

mellifluous mézédes

mellow ▼ *mn* érett, ó *[bor];* érett *[ember];* puha, bársonyos *[hang];*

kedélyes, derűs ▼ *ige*
érlel; megérik, kiforr
melodic dallamos
melodrama melodráma
melodramatic melodrámai, hatásvadász
melody dal, dallam
melon dinnye
melt megolvaszt, felold; elolvad, megolvad; ellágyul, elérzékenyül
melting pot olvasztótégely
member tag *[szervezeté]*
membership tagság, taglétszám
membrane membrán, hártya
memo *biz* feljegyzés, emlékeztető
memoirs emlékiratok, emlékezések
memorable emlékezetes, nevezetes
memorandum emlékeztető, feljegyzés; memorandum, jegyzék

memorial emlékmű, szobor
memorise megjegyez, memorizál
memory memória, emlékezet
men → **man**
-men → **-man**
menace ▼ *fn* veszély, fenyegetés ▼ *ige* veszélyeztet, fenyeget; fenyegetőzik
menacing fenyegető
mend megjavít, rendbe hoz
menial ▼ *mn* alantas, szolgai ▼ *fn* szolga
meningitis agyhártyagyulladás
menopause klimax, kritikus kor
mental szellemi, elmebeli
mentality lelki alkat, mentalitás
mention ▼ *fn* említés, utalás ▼ *ige* megemlít, emleget

menu menü, étlap

MEP röv [Member of the European Parliament] európai parlamenti képviselő

mercenary mn, fn zsoldos [katona]

merchandise ▼ fn áru ▼ ige kereskedik, értékesít

merchant kereskedő; ~ **bank** kereskedelmi bank

merciful irgalmas, könyörületes

merciless irgalmatlan, könyörtelen

mercury higany

mercy irgalom, kegyelem

mere merő, puszta

merely pusztán, csupán

merge összevon, összeolvaszt; összeolvad, összekeveredik

merger gazd egybeolvadás, egyesülés

meringue habcsók, tojáshab

merit ▼ fn érdem; érték ▼ ige (meg)érdemel

mermaid sellő, hableány

merry vidám, jókedvű

merry-go-round körhinta

mesmerise megbabonáz, megigéz

mess ▼ fn rendetlenség, zűrzavar; ürülék [háziállaté] ▼ ige (be)piszkít, bepiszkol

message üzenet

messenger hírvivő, küldönc

messy rendetlen, piszkos

met → meet

metabolism anyagcsere

metal fém

metallic fémes

metamorphosis átalakulás, átváltozás

metaphor metafora, szókép

metaphorical metaforikus, átvitt értelmű

meteor hullócsillag, meteor

meteoric meteorikus

meteorite meteorit, meteorkő

meteorology meteorológia

meter mérőeszköz, mérőóra; *US* parkolóóra

method mód(szer), eljárás

methodic(al) módszeres, tervszerű

meticulous aprólékos, pedáns

metre méter; versmérték

metric metrikus, méterrendszerű

metropolitan fővárosi, világvárosi

mew ▼ *fn* nyávogás ▼ *ige* nyávog *[macska]*

Mexican *mn, fn* mexikói

Mexico Mexikó

miaow ▼ *fn* nyávogás ▼ *ige* nyávog

mice → **mouse**

microbe mikroba

microbiology mikrobiológia

microchip mikrocsip

microcosm mikrokozmosz

microphone mikrofon

microscope mikroszkóp

microwave ▼ *fn* mikrohullámú sütő, mikrosütő ▼ *ige* mikrohullámú sütőben főz, mikróz

mid középső, középen levő

midday dél

middle középső; **M~ Ages** *tsz* középkor; **M~ East** Közel-Kelet

middle-aged középkorú

middle-class középosztálybeli

middleman (*tsz* -men) közvetítő; *gazd* viszonteladó

middleweight *sp* középsúly

midget törpe

midnight éjfél

midst közép

midsummer nyárközép, nyári napforduló

midwife (*tsz* -wives) szülésznő, bába

midwives → **midwife**

might[1] *fn* erő, hatalom

might[2] *segédige* → **may**

mighty hatalmas, erős

migrant ▼ *mn* vándor(ló) ▼ *fn* kivándorló, emigráns

migrate kivándorol, emigrál; költözik *[madár]*

migration kivándorlás, népvándorlás

mike *biz* mikrofon

mild enyhe, szelíd

mile mérföld *[1609 m]*; *biz* nagy távolság

mileage mérföldteljesítmény *[jármű]*; fogyasztás *[jármű]*

milestone mérföldkő

militant harcos, küzdő

military katonai, hadi

milk tej; ~ **chocolate** tejcsokoládé

milkman (*tsz* -men) tejesember, tejkihordó

milky tejes, tej-; **M~ Way** *csill* Tejút

mill ▼ *fn* malom; őrlőgép ▼ *ige* (meg)őröl, (le)darál

millennium évezred, millennium

miller molnár

milligramme milligramm

million millió

millionaire milliomos

milometer *gépk* kilométeróra *[mérfölben számláló]*

mime ▼ *fn* pantomim ▼ *ige* elmutogat; mutogat

mimic utánoz, majmol

mimicry utánzás, *biol* mimikri

mince ▼ *fn* vagdalt hús, fasírozott ▼ *ige* összevagdal, ledarál

mincer húsdaráló

mind ▼ *fn* elme, agy ▼ *ige* törődik (vmivel); figyel (vkire/vmire); bán, kifogásol

mindless értelmetlen

mine¹ *nm* enyém

mine² ▼ *fn* bánya; akna ▼ *ige* bányász; aláaknáz

minefield *kat* aknamező

miner bányász

mineral ▼ *mn* ásványi; ~ **water** ásványvíz ▼ *fn* ásvány, érc

mingle összekever, vegyít; (össze)keveredik, elvegyül *[emberek között]*

miniature ▼ *mn* miniatűr, apró ▼ *fn* miniatűr, miniatúra

minimal minimális, elenyésző

minimise minimalizál, a lehető legjobban lecsökkent; bagatellizál

minimum minimum, alsó határ

mining bányászat, fejtés *[bányában]*

miniskirt miniszoknya

minister miniszter; *vall* lelkész

ministry minisztérium

minor ▼ *mn* kicsi, jelentéktelen ▼ *fn jog* kiskorú; *zene* moll *[hangnem]*; *US* melléktantárgy, B-szak

minority kisebbség

mint¹ *fn* (illatos) menta

mint² ▼ *fn* pénzverde, pénzverő műhely ▼ *ige* ver *[pénzt]*

minuet menüett

minus ▼ *fn* mínusz *[fok fagypont alatt]*; *mat* mínuszjel ▼ *elölj mat* -ból/ -ből; *biz* nélkül

minute perc; pillanat

minutes *tsz* jegyzőkönyv

miracle csoda

miraculous csodás, csodával határos

mirage délibáb

mirror ▼ *fn* tükör ▼ *ige* tükröz

mirth vidámság, öröm

misadventure szerencsétlenség, balszerencse

misapprehension tévedés, félreértés

misappropriate elsikkaszt, hűtlenül kezel *[pénzösszeget]*

misbehave rosszul/neveletlenül viselkedik

miscalculate rosszul számít ki, elszámol; téved, elszámítja magát

miscarriage meghiúsulás *[tervé]*; *orv* vetélés

miscarry kudarcot vall; *orv* elvetél

miscellaneous különböző, sokféle

mischief csíny; rosszindulat

mischievous huncut, csintalan *[gyerek]*; rosszindulatú; kártékony, káros

misconception téveszme, téves elképzelés

misconduct neveletlenség, helytelen/illetlen viselkedés

miser fukar ember; szerencsétlen flótás

miserable szerencsétlen, nyomorúságos

miserly fukar, zsugori

misery nyomor, szenvedés; boldogtalanság

misfire kihagy *[gyújtás]*; csütörtököt mond *[fegyver]*

misfit aszociális egyén, beilleszkedni képtelen ember

misfortune szerencsétlenség, balszerencse

misgiving kételkedés, gyanakvás

misguided félrevezetett; meggondolatlan *[cselekedet]*

mishandle *(sy)* rosszul bánik (vkivel), *(sg)* rosszul kezel (vmit)

mishap szerencsétlenség, baleset

misinform félretájékoztat, tévesen tájékoztat

misinterpret félreért, rosszul értelmez

misjudge rosszul ítél meg, félreismer

mislaid → **mislay**

mislay (mislaid, mislaid) elveszít, otthagy (vhol)

mislead (misled, misled) félrevezet, megtéveszt

misleading félrevezető, becsapó

misled → mislead

mismanage rosszul vezet *[céget]*, rosszul gazdálkodik *[pénzzel]*

misplace rossz helyre rak; elveszít, otthagy (vhol)

misprint *nyomd* ▼ *fn* sajtóhiba ▼ *ige* rosszul nyomtat, sajtóhibát ejt

mispronounce helytelenül ejt *[szót]*

misrepresent elferdít *[tényeket]*, rossz színben tüntet fel

Miss kisasszony

miss ▼ *fn* elhibázott lövés/ütés *[sportban, katonaságnál]* ▼ *ige* elhibáz, nem talál el; (*sg*) lekésik (vmit), lemarad (vmiről); hiányol, hiányzik (vki)

misshapen formátlan, torz

missile rakéta, lövedék

missing hiányzó, távollevő

mission küldetés, megbízatás; *vall* hittérítés, misszió; *US* nagykövetség

missionary hittérítő, misszionárius

mist ▼ *fn* pára, köd ▼ *ige* elhomályosít *[üveget]*; permetez *[növényt vízzel]*; elhomályosodik

mistake ▼ *fn* hiba, tévedés ▼ *ige* (mistook, mistaken) (*sy for sy*) eltéveszt, összetéveszt (vkit vkivel); félreért, rosszul ért

mistaken → mistake

mister (*röv* Mr, Mr.) úr *[megszólításban]*

mistletoe *növ* fagyöngy

mistook → mistake

mistranslation félrefordítás, hibás/pontatlan fordítás

mistress úrnő, (*röv* Mrs, Mrs.) -né

mistrust ▼ *fn* bizalmatlanság ▼ *ige* bizalmatlan (vkivel), nem bízik (vkiben)

misty párás, ködös

misunderstand (misunderstood, misunderstood) félreért, rosszul ért; félreismer

misunderstanding félreértés, nézeteltérés

misunderstood → **misunderstand**

misuse rosszul bánik (vmivel); visszaél (vmivel)

mitigate csillapít *[érzést]*, enyhít *[fájdalmat]*

mitt(en) ujjatlan kesztyű; *US* baseballkesztyű, boxkesztyű

mix elkever, elvegyít; összezavar, összekever *[tényeket]*; összekeve-

redik; elvegyül *[társaságban]*, társaságba jár

mixed vegyes, kevert; koedukált

mixer konyhai robotgép; mixer *[bárban]*; hangmérnök

mixture keverék; orvosság

mix-up zűrzavar, kavarodás

moan ▼ *fn* nyögés, nyögdécselés ▼ *ige* elnyögdécsel (vmit), nyögdécselve elmond; nyög, sopánkodik

moat vizesárok, várárok

mob csőcselék

mobile mozgó, mozgatható *[tárgy]*; ~ **phone** mobiltelefon

mock ▼ *mn* utánzat, hamis ▼ *fn* gúny, gúnyolódás; utánzat, hamis dolog ▼ *ige* (ki)gúnyol, gúnyt űz (vkiből); csúfolódik, gúnyolódik

mockery gúnyolódás, kicsúfolás; majmolás, utánzás

mocking gúnyolódó, kicsúfoló

mode mód, módszer; divat

model ▼ *mn* (autó/hajó/vonat)modell; mintaszerű ▼ *fn* manöken; makett; mintapédány

moderate ▼ *mn* mérsékelt, szerény ▼ *ige* mérsékel, visszatart; mérséklődik, enyhül

moderation mértéktartás, önuralom

modern modern, korszerű

modernise modernizál, korszerűsít

modest szerény, igénytelen

modesty szerénység, igénytelenség

modify módosít, átalakít

moist nyirkos, nedves

moisten benedvesít; benedvesedik, nyirkossá válik

moisture nyirkosság, nedvesség

moisturiser hidratáló *[krém, kozmetikum]*

molar ▼ *mn* záp- *[fog]* ▼ *fn* zápfog, őrlőfog

mole[1] vakond; *biz* beépített ember, tégla

mole[2] anyajegy, szemölcs

mole[3] móló, hullámtörő gát

molecule molekula

molest molesztál, zaklat

molten (meg)olvadt

moment pillanat

momentary pillanatnyi, átmeneti

momentous jelentős, fontos

momentum *biz* lendület; *fiz* nyomaték

monarch uralkodó

monarchy monarchia

monastery kolostor, zárda

Monday hétfő

monetary pénzügyi, anyagi

money pénz, pénzdarab

mongrel *mn, fn* keverék, korcs *[kutya]*

monitor monitor, képernyő

monk szerzetes, barát

monkey majom

monochrome egyszínű, fekete-fehér *[képernyő]*

monogamy monogámia, egynejűség

monoplane monoplán, egyfedelű repülőgép

monopolise monopolizál, kisajátít

monopoly monopólium

monosyllable egytagú szó

monotone egyhangúság, monoton beszéd

monotonous egyhangú, monoton

monotony egyhangúság, monotónia

monsoon monszun

monster ▼ *mn* óriási, hatalmas ▼ *fn* szörny(eteg), szörnyszülött

monstrous szörnyű, borzasztó; hatalmas, óriási

month hó(nap)

monthly ▼ *mn* havi ▼ *fn* *biz* havi folyóirat, havilap ▼ *hsz* havonta, havonként

monument emlékmű, műemlék

moo bőg *[tehén]*

mood hangulat, kedély; rosszhangulat, rosszkedv

moody szeszélyes, változó hangulatú; rosszkedvű

moon *csill* hold

moonlight ▼ *mn* holdvilágos, holdsütötte ▼ *fn* holdvilág, holdfény

moonlit holdfényes, holdvilágos *[éjszaka]*

moor ▼ *fn* ingovány, láp ▼ *ige* kiköt *[vízi járművet],* lehorgonyoz

moorings *tsz* hajólánc, hajókötél *[kikötéshez]*

moorland ingovány, láp

moose (amerikai) jávorszarvas

mop ▼ *fn* nyeles felmosórongy ▼ *ige* felmos, feltöröl

moped robogó, kismotor

moral ▼ *mn* erkölcsi, morális; erkölcsös ▼ *fn* tanulság, (erkölcsi) mondanivaló *[történeté]*; ~s *tsz* morál, erkölcs

morale szellem, hangulat, morál

moralistic moralista, erkölcsösséget hirdető

morality erény, erkölcsi érzék

morbid beteges, hátborzongató

more ▼ *szn* → **many**; → **much** ▼ *hsz* inkább, nagyobb mértékben; többé; *[segédszó kfok képzéséhez]* ~ **interesting** érdekesebb

moreover sőt, mi több

morning reggel; délelőtt *[ebédig]*

Morocco Marokkó

morsel falat, ételdarab

mortal halandó; halálos, végzetes *[sérülés]*

mortality halálozás(i arány); halandóság

mortar mozsár; mozsár(ágyú); malter, habarcs

mortgage ▼ *fn* jelzálog ▼ *ige* jelzáloggal megterhel, jelzálogot bejegyez *[ingatlanra]*

mortuary ▼ *mn* halotti, temetkezési ▼ *fn* ravatalozó, halottasház

mosaic mozaik

Moscow Moszkva

Moslem *mn, fn* mohamedán, muzulmán

mosque mecset

mosquito szúnyog

moss moha

most ▼ *szn* → **many**; → **much** ▼ *hsz* módfelett, igencsak; legjobban; *[segédszó ffok képzésé-*

hez] ~ **interesting** a legérdekesebb

mostly javarészt, főként; leggyakrabban, legtöbbször

moth *áll* éjjeli lepke; (ruha)moly

mother anya, mama; ~ **tongue** anyanyelv

motherhood anyaság

mother-in-law *(tsz* mothers-in-law) anyós

motherly anyai

motion mozgás; mozdulat, gesztus; javaslat, indítvány; ~ **picture** mozgófilm

motionless mozdulatlan, megmerevedett

motivate motivál, késztet

motivated motivált, ösztönzött

motivation indíték, motiváció

motive ▼ *mn* hajtó, mozgató ▼ *fn* indíték, (indító)ok

motor motor, hajtómű;

~ **racing** autóversenyzés

motorbike motorkerékpár, motor(bicikli)

motorboat motorcsónak

motorcycle motorkerékpár, motor(bicikli)

motorcyclist motorkerékpáros, motoros

motoring autózás, autósport

motorist autós, autóvezető

motorway autópálya

motto mottó, jelige

mould penészgomba

mouldy penészes

mound halom, hant

mount ▼ *fn* domb, hegy ▼ *ige* felmászik *[hegyre];* felül(tet) *[hátaslóra];* növekszik *[pénzösszeg, bankbetét]*

mountain hegy; ~ **bike** mountain bike, hegyikerékpár; ~ **crystal** hegyi kristály, kvarc

mountaineer hegymászó

mountaineering hegymászás

mountainous hegyes *[vidék, ország];* hatalmas, óriási

mourn megsirat, (meg)gyászol

mourner gyászoló

mourning gyász

mouse *(tsz* mice, *számítógépes eszközként* mouses) egér

moustache bajusz

mouth száj; nyílás *[barlangé, üvegé stb.];* (folyó)torkolat; ~ **organ** szájharmonika

mouthful falat

mouthpiece mikrofon; szopóka *[szipkáé];* fúvóka *[fúvós hangszeré]*

mouthwash szájvíz

mouth-watering ínycsiklandó, nyálcsorgató *[gusztusos étel]*

movable mozgatható, elmozdítható

move ▼ *fn* mozgás; lépés *[sakkban, társasjátékban];* költözködés ▼ *ige* megmozdít; költöztet; megindít *[érzelmileg];* megmozdul, mozog; lép *[sakkban, társasjátékban];* elköltözik

movement mozgás, mozgatás; mozgalom

movie *biz* film; ~s *tsz US* mozi

moving mozgó, mozgatható; megható, megindító

mow (mowed, mown/mowed) lenyír *[füvet géppel]*

mown → mow

mower fűnyíró(gép)

MP *röv [Member of Parliament]* országgyűlési képviselő; *[military police]* katonai rendészet

Mr, Mr. *röv [Mister]* úr

Mrs, Mrs. *röv [Mistress]* -né

Ms *röv* «családi állapotot

fel nem tüntető meg-
szólítás nőknek»

much ▼ *mn* (*kfok* more,
ffok most) sok ▼ *hsz*
sokkal, nagyon

muck trágya; *biz* piszok,
rendetlenség

mud ▼ *fn* sár, iszap ▼ *ige*
besároz, összesároz

muddle ▼ *fn* felfordulás,
zűrzavar ▼ *ige* összeza-
var, összekuszál

muddy sáros, iszapos

mudguard sárhányó

muffle bebugyolál, be-
burkol *[hangszigetelő
anyaggal]*; elnyel,
(le)tompít *[hangot]*

muffler hangtompító;
sál; *US* kipufogódob

mug bögre

mule öszvér

multiple ▼ *mn* többszö-
rös, sokrészes ▼ *fn mat*
többszörös

multiplication *mat* szor-
zás, sokszorozás

multiply többszöröz,

megsokszoroz; szapo-
rodik, megsokszorozó-
dik; *mat* megszoroz

multistorey sokemeletes,
többszintes

multitude sokaság, tö-
meg

mumble ▼ *fn* motyogás,
dünnyögés ▼ *ige* mo-
tyog, dünnyög

mummy¹ múmia

mummy² anya, mama

mumps *esz* mumpsz

munch rágcsál, ropogtat-
va rág; zabál, fal

mundane földi, világi
[örömök stb.]

municipal önkormányza-
ti, városi

mural ▼ *mn* fali ▼ *fn* fres-
kó, falfestmény

murder ▼ *fn* gyilkosság ▼
ige megöl, meggyilkol

murderer gyilkos

murderous gyilkos *[in-
dulat, szándék]*

murky homályos, boron-
gós

murmur ▾ *fn* morgás, zúgás; moraljás ▾ *ige* elmormol, elsuttog; mormol, morajlik

muscle izom

muscular izmos, erős

muse (*at sg*) ámul, csodálkozik (vmin); (*about/on/upon sg*) tűnődik, mereng (vmin)

museum múzeum

mushroom gomba

music zene; kotta

musical ▾ *mn* muzikális; dallamos, zenei; ~ **instrument** hangszer ▾ *fn* musical, zenés színdarab/film

musician zenész

musketeer muskétás

Muslim *mn, fn* mohamedán, muzulmán

mussel éti kagyló

must ▾ *fn* kötelező dolog ▾ *segédige* kell, muszáj; bizonyára, nyilván

mustard mustár, mustárfű

muster ▾ *fn* sorakozó, seregszemle; *gazd* minta ▾ *ige* összehív, felsorakoztat *[szemlére];* összegyűlik, gyülekezik

mute ▾ *mn* néma, hangtalan ▾ *fn* néma *[személy]*

mutilate megcsonkít

mutiny ▾ *fn* lázadás, zendülés ▾ *ige* lázad, zendül

mutter motyog, dünnyög

mutton birkahús, juhhús

mutual kölcsönös, közös

muzzle ▾ *fn* szájkosár; orr, pofa *[állaté];* torkolat *[fegyveré]* ▾ *ige* szájkosarat rárak *[kutyára]; biz* elhallgattat

my (az én) -m

myself saját magam; önmagam

mysterious rejtélyes, misztikus

mystery rejtély, titok

mystify ködösít, misztifikál; megtéveszt

myth mítosz, rege

mythology mitológia

N

nag nyaggat, szekál

nail ▾ *fn* köröm; szeg; ~ **scissors** *tsz* körömolló; ~ **varnish** körömlakk ▾ *ige* (rá/oda)szegez

nailbrush körömkefe

naive naiv, hiszékeny

naked csupasz, meztelen

name ▾ *fn* név, cím *[könyvé, filmé];* hírnév ▾ *ige* elnevez; megnevez

namely mégpedig, nevezetesen

namesake névrokon

nanny dajka

nap ▾ *fn* szendergés, szundi(kálás) ▾ *ige* szundít, szundikál

napkin szalvéta

nappy pelenka

narcotic kábítószer; altatószer, érzéstelenítőszer

narration elbeszélés, elmesélés

narrative elbeszélő *[költemény]*

narrator narrátor, elbeszélő

narrow ▾ *mn* keskeny, szűk ▾ *ige* le/beszűkít, csökkent; leszűkül, elkeskenyedik

narrow-minded szűk látókörű

nasal orral kapcsolatos, orr-

nastiness komiszság, undokság

nasty undok, komisz; rossz, kellemetlen

nation nemzet, nép

national nemzeti, országos

nationalise államosít *[vállalatot]*

nationalism nacionalizmus, hazafiság

nationalist nacionalista, hazafi

nationality nemzetiség; állampolgárság

nationalise államosít [vállalatot]

nationwide országos

native ▼ mn odavalósi, bennszülött; belföldi, őshonos [növény, állat]; szülő-, születési ▼ fn őslakos, bennszülött; N~ American US amerikai őslakos [indián]

Nativity vall Krisztus születése, karácsony

NATO röv [North Atlantic Treaty Organization] NATO [Észak-atlanti Szerződés Szervezete]

natural természeti, természetes; magától értetődő

naturalisation honosítás [külföldié]

naturalise honosít [külföldit]

naturalist természettudós, természetbúvár; a naturalizmus követője/híve

naturally természetesen

nature természet; (emberi) természet

naughty engedetlen, haszontalan

nausea émelygés, hányinger

nauseating émelyítő

nautical hajózási, tenger(észet)i

naval haditengerészeti, tengeri

nave főhajó [templomban]

navel köldök

navigate navigál, kormányoz [hajót, repülőt]; térképpel tájékozódik; hajózik

navigation navigáció, kormányzás

navigator navigátor, kormányos *[hajón, repülőn]*

navvy földmunkás, kubikos

navy (hadi)tengerészet

near ▼ *mn* közeli, közel levő ▼ *hsz* közel; szinte, majdnem ▼ *elölj* (közvetlen) közel (vmihez) ▼ *ige* (*sg/sy*) közeledik (vmihez/vkihez)

nearby ▼ *mn* közeli ▼ *hsz* közel, a közelben

nearly majdnem, csaknem

neat csinos, ízléses; tiszta, ápolt; *US* remek, klassz

necessarily feltétlenül, szükségképpen

necessary nélkülözhetetlen, szükséges; szükségszerű

necessitate elkerülhetetlenné/szükségessé tesz

necessity szükség(esség)

neck nyak

necklace nyaklánc

neckline nyakkivágás *[ruhán]*

necktie nyakkendő

nectar nektár

need ▼ *fn* szükség(let); baj, nyomor ▼ *ige* (*sg/sy*) szüksége van (vmire/vkire)

needle tű

needless felesleges, szükségtelen

needlework kézimunka

needy szűkölködő, nyomorgó

negative ▼ *mn* negatív, nemleges ▼ *fn* negatív *[fényképé]*

neglect ▼ *fn* elhanyagolás, mulasztás ▼ *ige* elhanyagol, elmulaszt

negligence hanyagság, gondatlanság

negligent hanyag, gondatlan

negligible jelentéktelen, elhanyagolható

negotiable *gazd* értékesíthető, forgatható; alku tárgyát képező

negotiate megtárgyal; forgat *[pénzt]*

negotiation tárgyalás

neigh ▼ *fn* nyerítés *[lóé]* ▼ *ige* nyerít *[ló]*

neighbour szomszéd

neighbourhood környék, szomszédság

neighbouring közeli, szomszédos

neither *mn, hsz* (egyik) sem

neologism nyelvi újítás, neologizmus

neon neon

nephew unokaöcs

Neptune Neptunusz

nerve ideg; ~s *tsz* idegesség, lámpaláz

nervous ideges, izgatott; ~ breakdown idegösszeroppanás

nest ▼ *fn* fészek, odú; ~ egg *biz* dugipénz ▼ *ige* fészket rak, fészkel

nestle fészkel, (meg)húzódik

net[1] *mn* nettó, tiszta

net[2] ▼ *fn* háló; *inform* hálózat ▼ *ige* hálóval elkap, *átv* behálóz

Netherlands *tsz* Hollandia

netting háló

nettle ▼ *fn* *növ* csalán ▼ *ige biz, átv* bosszant, (fel)hergel

network hálózat

neuralgia neuralgia, idegzsába

neurologist neurológus, ideggyógyász

neurosis neurózis, idegbaj

neurotic neurotikus, idegbeteg

neuter *nyelv* semleges nem

neutral semleges, üres *[sebességfokozat]*

neutrality semlegesség

neutralise semlegesít, közömbösít

neutron neutron

never soha, sosem

nevertheless mégis, mindazonáltal

new új; **N~ Year** újév

newborn újszülött

newcomer (*to sg*) újonc, kezdő (vmiben)

newly újonnan, frissen

news *esz* hír, újság; híradó; ~ **agency** hírügynökség

newscaster *[médiában]* bemondó, hírolvasó

newsletter hírlevél

newspaper újság

newsreader bemondó, hírolvasó

newsreel (film)híradó *[moziban]*

next ▼ *mn* következő, legközelebbi; ~ **door** szomszédbeli, a szomszédban lakó ▼ *hsz* legközelebb; a szomszédba(n); aztán, ezután

nibble ▼ *fn* harapás, falat ▼ *ige* majszol, rágcsál

nice szép, kedves

nicely jól, szépen

nicety részlet(kérdés), apróság

niche falmélyedés

nick ▼ *fn* rovátka, csorba; pillanat ▼ *ige* rovátkol, kicsorbít

nickel ▼ *fn* nikkel; *US biz* ötcentes (pénzérme) ▼ *ige* nikkelez

nickname ▼ *fn* becenév, gúnynév ▼ *ige* (*sy*) becenevet/gúnynevet ad (vkinek), elnevez *[gúnynéven]*

nicotine nikotin

niece unokahúg

niggling akadékoskodó, kicsinyeskedő *[ember]*

night éj(szaka), est

nightcap hálósapka

nightdress hálóing *[női, gyermek]*

nightfall szürkület, alkony

nightingale fülemüle

nightlife éjszakai élet

nightly ▼ *mn* esti, esténkénti ▼ *hsz* esténként, éjszakánként

nightmare rémálom, lidércnyomás

nil nulla, semmi

Nile Nílus

nimble mozgékony, fürge; gyors észjárású, eszes

nine kilenc

nineteen tizenkilenc

nineteenth tizenkilencedik; tizenkilenced

ninetieth kilencvenedik; kilencvened

ninety kilencven

ninth kilencedik; kilenced

nip ▼ *fn* belecsípés (vkibe/vmibe) ▼ *ige* (*sy*) megcsíp (vkit), odacsíp(tet) *[csipesszel]*

nipple mellbimbó

nitrate fémnitrát, salétrom

nitrogen nitrogén

no ▼ *nm* semmilyen, semmiféle ▼ *hsz* nem

nobility nemesség

noble ▼ *mn* nemes, nemes (lelkű) ▼ *fn* nemes(ember)

nobody senki

nocturnal éjszakai, éjjeli

nod ▼ *fn* bólintás, bólogatás ▼ *ige* bólint, bólogat

noise zaj, lárma; hang, zörej

noisy zajos, lármás

nomad nomád

nominal névleges, nominális; jelképes *[összeg, büntetés];* nyelv névszói

nominate (*sy to sg*) kinevez (vkit vminek); jelöl *[vkit díjra]*

nominative ▼ *mn* nyelv alany- *[eset]* ▼ *fn* nyelv alanyeset

nonconformist nonkonformista

nondescript meghatározhatatlan, leírhatatlan

none egy(ik) sem *[kettőnél több közül]*

nonetheless mégis, mindazonáltal

nonsense nonszensz, zagyvaság

non-stop ▼ *mn* folyamatos, nonstop ▼ *hsz* megállás/leszállás nélkül

noodles *tsz* (metélt)tészta, nudli

nook zug, sarok

noon dél *[napszak]*

no-one senki

nor sem

norm norma, minta

normal normális, szabályos

normality szabályosság, szokásosság

normally normálisan, szabályosan

Norman ▼ *mn* normann, normandiai; román *[stílus]* ▼ *fn* normann, normandiai; román stílus

north ▼ *mn* északi; N~ **Africa** Észak-Afrika; N~ **America** Észak-Amerika; N~ **Sea** Északi-tenger ▼ *fn* észak ▼ *hsz* észak felé, északra

northeast ▼ *mn* északkeleti ▼ *fn* északkelet ▼ *hsz* északkelet felé, északkeletre

northerly északi

northern északi; N~ **Ireland** Észak-Írország; N~ **Pole** Északi-sark

northward(s) ▼ *mn* északi (irányú) ▼ *hsz* észak felé, északra

northwest ▼ *mn* északnyugati ▼ *fn* északnyugat ▼ *hsz* északnyugat felé, északnyugatra

Norway Norvégia

Norwegian *mn, fn* norvég

nose ▼ *fn* orr *[emberé, állaté, járműé]*, szimat, szaglás ▼ *ige átv* kiszimatol

nosebleed orrvérzés

nose-dive zuhanórepülés, bukórepülés

nostalgia nosztalgia, visszavágyódás

nostril orrlyuk

nosy *biz* kotnyeles, kíváncsiskodó

not nem

notable fontos, jelentős, figyelemre méltó

notably érzékelhetően; különösen

notary jegyző

notation jelölés, jelölési mód

note ▼ *fn* jegyzet, megjegyzés; hangjegy ▼ *ige* megjegyez; felír, feljegyez

notebook jegyzetfüzet; hordozható számítógép

noted elismert, híres

notepad jegyzettömb, írótömb

noteworthy említésre méltó, jelentős

nothing semmi

notice ▼ *fn* kiírás, felirat; értesítés, felszólítás; felmondás ▼ *ige* észrevesz

noticeable észrevehető, szemmel látható

notification értesítés, bejelentés

notify (*sy of sg*) értesít (vkit vmiről), bejelent *[hatóságnál]*

notion fogalom, elképzelés

notoriety közismertség, hírhedtség

notorious közismert, hírhedt

notwithstanding (vmi) ellenére/dacára

nougat nugát

nought semmi, nulla

noun főnév

nourish (*on/with sg*) táplál, etet (vmivel)

nourishing tápláló

nourishment táplálék, élelem

novel regény

novelist regényíró

novelty újdonság; eredetiség, újszerűség

November november

novice újonc, kezdő

now most, jelenleg

nowadays manapság

nowhere sehol, sehová

noxious káros, ártalmas

nozzle csővég, csőr *[kannáé]*

nuance nüansz, finom különbség

nuclear nukleáris, *összet* atom-

nucleus atommag; sejtmag

nude ▼ *mn* meztelen, ruhátlan ▼ *fn* akt, meztelen alak

nudge oldalba bök

nudist nudista

nugget aranyrög

nuisance nyűg, kellemetlenség; kellemetlenkedő ember

null *jog* semmis, érvénytelen

numb ▼ *mn* zsibbadt, elgémberedett ▼ *ige* elzsibbaszt, megdermeszt; elkábít

number ▼ *fn* szám(jegy); (folyóirat)szám ▼ *ige* be/megszámoz

numeral szám(jegy); *nyelv* számnév

numerical numerikus, számszerű

numerous számos, sok

nun apáca

nurse ▼ *fn* ápolónő, *[kórházi]* nővér; dajka ▼ *ige* ápol, gondoz; szoptat *[csecsemőt]*

nursery bölcsőde; ~ **rhyme** gyermekvers; ~ **school** óvoda

nursing home nyugdíjasotthon; magánkórház

nurture ▼ *fn* élelem, táplálék ▼ *ige* táplál

nut dió, mogyoró; anyacsavar; *biz* őrült, bolond

nutcracker(s) diótörő

nutmeg szerecsendió

nutrition táplálkozás, táplálás; élelmezéstudomány

nutshell *átv is* dióhéj

nylon nejlon; nejlonharisnya

nymph nimfa

O

oak tölgy(fa)

oar ▼ *fn* evező(lapát) ▼
ige evez

oasis oázis

oath fogadalom, eskü

oatmeal zabpehely; *US*
zabkása

obedience engedelmes-
ség, szófogadás

obedient engedelmes,
szófogadó

obese elhízott, túlsúlyos

obey engedelmeskedik,
betart *[szabályt]*

obituary nekrológ, gyász-
jelentés

object ▼ *fn* tárgy ▼ *ige* ki-
fogásol; ellenez

objection kifogás, tilta-
kozás

objectionable kifogásol-
ható

objective ▼ *mn* objektív,
tárgyilagos ▼ *fn* cél

obligation kötelesség, (el)-
kötelezettség; adósság

obligatory kötelező

oblige kötelez; leköteles

obliging előzékeny, le-
kötelező

oblique dőlt, ferde

obliterate kiirt, kitöröl

oblivion feledés

oblivious feledékeny

oblong ▼ *mn* téglalap
alakú ▼ *fn* téglalap

obnoxious visszataszító,
undorító

obscene szemérmetlen,
obszcén

obscure ▼ *mn* érthetet-
len, zavaros; homályos,
elmosódott ▼ *ige* elho-
mályosít; összezavar

observation megfigyelés;
észrevétel

observe megfigyel, észrevesz; betart *[szabályt]*; *((up)on sg)* észrevételt tesz (vmire)
obsession megszállottság; rögeszme, kényszerképzet
obsessive rögeszmés
obsolete ósdi, idejétmúlt
obstacle akadály
obstinacy makacsság, csökönyösség
obstinate makacs, csökönyös
obstruct eltorlaszol, elzár; akadályoz, gátol
obstruction akadály, dugulás; akadályozás; *pol* obstrukció
obtain megszerez, hozzájut
obtrusive tolakodó, alkalmatlankodó *[ember]*; kellemetlen, zavaró
obvious magától értetődő, nyilvánvaló
obviously ▼ *hsz* nyilvánvalóan, magától értető-

dően ▼ *isz* naná!, még szép!
occasion alkalom, helyzet
occasional véletlen, alkalmi; időnkénti, esetenkénti
occasionally alkalomadtán, időnként
occupant lakó, bérlő
occupation foglalkozás, elfoglaltság; elfoglalás *[területé]*, beköltözés; *kat* megszállás
occupy birtokba vesz, elfoglal *[lakást, házat]*; betölt *[pozíciót]*; *kat* elfoglal, megszáll *[területet]*
occur bekövetkezik, megtörténik; előfordul, akad; *(sg to sy)* eszébe jut (vkinek vmi)
occurrence eset, esemény
ocean óceán
o'clock (kerek) óra *[időpont]*

octagon nyolcszög

octave *zene* oktáv

October október

octopus polip

odd furcsa, különös; páratlan *[szám]*

oddity különcség, hóbort

odds *tsz* valószínűség, esély *[fogadásnál stb.]*

of vkinek/vminek vkije/vmije; -ból/-ből, közül való; -tól/-től

off ▼ *mn* szabad *[nap];* kikapcsolt *[készülék];* elhalasztott *[találkozó]* ▼ *hsz* el, messz(ir)e; le, ki(kapcsolva) *[készülék]* ▼ *elölj* (le)-ról/-ről, -tól/-től; messze vmitől

offend megsért *[szabályt];* megbánt (vkit); (*against sg*) megsért, megszeg (vmit)

offender tettes, vétkes

offensive ▼ *mn* sértő, bántó; *sp* támadó ▼ *fn* offenzíva, támadás

offer ▼ *fn* ajánlat, fel-

ajánlás ▼ *ige* (fel)kínál, (fel)ajánl; nyújt; kínálkozik *[alkalom]*

offering kínálat, ajánlat

offhand ▼ *mn* rögtönzött, spontán; fölényes ▼ *hsz* kapásból, előkészület nélkül; fölényesen

office iroda, hivatal; állás, hivatal(i pozíció)

officer (katona)tiszt, rendőr; köztisztviselő, közhivatalnok

official ▼ *mn* hivatalos, szolgálati ▼ *fn* tisztviselő, hivatalnok

off-licence italbolt *[csak palackozott italoké]*

offshoot hajtás, sarj *[növényé, családé]*

offshore part menti, part felőli; külföldön létesített *[bank, fiók stb.]*

offspring utód, sarj

offstage színpadon kívül(i)

often gyakran, sűrűn

oh Ó!, hű!; igazán?

oil ▼ *fn* olaj; olajfesték; ~ **painting** olajfestmény; ~ **rig** olajfúró torony; ~ **well** olajkút ▼ *ige* (meg/be)olajoz

oily olajos, zsíros

ointment gyógykenőcs, kence

old öreg, idős; régi, egykori; ~ **age** öregkor(i)

old-fashioned divatjamúlt, ódivatú

olive ▼ *mn* olívaszínű, olívazöld ▼ *fn* olíva, olajbogyó

Olympic olimpiai

omelet(te) omlett

omen ómen, előjel

ominous vészjósló, ominózus

omission kihagyás, elhagyás

omit kifelejt, kihagy

omnipotent mindenható

omnipresent mindenütt jelenlevő

on ▼ *hsz* fel; tovább; be(kapcsolt) *[készülék]*, megnyitott *[csap]* ▼ *elölj* -on/-en/-ön/-n; -án/-én; -kor; -ra/-re; -ról/-ről

once ▼ *hsz* egy alkalommal, egyszer; azelőtt ▼ *ksz* mihelyt, ha

oncoming szembejövő *[forgalom]*; közelgő, közeledő

one ▼ *szn* egy ▼ *mn* egyetlen, egyik ▼ *nm* valaki, az ember *[általános alanyként]*

one-eyed félszemű

one-off *biz* kivételes, egyszeri

oneself (ön)maga

one-sided egyenlőtlen *[küzdelem]*; részrehajló; egyoldalú

one-way egyirányú *[utca]*; csak odaútra szóló *[jegy]*

ongoing (éppen) zajló, folyamatban levő

onion (vörös)hagyma

onlooker néz(előd)ő

only ▼ *mn* egyedüli, egyetlen ▼ *hsz* csak, csupán

onset kezdet

onslaught *átv* támadás, kirohanás

onto -ra/-re, vminek a tetejére

onward előre(haladó)

onyx ónix

ooze folyat *[seb váladékot];* nedvezik, (ki)szivárog; párolog, izzad

opal opál

opaque átlátszatlan, homályos

open ▼ *mn* nyitott; szabad; őszinte, nyílt ▼ *ige* (ki)nyit, megnyit; (ki)nyílik, megnyílik

opening (ki)nyitás, megnyitás; nyílás, rés

openly nyíltan, nyilvánosan

open-minded elfogulatlan, széles látókörű

opera opera

operate működtet *[gépet],* kezel; üzemel, működik; *(on sy) orv* operál, műt (vkit)

operatic operai, drámai *[hatású]*

operation műtét, operáció; működés, üzemeltetés; hadművelet; *mat* művelet

operative ▼ *mn* működő; érvényben levő, hatályos ▼ *fn* munkás, gépkezelő

operator (gép)kezelő, telefonközpontos

opinion vélemény, nézet; ~ poll közvéleménykutatás

opinionated makacs, véleményéhez ragaszkodó

opponent ellenfél, versenytárs

opportunity lehetőség, alkalom

oppose *(sg)* szembehelyezkedik (vmivel); szembe/ellentétbe állít (vmit)

opposing szemben álló, ellenséges *[csapatok, felek]*

opposite ▼ *mn* szemben levő; ellenkező ▼ *fn* ellentét(e vminek) ▼ *hsz* szemben, szemközt ▼ *elölj* szemben

opposition szembeállítás, szembenállás; ellenzék *[parlamentben]*, ellenállás *[mozgalom]*

oppress elnyom, nyomorgat

oppressive elnyomó

opt választ; (*for sg*) dönt (vmi mellett)

optical optikai, látási

optician látszerész

optimism optimizmus, derűlátás

optimist optimista

optimistic optimista, derűlátó

option választás, lehetőség; elővételi jog, opció *[részvényre]*

optional választható, fakultatív

or vagy

oral ▼ *mn* szóbeli; száj-,

orális ▼ *fn* szóbeli (vizsga)

orange ▼ *mn* narancssárga ▼ *fn* narancs(fa)

orbit pálya *[űrhajóé, égitesté]*

orchard gyümölcsös-- (kert)

orchestra zenekar

orchestral zenekari

orchid orchidea

ordain pappá szentel, püspökké avat

ordeal megpróbáltatás, kínszenvedés

order ▼ *fn* rend, jó állapot; sorrend; rendelet, parancs; megrendelés, rendelés *[étteremben];* (szerzetes)rend ▼ *ige* elrendel, (meg)parancsol; (meg)rendel

orderly ▼ *mn* rendes, rendszerető ▼ *fn* beteghordozó

ordinary szokásos, mindennapos; közönséges, hétköznapi

ore érc
organ *biol* szerv; *zene* orgona
organic szervi, szerves
organism szervezet
organisation szervezet; (meg)szervezés
organise (meg)szervez, (meg)rendez
organiser szervező, rendező
orgasm orgazmus
orgy orgia
orient ▼ *fn* (nap)kelet *[égtáj]* ▼ *ige* betájol, (be)irányít
oriental ▼ *mn* keleti ▼ *fn* keleti ember
origin eredet, származás
original ▼ *mn* eredeti; *átv* egyéni, eredeti *[ötlet, elképzelés]* ▼ *fn* eredeti (pédány)
originality eredetiség, eredeti volta vminek
originally eredetileg, kezdetben
originate származtat;

(*from/in*) származik (vhonnan/vmiből)
ornament dísz(ítés), dísztárgy
ornamental dísz-, díszítő
ornate túldíszített, gazdagon díszített
ornithology ornitológia, madártan
orphan árva
orphanage árvaház
orthodox ortodox; hagyományos
ostrich strucc
other ▼ *mn* más, másik ▼ *nm* a másik(at), a másiknak
otherwise ▼ *mn* másmilyen ▼ *hsz* másképpen; máskülönben, egyébként
otter vidra
ouch au!, jaj!
ought kellene
ounce uncia *[=28,35 gramm]*
our (a mi) ...-unk
ours a miénk

ourselves (mi) magunk

out ki(felé), kinn

outbade → **outbid**

outbid (outbade/outbid, outbidden/outbid) túllicitál, *biz* felülmúl

outbreak kitörés *[járványé, háborúé]*

outburst kitörés *[érzelemé]*

outcast száműzött, kitaszított

outcome kimenetel, végeredmény

outcry felzúdulás

outdated elavult, idejétmúlt

outdid → **outdo**

outdo (outdid, outdone) felülmúl; (*sy/sg*) jobb (vkinél/vminél)

outdone → **outdo**

outdoor külső, szabadtéri

outdoors kinn, a szabadban

outer külső; ~ **space** világűr

outfit ▼ *fn* felszerelés, készlet; ruhakompozíció ▼ *ige* felszerel(éssel ellát)

outgoing kimenő *[posta]*, leköszönő *[vezető, kormány]*; társaságkedvelő, barátságos

outgrew → **outgrow**

outgrow (outgrew, outgrown) túlnő, *[növésben]* elhagy

outgrown → **outgrow**

outing kirándulás, séta

outlaw törvényenkívüli, földönfutó

outlet ki/lefolyó, kivezetés; fióküzlet

outline ▼ *fn* körvonal, vázlat ▼ *ige* körvonalaz, (fel)vázol

outlive (*sy*) tovább él (vkinél), (*sg/sy*) túlél (vmit/vkit)

outlook kilátás, látvány; szemlélet, perspektíva

outnumber létszámban felülmúl, (*sg*) több (vminél)

out-of-date idejétmúlt, elavult

outpatient járóbeteg

outpost *átv* előretolt állás

output kimenet *[számítógépé, műszeré]*; teljesítmény, termelés

outrage ▼ *fn* gyalázat, gaztett; felháborodás ▼ *ige* megbotránkoztat, felháborít

outrageous felháborító, gyalázatos; *átv* borzasztó, szörnyű

outright ▼ *mn* nyílt, őszinte; teljes, egész ▼ *hsz* nyíltan, egyenesen; teljesen, egészen

outset kezdet, eleje vminek

outside ▼ *mn* külső, kinti ▼ *hsz* (oda)kint, kívül ▼ *elölj* vmin kívül; vmi előtt

outsider kívülálló, beavatatlan

outskirts *tsz* külváros, peremváros

outspoken szókimondó, őszinte

outstanding kiemelkedő, kiugró *[tehetség]*

outward ▼ *mn* kifelé tartó *[áru, forgalom]*; külső, látszólagos ▼ *hsz* kifelé, ki

outweigh (*sg*) nehezebb (vminél), többet nyom (vminél)

outwit átver, túljár vki eszén

oval ovális

ovary petefészek

ovation éljenzés, ováció

oven sütő *[tűzhelyé]*

ovenproof hőálló

over ▼ *hsz* vége; át; újra, megint ▼ *elölj* fölött, fölé; át, keresztül *[időben is]*; vmin túl/felül; több mint

overall ▼ *mn* teljes, átfogó ▼ *fn* munkaruha, iskolaköpeny; ~s *tsz* overall, kezeslábas ▼ *hsz* összesen

overate → **overeat**

overboard ki *[hajóból vízbe]*

overbook túlfoglal *[szállást, repülőt]*, túl sok rendelést vesz fel

overcame → **overcome**

overcast ▼ *mn* borús, felhős ▼ *ige* (overcast, overcast) elhomályosít, elsötétít; elhomályosul, beborul

overcharge ▼ *fn* túlterhelés; túlkövetelés, túlzott ár ▼ *ige* túlterhel; túlszámláz, túlfizettet

overcoat felöltő, felsőkabát

overcome (overcame, overcome) legyőz; elönti, erőt vesz rajta *[vmilyen érzés]*

overcrowded túlzsúfolt

overcrowding túlnépesedés, túlzsúfoltság

overdaring vakmerő

overdid → **overdo**

overdo (overdid, over-done) túlzásba visz; túl/agyonsüt *[ételt]*

overdone ▼ *mn* túlzásba vitt; túlsütött ▼ *ige* → **overdo**

overdose túladagolás *[gyógyszeré, kábítószeré]*

overdraft hitel(keret)túllépés *[bankszámlán]*

overdraw (overdrew, overdrawn) túllép *[bankszámla keretét]*

overdrawn → **overdraw**

overdrew → **overdraw**

overdue (rég) esedékes *[törlesztés stb.]*

overeat (overate, over-eaten) túl sokat eszik, betegre eszi magát

overeaten → **overeat**

overestimate túlértékel, túlbecsül

overflow eláraszt, kiönt *[folyó]*; kiömlik *[folyadék]*, kicsordul *[pohár, szív]*

overgrown (*with sg*) (vmivel) benőtt, gazos

overhead ▼ *mn* felső, fenti ▼ *hsz* a magasban, felül

overhear (overheard, overheard) kihallgat, (véletlenül) meghall

overheard → overhear

overheat túlfűt, túlhevít; túlmelegszik *[motor]*

overlap ▼ *fn* átfedés ▼ *ige* átfed

overload ▼ *fn* túlterhelés ▼ *ige* túlterhel

overlook néz *[szoba, ablak vmire]*; (sg) elkerüli a figyelmét (vmi), átsiklik (vmin); nem vesz figyelembe/tekintetbe (vmit)

overnight ▼ *mn* éjszakai ▼ *hsz* éjszakára; egyik napról a másikra

overpopulated túlnépesedett

overpower (sy) legyőz, fölényben van (vkivel szemben)

overpowering ellenállhatatlan, fojtogató

overrate túlértékel

overrule felülbírál, érvénytelenít

overseas ▼ *mn* külföldi, tengeren túli ▼ *hsz* külföldön, tengeren túl

overshadow beárnyékol, elsötétít

oversight tévedés *[figyelmetlenségből]*, elnézés

oversleep (overslept, overslept) későn ébred, elalszik

overslept → oversleep

overt szemmel látható, nyilvánvaló

overtake (overtook, overtaken) megelőz, lehagy

overtaken → overtake

overthrew → overthrow

overthrow (overthrew, overthrown) megdönt, megbuktat *[hatalmat, kormányt]*

overthrown → overthrow

overtime túlóra; *sp* hosszabbítás

overtook → overtake

overture *zene* nyitány
overturn felborít, felfordít; felborul, felfordul
overweight ▼ *mn* túlsúlyos ▼ *fn* súlytöbblet, túlsúly
overwhelming elsöprő *[győzelem, siker]*, megsemmisítő *[csapás]*
overwork ▼ *fn* túlhajtott munka ▼ *ige* agyondolgoztat; agyondolgozza/túlhajszolja magát
owe (*sy sg v. sg to sy*) tartozik (vkinek vmivel);

(*sg to sy/sg*) köszönhet (vmit vkinek/vminek)
owl bagoly
own ▼ *mn* saját, tulajdon ▼ *ige* (*sg*) birtokol (vmit), van vmije
owner tulajdonos, birtokos *[vmié]*
ownership birtoklás, tulajdonjog
ox (*tsz* oxen) ökör
oxen → **ox**
oxygen oxigén
oyster osztriga
ozone ózon

P

pace ▼ *fn* tempó, iram;
lépés ▼ *ige* fel-alá járkál
(vhol)
pacemaker (szív)ritmus-
szabályozó
Pacific csendes-óceáni;
the ~ (Ocean) Csen-
des-óceán
pacifist pacifista, béke-
párti
pacifism pacifizmus
pacify lecsillapít, meg-
nyugtat
pack ▼ *fn* csomag; doboz
[cigaretta], pakli *[kár-
tya]* ▼ *ige* (be/össze/el)-
csomagol (vmit); össze-
zsúfol (vkit/vmit)

package *fn* csomag *ige*
(be/össze)csomagol
packet csomag
packing (el/össze/be)cso-
magolás, csomagoló-
anyag
pact paktum, szerződés
pad ▼ *fn* (jegyzet/író)-
tömb: váltömés, pár-
na; *inform* mouse ~
egéralátét ▼ *ige* kipár-
náz
padding (ki)tömés
paddle ▼ *fn* evező, eve-
zés; *áll* uszony ▼ *ige*
evez, (evezővel) lapátol
padlock ▼ *fn* lakat ▼ *ige*
lelakatol
paediatrics *esz* gyermek-
gyógyászat
pagan pogány
page oldal *[könyvé]*, lap
pager személyhívó
paid ▼ *mn* összet is (ki)-
fizetett ▼ *ige* → pay
pail *US* vödör
pain fájdalom, kín
painful fájdalmas, fájó

painkiller fájdalomcsillapító

painless fájdalommentes

pains *tsz* vajúdás, szülési fájdalmak

painstaking alapos, gondos, lelkiismeretes

paint ▼ *fn* festék, festés ▼ *ige* (be/ki/meg)fest

paintbrush (festő)ecset

painter festő(művész); (szoba)festő

painting festmény, festészet

paintwork fényezés *[autóé]*

pair ▼ *fn* pár, (vminek a) párja; (házas)pár ▼ *ige* párba állít, (össze)párosít

pajamas *tsz US* pizsama

Pakistan Pakisztán

Pakistani *mn, fn* pakisztáni

palace palota

palatable ízletes, finom, kellemes

pale sápadt *[ember]*, halvány *[szín]*

Palestine Palesztina

Palestinian *mn, fn* palesztin

palette paletta

palm¹ pálma(fa)

palm² tenyér

palpable kézzelfogható, megfogható

pamper kényeztet, babusgat, dédelget

pamphlet röpirat, pamflet

pan serpenyő, tepsi; **pots and ~s** (főző)edények

pancake palacsinta

pandemonium pokoli lárma, óriási zűrzavar

pane (üveg)tábla

panel (műszer)tábla/panel; bizottság, zsűri

pang maró/hasogató fájdalom

panic ▼ *fn* pánik ▼ *ige* pánikba esik

panicky könnyen pánikba eső, pánikra hajlamos, *biz* rémült

pant ▼ *fn* zihálás, lihegés ▼ *ige* zihál, liheg

panther párduc

panties *tsz biz* (női) bugyi

pantomime pantomim, némajáték

pantry (élés)kamra

pants *tsz* alsónadrág; *US* (hosszú)nadrág

papal pápai

paper ▼ *fn* papír; újság, (hír)lap; (iskolai) dolgozat ▼ *ige* tapétáz; papírba becsomagol

paperback puhafedelű (könyv)

papers személyi okmányok, iratok

paperweight levélnehezék

paperwork papírmunka, irodai munka

par egyenlőség; **be° on a ~** (*with sy/sg*) egy színvonalon van (vkivel/vmivel)

parachute ▼ *fn* ejtőernyő

▼ *ige* ejtőernyőzik, ejtőernyővel ugrik

parade ▼ *fn* parádé, díszfelvonulás ▼ *ige* felvonul, parádézik; fitogtat (vmit)

paradise paradicsom(kert), mennyország

paradox paradoxon

paradoxical paradox

paraffin petróleum, paraffin

paragraph bekezdés, *jog* paragrafus

parallel *mn, fn* párhuzamos

paralyse megbénít

paralysis (meg)bénulás

parameter paraméter

paramount mindennél fontosabb, kulcsfontosságú

paranoid paranoiás

parapet mellvéd, parapet

paraphernalia *tsz* kellékek

paraphrase ▼ *fn* körülírás ▼ *ige* átfogalmaz

parasite élősködő, parazita

parasol napernyő

paratrooper ejtőernyős katona

parcel ▼ *fn* postai csomag ▼ *ige* ~ **sg (up)** becsomagol (vmit)

parched kiszáradt, cserepes *[ajak]*, tikkadt

parchment pergamen

pardon ▼ *fn* bocsánat, megbocsátás; **I beg your ~!** bocsánat!, pardon!; **(I beg your) ~?** elnézést, mit mondott? ▼ *ige* megbocsát, megkegyelmez

parent szülő

parental szülői

parentheses → **parenthesis**

parenthesis (*tsz* parentheses) (kerek) zárójel

parenthood anyaság, apaság

Paris Párizs

parish plébánia, parókia; egyházközség

parity (rangbeli) egyenlőség, hasonlóság, paritás

park ▼ *fn* park ▼ *ige* (le)parkol

parking parkolás, várakozás; ~ **lot** parkoló; ~ **meter** parkolóóra

parliament parlament, országgyűlés

parliamentary parlamentáris, országgyűlési

parody ▼ *fn* paródia ▼ *ige* parodizál

parole ▼ *fn* **be° on ~** feltételesen szabadlábon van ▼ *ige* feltételesen szabadlábra helyez

parquet ▼ *fn* parkett ▼ *ige* parkettáz

parrot papagáj

parsley petrezselyem

parsnip paszternák

parson plébános, lelkész, pap

part ▼ *fn* rész, alkatrész; szerep *[színházban],* szólam ▼ *ige* elválaszt; kettéválik, elválik

partial részleges; elfogult, részrehajló

partially részben, részlegesen; elfogultan, részlehajlóan

participant résztvevő

participate (*in sg*) részt vesz (vmiben)

participation részvétel

participle melléknévi igenév

particle részecske

particular egyéni, különleges, saját(ság)os; egy bizonyos

particularly különösen, nagyon

particulars részletek; **personal** ~ személyes adatok

parting elválás, búcsú; választék *[hajban]*

partisan partizán

partition ▼ *fn* köz/választfal; (f)elosztás ▼ *ige* (f)eloszt

partly részben

partner ▼ *fn* társ, partner, üzlettárs ▼ *ige* társul

partnership társulás, partneri viszony

partridge fogoly *[madár]*

part-time mellékállású, rész(munka)idős

party buli, parti; (politikai) párt; *jog* fél

pass ▼ *fn* belépő, bérlet; elégséges (osztályzat); (hegy/tenger)szoros; *sp* passz(olás), átadás ▼ *ige* (*sg*) elhalad (vmi mellett); átmegy *[vizsgán];* oda/átad, (le)passzol *[labdát];* ~ **away** elhuny

passable járható *[út];* elég jó, tűrhető

passage átkelés, (át)utazás; folyosó, sikátor; szakasz *[szövegből],* (könyv)-részlet

passenger utas
passion szenvedély
passionate szenvedélyes
passive passzív, tétlen; *nyelv* szenvedő
passport útlevél
password jelszó
past ▼ *mn* (el)múlt, régi ▼ *fn* múlt, *nyelv* múlt idő ▼ *hsz* el ▼ *elölj* (vmi mellett) el; túl, után; ~ the building el az épület mellett; it's ten ~ four tíz perccel múlt négy
pasta (főtt) tészta
paste ▼ *fn* krém; tészta; ragasztó, csiriz ▼ *ige* (fel)ragaszt; *inform* beilleszt
pastel pasztell *[kép]*
pasteurise pasztőröz *[tejet]*
pastime időtöltés
pastry (sült) tészta
pasture legelő
pat ▼ *fn* veregetés ▼ *ige* (meg)vereget *[vkinek a vállát]*

patch ▼ *fn* folt; telek, veteményes(kert) ▼ *ige* megfoltoz; összeeszkábál
patchy foltos, foltozott
patent ▼ *mn* szabadalmazott ▼ *fn* szabadalom ▼ *ige* szabadalmaztat
paternal apai
paternity apaság
path ösvény, turistaút, kerékpárút
pathetic szánalmas
pathological kóros
pathologist patológus, kórboncnok
pathology kór(bonc)tan
pathway (gyalog)ösvény
patience türelem
patient ▼ *mn* türelmes ▼ *fn* beteg
patio terasz
patriot hazafi
patriotic hazafias
patriotism hazafi(as)ság
patrol ▼ *fn* járőr, őrjárat; ~ car járőrkocsi ▼ *ige* járőröz, őrjáraton van

patron pártfogó, védnök;
~ **saint** védőszent
patronise pártfogol, patronál; lekezel (vkit)
patronising lekezelő
pattern minta, motívum
pauper szegény (ember),
biz koldus
pause ▼ *fn* szünet, megállás (vmi közben) ▼ *ige*
megáll, szünetet tart
pave (ki)kövez
pavement járda, *US* kövezet
pavilion pavilon
paving kövezet; burkolat
paw mancs
pawn ▼ *fn* zálog ▼ *ige* zálogba tesz, elzálogosít
pawnbroker zálogkölcsönző
pawnshop zálogház
pay ▼ *fn* fizetség, bér; ~
phone nyilvános (érmés) telefon ▼ *ige*
(paid, paid) (*for sg*)
(ki/meg)fizet (vmit); kifizetődik

payable (ki)fizetendő,
esedékes *[pénzösszeg];*
(ki)fizethető
payee kedvezményezett
payment (ki/be)fizetés
payroll fizetési jegyzék,
bérlista
pea borsó
peace béke, békesség
peaceful békés, csendes,
nyugodt
peacemaker békítő, béketeremtő, békéltető
peach őszibarack; barackszín
peacock páva
peak tető(pont), csúcs(pont); hegycsúcs
peanut földimogyoró
pear körte
pearl (igaz)gyöngy, *átv*
gyöngyszem
peasant paraszt
pebble kavics
peck ▼ *fn* csípés *[madáré]; biz* puszi ▼ *ige* csipked, (meg)csíp; *biz* megpuszil

peculiar különös, különleges, saját(ság)os

peculiarity különlegesség, saját(os)ság, jellegzetesség

pedagogic(al) pedagógiai, nevelési; pedagógusi, nevelői

pedal ▼ fn pedál ▼ ige kerékpározik; pedáloz

pedantic pejor aprólékos, (túl) pedáns

pedestrian gyalogos; ~ crossing gyalogátkelőhely

pedigree pedigré, származás, törzskönyv; törzskönyvezett, faj(ta)tiszta

pee ▼ fn biz pisi, pisilés ▼ ige pisil

peek ▼ fn leskedlődés, kukucskálás ▼ ige leskelődik, kukucskál

peel ▼ fn héj [gyümölcsé] ▼ ige (meg)hámoz [gyümölcsöt, burgonyát]; lehámlik, lemállik

peep ▼ fn kukkolás, ku-

kucskálás ▼ ige kukkol, kukucskál

peephole kémlelőnyílás [ajtón]

peer egyenrangú; főrend

peg pecek; fogas [ruhaakasztó]; ruhaszárító csipesz

pejorative pejoratív, becsmérlő

pelican pelikán

pelvis orv medence

pen toll [íráshoz]; ~ name írói álnév

penal büntető

penalise büntetéssel sújt, (meg)büntet

penalty büntetés, bírság; sp büntető(rúgás/dobás)

penance megbánás, bűnbánat, vezeklés

pence → penny

pencil ceruza; ~ case tolltartó

pending függő(ben lévő)

pendulum inga

penetrate áthatol, behatol; átszúr(ódik), átfúr(ódik)

penetration áthatolás, behatolás; átszúr(ód)ás, átfúr(ód)ás

penguin pingvin

penicillin penicillin

peninsula félsziget

penis pénisz, hímvessző

penitent bűnbánó

penitentiary ▼ *mn* büntető, büntetőintézeti ▼ *fn* US büntetőintézet

penknife (*tsz* -knives) zsebkés

penknives → **penknife**

penniless nincstelen, szegény

penny (*tsz* pence) penny *[az angol font váltópénze]*

pension nyugdíj; ~ **fund** nyugdíjalap, nyugdíjpénztár

pensionable nyugdíjra jogosult; nyugdíjas *[állás]*, nyugdíjra jogosító

pensioner nyugdíjas

pentagon ötszög; **the P~** a Pentagon *[az USA védelmi minisztériuma]*

pentathlon öttusa

Pentecost pünkösd

penthouse luxuslakás *[magas épület legfelső szintjén]*

people *esz* nép(csoport); *tsz* emberek, személyek

pepper (fekete)bors; (piros)paprika

peppermint borsmenta

per -(e)nként; ~ **capita** fejenként; ~ **cent** százalék

perceive felfog, észlel

percent százalék

percentage százalék(os részarány)

perceptible felfogható, észlelhető

perception észlelés, érzékelés

perceptive figyelmes

percolate átszűr; átszűrődik

percolator kávéfőző

perennial évelő *[növény]*

perfect ▼ *mn* hibátlan, tökéletes, kifogástalan ▼ *fn nyelv* befejezett igealak

perfection tökély, tökéletesség; tökéletesítés

perfectionist maximalista

perfectly tökéletesen, kitűnően, teljesen

perforate kilyukaszt; kilyukad

perform előad; elvégez, végrehajt

performance előadás; teljesítmény, teljesítés, végrehajtás

performer előadó(művész), színész

perfume ▼ *fn* parfüm, illatszer ▼ *ige* (be)illatosít

perhaps talán, meglehet, lehet(séges, hogy)

peril (élet)veszély

perimeter kerület *[tárgyé]*

period időszak, korszak, időtartam; menstruáció; *US* (tan)óra; *US nyelv* pont *[írásjel]*

periodical ▼ *mn* időszakos, periodikus(an ismétlődő) ▼ *fn* folyóirat

peripheral periferikus, marginális

periphery periféria, határ(vonal/terület)

periscope periszkóp

perish tönkremegy, elpusztul, megsemmisül

perishable ▼ *mn* roml(and)ó ▼ *fn* ~s romlandó áru(cikke)k

perjury hamis tanúzás

perk *biz* kávét főz *[kávéfőző gépen]*

perks *tsz gazd, biz* (fizetésen felüli) juttatás

perm ▼ *fn biz* dauer ▼ *ige* bedauerol

permanence állandóság, tartósság

permanent állandó, tartós, végleges

permissible megengedhető

permission engedély, jóváhagyás, hozzájárulás

permissive elnéző, engedékeny, megengedő

permit ▼ *fn* engedély ▼ *ige* engedélyez, megenged

peroxide *biz* (hidrogénnel) szőkít, hidrogénez *[hajat]*

perpendicular merőleges; függőleges

perpetual állandó, örökös, örök

perplex meg/összezavar, zavarba hoz

persecute üldöz

persecution üldözés, üldöztetés

perseverance állhatatosság, kitartás

persevere (*in sg*) kitart (vmi mellett)

Persian *mn, fn* perzsa

persist (*in sg*) kitart (vmi mellett); folytatódik, tovább tart

persistence kitartás;

fennmaradás, folytatódás

persistent kitartó; folytonos, állandó

person személy, egyén; **in** ~ személyesen

personal személyes, személyi

personality személyiség, jellem

personalise megszemélyesít, megtestesít

personally személy szerint, (vki) részéről; személyesen

personnel személyzet

perspective ▼ *mn* távlati ▼ *fn* perspektíva, távlat

perspiration izzadás, verítékezés, izzadság, veríték

perspire izzad, verítékezik

persuade (*sy into sg*) rábeszél (vkit vmire); (*sy of sg*) meggyőz (vkit vmiről)

persuasion rábeszélés,

meggyőzés; meggyőződés, hitvallás

persuasive meggyőző, megnyerő

pertain (*to sg*) vonatkozik (vmire)

pertinent találó, odaillő

perverse perverz, természetellenes

perversion perverzió, eltévelyedés

pervert ▼ *fn* perverz (ember) ▼ *ige* megront (vkit); elferdít, kiforgat

pessimist pesszimista

pessimistic pesszimista, borúlátó

pest kártevő *[állat]*

pet ▼ *mn* legkedvesebb, kedvenc ▼ *fn* díszállat, házi kedvenc ▼ *ige* dédelget, simogat

petal szirom

petition ▼ *fn* kérvény; petíció, tiltakozás ▼ *ige* kér, kérvényez

petrified *átv* kővé dermedt

petrol benzin; ~ **can** benzinkanna; ~ **pump** benzinkút; benzinpumpa; ~ **station** benzinkút

petroleum kőolaj

petticoat alsószoknya

petty jelentéktelen, piti; kicsinyes

phantom fantom, kísértet, rém(alak)

pharmaceutic(al) gyógyszer(észeti)

pharmacist gyógyszerész, patikus

pharmacology farmakológia, gyógyszerészet

pharmacy gyógyszertár, patika

phase fázis, stádium, szakasz

pheasant fácán

phenomena → **phenomenon**

phenomenal *biz* tüneményes, fantasztikus, fenomenális

phenomenon (*tsz* phenomena) jelenség; (csodálatos) tünemény

philanthropist emberbarát

philharmonic filharmonikus

philology filológia

philosopher filozófus

philosophic(al) filozófiai, bölcseleti; mélyenszántó *[gondolat]*

philosophy filozófia

phobia fóbia, beteges félelem

phone ▼ *fn biz* telefon ▼ *ige* (*sy*) felhív (vkit); *biz* telefonál

phone-in telefonos műsor *[tévében, rádióban]*

phonetics *esz* fonetika, hangtan

phoney ▼ *mn* nem igazi, hamis ▼ *fn* csaló, szélhámos

photo fénykép, fotó

photocopier fénymásoló (gép)

photocopy ▼ *fn* fénymásolat ▼ *ige* (le)fénymásol

photogenic fotogén

photograph ▼ *fn* fénykép ▼ *ige* (le)fényképez

photographer fényképész, fotós

photography fényképezés, fotózás, fényképészet

phrase ▼ *fn* kifejezés, frázis ▼ *ige* megfogalmaz *[gondolatot]*, kifejez(ésre juttat)

physical fizikai, testi

physician orvos

physicist fizikus

physics *esz* fizika

physiotherapy fizikoterápia, gyógytorna

physique testalkat, fizikum

pianist zongorista

piano zongora

pick ▼ *fn* csákány; fogpiszkáló ▼ *ige* (le)szed *[gyümölcsöt]*; eszeget, csipeget; (ki)választ, válogat; (*on sy*) pikkel (vkire); ~ up felcsíp (vkit), fel/magára szed *[tudást]*

picket sztrájkőr(ség)

pickle ▼ *fn* pác(lé); be° in a ~ pácban/bajban van; ~s *tsz* savanyúság ▼ *ige* pácol, eltesz *[savanyúságot]*

pickpocket zsebtolvaj

pickup platós terepjáró/dzsip/kisteherautó

picnic ▼ *fn* piknik ▼ *ige* piknikezik

pictorial képes, illusztrált; képszerű

picture ▼ *fn* kép, fénykép; mozifilm; in the ~ a képen ▼ *ige átv* leír, érzékeltet; elképzel

picturesque festői, képszerű *[leírás]*

pie¹ pástétom; pite, torta

pie² szarka

piece darab, (szín)darab; a ~ (*of sg*) egy darab (vmi)

pier móló, hullámtörő (gát), (híd)pillér

pierce át/megszúr; hasogat *[fület, szívet]*

piercing ▼ *mn* éles, fülsértő *[hang]*, átható *[hideg, szél]* ▼ *fn* testékszer, piercing

pig disznó, malac, sertés; ~ in a poke zsákbamacska

pigeon galamb

pigeonhole rekesz, fach

piggy bank malacpersely

pigheaded konok, makacs

pigmentation elszíneződés, pigmentáció

pigsty *átv is* disznóól

pigtail copf

pike¹ dárda, lándzsa; hegycsúcs

pike² csuka

pile ▼ *fn* halom, köteg, rakás ▼ *ige* ~ up felhalmoz, felhalmozódik, összegyűlik; egymásba rohan *[autók]*

pilfering lopás

pilgrim zarándok

pilgrimage zarándoklat

pill tabletta; **the ~** fogamzásgátló

pillar pillér, oszlop; **~ box** postaláda

pillow párna

pilot ▼ *mn* próba-, kísérleti ▼*fn* pilóta, révkalauz ▼ *ige* kormányoz, vezet *[repülőt, hajót];* kipróbál, bejárat

pimple pattanás

pin ▼ *fn* (gombos)tű; **PIN(-code)** pin-kód ▼ *ige* oda/megtűz

pinball flipper *[játékautomata]*

pincers *tsz* harapófogó; olló(k) *[ráké]*

pinch ▼ *fn* csípés; *(of sg)* egy csipetnyi (vmi) ▼ *ige* (meg/bele)csíp

pincushion tűpárna

pine fenyő(fa)

pineapple ananász

ping-pong pingpong, asztalitenisz

pink rózsaszín

pinnacle csúcs, tetőpont

pinpoint pontosan eltalál, *átv* rámutat, meghatároz

pint pint *[GB = 0,568 l, US = 0,473 l]*

pioneer *átv is* úttörő, élharcos

pious jámbor, ájtatos

pipe cső(vezeték); pipa; (orgona)síp; **~s** *tsz [pl. skót]* duda *[hangszer]*

pipeline csővezeték

piper dudás

piquant fűszeres, *átv is* pikáns

piracy kalózkodás

pirate kalóz

Pisces Halak *[csillagkép]*

pistol pisztoly

piston dugattyú

pit gödör, verem, árok; akna *[bányában]*

pitch¹ ▼ *fn* (futball/jégkorong)pálya; hangmagasság ▼ *ige* (el)dob, (el)hajít; (fel)állít *[sátrat]*

pitch² *fn* szurok; ~ **black** szurokfekete

pitchfork vasvilla

pitfall *átv* kelepce, csapda, buktató

pitiful sajnálatra méltó, szánalmas, siralmas

pitiless kíméletlen, könyörtelen

pity ▼ *fn* szánalom, sajnálat; sajnálatos dolog; **it's a ~ (that) ...** kár, hogy ... ▼ *ige* (meg)szán, (meg)sajnál

pivot *átv* sarkpont, sarkalatos pont

pizza pizza

placard plakát

place ▼ *fn* hely, helység, tér; lakás, otthon; helyezés; **take°** ~ megtörténik ▼ *ige* (el)helyez, rak, tesz

placement (el)helyezés

placid nyugodt, békés

plague pestis, *átv* csapás

plain ▼ *mn* világos, nyilvánvaló; sima, egyszerű; őszinte, egyenes ▼ *fn* alföld, síkság ▼ *hsz* világosan

plait copf, fonat

plan ▼ *fn* terv, tervrajz ▼ *ige* (meg/el)tervez

plane¹ *fn* repülőgép

plane² ▼ *mn* sík, sima ▼ *fn* sík (felület)

planet bolygó

plank deszka, palánk

planner határidőnapló; tervező

planning (meg/el)tervezés

plant ▼ *fn* növény; ipartelep, gyár, üzem ▼ *ige* (el/be)ültet

plantation ültetvény

plaque fogkő, lepedék; (emlék)tábla

plaster ▼ *fn* gipsz ▼ *ige* bevakol, begipszel *[pl. végtagot]*

plastic műanyag; ~ **surgery** plasztikai sebészet/műtét

plate ▼ *fn* tányér; *[fém]* lemez, lap; ~ **glass** síküveg ▼ *ige* (fémmel) bevon

plateau fennsík

platform peron; emelvény, dobogó; platform, (politikai) program

platinum platina

platoon *kat* szakasz

platter *[nagy]* tányér, tál(ca)

plausible elfogadható, valószínű, hihető

play ▼ *fn* színdarab; játék ▼ *ige* játszik; eljátszik, lejátszik; ~ **down** bagatellizál

playboy *biz* aranyifjú

player játékos; színész, zenész; lejátszó *[CD, DVD stb.]*

playful játékos

playground játszótér

playhouse babaház

play-off *sp* rájátszás

plaything *átv* játékszer

playwright drámaíró, színműíró

plea kérelem, kérvény

plead (pleaded/*US* pled, pleaded/*US* pled) állít, érvel (vmivel); mentségül felhoz; *jog* ~ **guilty** bűnösnek vallja magát

pleasant kellemes, megnyerő

please örömet okoz, tetszik (vkinek); legyen szíves

pleased (meg)elégedett, boldog

pleasing kellemes, megnyerő

pleasure élvezet, öröm, szórakozás

pled → **plead**

pledge ▼ *fn* ígéret, fogadalom ▼ *ige* ünnepélyesen megígér, fogadalmat tesz

plentiful gazdag, bőséges

plenty bőség

pliers *tsz* fogó

plight nehéz helyzet/sors

plod; ~ **(along)** cammog, baktat; ~ **(away)** vesződik, küszködik

plot ▼ *fn* telek, parcella; cselekmény *[könyvé]*; összeesküvés ▼ *ige* *(sg)* tervez, megrajzol, ábrázol; *(against sy)* összeesküvést sző, konspirál (vki ellen)

plough ▼ *fn* eke, szántás ▼ *ige* (fel)szánt

pluck ▼ *fn* *biz* bátorság, merészség ▼ *ige* (le)tép, (le)szakít; megkopaszt *[baromfit]*

plug ▼ *fn* dugó, dugasz, csatlakozó; gyújtógyertya ▼ *ige* bedugaszol, eldugul; ~ **in** bedug *[csatlakozót, konnektordugót]*

plum szilva

plumb ▼ *mn* függőleges ▼ *fn* függőón ▼ *hsz biz*

pont(osan) teljesen; függőlegesen ▼ *ige* mélységet mér

plumber vízvezeték-szerelő

plumbing vízvezeték(-hálózat); vízvezeték-szerelés

plummet ▼ *fn* függőón, ólom(nehezék) *[horgászzsinóron]* ▼ *ige* (le)esik, (le)zuhan

plump ▼ *mn* dundi, kövérkés ▼ *ige* hizlal; meghízik

plunder ▼ *fn* fosztogatás; zsákmány ▼ *ige* fosztogat, kifoszt

plunge ▼ *fn* fejesugrás *[vízbe]*, lemerülés ▼ *ige* belelök *[vízbe]*; lemerül, lebukik *[víz alá]*

plunger vécépumpa

plural *nyelv* ▼ *mn* többes (számú) ▼ *fn* többes szám

plus ▼ *mn mat* plusz, pozitív ▼ *fn* előny ▼ *elölj* meg, plussz, és

plush ▼ *mn* plüss(ből készült), bársonyos ▼ *fn* plüss

plywood furnér(lemez)

pneumatic pneumatikus, sűrített levegővel működő

pneumonia tüdőgyulladás

poach orvvadászik, tilosban vadászik/halászik

poacher orvvadász, orvhalász, vadorzó

pocket ▼ *fn* zseb ▼ *ige* zsebre rak/tesz

pod hüvely

poem vers

poet költő

poetic költői

poetry költészet

poignant éles *[fájdalom]*, csípős *[megjegyzés]*

point ▼ *fn* pont; időpont, hely; hegy(e vminek), csúcs; részlet, lényeg, cél; **two ~ eight** 2,8 *[két egész nyolc tized];*

there is no ~ in doing sg nincs értelme megtenni (vmit); **~ of view** nézőpont ▼ *ige* (*at sg*) (meg/rá)mutat (vmire); ráirányít, (meg)céloz; **~ out** megállapít, *átv* rámutat

point-blank *biz* közvetlenül, nyíltan, kertelés nélkül

pointed csúcsos, hegyes

pointless céltalan, értelmetlen

poise ▼ *fn* higgadtság, egyensúly, nyugalom ▼ *ige* egyensúlyoz

poison ▼ *fn* méreg ▼ *ige* megmérgez

poisoning mérgezés

poisonous mérges *[pl. kígyó]*

poke ▼ *fn* bök(dös)és ▼ *ige* (meg)bök, (meg)-piszkál *[tüzet]*

poker[1] póker *[kártyajáték]*

poker[2] piszkavas

Poland Lengyelország

polar *földr* sarki, sarkvidéki; ~ **bear** jegesmedve

polarise sarkít, *átv* kiélez

Pole lengyel *[férfi]*

pole[1] karó, rúd, pózna; ~ **vault** rúdugrás

pole[2] *földr* sark(pont); *fiz* sarok, pólus

police *tsz* rendőrség; ~ **station** rendőrőrs, (rendőr)őrszoba

policeman (*tsz* -men) rendőr

policewoman (*tsz* -women) rendőrnő

policy[1] vki politikája, gyakorlat, stratégia

policy[2] (biztosítási)kötvény

polio(myelitis) gyermekbénulás

polish ▼ *fn* (bútor)fény(ező); cipőkrém ▼ *ige* fényez *[bútort]*, (ki)pucol *[cipőt]*

Polish ▼ *mn* lengyel ▼ *fn* esz/tsz lengyel *[ember/nyelv]*

polished fényezett *[bútor]*; *átv* kifinomult *[stílus]*

polite udvarias, illemtudó

politeness udvariasság

political politikai

politician politikus

politics *esz* politika

poll ▼ *fn* szavazás; közvélemény-kutatás ▼ *ige* megkérdez *[közvélemény-kutatásban]*

pollen virágpor, pollen

polling; ~ **day** a választás napja; ~ **station** szavazóhely

pollute (be)szennyez

pollution (be)szennyezés

polo vízilabda; (lovas)póló

polyglot többnyelvű ember

polytechnic főiskola

polythene polietilén

pomegranate gránátalma

pomp pompa
pompous nagyképű; fellengzős [stílus]
pond (kis) tó, tavacska
ponder fontolgat; tűnődik
pontiff főpap
pontoon ponton(híd)
pony póni(ló)
ponytail lófarok [haj]
poodle uszkár, pudli
pool¹ fn úszómedence, tavacska
pool² ▼ fn közös készlet; US biliárd ▼ ige közös alapba összegyűjt [pénzt]
pools tsz totó
poor átv is szegény; silány, rossz (minőségű)
poorly rosszul, gyengén
pop¹ ▼ fn pop(zene); US biz szénsavas üdítőital ▼ ige durran, pukkan; pattogat [kukoricát]
pop² fn US biz papus, papa
popcorn pattogatott kukorica
pope pápa

poplar nyárfa
poppy mák
popular népszerű
popularity népszerűség
popularise népszerűsít
populate benépesít
population lakosság, népesség
porcelain porcelán
porch US veranda, tornác
porcupine (tarajos) sül
pork sertéshús
pornographic pornográf
pornography pornográfia
port¹ kikötő
port² portói (bor)
portable hordozható
porter hordár; kapus
portfolio aktatáska, átv (miniszteri) tárca; gazd portfolió
porthole hajóablak
portion ▼ fn adag, porció, rész ▼ ige (ki)adagol, kioszt
portrait portré, arckép

portray ábrázol, lefest
portrayal ábrázolás, arckép
Portugal Portugália
Portuguese ▼ *mn* portugál ▼ *fn esz/tsz* portugál *[ember/nyelv]*
pose ▼ *fn* póz, (test)-tartás ▼ *ige* pózol; okoz, jelent, felvet *[problémát]*; feltesz *[kérdést]*
poser *biz* fogós/ravasz kérdés
posh *pejor* felsőosztálybeli, flancos, puccos
position ▼ *fn* hely(zet); álláspont; állás *[munka]*, pozíció ▼ *ige* elhelyez, beállít
positive ▼ *mn* pozitív; igenlő, határozott *[válasz, tény]*; (maga)biztos, bizakodó ▼ *fn* pozitív fénykép
possess birtokol, bír
possession tulajdon, birtok; birtoklás; ~s *tsz* vagyon

possessive irigy; *nyelv* birtokos *[eset stb.]*
possibility (elvi) lehetőség
possible lehetséges
possibly esetleg, elképzelhető/lehetséges, hogy
post¹ ▼ *fn* posta, postahivatal ▼ *ige* felad *[postán]*
post² ▼ *fn* oszlop, pózna, kapufa ▼ *ige* kiplakátol, közzétesz
post³ ▼ *fn* állás, pozíció, poszt; őrhely ▼ *ige* kinevez
postage postaköltség; ~ stamp (levél)bélyeg
postal postai
postbox postaláda *[utcán]*
postcard levelezőlap
poster poszter, plakát
posterity utókor
postgraduate ▼ *mn* posztgraduális ▼ *fn* posztgraduális (egyetemi) hallgató

posthumous poszthumusz, halál utáni

postman (*tsz* -men) postás, levélkihordó

postmark ▼ *fn* postabélyegző ▼ *ige* lebélyegez

post-mortem boncolás, halottszemle

postpone elhalaszt

postponement (el)halasztás

postscript utóirat *[levél végén]*

posture testtartás

postwar háború utáni

pot ▼ *fn* edény, fazék; virágcserép; bili ▼ *ige* cserépbe ültet *[virágot];* biliztet *[gyereket]*

potassium kálium

potato burgonya, krumpli; ~ **peeler** krumplihámozó (kés)

potent hatékony, hatásos; nemzőképes, potens

potential ▼ *mn* lehetséges, potenciális, szóba jöhető ▼ *fn* potenciál

pothole gödör, kátyú *[úttesten];* barlang

potholing *biz* amatőr barlangászat

potter fazekas

pottery fazekasmesterség; fazekasáru

potty *biz* bili

pouch erszény, zacskó

poultry *tsz* baromfi

pounce megragad, lecsap *[zsákmányra]*

pound[1] *fn* font *[pénzegység];* font *[súlymérték = 453,6 g]*

pound[2] *ige* döngöl, dönget; összezúz

pour önt; dől *[víz],* ömlik

poverty szegénység

powder ▼ *fn* por; púder; lőpor ▼ *ige* (porrá) tör; megszór *[pl. cukorral];* bepúderoz

powdery porhanyós, porszerű; púderos

power ▼ *fn* erő, hatalom; (villamos) áram, energia; *mat* hatvány; ~ **steering** szervokormány ▼ *ige* meghajt *[motor járművet, gépet]*

powerful erős, befolyásos, hatalmas

powerless erőtlen, tehetetlen

practical praktikus, célszerű; gyakorlati; gyakorlatias

practicality praktikusság, célszerűség; gyakorlatiasság

practically tulajdonképpen, gyakorlatilag

practice gyakorlás, gyakorlat; praxis

practise gyakorol, praktizál

pragmatic pragmatikus, gyakorlati

prairie préri

praise ▼ *fn* dicséret ▼ *ige* (meg)dicsér

praiseworthy dicséretre méltó, dicséretes

prattle ▼ *fn* csacsogás, fe-

csegés; gügyögés *[csecsemőé]* ▼ *ige* csacsog, fecseg; gügyög *[csecsemő]*

pray imádkozik, könyörög(ve kér)

prayer ima, könyörgés

preach prédikál; *átv* papol

preacher prédikátor

prearrange előre elintéz

precarious kétes, bizonytalan

precaution óvatosság; óvintézkedés

precede megelőz (vkit/vmit)

precedence elsőbbség; megelőzés

precedent precedens, példa

preceding megelőző, előbbi

precious becses, *átv is* drága, értékes

precipice szakadék; *átv* veszélyes helyzet

precise precíz, pontos

precision precizitás, pontosság

preclude (előre/eleve) kizár

precocious koraérett

predator ragadozó

predecessor előd

predicament kellemetlenség, kínos helyzet

predict (meg)jósol, előre megmond

prediction jóslat, jóslás

predispose predesztinál, eleve hajlamossá tesz

predominant túlnyomó, túlsúlyban levő, meghatározó

preface előszó

prefect prefektus, elöljáró

prefecture prefektúra, elöljáróság

prefer (*sg to sg*) jobban kedvel/szeret (vmit vminél)

preferable jobb, kívánatosabb

preference (vminek) az előnyben részesítése, preferencia

preferential kedvező, kedvezményes *[bánásmód]*

prefix körzetszám *[telefonszámé]; nyelv* előtag

pregnancy terhesség

pregnant terhes

prehistoric(al) őskori; *átv* kőkorszaki

prejudice előítélet, elfogultság

preliminaries *tsz* előzetes intézkedések/tárgyalások; *sp* selejtező (futam), előfutam

preliminary előzetes, előkészítő

prelude *zene, átv is* előjáték

premature elhamarkodott, (túl) korai; koraérett *[gyerek]*; koraszülött *[csecsemő]*

premeditate előre elhatároz/eltervez

premier premier, bemutató

preoccupation belemélyedés, elmerülés *[tevékenységben];* szórakozottság

preparation (el)készítés, készülés *[pl. tanórára];* előkészítés, előkészület

prepare (el)készít; készül, készülődik; előkészít

preposition *nyelv* elöljáró(szó)

prerogative előjog

prescribe felír, rendel *[betegnek pl. gyógyszert];* előír

prescription recept; előírás

presence jelenlét

present¹ ▼ *mn* jelenlévő; jelenlegi ▼ *fn* jelen, *nyelv* jelen idő

present² ▼ *fn* ajándék ▼ *ige* bemutat; benyújt; *(sy with sg)* megajándékoz (vkit vmivel)

presentable szalonképes

presentation előadás *[konferencián]*

presenter műsorvezető *[tévében, rádióban]*

presently rögtön, azonnal, mindjárt

preservation tartósítás; megőrzés, megóvás

preservative ▼ *mn* (meg)-őrző, (meg)védő; tartósító ▼ *fn* tartósítószer

preserve ▼ *fn* befőtt, kompót, lekvár; természetvédelmi terület ▼ *ige* megóv, megőriz; eltesz *[télire],* tartósít

preside elnököl

presidency elnökség

president elnök

presidential elnöki

press ▼ *fn* sajtó; nyomda; prés ▼ *ige* (meg)-nyom *[pl. gombot],* *átv is* (meg)szorít, (ki)présel; (ki)vasal; ~ **down** lenyom; ~ **for** követel, sürget (vmit)

pressing sürgős, sürgető

pressure nyomás; kényszer; ~ **cooker** kukta

[edény]; ~ **group** lobbi, érdekvédelmi csoport

pressurise nyomás alatt tart

prestige presztízs, tekintély

presumably valószínűleg, feltételezhetően, alighanem

presume feltesz, feltételez

presumption sejtés, feltételezés

presuppose előre feltételez

pretence látszat, ürügy, tettetés

pretend színlel, tettet

pretender színlelő, tettető

pretentious követelőző, nagyravágyó; hencegő, elbizakodott

pretty ▼ *mn* csinos, szép ▼ *hsz biz* eléggé, meglehetősen; ~ **good** elég jó

prevail túlsúlyban/fölényben van, uralkodik

prevailing uralkodó *[pl. szokás],* elterjedt

prevalent uralkodó, elterjedt

prevent meghiúsít, (meg)akadályoz; elkerül, megelőz *[bajt];* ~ **sy from doing sg** megakadályozza, hogy (vki vmit) megtegyen

prevention megakadályozás; megelőzés

preventive megelőző, preventív; ~ **measures** óvintézkedések

preview filmelőzetes; *inform* **print** ~ nyomtatási kép

previous (meg)előző, előbbi

previously előzőleg, korábban, régebben; azelőtt

pre-war háború előtti

prey ▼ *fn* préda, zsákmány ▼ *ige* ~ **on sg** zsákmányul ejt; **be°/ fall°** ~ *(to sy/sg)* (vkinek/

vminek) *átv is* áldozatul
esik

price ▼ *fn* ár, érték; **at
any ~** bármi áron ▼ *ige*
értékel, becsül

priceless felbecsülhetetlen (értékű), megfizethetetlen

prick ▼ *fn* tű, tüske, szúrás (helye) ▼ *ige*
(át/meg)szúr; furdal
[lelkiismeret]

prickle tüske, tövis, fulánk

prickly szúrós, tüskés;
kényes *[kérdés],* ingerlékeny *[ember]*

pride büszkeség, gőg

priest pap, lelkész

priesthood papság

primarily főleg, elsősorban

primary elsődleges, elemi, fő, alapvető; **~
school** általános iskola
(alsó tagozata)

primate főemlős

prime ▼ *mn* fő-, elsőrendű ▼ *fn* csúcspont, tetőfok (vmié); *mat* prím-
(szám)

primeval ősi

primitive egyszerű, kezdetleges; ősi

primrose kankalin

prince herceg

princess hercegnő

principal ▼ *mn* lényeges,
fontos, fő ▼ *fn* iskolaigazgató

principality fejedelemség, hercegség

principle (alap)elv; **in ~**
elvileg, elvben

print ▼ *fn* nyomtatvány,
nyomtatás; (fénykép)másolat, (le)nyomat
[festményé, lábé] ▼ *ige*
(ki)nyomtat

printer nyomdász; *inform*
nyomtató

printing nyomtatás, másolás *[fényképé]*

prior ▼ *mn* előzetes,
(vmi) előtti ▼ *hsz* (to
sg) (vmit) megelőzően

priority prioritás, elsőbb-
ség
prism prizma
prison börtön
prisoner fogoly, rab
privacy magánélet; titok-
tartás
private ▼ *mn* személyes,
privát, magán-; bizal-
mas, titkos; **~s parts**
nemi szervek ▼ *fn kat*
közlegény
privilege ▼ *fn* privilégi-
um, kiváltság, előjog ▼
ige előnyben részesít
prize ▼ *fn* díj, jutalom,
nyeremény ▼ *ige* nagyra
tart, megbecsül
pro *mn, fn biz* profi
probability valószínűség
probable valószínű, le-
hetséges
probably valószínűleg,
alighanem
probation próbaidő; felté-
teles szabadláb(ra he-
lyezés); **be° on ~** próba

időn/feltételesen szabad-
lábon van
probe ▼ *fn* szonda ▼ *ige*
fürkész, megvizsgál
problem probléma, kér-
dés
problematic(al) problé-
más, problematikus
procedure eljárás, folya-
mat, művelet
proceed továbbhalad,
folytatódik; cselekszik,
eljár *[hivatalból]*
proceedings *tsz* bírósági
eljárás; közlemények
*[pl. tudományos társa-
ságé],* (konferencia)-
előadások írott gyűjte-
ménye
proceeds *tsz* hozam,
nyereség, bevétel
process ▼ *fn* folyamat ▼
ige feldolgoz *[adato-
kat],* előhív *[filmet]*
processing feldolgozás
procession felvonulás,
menet

proclaim kihirdet, kijelent

proclamation nyilatkozat, kihirdetés; kiáltvány

prod ▼ *fn* döfés ▼ *ige* döf(köd)

prodigy csodagyerek, őstehetség

produce ▼ *fn* termék, termény ▼ *ige* termel, termeszt, terem; be/felmutat *[igazolványt stb.]*

producer producer, (színházi) rendező; termelő

product termék, termény; *mat* szorzat

production gyártás, termelés; színrevitel *[darabé],* produkció

productive produktív, termelékeny, *átv is* termékeny

productivity termelékenység

profane profán, világi, szentségtörő

profess állít, vall *[nézetet],* kijelent

profession hivatás, foglalkozás

professional ▼ *mn* hivatásos; szakma(bel)i ▼ *fn* hivatásos *[pl. sportoló];* szakértő

professionalism prof(esszional)izmus, szakmai hozzáértés; hivatásszerű sport(olás)

professor professzor, egyetemi tanár

proficiency (*in sg*) jártasság (vmiben), hozzáértés

proficient jártas, hozzáértő

profile profil, arcél; jellemrajz

profit ▼ *fn* profit, nyereség, haszon ▼ *ige* (*by/ from sg*) profitál, hasznot húz (vmiből)

profitability nyereségesség, jövedelmezőség

profitable nyereséges, jövedelmező

profound mély, alapos

prognoses → **prognosis**

prognosis (*tsz* prognoses) prognózis, előrejelzés

program(me) ▼ *fn* program, műsor; (számítógépes) program ▼ *ige* (be)programoz

progress ▼ *fn* fejlődés, haladás; **be° in ~** folyamatban van ▼ *ige* (előre)halad, fejlődik

progression haladás, fejlődés

progressive haladó (szellemű); *nyelv* folyamatos *[igeidő]*

prohibit (*sy from (doing) sg*) (meg/be)tilt (vkinek vmit)

prohibition tilalom; *US* szesztilalom

prohibitive (be/meg)tiltó, túlzottan drága

project ▼ *fn* projekt, terv(ezet); (nagy) beruházás ▼ *ige* tervez; (ki)- vetít *[filmet, képet];* kirepít, kilő

projection (ki)vetítés *[filmé];* (előzetes) becslés; kilövés

projector vetítőgép, videokivetítő

prologue prológus, bevezető

prolong meghosszabbít *[időben]*

promenade sétány, korzó

prominence kiemelkedés, szembetűnő volta (vminek), jelentőség

prominent kimagasló, szembetűnő, kiemelkedő

promiscuity promiszkuitás, szexuális szabadosság

promiscuous (szexuálisan) szabados

promise ▼ *fn* ígéret ▼ *ige* (meg)ígér

promising ígéretes, reményteli, biztató

promote előléptet; elősegít, előmozdít; reklámoz, népszerűsít

promoter támogató *[tervé, ötleté];* szervező *[vállalkozásé]*

promotion előléptetés; támogatás, előmozdítás; reklám

prompt ▼ *mn* azonnali, gyors ▼ *fn* súgás *[színházban]* ▼ *ige* ösztönöz, késztet; súg *[színházban]*

prompter (színházi) súgó

promptly rögtön, haladéktalanul, azonnal

promptness gyorsaság

prone *(to sg)* hajlamos (vmire)

pronoun *nyelv* névmás

pronounce (ki)ejt *[hangot];* (vminek) nyilvánít; ~ **sy dead** holttá nyilvánít

pronounced *átv* határozott, jellegzetes *[vonás stb.]*

pronunciation kiejtés

proof ▼ *mn* összet -álló; **water~** vízálló ▼ *fn* bizonyíték

prop ▼ *fn* támaszték; kellék *[színházban]* ▼ *ige* *(against sg)* megtámaszt, nekitámaszt (vminek)

propaganda propaganda

propagate hirdet, propagál; szaporít *[állatot, növényt],* szaporodik

propel (meg)hajt *[járművet]*

propeller propeller, légcsavar

proper megfelelő, helyes, illő; a szűkebb értelemben vett, a tulajdonképpeni

properly illően, rendesen, megfelelően

property tulajdon, ingatlan; tulajdonság, sajátság

prophecy jóslat, jóslás

prophesy (meg)jósol, (meg)jövendöl

prophet próféta, jövendőmondó

proportion arány, hányad, rész; ~s *tsz* nagyság, méret

proportional arányos

proportionate arányos

proposal javaslat, indítvány; házassági ajánlat

propose javasol, indítványoz; megkéri a kezét (vkinek)

proposition javaslat, ajánlat

proprietary ▼ *mn* tulajdon(os)i ▼ *fn* tulajdonos

proprietor tulajdonos

propriety illendőség, illem

propulsion (meg)hajtás *[jármű̋é]*

prosaic prózai

pros and cons érvek és ellenérvek

prose próza

prosecute vádat emel (vki ellen)

prosecution bűnvádi eljárás; **the P~** az ügyészség

prosecutor ügyész

prospect ▼ *fn átv* kilátás ▼ *ige* (*for sg*) kutat (vmi után)

prospective várható, leendő

prospectus prospektus, ismertető

prosper jól megy, virágzik

prosperity jólét, *átv* virágzás, fellendülés

prosperous jól menő, jómódú, virágzó

prostate prosztata

prostitute prostituált

prostitution prostitúció

protagonist főszereplő *[színdarabban]*

protect védelmez, (meg)véd, óv

protection védelem, pártfogás

protectionist *gazd* protekcionista, védővámos *[politika]*

protective véd(elmez)ő, védelmi

protector véd(elmez)ő, oltalmazó, pártfogó

protein protein, fehérje

protest ▼ *fn* (*against sg*) tiltakozás (vmi ellen) ▼ *ige* (*against sg*) tiltakozik (vmi ellen), kifogásol

Protestant *mn, fn* protestáns

protester tiltakozó

protocol protokoll

prototype prototípus

protrude kiáll, előreugrik

proud (*of sg*) büszke (vmire)

prove (proved, proved/ *US* proven) (be)bizonyít; (be)bizonyosodik, bizonyul

proven → **prove**

proverb közmondás

provide (*with sg*) felszerel, ellát (vmivel); (*for sg*) gondoskodik (vmiről)

providence előrelátás, óvatosság; a gondviselés

province tartomány, provincia

provincial ▼ *mn* vidéki, provinciális, parlagi ▼ *fn* szűk látókörű/provinciális ember

provision ▼ *fn* (*with sg*) ellátás (vmivel); (*for sg*) gondoskodás (vmiről); ~**s** *tsz* élelem ▼ *ige* élelemmel ellát, élelmez

provisional ideiglenes, átmeneti, előzetes

provocation provokáció

provocative provokatív, (fel)ingerlő, kihívó

provoke provokál, felizgat, ingerel; felébreszt/ kelt *[kíváncsiságot]*

prowl ▼ *fn* portya, portyázás ▼ *ige* barangol (vhol), ró *[utcákat]*

proximity közelség

proxy *jog* meghatalmazás, meghatalmazott

prudent körültekintő, óvatos

prudish prűd, szemérmes(kedő)

prune (meg)metsz *[fát]*, nyes

pry szimatol, kíváncsiskodik

PS *röv [postscript]* ui. *[utóirat]*

psalm zsoltár

pseudonym írói álnév

psyche lélek, psziché

psychiatric pszichiátriai

psychiatrist pszichiáter

psychiatry pszichiátria

psychoanalysis pszichoanalízis

psychological pszichés (alapú) *[pl. betegség];* pszichológiai

psychologist pszichológus

psychology pszichológia

PTO *röv [please turn over]* fordíts, ford.

pub *biz* bár, pub

puberty serdülőkor, pubertás

public ▼ *mn* nyilvános, köz-; ~ convenience nyilvános illemhely/vécé; ~ holiday hivatalos ünnepnap, munkaszüneti nap; ~ opinion közvélemény, közvélekedés; ~ relations, PR „píár"; ~ school előkelő magániskola, *US* ingyenes állami iskola; ~ servant közalkalmazott, köztisztviselő ▼ *fn* *átv* közönség, nyilvánosság; in ~ nyilvánosan, nyilvánosság előtt

publication kiadás *[könyvé],* publikálás, közzététel; kiadvány

publicity nyilvánosság, reklám(ozás), hírverés

publicise reklámoz

publicly nyilvánosan, nyilvánosság előtt

publish megjelentet, kiad *[pl. könyvet, újságot];* nyilvánosságra hoz

publisher (könyv/lap)kiadó

publishing megjelentetés, (könyv)kiadás

pucker ▼ *fn* redő, ránc ▼ *ige* (össze)ráncol; (össze)ráncolódik

pudding puding

puddle pocsolya, tócsa

puff ▼ *fn* lihegés, lehelet, szusz, pöfékelés *[dohányzás közben]* ▼ *ige* pöfékel, fújtat

puff-pastry leveles tészta

puffy elhízott, hájas, dagadt

pull ▼ *fn* húzás; vonzás, vonzerő ▼ *ige* (meg)húz, von(z); ~ **sy's leg** ugrat; ~ **over** lehúzódik *[autóval padkára];* ~ **up** felhúz; megáll *[jármű]*

pulley csiga *[emelőé]*

pullover pulóver

pulmonary *orv* tüdő-; ~ **disease** tüdőbaj

pulp ▼ *fn* pép, kása, gyümölcshús; *pejor* kommersz, ponyva *[írásmű]* ▼ *ige* péppé zúz

pulpit pulpitus, emelvény, szószék

pulse pulzus, érverés

pump ▼ *fn* szivattyú; pumpa ▼ *ige* szivattyúz; pumpál

pumpkin (sütő)tök

pun szójáték

punch[1] ▼ *fn* lyukasztó ▼ *ige* (át/ki)lyukaszt

punch[2] ▼ *fn* (ököl)csapás ▼ *ige* (sy) (ököllel meg)üt (vkit), bepancsol (vkinek)

punch[3] *fn* puncs *[szeszesital]*

punctual pontos

punctuality pontosság

punctuation *nyelv* központozás

puncture ▼ *fn* defekt,

lyuk ▼ *ige* kilyukaszt;
kilyukad

punish (meg)büntet

punishment büntetés

puny satnya, apró, gyenge

pup kutyakölyök, (állat)-
kölyök

pupil[1] tanuló, iskolás

pupil[2] pupilla

puppet báb(u)

puppy kutyakölyök

purchase ▼ *fn* (meg)-
vétel, (meg)vásárlás ▼
ige (meg)vesz, (meg)-
vásárol

purchaser vevő, vásárló

pure (szín)tiszta, 100%-
os

purely tisztán; pusztán

purge ▼ *fn* (politikai)
tisztogatás, kitisztítás ▼
ige (politikailag) tiszto-
gat; *átv* (*of sg*) megtisz-
tít (vmitől)

purify (meg)tisztít

puritan puritán

purity tisztaság, romlat-
lanság

purple bíbor(színű), mály-
vaszínű

purpose cél; **on** ~ szán-
dékosan, direkt

purr dorombol *[macs-
ka]*, búg *[gép]*

purse ▼ *fn* erszény, (női)
pénztárca ▼ *ige* ~ **one's
lips** összehúzza az aj-
kát

pursue üldöz, űz *[pl.
sportot, hobbit]*, *[tanul-
mányokat]* folytat

pursuer üldöző

pursuit hajsza, üldözés;
(*of sg*) törekvés (vmire)

push ▼ *fn* tolás, nyomás,
lökés ▼ *ige* (meg)tol
[járművet], (meg)nyom
[gombot], (meg)lök
[ajtót]; ~ **through** *átv
is* keresztülnyom, elfo-
gadtat *[javaslatot]*; át-
tolakszik

push-chair (sport) baba-
kocsi *[ülő]*

push-up fekvőtámasz

pushy rámenős

puss cica, macska, kandúr

pussy cica, macska

put (put, put) rak, tesz, helyez; kifejez, leír, megfogalmaz; **to ~ it simply** egyszerűen szólva; **~ down** letesz; leír; elaltat *[állatot]*; **~ forward** javasol, indítványoz; **~ off** elhalaszt, halogat; **~ on** felvesz *[ruhát, arckifejezést]*; be/felkapcsol *[lámpát, készüléket]*; feltesz *[lemezt]*; **~ on weight** (meg)hízik; **~ out** kiolt *[tüzet, cigarettát]*; **~ through** kapcsol *[vkit telefonközpontos]*; **~ up** felállít *[sátrat]*, felhúz *[épületet]*; felemel *[árakat]*; **~ up** (*with sg*) belenyugszik (vmibe), elvisel, eltűr (vmit)

putty gitt

puzzle ▼ *fn* rejtvény, fejtörő; kirakó(s játék) ▼ *ige* zavarba ejt, elgondolkodtat

pyjamas *tsz* pizsama

pylon villanyoszlop

pyramid piramis, *mat* gúla

python piton *[kígyó]*

Q

quack ▼ *fn* háp(ogás) ▼ *ige biz* locsog *[beszél]*

quadrangle négyszög

quadruple ▼ *mn* négyszeres ▼ *fn* vminek a négyszerese ▼ *ige* (meg)négyszerez; megnégyszereződik

quaint különös, fura

quake ▼ *fn* remegés, (föld)rengés ▼ *ige* remeg, reng *[föld]*

qualification minősítés, képesítés; megszorítás, korlátozás

qualified (*for sg*) képesített (vmire), képzett

qualifier *sp* selejtező (futam/mérkőzés)

qualify minősít, képesít; képesítést/minősítést szerez; *sp* továbbjut, bejut *[következő futamba]*

quality minőség(i); jellemző, tulajdonság

qualm kétely, aggály

quantity (nagy) mennyiség, volumen

quarantine karantén, elkülönítés

quarrel ▼ *fn* vita, veszekedés ▼ *ige* vitázik, veszekedik

quarter ▼ *fn* negyed(rész); városnegyed, városrész; negyedóra; *sp* negyed *[mérkőzésé]; US* negyeddolláros (pénzérme) ▼ *ige* negyedel, négy részre oszt; elszállásol

quarterly ▼ *mn* negyedévi ▼ *fn* negyedévi folyóirat ▼ *hsz* negyedévenként

quarters *tsz kat* szállás

quartet *zene* kvartett, négyes

quartz kvarc *[ásvány]*

quay rakpart

queasy émelygő *[gyomor]*, hányingerrel küzdő *[ember]*

queen királynő; dáma *[kártyában]*, vezér *[sakkban]*

queer ▼ *mn* furcsa, különös; gyanús, sötét *[ügy, alak]* ▼ *ige* elront, megzavar

quench csillapít, olt *[szomjat]*

querulous nyafogó, siránkozó

query ▼ *fn* tudakozódás, kérdés; *inform* lekérdezés ▼ *ige* tudakol, kérdez (vkit); megkérdőjelez; tudakozódik, kérdezősködik

quest ▼ *fn (for sg)* keresés ▼ *ige (for sg)* keres; kutat (vmi után)

question ▼ *fn* kérdés ▼ *ige* kikérdez, kihallgat; megkérdőjelez

questionable kérdéses, vitatható

questionnaire kérdőív

queue ▼ *fn* sor *[emberekből stb.]* ▼ *ige* sorba állít

quick fürge, gyors, eleven, élénk

quicken (meg)gyorsít; serkent *[érdeklődést]*; (meg)gyorsul; megélénkül

quicksand folyós homok

quicksilver higany

quiet ▼ *mn* csendes, nyugodt ▼ *ige* lecsendesít, lecsillapít

quieten lecsendesít, lecsillapít

quinine kinin

quintuple ▼ *mn* ötszörös ▼ *fn* ötszöröse (vminek) ▼ *ige* (meg)ötszöröz; megötszöröződik

quirk szeszély, bogár *[jellem furcsasága]*

quit abbahagy, otthagy; felmond, leköszön; *inform* kilép

quite teljesen, egészen

quits *tsz* kvittek, egálban vannak

quiver ▼ *fn* remegés, reszketés ▼ *ige* rezegtet; remeg, reszket

quiz ▼ *fn* kvíz, rejtvény; *US* dolgozat, vizsga ▼ *ige* faggat, kikérdez

quizzical kihívó, kötekedő

quota kvóta, kontingens

quotation idézet; árfolyam, árjegyzés *[tőzsdén];* árajánlat; ~ **marks** *tsz* idézőjel

quote ▼ *fn* árfolyam, árjegyzés *[tőzsdén];* árajánlat; *biz* idézet; ~**s** *tsz* idézőjel ▼ *ige* idéz, példaként felhoz; jegyez *[árfolyamot]*

R

rabbi rabbi
rabbit házinyúl
rabble (ember)tömeg, csőcselék
rabid veszett *[kutya, róka];* vad, tomboló
rabies *esz* veszettség
race¹ *fn* faj(ta)
race² ▼ *fn* verseny; lóverseny ▼ *ige* versenyez; száguld
racecourse (ló)versenypálya
racehorse versenyló
racer versenyző; versenyló; versenyautó/motor
racetrack (autó)versenypálya

racial faji; ~ **discrimination** faji megkülönböztetés
racing (ló)versenyzés; ~ **driver** autóversenyző
racism rasszizmus, fajüldözés
racist rasszista, fajgyűlölő
rack tartó, állvány
racket¹ *sp* (tenisz)ütő
racket² *US* csalás, svindli
racy íz(let)es, pikáns *[étel, történet]*
radar radar
radiance sugárzás, ragyogás, csillogás
radiant ragyogó, fénylő *[arc], fiz* sugárzó
radiate (ki)sugároz; sugárzik
radiation (ki)sugárzás
radiator radiátor, fűtőtest; *gépk* hűtő *[motorban]*
radical ▼ *mn* radikális, gyökeres ▼ *fn pol* radikális

radii → **radius**
radio rádió
radioactive radioaktív
radiologist radiológus
radiology radiológia
radiotherapy sugárkezelés, radioterápia
radish retek
radius (*tsz* radii) *mat* sugár
raffle tombola
raft tutaj
rag rongy
rage ▼ *fn* düh, harag; **fly°** **into a** ~ dühbe gurul ▼ *ige* tombol *[vihar]*, őrjöng *[ember]*
ragged rongyos, lerongyolódott
raging tomboló, őrjöngő
raid ▼ *fn* rajtaütés; razzia ▼ *ige* le/megrohan; razziát tart (vhol); kifoszt
rail sín; korlát, rúd, rács; **by** ~ vasúton
railroad *US* vasút
railway vasút; ~ **station** vasútállomás

railwayman (*tsz* -men) vasutas
rain ▼ *fn* eső; ~ **forest** esőerdő ▼ *ige* esik *[eső]*
rainbow szivárvány
raincoat esőkabát
raindrop esőcsepp
rainfall esőzés, felhőszakadás; csapadékmennyiség
rainstorm zivatar
rainy esős
raise ▼ *fn US* fizetésemelés ▼ *ige* (fel)emel *[árat, fizetést]*, növel; felnevel; felvet *[problémát]*; felébreszt
raisin mazsola
rake ▼ *fn* gereblye ▼ *ige* gereblyéz; átfésül *[területet]*
rally ▼ *fn* (autós) rallye(verseny); labdamenet *[teniszben]*; gyülekezés, *US* nagygyűlés ▼ *ige* összegyűjt, összegyűlik
ram ▼ *fn* kos, faltörő kos

▼ *ige* bever; (*into sg*) teljes erőből belehajt [*másik autóba*]

RAM *röv, inform* [*random-access memory*] RAM, közvetlen elérésű memória

ramble ▼ *fn* bolyongás; csapongás [*beszédben*] ▼ *ige* bolyong; csapong [*beszéd közben*]

rambler bolyongó, kószáló; csapongó ember

ramp rámpa, feljáró, felhajtó; fekvőrendőr

rampage ▼ *fn biz* őrjöngés, dühöngés ▼ *ige biz* őrjöng, dühöng

rampant féktelen, vad, heves

ran → **run**

ranch *US* farm, tanya

random véletlen(szerű), találomra történő

rang → **ring**

range ▼ *fn* tartomány, skála, választék [*áruból*]; lőtávolság, ható-

távolság; lőtér; sor(ozat) [*pl. épületből, emberből*] ▼ *ige* (*from sg to sg*) (ki)terjed (vmitől vmeddig)

ranger erdőkerülő, erdőőr

rank ▼ *fn* rang, (rend)-fokozat; **the ~s** *tsz* a legénység ▼ *ige* rangsorol, besorol; (*among sg/sy*) tartozik (vmik/vkik közé)

ransack kifoszt; turkál (vhol), tűvé tesz (vmit)

ransom váltságdíj

rap ▼ *fn* koppantás, kopogás; rap(zene) ▼ *ige* kopog(tat); rappel, rapzenét játszik

rape ▼ *fn jog* nemi erőszak ▼ *ige* megerőszakol

rapid ▼ *mn* gyors, sebes ▼ *fn* **~s** *tsz* zuhatag, zúgó [*folyó*]

rapidity gyorsaság, sebesség

rapport kapcsolat, összhang, egyetértés

rapture mámor, elragadtatás; **be° in** ~**s** el van ragadtatva

rapturous mámoros, elragadtatott

rare ritka; félig sült *[steak]*

rarely ritkán

rascal *tréf* gézengúz, csirkefogó

rash¹ *mn* meggondolatlan, elhamarkodott

rash² *fn* (bőr)kiütés

rasp ▼ *fn* ráspoly, reszelő; nyikorgás, csikorgás ▼ *ige* reszel; nyikorog, csikorog

raspberry málna

rasping nyikorgó, reszelős *[hang]*

rat patkány; ~ **race** *esz biz* (hétköz)napi küzdelmek/harcok

rate ▼ *fn* arány(szám), mérték; árfolyam *[valutáé]*, kamatláb ▼ *ige*

értékel; besorol, osztályoz

rates közterhek

rather inkább; elég(gé)

ratify ratifikál, jóváhagy *[egyezményt]*

rating értékelés, minősítés; ~**s** *tsz* nézettség(i mutató) *[tévéműsoré]*

ratio arány

ration ▼ *fn* fejadag ▼ *ige* jegyre ad *[pl. élelmiszert]*

rational racionális, ésszerű; értelmes, okos *[ember]*

rationale elgondolás, vmi értelme

rationalise racionalizál, ésszerűsít

rattle ▼ *fn* csörgő *[játék]*; zörgés, zaj ▼ *ige* csörget, zörget; csörög, zörög

rattlesnake csörgőkígyó

ravage ▼ *fn* pusztítás ▼ *ige* (el)pusztít

rave ▼ *fn biz* eksztázis, lelkesedés; rave(zene)

▼ *ige* dühöng, tombol; félrebeszél

raven holló

ravenous (*for sg*) kiéhezett (vmire), falánk

raw nyers *[étel, hús]*; nyílt, be nem hegedt *[seb];* ~ **material** nyersanyag

ray^1 sugár

ray^2 rája

razor borotva; ~ **blade** borotvapenge

re^1 *összet* újra-; ~**-read** újra elolvas

re^2 *elölj* (vmi) tárgyában *[levél elején];* ~ **your complaint** az Ön panaszának tárgyában

reach ▼ *fn* (ható)távolság; elérhetőség; **be° out of** ~ nem érhető el (vki) ▼ *ige* átv is elér (vkit/vmit); elér (vhová)

react reagál

reaction reakció, válasz(lépés)

reactionary reakciós

reactor (atom)reaktor

read (read, read) (el/le)olvas; hangzik *[szöveg];* ~ **out** (hangosan) felolvas

readable (el)olvasható

reader olvasó; olvasókönyv; *okt* kb. docens

readily szívesen, készségesen; azonnal

readiness készség, hajlandóság

reading (fel/le)olvasás; olvasmány

readjust újra beállít, helyreigazít, rendbe hoz

ready kész; készséges; (*to do sg*) hajlandó (vmit megtenni)

ready-made kész *[áru]*, készen kapható

ready-to-wear konfekció *[ruha]*, készen vett

real ▼ *mn* valódi, igazi; ~ **estate** ingatlan ▼ *hsz US biz* nagyon

realisation megvalósítás, megvalósulás; felismerés, megértés

realise megvalósít; ráébred (vmire), rájön, felfog

realism realizmus

realistic élethű, valószerű

reality valóság, realitás

really valóban, igazán, tényleg; ~? csakugyan?, tényleg?

realm birodalom, királyság

reap (le)arat

reappear újra feltűnik

rear¹ ▼ *mn* hátsó, hátulsó ▼ *fn* hátsó része/fele (vminek)

rear² *ige* (fel)nevel *[gyereket];* tenyészt *[állatot]*

rearmament újrafegyverkezés

rearrange átrendez, újra elrendez

rear-view mirror visszapillantó tükör

reason ▼ *fn* indok; értelem, (józan) ész; **for this ~** ezen oknál fog-

va ▼ *ige* érvel, okoskodik

reasonable elfogadható, méltányos *[ár];* ésszerű

reassurance megnyugtatás, biztatás

reassure (*sy about/on sg*) megnyugtat (vkit vmi felől)

rebate ▼ *fn* árengedmény ▼ *ige* árengedményt ad

rebel ▼ *mn, fn* lázadó, felkelő ▼ *ige* (*against sy/sg*) fellázad (vki/vmi ellen)

rebellion felkelés, lázadás

rebellious lázadó, felkelő

rebirth újjászületés

reborn újjászületett

rebound ▼ *fn sp* lepattanó (labda) ▼ *ige* visszaugrik; visszapattan

rebuild átépít, újjáépít

rebuke ▼ *fn* szidás, dorgálás ▼ *ige* (meg)szid, (meg)dorgál

recall visszahív; (sg) (visz-sza)emlékszik (vmire)

recapitulate (röviden) összefoglal, összegez *[elhangzottakat]*

recapitulation (rövid) összefoglalás, összegzés

recapture ▼ *fn* visszafoglalás ▼ *ige* visszafoglal

recede visszavonul, vissza-húzódik; ritkul *[haj]*

receding ritkuló *[haj]*, kopaszodó *[fej]*; vissza-vonuló, visszahúzódó

receipt ▼ *fn* nyugta, számla; ~s *tsz* bevétel ▼ *ige* nyugtáz

receive (meg)kap, át-vesz; fog, vesz *[rádió- v. tévéadást];* fogad (vkit/vmit)

receiver vevő(készülék); telefonkagyló

recent új(keletű), nem régi, friss

recently nemrég, a közelmúltban

reception fogadás *[estély];* fogadtatás; recepció, (szálloda)porta; vétel *[tévével, rádióval]*

receptionist recepciós *[hotelben]*

receptive fogékony

recess szünet; (be)mélyedés

recession recesszió, (gazdasági) visszaesés

recharge ▼ *fn* feltöltés *[akkumulátoré],* után-töltés ▼ *ige* feltölt *[akkumulátort],* feltöltődik

recipe recept *[ételé, gyógyszerre]*

recipient címzett *[levélé],* átvevő

reciprocal ▼ *mn* viszonos, kölcsönös; fordított ▼ *fn* fordítottja (vminek)

reciprocate viszonoz

recital előadói est

recite elszaval, előad, el-játszik

reckless meggondolatlan, vakmerő

reckon (ki)számít; (*with sy/sg*) *átv* számol (vkivel/vmivel); *US biz* gondol

reckoning (ki)számítás, (el)számolás

reclaim visszakövetel; termővé tesz *[területet]*

reclamation kártalanítási igény; (terület) termővé tétele

recline hátradönt, lehajt; (*on/upon sg*) hátradől, (neki)támaszkodik (vminek)

reclining hátrahajló, lehajtható *[támlájú ülés]*

recognition felismerés; elismerés

recognise felismer; elismer

recollect (vissza)emlékszik

recollection emlék(ezet), (vissza)emlékezés

recommend javasol, ajánl

recommendation javaslat, ajánlás; **letter of ~** ajánlólevél

recompense ▼ *fn* kártérítés, kárpótlás ▼ *ige* (*for sg*) kárpótol (vmiért), megtérít *[kárt];* (meg)jutalmaz

reconcile ki/összebékít; elsimít *[vitát],* összeegyeztet *[véleményeket]*

reconnaissance *kat* felderítés

reconsider újból megfontol, újragondol

reconstruct újjáépít; rekonstruál *[épületet, eseményt],* helyreállít

reconstruction újjáépítés; rekonstrukció, helyreállítás

record ▼ *fn* feljegyzés, jegyzőkönyv; (hang)lemez, (hang)felvétel; priusz, büntetett előélet; *sp* rekord, csúcs; **~ player** lemezjátszó ▼ *ige* rögzít, felvesz *[han-*

got, képet]; feljegyez, leír

recorder (video)magnó, (hang/kép)felvevő

recording (hang/kép)-felvétel

recover *(from sg)* felgyógyul *[vmilyen betegségből],* magához tér; visszaszerez

recovery felépülés *[betegségből],* (fel)gyógyulás; visszaszerzés(e vminek)

recreate felfrissül, pihen, szórakozik

recreation (fel)üdülés, pihenés, szórakozás

recruit ▼ *fn* újonc *[katona]* ▼ *ige* (be)soroz *[katonának],* toboroz

recruitment sorozás, toborzás

rectangle téglalap

rectangular négyszögletes, derékszögű

rectify jóvátesz, helyrehoz

rector pap, plébános; rektor; igazgató *[katolikus középiskoláé]*

rectory parókia, paplak

recur (meg)ismétlődik

recurrence ismétlődés

recurrent ismétlődő, visszatérő

recycle újra hasznosít

recycled paper újrapapír

red ▼ *mn* piros, vörös; **R~ Cross** (Nemzetközi) Vöröskereszt; **~ herring** félrevezető nyom ▼ *fn* piros (szín); **be° in the ~** túllépi a hitel(keret)ét

redden elpirul; (be)pirosít

redeem megvált *[bűnöket];* kivált *[zálogot]*

redemption megváltás

redeploy átcsoportosít

red-haired vörös hajú

redhead vörös hajú ember

red-hot heves, forró *[érzelem];* vörösen izzó, *átv is* tüzes

redid → redo

redirect átirányít *[telefonhívást]*, utánaküld *[levelet]*

redo (redid, redone) rendbe hoz, átalakít; *inform* mégis

redone → redo

redskin rézbőrű (indián)

reduce csökkent *[pl. árakat]*, mérsékel, redukál

reduced csökkentett, mérsékelt, redukált

reduction árengedmény; csökken(t)és, mérsékl(őd)és

redundancy felesleg

redundant felesleges, létszám feletti *[munkás]*, nélkülözhető

reed nád, fúvóka *[fúvós hagszeré]*

reef zátony

reel ▼ *fn* tekercs, orsó ▼ *ige* csévél, gombolyít

re-enter újból belép, visszatér

re-examine újból (meg)-vizsgál, újra vizsgáztat

refer (*to sy/sg*) utal (vkire/vmire), hivatkozik; (*sy to sy*) küld, utasít (vkit vkihez)

referee ▼ *fn sp* játékvezető; *jog* döntőbíró ▼ *ige sp* (mérkőzést) vezet

reference (*to sy/sg*) hivatkozás, utalás (vkire/vmire); referencia, jellemzés; ~ **book** kézikönyv; ~ **number** hivatkozási szám

refill ▼ *fn* utántöltés, utánpótlás; repeta *[ételből, italból]* ▼ *ige* feltölt, megtölt *[benzintankot]*, (meg)tankol

refine finomít, finomodik

refined kifinomult *[pl. ízlés]*, finomított

refinement finomítás, tökéletesítés

refinery finomító(üzem)
reflect (vissza)tükröz,
visszatükröződik; (*on
sg*) töpreng (vmin)
reflection tükörkép, (visz-
sza)tükröződés; észre-
vétel, megjegyzés
reflector reflektor
reflex reflex
reform ▼ *fn* reform, újí-
tás ▼ *ige* (meg)refor-
mál, megújít
reformation megújítás; a
reformáció
reformatory ▼ *mn* re-
form- ▼ *fn US* javítóin-
tézet
reformer reformer, újító
refrain[1] *fn* refrén
refrain[2] *ige* (*from sg*) tar-
tózkodik (vmitől)
refresh felfrissít, felfris-
sül
refreshing (fel)frissítő,
üdítő
refreshment üdítő(ital);
felfrissítés, felfrissülés;
~**s** frissítők

refrigerate lehűt, (le)fa-
gyaszt
refrigerator hűtőszek-
rény
refuel tankol, újratölt
[üzemanyaggal]
refuge menedék, óvó-
hely
refugee menekült
refund ▼ *fn* visszafizetés
▼ *ige* visszafizet
refurbish kitisztít, rend-
behoz
refusal elutasítás, vissza-
utasítás
refuse ▼ *fn* hulladék ▼
ige elutasít, visszautasít;
(*sy sg*) megtagad (vki-
nek vmit)
refute (meg)cáfol
regain visszanyer
regal királyi
regard ▼ *fn* szempont; **in
this ~** ebben a tekintet-
ben; ~**s** *tsz* üdvözlet; **best
~!** szívélyes üdvözlettel
[levél végén] ▼ *ige* tekint,
tart (vminek/vmilyennek)

regardless mégis, mindennek ellenére; (of sg) tekintet nélkül (vmire)

regenerate regenerálódik

region térség, vidék

regional területi, térségi

register ▼ fn jegyzék, nyilvántartás; pénztárgép ▼ ige regisztrál, nyilvántartásba vesz, bejegyez; bejelentkezik [szállodába]; beiratkozik [iskolába]

registered bejegyzett; ~ **trademark** bejegyzett védjegy

registrar anyakönyvvezető; a tanulmányi osztály vezetője [egyetemen]

registration bejegyzés; bejelentkezés [szállodába]; beiratkozás

registry bejegyzés, iktatás; ~ **office** anyakönyvi hivatal

regret ▼ fn megbánás, sajnálat ▼ ige megbán (vmit); sajnál (vkit)

regretfully sajnálkozva

regular ▼ mn rendszeres, szabályos, szokásos ▼ fn sorkatona; törzsvendég

regularity rendszeresség, szabályosság

regulate szabályoz

regulation szabály(ozás), előírás; szabályzat

rehabilitate rehabilitál

rehabilitation rehabilitáció

rehearsal (színházi) próba

rehearse próbál [színdarabot]

reign ▼ fn uralkodás ▼ ige uralkodik

reimburse megtérít [pénzösszeget], visszafizet

reindeer rénszarvas

reinforce megerősít, támogat

reinstate visszahelyez [tisztségébe]

reject ▼ *fn* selejt ▼ *ige* elutasít, visszautasít; elvet

rejection elutasítás, visszautasítás

rejoice örvendezik, örül

relate (*to sg*) összefüggésbe hoz, összefügg (vmivel); elmesél

related rokon(i); összefüggő, kapcsolódó

relation kapcsolat, viszony; rokon(ság); ~s *tsz* (politikai) kapcsolatok; szerelmi/szexuális élet

relationship kapcsolat, összefüggés; (szerelmi) viszony

relative ▼ *mn* relatív, viszonylagos ▼ *fn* rokon

relatively viszonylag, aránylag

relativity relativitás, viszonylagosság

relax (el)lazít, pihen, kikapcsolódik

relaxation (el)lazítás, (ki)pihenés, kikapcsolódás

relaxed laza, kipihent

relay ▼ *fn* relé; *sp* váltó(verseny) ▼ *ige* sugároz *[adást]*, közvetít

release ▼ *fn* szabadon bocsátás; kiadás, megjelentetés *[filmé, lemezé]* ▼ *ige* szabadon enged; bemutat *[filmet, lemezt]*, forgalomba hoz; nyilvánosságra hoz *[hírt]*

relevance jelentőség, fontosság

relevant lényeges, a tárgyhoz tartozó

reliability megbízhatóság

reliable megbízható

reliance bizalom, bizakodás; (*on sg*) függőség (vmitől)

relic relikvia, ereklye

relief megkönnyebbülés, enyhülés; segítség, segély

relieve (meg)könnyít, enyhít; (*of sg*) megszabadít (vmitől)

religion vallás

religious vallásos

relish ▼ *fn* íz; fűszer; gusztus ▼ *ige* fűszerez; ízlik neki (vmi), ínyére van

relocate áttelepít, áthelyez

reluctance vonakodás

reluctant kelletlen, vonakodó

reluctantly kelletlenül, vonakodva

rely (*on/upon sy/sg*) támaszkodik, számít (vkire/vmire)

remain ▼ *fn* ~s maradványok ▼ *ige* (ott)marad, hátravan, megmarad *[pl. étel]*

remainder maradvány, maradék

remark ▼ *fn* megjegyzés, észrevétel ▼ *ige* (*on sy/sg*) megjegyzést tesz (vkire/vmire), észrevesz

remarkable figyelemre méltó

remarkably figyelemre méltóan

remarry újraházasodik

remedy ▼ *fn átv is* orvosság, gyógyszer ▼ *ige* orvosol *[problémát]*

remember (*sy/sg*) emlékszik (vkire/vmire), nem felejt el (vkit/vmit)

remembrance emlékezés, emlékezet; emléktárgy

remind (*sy of sy/sg*) emlékeztet (vkit vkire/vmire)

reminder emlékeztető

reminiscence (vissza)-emlékezés

reminiscent múltat idéző; be° ~ of sg (vmire) emlékeztet

remit átutal *[pénzt]*; elenged *[tartozást]*, megbocsát *[bűnt]*

remittance átutalás, átutalt összeg

remnant maradék *[ételé]*, maradvány *[épületé stb.]*

remorse bűntudat, lelki-
furdalás

remorseful lelkifurdalást
érző, bűntudatos

remorseless irgalmat-
lan, könyörtelen

remote távol eső, távoli,
összet táv-; **~ control**
távirányító

remotely távolról; halvá-
nyan *[emlékeztet]*

remoteness távolság

removable hordozható,
levehető *[alkatrész]*

removal elvitel, eltávolí-
tás; elköltözés, költöz-
ködés

remove elmozdít *[állásá-
ból]*, eltávolít; leszerel
[alkatrészt]

Renaissance reneszánsz

render tesz (vkit/vmit
vmilyenné); **~ sy
harmless** ártalmatlan-
ná tesz (vkit)

rendezvous találka, ran-
devú

renew meg/felújít, meg-

újul; meghosszabbít
[kölcsönzést]

renewable meg/felújít-
ható; meghosszabbít-
ható *[kölcsönzés]*

renewal meg/felújítás,
megújulás; meg-
hosszabbítás *[kölcsön-
zésé]*

renounce (*sg*) lemond
(vmiről)

renovate renovál, tata-
roz

renown hírnév

renowned híres

rent ▼ *fn* bérleti díj ▼ *ige*
(ki)bérel, bérbe vesz;
kiad *[pl. lakást]*, bérbe
ad

rental bérleti díj; bérlés;
car ~ gépkocsikölcsön-
zés

renunciation (*of sg*) le-
mondás (vmiről)

repair ▼ *fn* (ki/meg)javí-
tás; karbantartási költ-
ség; **~ kit** szerszámos-
láda, javítókészlet ▼ *ige*

(ki/meg)javít, helyrehoz

reparation (ki/meg)javítás

repay *átv is* visszafizet, megad *[kölcsönt]*

repayment visszafizetés, viszonzás

repeat (el/meg)ismétel; ismétlődik

repeatedly ismételten, újra meg újra

repel visszaver *[támadást]*, visszataszít

repellent ▼ *mn* visszataszító ▼ *fn* rovarirtó (szer)

repent (*of sg*) megbán (vmit)

repentance bűnbánat, megbánás

repercussion (kellemetlen) következmény, utózönge, utóhatás

repertoire repertoár

repetition (meg/el)ismétlés, (meg)ismétlődés; (iskolai) felelés

repetitive ismétlő(dő)

replace helyére tesz, visszatesz; kicserél, helyettesít

replacement visszahelyezés; kicserélés, helyettesítés

replay ▼ *fn* lejátszás, visszajátszás *[felvételé]*; újrajátszás *[mérkőzésé]* ▼ *ige* (újra) lejátszik *[felvételt]*; újrajátszik *[mérkőzést]*

replenish teletölt

replica másolat

reply ▼ *fn* válasz, felelet ▼ *ige* válaszol, felel

report ▼ *fn* riport, tudósítás, jelentés; (iskolai) bizonyítvány ▼ *ige* (*sg to sy*) tudósít (vmiről), jelent(ést tesz) (vkinek); (be/fel)jelent; jelentkezik (vkinél)

reporter riporter, tudósító

represent képvisel, jelképez; ábrázol

representation képviselet; ábrázolás, reprezentáció

representative ▼ *mn* jellegzetes, tipikus, reprezentatív; képviselő, képviseleti ▼ *fn* képviselő

repress elnyom

repression elnyomás

repressive elnyomó

reprimand ▼ *fn* megrovás, dorgálás ▼ *ige* megró, megdorgál

reproach ▼ *fn* szemrehányás ▼ *ige* (*sy about sg*) szemrehányást tesz (vkinek vmi miatt)

reproachful szemrehányó

reproduce (élethűen) visszaad, reprodukál; sokszorosít; szaporodik

reproduction sokszorosítás; szaporodás

reproductive reproduktív, szaporító *[szerv]*

reprove rosszall, elítél

reptile hüllő

republic köztársaság

republican *mn, fn* republikánus, köztársaságpárti

repugnant ellenszenves, visszataszító

repulse ▼ *fn* elutasítás, visszaverés ▼ *ige* visszautasít; visszaver

repulsion irtózás, undor, iszony(odás)

repulsive undorító, visszataszító

reputable jó nevű

reputation hírnév

repute hírnév

reputed híres; állítólagos

request ▼ *fn* kérés, kívánság, kérelem ▼ *ige* (*sg of sy*) kér (vmit vkitől), folyamodik (vmiért)

require (*sg of sy*) megkíván, megkövetel, elvár (vmit vkitől)

requirement követelmény, kívánalom

requisite ▼ *mn* kellő, szükséges ▼ *fn* kellék, követelmény

requisition felszólítás, követelés

rescue ▼ *fn* (meg)mentés, (ki)szabadítás ▼ *ige* megment, kiszabadít

research ▼ *fn* kutatás ▼ *ige* kutatást végez, kutat

researcher (tudományos) kutató

resell újra elad

resemblance hasonlóság

resemble (*sy/sg*) emlékeztet (vkire/vmire), hasonlít (vkire/vmire)

resent rossz néven vesz, neheztel

resentful neheztelő, megbántott

resentment neheztelés, megbántódás

reservation hely/szobafoglalás; fenntartás; rezervátum, *US* természetvédelmi terület

reserve ▼ *fn* tartalék, tartalékjátékos; *US* természetvédelmi terület

▼ *ige* (előre) lefoglal, fenntart *[asztalt, szobát, jogot]*

reserved (előre le)foglalt, fenntartott *[asztal, szoba];* tartózkodó, zárkózott

reservoir víztározó

reset (reset, reset) beállít *[órát, készüléket];* újraindít *[számítógépet]*

reshuffle ▼ *fn* újrakeverés *[kártyáké]* ▼ *ige* újrakever *[kártyákat]*

reside lakik, székel *[cég, hatóság]*

residence lakhely, székhely; rezidencia; tartózkodás (vhol); ~ **permit** tartózkodási engedély

resident ▼ *mn* (benn)lakó ▼ *fn* (benn)lakó, (állandó) lakos, vendég *[szállodában]*

residential tartózkodási, lakó-; ~ **area** lakónegyed

residue hátralék; maradvány, maradék

resign fel/lemond, leköszön *[tisztségről]*

resignation fel/lemondás, leköszönés

resigned rezignált, beletörődő

resin gyanta

resist *(sg)* ellenáll (vminek), ellenkezik

resistance (elektromos) ellenállás, ellenállás(i mozgalom)

resolute határozott, elszánt

resolution határozat, döntés, elhatározás; elszántság, határozottság; megoldás; (kép)felbontás *[pl. monitoré]*

resolve ▼ *fn* határozottság, eltökéltség ▼ *ige* (el)határoz(za magát), (el)dönt; megold *[problémát]*

resonant visszhangzó, zengő, rezonáns

resort ▼ *fn* üdülőhely, menedék ▼ *ige* *(to sg)* folyamodik (vmihez)

resource lelemény; erőforrás

resourceful leleményes, találékony

respect ▼ *fn* tisztelet; szempont, tekintet; ~s *tsz* üdvözlet; **in this ~** ebben a tekintetben ▼ *ige* tisztel

respectability tiszteletreméltóság

respectable tiszteletre méltó; becsületes, tisztességes

respectful tiszteletteljes, tisztelettudó

respective megfelelő, illető, saját

respiration légzés, lélegzés, lélegzet

respond *(to sg)* reagál, válaszol (vmire)

response reagálás, válasz, felelet

responsibility felelősség

responsible (*for sy/sg*) felelős (vkiért/vmiért); felelősségteljes *[munka]*
responsive (*to sg*) fogékony, érzékeny (vmire)
rest¹ *fn* maradék, többi; **the ~** a többi
rest² ▼ *fn* nyugalom, pihenés; pihenő(hely); támaszték; **have°/take° a ~** lepihen; **~ room** *US* nyilvános illemhely ▼ *ige* pihen, pihentet; nyugszik, nyugtat (vmit vhol); (*on sy/sg*) múlik (vmi vkin/vmin)
restaurant étterem; **~ car** étkezőkocsi *[vonaton]*
restful nyugalmas
restive nyugtalan
restless izgatott, nyugtalan, türelmetlen
restlessness izgatottság, nyugtalanság, türelmetlenség
restoration helyreállítás, restaurálás

restore helyreállít, restaurál
restrain korlátoz, megfékez, visszatart
restrained korlátozott, visszatartott
restraint korlátozás, megszorítás; önuralom, önmérséklet
restrict korlátoz
restriction korlátozás, megszorítás
restrictive korlátozó
result ▼ *fn* eredmény ▼ *ige* (*from sg*) következik, származik (vmiből/vhonnan); (*in sg*) végződik (vmiben)
resume folytat, újrakezd
résumé rezümé, összefoglaló
resurrect feltámaszt, feltámad
resurrection feltámadás, feltámasztás
resuscitate feléleszt, újraéleszt

resuscitation felélesztés, újraélesztés

retail ▼ *fn* kiskereskedelem; ~ **price** kiskereskedelmi ár ▼ *ige* kicsiben árusít

retailer kiskereskedő

retain megtart, megőriz

retaliate bosszút áll, megtorol

retaliation bosszú, megtorlás

retarded értelmi fogyatékos; lassított, késleltetett

retire (*from sg*) visszavonul (vmitől); nyugdíjba megy

retired visszavonult, nyugdíjas

retirement nyugdíjazás, nyugállomány

retiring nyugdíjazás; ~ **age** nyugdíjkorhatár

retort ▼ *fn* visszavágás ▼ *ige* visszavág, megtorol (vmit)

retract behúz *[karmot]*; visszavon *[kijelentést]*

retractable behúzható *[futómű]*; visszavonható *[állítás]*

retrain továbbképez, átképez

retraining továbbképzés, átképzés

retreat ▼ *fn* menedék(hely); *kat* visszavonulás ▼ *ige kat* visszavonul

retribution büntetés

retrieval visszanyerés, *inform* visszakeresés

retrieve visszanyer; *inform* visszakeres

retrospect ▼ *fn* visszapillantás ▼ *ige* visszatekint

retrospect(ion) visszatekintés

retrospective visszatekintő, visszamenő hatályú *[törvény]*

return ▼ *fn* visszaérkezés, visszatérés; visszatevés, visszaadás; vi-

szonzás; retúrjegy, menettérti jegy *[vonaton];*
in ~ viszonzásképp(en); **many happy ~s of the day!** sok boldogságot! *[születésnapon]*
▼ *ige* visszaad, visszaküld; viszonoz; visszatér, visszajön

reunion *[pl. érettségi]* találkozó, összejövetel

reunite (újra)egyesít, (újra)egyesül

rev ▼ *fn biz* fordulatszám *[motoré]* ▼ *ige* felpörget *[motort]*

reveal felfed, leleplez

revealing jellemző, leleplező

revelation reveláció, (valóságos) felfedezés

revenge ▼ *fn* bosszú; **take° ~** *(for sg)* bosszút áll (vmiért) ▼ *ige* megbosszul

revenue *gazd* állami bevétel

reverence nagyrabecsülés, tisztelet

reverend tiszteletre méltó, nagytiszteletű, tisztelendő

reversal megfordulás, megfordítás

reverse ▼ *mn* ellenkező, fordított ▼ *fn* ellenkezője (vminek); rükverc, hátramenet ▼ *ige* megfordít; tolat *[autóval]*

reversible megfordítható, kifordítható *[pl. ruha]*

revert *(to sg)* visszatér (vmihez)

review ▼ *fn* visszapillantás, felülvizsgálat; szemle; recenzió, kritika *[könyvről]* ▼ *ige* visszapillant, felülvizsgál; ismertet *[könyvet]*

reviewer bíráló *[könyvé]*

revise átnéz, átismétel; átdolgoz, kijavít

revision átnézés, ismétlés; átdolgozás, revízió

revival feléledés, felújítás *[színdarabé]*

revive feléleszt, feléled; felújít *[színdarabot]*

revoke visszavon

revolt ▼ *fn* lázadás, felkelés ▼ *ige* (*against sy/sg*) (fel)lázad (vki/ vmi ellen)

revolting felháborító

revolution forradalom

revolutionary ▼ *mn* forradalmi ▼ *fn* forradalmár

revolutionise forradalmasít

revolve forog, kering

revolver revolver, forgópisztoly

revolving forgó, keringő; ~ **door** forgóajtó

reward ▼ *fn* jutalom ▼ *ige* megjutalmaz

rewarding kifizetődő, érdemes, hálás *[feladat]*

rewind (rewound, rewound) visszateker, visszacsévél *[kazettát, filmet]*

rewound → **rewind**

rewrite (rewrote, rewritten) átfogalmaz, átír

rewritten → **rewrite**

rewrote → **rewrite**

rhapsody rapszódia

rhetoric szónoklat; retorika, szónoklattan

rhetorical szónoki, retorikai

rheumatic reumás

rheumatism reuma

Rhine Rajna

rhinoceros rinocérosz, orrszarvú

rhubarb rebarbara

rhyme ▼ *fn* rím ▼ *ige átv is* rímel, összecseng

rhythm ritmus, ütem

rhythmic(al) ritmusos, ütemes

rib borda

ribbon szalag

rice rizs

rich ▼ *mn* gazdag *[ember]*; bőséges *[étel]*; termékeny *[talaj]* ▼ *fn*

~s *tsz* vagyon, gazdagság

richly gazdagon, bőségesen; *biz* nagyon

richness gazdagság

rid (rid, rid) (*of sg*) megszabadít (vmitől)

ridden → ride

riddle rejtvény, *biz* talány, rejtély

ride ▼ *fn* lovaglás, kocsikázás ▼ *ige* (rode, ridden) (meg)lovagol; ~ **a bicycle/bike** kerékpározik

rider lovas

ridge hegy/tetőgerinc, hegylánc

ridicule ▼ *fn* gúny, nevetség ▼ *ige* kigúnyol, nevetségessé tesz

ridiculous nevetséges

rifle (vadász)puska

rig fúrótorony

right ▼ *mn* jobb(oldali); helyes, igaz(i), megfelelő; **all** ~! rendben!; ~ **angle** derékszög ▼ *fn*

jog; **the** ~ **to vote** szavazati jog ▼ *hsz* jobbra, jobb oldalon; jól, helyesen; pont, éppen; ~ **next to you** pont melletted

righteous becsületes, igazságos

rightful törvényes, jogos

right-handed jobbkezes

rightly helyesen, jogosan

right-wing jobboldali *[politika]*

rigid merev, rideg

rigorous rideg, túl szigorú

rim perem, szél, karima, (kosárlabda)gyűrű

rind ▼ *fn* héj *[gyümölcsé]* ▼ *ige* meghámoz

ring[1] ▼ *fn* gyűrű; szorító *[boxban]*, ring ▼ *ige* meggyűrűz *[madarat]*

ring[2] ▼ *fn* csengés, csengetés; **give° sy a** ~ felhív *[telefonon]* ▼ *ige* (rang, rung) csenget, cseng, szól *[telefon, ha-*

rang]; felhív *[telefonon];* does it ~ a bell? emlékeztet valamire?

rink (fedett) jégpálya

rinse ▼ *fn* öblítés ▼ *ige* (ki)öblít

riot ▼ *fn* zavargás, lázadás ▼ *ige* fellázad; zajong, lármázik

rioter lázadó, rendbontó

riotous lázadó; zajongó

rip ▼ *fn* hasadás, repedés ▼ *ige* (fel)hasít, (fel)hasad, szakít, szakad

ripe érett

ripen (meg)érlel, (meg)érik

ripeness érettség

rise ▼ *fn* emelkedés, növekedés, béremelés ▼ *ige* (rose, risen) (fel)emelkedik, felmegy *[ár];* fellázad; (fel)kel *[ember, nap]*

risen → **rise**

risk ▼ *fn* rizikó, kockázat ▼ *ige* kokáztat, veszélyeztet

risky rizikós, kockázatos

rite rítus, szertartás

ritual ▼ *mn* rituális ▼ *fn* rituálé, rítus

rival ▼ *fn* rivális, vetélytárs ▼ *ige* rivalizál, versenyez

rivalry rivalizálás, vetélkedés

river folyó

riverbank folyópart

riverside folyópart

rivet ▼ *fn* szegecs ▼ *ige* szegecsel, *átv* odaszegez

Riviera Riviéra

road út, országút

roadblock úttorlasz

roadside ▼ *mn* országúti, út menti *[fogadó, telefon stb.]* ▼ *fn* út széle

roadsign (közúti) jelzőtábla

roadway úttest

roadworks *tsz* útépítés, útkarbantartás

roam kószál, (be)barangol

roar ▼ *fn* ordítás
[oroszláné], zúgás *[tengeré]*, bömbölés *[motoré]* ▼ *ige* ordít, zúg,
bömböl

roast ▼ *mn, fn* pecsenye,
sült ▼ *ige* (meg)süt
[húst], pörköl *[kávét]*;
(meg)sül *[hús]*

rob kirabol

robber rabló, tolvaj

robbery rablás

robe köntös, talár; *US*
pongyola

robin vörösbegy

robot robot

robust robusztus, erős,
izmos

rock[1] *fn* szikla; **on the ~s**
(ital) jéggel

rock[2] ▼ *fn* rock(zene); **~
and roll** *zene* rock and
roll ▼ *ige* ringat, ring

rocker rocker, rock rajongó; *US* hintaszék

rocket ▼ *fn* rakéta ▼ *ige*
felrepül *[gyorsan, egyenesen]*

rocking ringó, ringató,
lengő; **~ chair** hintaszék; **~ horse** hintaló

rocky sziklás; **the R~
Mountains, the Rockies**
tsz a Sziklás-hegység

rod rúd, pálca, vessző;
horgászbot

rode → ride

rodent rágcsáló

roe[1] őz, őztehén

roe[2] (hal)ikra

role *átv is* szerep

roll ▼ *fn* zsemle, kifli; tekercs; jegyzék; gurítás,
gurulás ▼ *ige* gurít, gördít, gurul, gördül

roller henger; hajcsavaró; *US* görkorcsolya; **~
coaster** hullámvasút

rolling guruló, gördülő;
~ pin sodrófa

Roman római; római katolikus; **~ Catholic** római katolikus

romance románc, lovagregény; romantika; *biz*
románc, szerelem

Romanesque román stílus(ú)

Romania Románia

Romanian *mn, fn* román

romantic romantikus *[művész]*

romanticism romantika *[művészeti irányzat]*

romp hancúrozik *[gyerek]*, pajkoskodik

rompers *tsz* rugdalózó, kezeslábas

roof háztető, (vminek) a teteje; ~ **rack** tetőcsomagtartó *[autón]*

rook vetési varjú; bástya *[sakkfigura]*

room ▼ *fn* szoba, helyiség; hely, tér; ~ **mate** szobatárs; ~ **service** szobapincér-szolgálat ▼ *ige (with sy)* együtt lakik (vkivel) *[albérletben]*

roomy tágas, nagy *[helyiség]*

roost ▼ *fn* kakasülő; hálóhely ▼ *ige biz* elszállásol

rooster *US, Ausz* kakas

root ▼ *fn* gyökér; *nyelv* (szó)tő ▼ *ige* gyökeret ver; **be**° ~**ed** *(in sg)* *átv* (vmiben) gyökerezik *[probléma]*

rope ▼ *fn* kötél; **learn**° **the** ~**s** beletanul/belejön (vmibe) ▼ *ige* odakötöz, összekötöz

rosary rózsafüzér

rose ▼ *mn* rózsaszínű ▼ *fn* rózsa ▼ *ige* → **rise**

rosebud rózsabimbó

rosemary rozmaring

rosy rózsaszínű

rot ▼ *fn* rothadás ▼ *ige* (meg)rothad, korhad

rotary ▼ *mn* forgó ▼ *fn* *US* körforgalom

rotate (körben) forgat, (körben) forog

rotating forgó

rotation forgás, forgatás, fordulat

rotor rotor, forgórész

rotten (meg)rothadt *[fa]*, (meg)romlott *[étel]*

rouble rubel

rough durva *[felület]*; goromba; zord *[idő]*, háborgó *[tenger]*; hozzávetőleges *[becslés]*; ~ **copy** piszkozat

roughen eldurvít, eldurvul

roughly durván, nagyjából, körülbelül, hozzávetőlegesen

roughness durvaság, nyerseség

roulette rulett

round ▼ *mn* kerek; ~ **trip** oda-vissza út/utazás; menettérti/retúr jegy ▼ *fn* forduló *[sportban]*, kör *[játékban]* ▼ *hsz* körül; körbe ▼ *elölj* (vmi) körül *[térben, időben]*; ~ **the house** a ház körül; ~ **the clock** éjjel-nappal ▼ *ige* kerekít *[számot]*; befejez

roundabout ▼ *mn* kerülő *[út]* ▼ *fn* körforgalom

roundly kereken; gyorsan, fürgén; *biz* őszintén

roundness kerekség; őszinteség

roundup (hír)összefoglaló, összegzés

rouse (*sy/sg*) (fel)ébreszt (vkit/vmit), (fel)kelt *[érdeklődést, érzést]*

route út(vonal), (út)irány

routine ▼ *mn* rutin-(szerű), szokásos, rendszeres ▼ *fn* rutin, ismétlődő/megszokott dolog

rove kószál, bejár *[erdőt]*

roving kószáló, kóborló

row¹ *fn* sor, széksor *[moziban, színházban]*

row² ▼ *fn* evezés ▼ *ige* evez

row³ *fn* veszekedés; zaj, zenebona

rowdy kötekedő, duhaj

rowing evezés; ~ **boat** evezőshajó

royal ▼ *mn* királyi ▼ *fn* biz a királyi család tagja

royalty a királyi család tagja; szerzői jogdíj

rub ▼ *fn* dörzsölés ▼ *ige* dörzsöl, (meg)dörgöl

rubber gumi; radír; *biz* gumi(óvszer); ~ **band** gumiszalag; ~ **plant** gumifa, szobafikusz

rubbish hulladék, *átv* szemét, ócskaság; butaság, buta beszéd, ostobaság; ~ **bin** szemetes(láda)

ruby rubin

rucksack hátizsák

rudder kormány(lapát) *[hajón]*, oldalkormány *[repülőn]*

ruddy pirospozsgás, vörös(es)

rude goromba, *átv is* durva, nyers

rudeness gorombaság, durvaság

rudimentary kezdetleges, fejletlen; alapvető, elemi

ruffle ▼ *fn* fodrozódás *[tengeré]*, fodor *[ru-*

hán] ▼ *ige* fodroz *[vizet]*, (fel/össze)borzol *[hajat, kedélyt]*

rug (rongy)szőnyeg, pokróc

rugged göröngyös *[talaj]*, markáns *[arc, vonás]*

ruin ▼ *fn* rom, omladék ▼ *ige* lerombol, romba dönt, tönkretesz

rule ▼ *fn* szabály; uralkodás, uralom ▼ *ige* uralkodik *[országon, érzelmeken]*, kormányoz; rendelkezik, dönt *[bíróság]*; ~ **out** *átv* kizár

ruler uralkodó; vonalzó

ruling ▼ *mn* kormányzó *[párt]*, uralkodó ▼ *fn* (bírósági) döntés

rum rum

Rumanian *mn, fn* román

rumble ▼ *fn* (ég/ágyú)-dörgés, korgás *[gyomoré]* ▼ *ige* dörög *[ég, ágyú]*; korog *[gyomor]*

rummage turkál, kurkász, átkutat

rump far; fartő

rumple összegyűr, összegyűrődik

run ▼ *fn* futás; **in the long ~** hosszú távon ▼ *ige* (ran, run) fut, rohan, szalad; közlekedik, jár *[jármű, motor]*, üzemel *[gép]*; folyik *[folyó, vkinek az orra]*; futtat *[állatot, programot]*; vezet, irányít, üzemeltet; **~ out** (*of sg*) kifut; kifogy (vmiből); **~ over** elgázol

runaway ▼ *mn* (el)menekülő; szökött ▼ *fn* szökevény

rung → **ring**

runner futár, *sp* futó

running commentary (folyamatos) helyszíni közvetítés

runny folyó(s) *[orr]*, nyúlós *[tészta]*

run-of-the-mill középszerű, átlagos

runway kifutópálya

rupture sérv, szakadás

[izomé]; (meg)szakítás, (meg)szakadás

rural falusi(as), vidéki

rush ▼ *fn* sietség, rohanás; hajsza; **gold ~** aranyláz; **~ hour(s)** csúcsforgalom ▼ *ige* siet, rohan; siettet, sürget, hajszol

rusk kétszersült

Russia Oroszország

Russian *mn, fn* orosz

rust ▼ *fn* rozsda ▼ *ige* (be/meg)rozsdásodik

rustic rusztikus, falusias, népies

rustle ▼ *fn* zizegés, susogás ▼ *ige* (meg)zizzent *[leveleket a szél]*; susog, zizeg

rusty rozsdás; rozsdavörös; *biz* vörös hajú

rut *átv* megszokott kerékvágás; **move in a ~** a megszokott kerékvágásban halad

ruthless kegyetlen, könyörtelen

rye rozs

S

sabotage ▼ *fn* szabotázs ▼ *ige* (el)szabotál, (szándékosan) megrongál
saboteur szabotőr
saccharin szaharin
sachet (kis) zacskó
sack ▼ *fn* zsák ▼ *ige biz* elbocsát, kirúg *[vkit állásból]*
sacrament szentség
sacred szent
sacrifice ▼ *fn átv is* áldozat ▼ *ige* (fel)áldoz
sad (*about sg*) szomorú, bánatos (vmi miatt)
sadden elszomorít
saddle nyereg

sadness szomorúság, bánat
safari szafari
safe ▼ *mn* biztonságos ▼ *fn* széf, páncélszekrény
safeguard ▼ *fn* biztosíték, garancia; védelem ▼ *ige* megőriz, megvéd *[vkinek az érdekeit]*
safekeeping megóvás
safety biztonság; sértetlenség, épség; ~ **belt** biztonsági öv; ~ **pin** biztosítótű
saffron sáfrány
sag meghajlik, megereszkedik, (be)lóg
sage[1] *mn, fn* bölcs
sage[2] *fn* zsálya
Sagittarius Nyilas *[csillagkép]*
Sahara Szahara
said → say
sail ▼ *fn* vitorla ▼ *ige* vitorlázik, hajózik
sailboat *US* vitorlás(hajó)

sailing vitorlázás, hajózás; ~ **boat** vitorlás (hajó); ~ **ship** (vitorlás) hajó

sailor tengerész

saint szent

sake; for sy's ~, for the ~ (*of sy/sg*) (vki/vmi) kedvéért

salad saláta *[mint fogás]*

salary fizetés

sale kiárusítás, akció; árusítás, eladás; **for/on ~** eladó *[feliratként]*; **~s** *tsz* értékesítés(i osztály) *[vállalatnál]*, eladott árumennyiség

salesman (*tsz* -men) eladó, elárusító; ügynök

saleswoman (*tsz* -women) eladónő, elárusítónő

saliva nyál

salmon lazac

salon divatszalon, szépségszalon; szalon, fogadószoba

saloon szedán, lépcsőshátú autó; *US* mulató

salt ▾ *fn* só ▾ *ige* megsóz, besóz

salty sós (ízű)

salute ▾ *fn* tisztelgés, üdvözlés ▾ *ige* tiszteleg, szalutál; üdvözöl

salvage ▾ *fn* (meg)mentés ▾ *ige* megment *[beteget]*, kiment *[tűzből]*

salvation üdvözítés, üdvözülés, megváltás; **S~ Army** üdvhadsereg

same ugyanaz, azonos

sample ▾ *fn* minta, (minta)példány ▾ *ige* mintát vesz, megkóstol

sanction ▾ *fn* szankció, megtorlás; jóváhagyás, szentesítés ▾ *ige* jóváhagy, szentesít

sanctity szentség

sanctuary szentély; menedék

sand homok

sandglass homokóra

sandal szandál

sandpaper dörzspapír, *biz* smirgli

sandpit homokozó *[játszótéren]*; homokbánya

sandwich ▼ *fn* szendvics ▼ *ige* beszorít, benyom *[két dolog közé]*

sandy homokos *[tengerpart]*; vörösesszőke *[haj]*

sane épeszű, épelméjű

sang → sing

sanitary egészségügyi, egészségi

sanity józan ész, épelméjűség

sank → sink

Santa (Claus) Mikulás

sapling facsemete, fiatal fa

sapphire zafír

sarcasm szarkazmus, maró gúny

sarcastic szarkasztikus, gúnyos

sardine szardínia

Sardinia Szardínia *[sziget]*

sash tolóablak

sat → sit

Satan sátán

satanic(al) sátáni

satchel iskolatáska

satellite műhold; ~ dish parabolaantenna

satin szatén

satire szatíra

satiric(al) szatirikus

satirise (sy) gúnyolódik (vkin), kigúnyol

satisfaction megelégedés, kielégülés, kielégítés *[szükségleté]*

satisfactory kielégítő

satisfy kielégít *[szükségletet]*; teljesít *[feltételt]*

satisfying kielégítő

saturate telít

saturation telítettség, telítés

Saturday szombat

sauce mártás, szósz

saucepan (nyeles) serpenyő

saucer csészealj

Saudi Arabia Szaúd-Arábia

sauerkraut savanyú káposzta

sauna szauna

sausage virsli, kolbász

savage ▼ *mn* vad, barbár *[nép]*; kegyetlen ▼ *fn* vadember

save ▼ *fn* *sp* védés *[lövésé]* ▼ *ige* (meg)véd/ment/óv, (el)ment *[fájlt számítógépen]*; megtakarít, (meg)spórol

savings *tsz* megtakarítás, spórolt/megtakarított pénz; ~ **account** takarékszámla; ~ **bank** takarékpénztár

savoury sós *[keksz]*

saw¹ ▼ *fn* fűrész ▼ *ige* (sawed, sawn/*US* sawed) (el)fűrészel

saw² *ige* → **see**

sawdust fűrészpor

sawn → **saw**

saxophone szaxofon

say ▼ *fn* beleszólás ▼ *ige* (said, said) (el/ki/meg)-mond

saying szólás, közmondás

scaffold ▼ *fn* vesztőhely; állvány(zat) ▼ *ige* felállványoz *[épületet]*

scaffolding állvány(zat)

scale¹ (mérleg)serpenyő; skála(beosztás), arány, lépték; do° sg **on a small/large** ~ (vmit) kicsiben/nagyban csinál/űz

scale² pikkely; vízkő

scalp ▼ *fn* skalp, (hajas) fejbőr ▼ *ige* megskalpol

scan (át)vizsgál; beolvas, beszkennel *[képet számítógépbe]*

scandal botrány, skandalum, szégyen

scandalise felháborít, megbotránkoztat

scandalous botrányos, felháborító

Scandinavia Skandinávia

Scandinavian *mn, fn* skandináv(iai)

scanty hiányos *[öltözék, tudás]*, elégtelen *[mennyiség]*

scapegoat bűnbak

scar ▼ *fn* heg, forradás, sebhely ▼ *ige* megsebez; elcsúfít

scarce ritka, kevés

scarcely alig, aligha

scarcity szűkösség, hiány, ritkaság

scare ▼ *fn* rémület, ijedelem ▼ *ige* megijeszt, megrémít

scarecrow *átv* madárijesztő

scared ijedt, (meg)rémült

scarf (*tsz* scarves) sál, vállkendő

scarlet skarlátvörös; ~ **fever** skarlát

scarves → scarf

scatter (el/szét)szór, (el/szét)szóródik; (el)terjeszt, terjed

scatter-brain(ed) szétszórt *[ember]*, kelekótya

scattered (el/szét)szórt; ritkás, gyér *[haj, szakáll]*

scavenger guberáló; dögevő állat

scenario forgatókönyv, szövegkönyv *[színdarabé]*

scene szín *[színdarabban]*, jelenet; színhely

scenery látvány, panoráma; díszlet(ek) *[színházban]*

scenic festői; színpadi(as)

scent ▼ *fn* illat, illatszer; szaglás, szimat ▼ *ige* (be)illatosít, (be)parfümöz; ki/megszimatol

sceptical két(el)kedő, szkeptikus

schedule ▼ *fn* terv, időbeosztás, menetrend ▼ *ige* (be)ütemez, tervbe vesz

scheme séma, vázlat, rend(szer), terv(ezet); cselszövés, mesterkedés

scholar tudós

scholarship ösztöndíj

school iskola
schoolboy iskolásfiú
schoolgirl iskoláslány
schoolmaster tanár; iskolaigazgató
schoolmistress tanárnő; iskolai igazgatónő
schoolroom tanterem
schoolteacher tanító(nő)
science (természet)tudomány; ~ fiction sci-fi, tudományos-fantasztikus irodalom/film
scientific tudományos
scientist (természet)tudós
scissors *tsz* olló
scold (le/össze)szid, megdorgál
scooter robogó *[kismotor]*; roller
scope kiterjedés, terület, (működési) kör
score ▼ *fn* pont(szám), eredmény ▼ *ige* pontot/gólt szerez
scoreboard eredményjelző tábla

scorn ▼ *fn* lenézés, megvetés ▼ *ige* lenéz, megvet
scornful lenéző, megvető
Scorpio Skorpió *[csillagkép]*
scorpion skorpió
Scot skót *[ember]*
Scotch ▼ *mn* skót ▼ *fn* skót whisky
Scotland Skócia
Scotsman (*tsz* -men) skót *[férfi]*
Scottish ▼ *mn* skót ▼ *fn* esz/tsz skót *[ember, nyelvjárás]*
scoundrel gazember, csirkefogó
scout ▼ *fn* felderítő, járőr; S~ cserkész ▼ *ige* felderít
scramble összekever, habar *[tojást]*; kódol *[adást]*; ~d eggs *tsz* (tojás)rántotta
scrap ▼ *fn* darabka, (kis) darab; ~ paper firkapapír ▼ *ige* el/félredob

scrape ▼ *fn* karcolás, vakarás, kaparás; nyekergés ▼ *ige* (meg)karcol, (le)vakar, (meg)kapar; (le)dörzsöl

scratch ▼ *fn* vakar(óz)ás, kaparás; **start from ~** a nulláról/semmiből kezdi ▼ *ige* (meg)karcol, (meg)karmol, (meg)vakar

scrawl ▼ *fn* firkálás, macskakaparás *[csúnya kézírás]* ▼ *ige* (le/tele)firkál

scream ▼ *fn* sikoly, sikítás ▼ *ige* sikolt, sikít

screech ▼ *fn* csikorgás *[féké]*, sikoltás ▼ *ige* csikorog *[fék]*, sikolt

screen ▼ *fn* képernyő, vetítővászon; szúnyogháló ▼ *ige* árnyékol, leplez; filmre/televízióra visz; szűr

screenplay forgatókönyv

screw ▼ *fn* csavar ▼ *ige* (oda)csavaroz, (be)csavar

screwdriver csavarhúzó

scribble ▼ *fn* firka ▼ *ige* firkál

script szövegkönyv *[filmé]*, kézirat

scripture szent könyv; **the S~s** *tsz* a Szentírás

scroll ▼ *fn* papírtekercs, kézirattekercs ▼ *ige* *inform* (fel/le) mozgat *[kurzort]*

scrub ▼ *fn* bozót, cserjés; bőrradír ▼ *ige* (fel/meg)súrol, sikál; kopik *[autógumi]*

scruple aggály, kétely

scrupulous lelkiismeretes

scrutinise (tüzetesen) átvizsgál, tűvé tesz

scrutiny (alapos) vizsgálat

scuba diving könnyűbúvárkodás

scuff csoszog; lehorzsol

scuffle ▼ *fn* dulakodás ▼ *ige* dulakodik

sculptor szobrász

sculpture szobor; szobrászat

scythe ▼ *fn* kasza ▼ *ige* kaszál

sea tenger; **by ~** hajóval *[utazik/szállít]*

seafood tengeri hal, rák, kagyló *[ételként]*

seagull sirály

seal¹ *fn* fóka

seal² ▼ *fn* pecsét; tömítés ▼ *ige* lepecsétel; tömít, (vízmentesen) lezár

seam ▼ *fn* varrás, varrat ▼ *ige* (be)szeg *[ruhát]*

seaport tengeri kikötő

search ▼ *fn* keresés, (át)-kutatás, (meg)motozás ▼ *ige* (*for sg*) keres (vmit), (át)kutat, átvizsgál, (meg)motoz

seashore tengerpart

seasick tengeribeteg

seaside tengerpart

season ▼ *fn* évszak, szezon, idény; **~ ticket** bérlet ▼ *ige* *átv is* (meg)fűszerez

seasonal idényjellegű

seasoned fűszeres, megfűszerezett

seasoning fűszer(ezés)

seat ▼ *fn* ülés, ülőhely; székhely; **~ belt** biztonsági öv ▼ *ige* (le)-ültet

seaweed hínár

secluded magányos, visszavonult *[élet]*, félreeső *[hely]*

seclusion elkülönülés, visszavonultság

second¹ *mn* második

second² *fn* másodperc, *biz* pillanat

secondary másodlagos, mellék(es); **~ school** középiskola

second-class másodosztályú

second-hand ▼ *mn* használt ▼ *hsz* használtan

secondly másodszor

second-rate másodosztályú

secrecy titoktartás

secret ▼ *mn* titkos, titokzatos ▼ *fn* titok, rejtély

secretarial titkári

secretary titkár; **Home/Foreign S~** bel/külügyminiszter; **S~ of State** *US* külügyminiszter

secretive titkoló(zó), titokzatoskodó

sect szekta

section rész, szekció, szakasz

sector szektor, övezet

secular világi

secure ▼ *mn* biztonságos, biztos ▼ *ige* (*against sg*) biztosít (vmi ellen), megvéd

securities értékpapírok

security biztonság; (pénzügyi) biztosíték, kaució

sedan *US* lépcsőshátú/négyajtós autó

sedate *orv* nyugtat, (le)csillapít

sedateness komolyság

sedative *orv* nyugtató(szer)

seduce (el)csábít, megront

seduction (el)csábítás, megrontás

seductive csábító

see (saw, seen) lát, megnéz *[filmet];* felfog, (meg)ért; meglátogat

seed mag *[növényé]*

seek (sought, sought) keres

seem tűnik, látszik

seen → **see**

see-saw mérleghinta, libikóka

see-through átlátszó

segment rész, szegmens, (kör)cikkely

segregate elkülönít

segregation elkülönítés, elkülönülés, *pol* faji megkülönböztetés

seize megfog, megragad; elfoglal *[várost]; jog* lefoglal, elkoboz

seizure *jog* lefoglalás, elkobzás; *orv* agyvérzés, roham

seldom ritkán

select ▼ *mn* válogatott ▼ *ige* (ki)választ, (ki)válogat

selection (ki)választás, (ki)válogatás; kiválasztódás

selective válogatós, szelektív

self (*tsz* selves) (saját) maga

self-assured magabiztos

self-confidence önbizalom

self-conscious öntudatos

self-control önuralom

self-employed (egyéni) vállalkozó

self-evident magától értetődő

self-interest önérdek, önzés

selfish önző

selfishness önzés

self-portrait önarckép

self-respect önérzet, önbecsülés

self-satisfied önelégült, öntelt

self-service ▼ *mn* önkiszolgáló ▼ *fn* önkiszolgálás

self-sufficient önellátó, önálló

sell (sold, sold) árusít, árul, elad; elkel, fogy *[áru]*

sell-by date «„minőségét megőrzi" dátum»

seller eladó *[szerződésben]*

Sellotape cellux

selves → self

semester szemeszter, (iskolai) félév

semi *összet* fél-

semicircle félkör

semicolon pontosvessző

semifinal *sp* középdöntő

seminar szeminárium

senate szenátus, felsőház

senator szenátor, felsőházi tag

send (sent, sent) (el)küld

sender (el)küldő

senior ▼ *mn* idős, idősebb; rangidős; ~ **citizen** nyugdíjas ▼ *fn* US végzős hallgató

seniority rangidősség; (vkinek) az idősebb volta

sensation szenzáció; érzékelés, érzés

sensational szenzációs

sense érzék, érzés, felfogás; jelentés; **it doesn't make ~** nincs értelme

senseless értelmetlen; eszméletlen, öntudatlan

senses *tsz* józan ész

sensible értelmes, okos, ésszerű

sensitive (*to sg*) érzékeny, kényes (vmire)

sensual érzéki

sent → send

sentence ▼ *fn nyelv* mondat; *jog* ítélet ▼ *ige jog* (el)ítél *[vkit bíróságon]*

sentiment érzés, érzelem

sentimental érzelgős, érzelmes

sentry *kat* őr(szem), őrség

separate ▼ *mn* külön(álló), elválasztott ▼ *ige* el/különválaszt; elválik

separately külön(-külön)

separation el/különválasztás; *jog* (el)válás, különélés

September szeptember

septic elfertőződött *[seb]*

sequel folytatás *[filmé, könyvé]*

sequence sor(ozata vmiknek), sorrend

sergeant őrmester

serial (regény/képregény/film)sorozat; ~ **number** sorszám, gyártási szám

series *esz/tsz* sor(ozat); filmsorozat *[tévében]*

serious komoly *[ember]*, súlyos *[betegség]*

seriousness komolyság, súlyosság

sermon prédikáció, szentbeszéd

serum védőoltás, szérum

servant szolga, alkalmazott

serve ▼ *fn sp* szerva, adogatás ▼ *ige* szolgál, kiszolgál; felszolgál, tálal; *sp* szervál, adogat

server *sp* adogató(játékos); *inform* szerver

service ▼ *fn* szolgálat, szolgáltatás; (autóbusz stb.) járat; javítás, szerviz; istentisztelet; kiszolgálás, felszolgálás; *sp* szerva, adogatás; ~ **charge** felszolgálási díj; **S~s** fegyveres erők; ~ **station** *gépk* benzinkút ▼ *ige* javít, szervizel

serviette szalvéta, asztalkendő

serving (étel)adag

session ülés(szak)

set ▼ *mn* előírt, kötelező *[olvasmány]* ▼ *fn* szett, készlet; (tévé/rádió)készülék; *sp* szett, játszma ▼ *ige* (set, set) beállít *[órát],* igazít; kijelöl,

felad *[leckét];* (le)nyugszik *[nap];* összeforr *[csont];* ~ **the table** megteríti az asztalt; ~ **up** összerak/szerel; létesít, alapít; *inform* telepít *[programot]*

setback visszaesés, hanyatlás, kudarc

settee kanapé

setting szín(hely), (el)helyezés; foglalat *[ékszeré];* *inform* ~**s** beállítások

settle megold, elintéz *[ügyet];* kiegyenlít, kifizet *[számlát];* megnyugtat; letelepszik; lecsillapodik

settlement település, letelepedés; kifizetés, kiegyenlítés *[számláé];* megoldás, elintézés *[ügyé]*

settler telepes

setup felépítés *[szervezeté],* elrendezés; *inform* telepítés

seven hét

seventeen tizenhét

seventeenth tizenhetedik; egytizenheted

seventh hetedik; egyheted

seventieth hetvenedik; egyhetvened

seventy hetven

several számos, több

severe szigorú; súlyos

severity szigor(úság); súlyosság *[betegségé]*

sew (sewed, sewn/sewed) (meg)varr

sewage szennyvíz

sewer *fn* (szennyvíz)csatorna

sewing varrás; ~ **machine** varrógép

sewn → **sew**

sex szex(ualitás); (biológiai) nem

sexual szexuális, nemi

shabby ócska, kopott *[ruha]*

shackles *tsz* bilincs, béklyó

shade árnyék; lámpaernyő; *átv is* (szín)árnyalat; *US* redőny

shadow ▼ *fn* árny(ék); szemfesték ▼ *ige átv* beárnyékol; (árnyékként) követ

shadowy árnyékos, árnyas

shady árnyékos, árnyas

shaft nyél *[szerszámé, ütőé]*; tengely *[keréké]*; akna *[lifté]*

shake ▼ *fn* (fel/meg)rázás, rázkódás; turmix ▼ *ige* (shook, shaken) (meg)ráz; (meg)remeg, reszket, reng *[föld]*

shaken → **shake**

shaky roskatag, bizonytalan

shall (should) fogok/fogunk *[tenni vmit]*

shallow sekély; sekélyes, felszínes

shame szégyen(kezés); **what a ~!** milyen kár!; ~ **on you!** szégyelld magad!

shameful gyalázatos, szégyenletes

shameless arcátlan, szégyentelen

shampoo ▼ *fn* sampon ▼ *ige* (be)samponoz

shamrock lóhere

shape ▼ *fn* forma, alak ▼ *ige* (meg)formál, (ki)alakít

shapely formás, jó alakú

share ▼ *fn* rész, részesedés; részvény ▼ *ige* (*sg with sy*) megoszt (vmit vkivel); (*in sg*) részesedik (vmiből)

shareholder részvényes

shark cápa

sharp ▼ *mn* éles, hegyes ▼ *hsz* pontosan

sharpen (meg)élesít, kihegyez *[ceruzát]*

sharpener ceruzahegyező

sharply élesen, hirtelen

sharpness élesség

shatter *átv is* összetör/zúz, darabokra tör/zúz

shave ▼ *fn* (meg)borotválás, (meg)borotválkozás ▼ *ige* (shaved, shaved/shaven) (meg)borotvál; (meg)borotválkozik; ~ off leborotvál

shaven → shave

shaver villanyborotva

shaving brush borotvapamacs

shawl kendő

she ▼ *mn* nőstény *[állat]* ▼ *nm* ő *[nő, lány]*

shear (meg)nyír *[juhot]*

shed (shed, shed) (le)vedlik; hullat *[könnyet]*, (ki)ont *[vért]*

sheep *esz/tsz* birka, juh

sheepish szégyenlős, félénk, mamlasz

sheepskin báránybőr, birkabőr

sheer puszta, merő, teljes

sheet lepedő; (papír)lap, ív

sheik(h) sejk

shelf (*tsz* shelves) polc

shell ▼ *fn* kagyló; héj; (töltény)hüvely, gránát ▼ *ige* ágyúz, bombáz

shellfish kagyló, rákféle

shelter ▼ *fn* menedék(hely); fedett buszmegálló; óvóhely ▼ *ige* (meg)véd, menedéket nyújt

shelve polcra (fel)tesz; *biz* lezár, ad acta tesz *[ügyet]*

shelves → shelf

shepherd pásztor, juhász

sherry sherry *[ital]*

shield ▼ *fn* pajzs ▼ *ige* (*from sy/sg*) (meg)óv, (meg)véd (vkitől/vmitől)

shift ▼ *fn* műszak; eltolódás, elmozdulás; *inform* váltóbillentyű; ~ **work** több/váltott műszakban végzett munka ▼ *ige* elmozdít, elmozdul, eltolódik

shimmer pislákol, csillámlik, vibrál *[fény]*

shine ▼ *fn* ragyogás, fény, fényesség ▼ *ige* (shone, shone) fénylik, ragyog, süt *[nap]*

shiny fényes, ragyogó

ship ▼ *fn* hajó ▼ *ige* hajóra rak; szállít

shipbuilding hajógyártás, hajóépítés

shipment szállítmány, (hajó)rakomány; fuvarozás, szállítás

shipping szállítás

shipwreck ▼ *fn* hajóroncs ▼ *ige* *átv is* be° ~**ed** hajótörést szenved

shipyard hajógyár

shirt ing

shiver ▼ *fn* remegés, reszketés, borzongás; ~**s** *tsz* hideglelés ▼ *ige* remeg, reszket, borzong

shock ▼ *fn* sokk, megrázkódtatás, megdöbbenés; rázkódás, (össze)ütközés; ~ **absorber** lengéscsillapító ▼ *ige*

sokkol, megráz, meg-
döbbent

shocking sokkoló, meg-
döbbentő

shoddy gyenge minőségű,
vacak, hitvány

shoe cipő; **a pair of** ~**s**
egy pár cipő; ~ **polish**
cipőkrém

shoelace cipőfűző

shoestring cipőfűző

shone → **shine**

shook → **shake**

shoot ▼ *fn* hajtás *[növé-
nyé];* vadászat ▼ *ige* (shot,
shot) *(at sy)* (ki)lő
(vkire); forgat *[filmet]*

shooting (film)forgatás;
lövöldözés, lövés; ~
star hullócsillag

shop ▼ *fn* bolt; műhely
[iparosé]; ~ **assistant**
eladó; ~ **window** kira-
kat ▼ *ige* (be)vásárol

shopkeeper üzlettulajdo-
nos, kereskedő

shopping bevásárlás; ~
bag bevásárlószatyor

shore (tenger)part

short ▼ *mn* rövid; ala-
csony *[ember];* **be°** ~
(of sg) (vminek) híján
van; ~ **story** novella; ~
wave rövidhullám ▼ *hsz*
röviden

shortage hiány, elégte-
lenség

short-circuit rövidzárlat

shortcut rövidebb út, át-
vágás *[vmin, utat lerövi-
dítendő];* **inform** pa-
rancsikon; ~ **key** *in-
form* gyorsbillentyű

shorten megrövidít,
(meg)rövidül

shortening megrövidítés,
(meg)rövidülés

shortfall hiány

shorthand gyorsírás

short-lived rövid életű

shortly rövidesen

short-sighted rövidlátó

short-term rövid távú/le-
járatú

shot ▼ *fn* lövés, lövedék;
injekció; *sp* lövés, rúgás

[futballban] ▼ *ige* →
shoot

shotgun vadászpuska

should kell, kellene; →
shall

shoulder váll; *US* útpadka; ~ **bag** válltáska; ~
blade lapocka(csont)

shout ▼ *fn* kiáltás ▼ *ige*
(fel)kiált, kiabál, ordít

shouting kiáltás, kiabálás, ordítás

shove ▼ *fn* taszítás, lökés
▼ *ige* taszít, (meg)lök;
lökdösődik, tolakodik

shovel ▼ *fn* lapát ▼ *ige*
lapátol

show ▼ *fn* műsor, show;
~ **business** szórakoztatóipar; ~ **jumping** *sp*
díjugratás ▼ *ige* (showed,
shown/showed) (be/
meg)mutat, kiállít; megmutat, magyaráz; látszik, előtűnik; ~ **off** dicsekszik, felvág (vmivel); ~ **round** körbevezet (vkit vhol); ~ **up**

biz felbukkan, megjelenik

shower ▼ *fn* zuhany, zuhanyozás; zápor; **have°/
take° a** ~ (le)zuhanyozik ▼ *ige* szór (vkire
vmit)

shown → **show**

showroom bemutatóterem

shrank → **shrink**

shred ▼ *fn* darabka, foszlány ▼ *ige* (shred, shred)
darabokra tép, lereszel
[sajtot, zöldséget]

shrewd ravasz, éles eszű,
agyafúrt

shriek ▼ *fn* sikoly, sikoltás ▼ *ige* sikolt, visít

shrimp garnélarák

shrine szentély, ereklyetartó

shrink (shrank/shrunk,
shrunk) összemegy *[ruhadarab]*, összezsugorodik

shrinking összezsugorodó, összehúzódó

shrub cserje, bokor

shrubbery bozót, bokor

shrug ▼ *fn* vállrándítás ▼
ige ~ one's shoulder
vállat von

shrunk → shrink

shudder ▼ *fn* borzongás,
reszketés ▼ *ige* borzong, (meg)remeg

shuffle ▼ *fn* csoszogás;
keverés *[kártyában]* ▼
ige csoszog; (meg/össze)-
kever *[kártyát]*

shun (el)kerül

shut ▼ *mn* (be)zárt, (be)-
csukott ▼ *ige* (shut,
shut) bezár, becsuk;
(be)zárul, (be)csukódik; ~ down bezár, lezár, *inform* kilép *[programból]*; ~ up elhallgat, befogja a száját

shutter spaletta, zsalu-
(gáter); zár *[fényképezőgépé]*

shuttle ingajárat; space
~ űrrepülőgép

shy félénk, szégyenlős

Sicily Szicília

sick beteg; be° ~ hány;
feel° ~ hányingere van,
émelyeg; ~ bay beteg-
szoba, gyengélkedő; ~
leave betegszabadság

sicken émelyít, hányin-
gert okoz; undort kelt

sickle sarló

sickly beteges, gyenge,
satnya

sickness betegség; hány-
inger, émelygés

side oldal; ~ by ~ egy-
más mellett; ~ effect
mellékhatás; ~ street
mellékutca, keresztutca

sideboard tálaló(asztal)

sideline *sp* oldalvonal

sidetrack mellékvágány-
ra terel *[vonatot, kér-
dést]; biz* kitér *[válasz
elől]*

sidewalk *US* járda

sideways oldalt, oldal-
ról, oldalra

siding mellékvágány *[vas-
úton]*

siege ostrom

sieve ▼ *fn* rosta, szita, szűrő ▼ *ige átv is* (meg)rostál, (meg)szitál, (át)szűr

sift *átv* (meg)rostál, (át)szűr; (át)szűrődik

sigh ▼ *fn* sóhaj, sóhajtás ▼ *ige* (fel)sóhajt

sight ▼ *fn* látás; látvány, látnivalók ▼ *ige* meglát, észlel

sightseeing városnézés

sign ▼ *fn* jel, jelzés; (forgalmi) jelzőtábla; tünet; ~ **language** jelnyelv ▼ *ige* aláír, szignál; ~ **up** (*for sg*) feliratkozik (vmire)

signal ▼ *fn* jel, jelzés ▼ *ige* jelez

signature aláírás

significance jelentőség, fontosság

significant jelentős, fontos

signpost jelzőtábla, jelzőkaró

silence ▼ *fn* csend; hallgatás ▼ *ige* elhallgattat (vkit/vmit)

silent halk, csendes; szótlan, hallgatag *[ember]*; ~ **partner** csendestárs *[vállalkozásban]*

silhouette sziluett, árnykép, körvonal

silicon chip szilíciumchip

silk selyem

silky selymes

silly buta, ostoba

silo (gabona/rakéta)siló

silt iszap, üledék, hordalék

silver ezüst, ezüstpénz; (asztali) ezüst(nemű), evőeszköz; *sp* ezüstérem

silversmith ezüstműves

silverware ezüstnemű

silvery ezüstös, ezüstözött

similar (*to sg*) hasonló, hasonlatos (vmihez)

similarity hasonlóság, hasonlatosság

similarly hasonlóan, ugyanúgy

simmer párol

simple egyszerű

simplicity egyszerűség

simplify (le)egyszerűsít

simply egyszerűen

simultaneous (*with sg*) egyidejű, szimultán (vmivel)

sin ▼ *fn* bűn, vétek ▼ *ige* vétkezik, bűnt követ el

since ▼ *ksz* amióta; mivel, mert, minthogy ▼ *elölj* (vmi) óta, azóta, hogy, (vmitől) fogva

sincere őszinte

sincerely őszintén; **Yours S~** szívélyes üdvözlettel

sincerity őszinteség

sinew ín

sing (sang, sung) énekel, dalol, el/megénekel

Singapore Szingapúr

singe (meg)perzsel, (meg)pörköl

singer énekes(nő)

singing éneklés, dalolás

single ▼ *mn* egyes, egyedüli, egyetlen, egyszeri; egyedülálló, hajadon *[nő]*, nőtlen *[férfi]*, facér ▼ *fn* kislemez *[egy vagy két zeneszámmal]*; csak odaútra szóló jegy; **~s** *tsz* egyes *[versenyszám pl. teniszben]* **in ~s** egyesével

single-handed(ly) fél kézzel, egyedül, segítség nélkül

singular *nyelv* egyes számú *[pl. főnév, igealak]*

sinister baljós, vészjósló, gonosz

sink ▼ *fn* (konyhai) mosogató, (szennyvíz)lefolyó ▼ *ige* (sank, sunk) (el)süllyeszt, (el)süllyed

sinner bűnös, vétkes

sip ▼ *fn* korty, kortyintás ▼ *ige* kortyol(gat), szürcsöl(get)

siphon (szódás) szifon; bűzelzáró szifon *[csap lefolyójában]*

sir úr; ~! uram!, tanár úr!

siren sziréna; szirén

sirloin hátszín, vesepecsenye

sister (lány)testvér; nővér *[apáca]*; **elder/ younger ~** nővér/húg

sister-in-law (*tsz* sisters-in-law) sógornő

sit (sat, sat) ül; ülésezik; **~ for an exam** vizsgázni megy

sitcom *röv [situation comedy]* tévékomédia

site telek, házhely; helyszín

sitting ülés, ülésezés; **~ room** nappali (szoba)

situated; be° ~ elterül, fekszik *[város, épület vhol]*

situation szituáció, helyzet; fekvés, elhelyezkedés

six hat

sixteen tizenhat

sixteenth tizenhatodik; tizenhatod

sixth hatodik; hatod

sixtieth hatvanadik; hatvanad

sixty hatvan

size ▼ *fn* méret, nagyság, szám *[ruha/cipőméretnél]* ▼ *ige* felbecsül, felmér

siz(e)able nagy, jókora, terjedelmes

sizzle ▼ *fn* sercegés, sistergés ▼ *ige* sistereg; *biz* melege van, „megsül"

skate ▼ *fn* korcsolya, *biz* görkorcsolya ▼ *ige* korcsolyázik, *biz* görkorcsolyázik

skateboard gördeszka

skateboarding gördeszkázás

skater korcsolyázó, görkorcsolyázó

skating korcsolyázás, görkorcsolyázás; **~ rink** korcsolyapálya, görkorcsolyapálya

skeleton csontváz; váz, vázlat

skeptic két(el)kedő, szkeptikus

skeptical két(el)kedő, szkeptikus

skepticism két(el)kedés, szkepticizmus

sketch ▼ *fn* vázlat, skicc ▼ *ige* (fel)vázol, skiccel

sketchy *biz* vázlatos, hevenyészett *[rajz, válasz]*

ski ▼ *fn* sí, síléc; ~ **lift** sífelvonó, sílift; ~ **pole** síbot; ~ **tow** sífelvonó ▼ *ige* síel, sízik

skid ▼ *fn* megfarolás, megcsúszás *[autóval]* ▼ *ige* megfarol, megcsúszik *[autóval]*

skier síelő, síző

skiing síelés, sízés

skilful ügyes

skill ügyesség, jártasság, szakértelem

skilled ügyes, képzett, gyakorlott

skim lefölöz *[tejet]*; gyorsan átolvas

skin ▼ *fn [kikészített]*

bőr; héj *[gyümölcsé];* föl *[tejé];* ~ **diver** könynyűbúvár ▼ *ige* (meg)nyúz; (meg)hámoz

skinny sovány, csontos, vézna

skintight feszes, testre tapadó *[ruha]*

skip ugrik, szökdécsel; kihagy, átugrik

skipper (hajós)kapitány; *sp, biz* csapatkapitány

skipping rope ugrókötél, ugrálókötél

skirt szoknya

skittle tekebábu

skull koponya

skunk bűzös borz

sky ég, égbolt

skylight tetőablak, padlásablak; mennyezetvilágítás

skyscraper felhőkarcoló

slab (kő)lap

slack ▼ *mn* laza, ernyedt, petyhüdt ▼ *fn* lazaság *[kötélé];* pangás

slacken meglazít, meglazul; pang *[üzlet, piac]*, lanyhul

slacks *tsz* bő nadrág, pantalló

slain → **slay**

slam ▼ *fn* (be)csapódás *[pl. ajtóé]* ▼ *ige* becsap *[pl. ajtót]*, bevág, becsapódik, bevágódik *[pl. ajtó]*

slander ▼ *fn* rágalom, rágalmazás ▼ *ige* (meg)-rágalmaz

slanderous rágalmazó

slang szleng

slant ▼ *fn* lejtő, dőlés ▼ *ige* megdönt; elferdít; lejt, dől

slanting ferde, lejtős, dőlt

slap ▼ *fn* ütés, pofon, (arcon)legyintés ▼ *ige* (meg)üt, pofon üt, (arcon) legyint

slash ▼ *fn* vágás, hasíték; *inform* „per"jel ▼ *ige* (be/fel)hasít, összeszabdal; csökkent, megnyirbál

slate pala *[kőzet, tetőfedő anyag]*, palatábla

slaughter ▼ *fn* (le)mészárlás, (le)vágás *[állaté]* ▼ *ige* (le)mészárol, (le)vág *[állatot]*

slaughterhouse vágóhíd

Slav *mn, fn* szláv

slave rabszolga

slavery rabszolgaság

slay (slew, slain) (meg)-öl, meggyilkol

sleek sima *[haj, modor]*, simulékony

sleep ▼ *fn* alvás ▼ *ige* (slept, slept) (el)alszik

sleeping; ~ **bag** hálózsák; ~ **car** hálókocsi *[vonaton]*; ~ **pill** altató *[tabletta]*

sleepless álmatlan, éber

sleepy álmos, (el)álmosító

sleet havas eső, *US* ónos eső

sleeve (ruha)ujj; borító *[könyvé, hanglemezé]*

sleigh szán, *US* szánkó

slender karcsú, vékony

slept → **sleep**

slew[1] ▼ *fn* csavarodás ▼ *ige* (el)csavar, (el)fordít, (el)csavarodik, (el)fordul

slew[2] *ige* → **slay**

slice ▼ *fn* szelet, gerezd *[narancs]* ▼ *ige* (fel)szel(etel), (fel)vág

slick ravasz, ügyes, dörzsölt; sima, síkos

slid → **slide**

slide ▼ *fn* csúszás; (föld)-csuszamlás; csúszda; dia(pozitív) ▼ *ige* (slid, slid) (meg)csúszik, csúsztat, csúszkál *[jégen]*

slight kicsi, kevés, csekély

slim karcsú, vékony; kevés, csekély *[esély, valószínűség]*

slime váladék, nyál(ka); híg iszap

slimy nyálkás; iszapos

sling ▼ *fn* parittya; kenguru *[gyerek hordozásá-* ra*]* ▼ *ige* (el)hajít, (parittyából) kilő

slink (slunk, slunk) lopakodik, ólálkodik

slip ▼ *fn* (el/meg)csúszás; hiba, botlás; cédula, papírszelet; ~ **road** gyorsítósáv *[autópályán]* ▼ *ige* (be)csúsztat; (ki/meg)csúszik

slipper papucs

slippery csúszós, síkos; sikamlós *[történet]*

slipshod hanyag, rendetlen, trehány

slip-up *biz* melléfogás, baklövés

slit ▼ *fn* rés, nyílás, hasíték ▼ *ige* (slit, slit) (fel)vág, (fel)hasít

sliver forgács, szilánk

slob sár, iszap

slog ▼ *fn biz* robotolás, gürcölés ▼ *ige biz* robotol, gürcöl

slope ▼ *fn* lejtő, emelkedő, lejtés, emelkedés ▼ *ige* lejt, dől

sloping lejtős, meredek, ferde

sloppy rendetlen, trehány; felületes, pongyola *[stílus]*

slot rés, (bedobó)nyílás *[pl. automatán];* ~ **machine** pénzbedobós automata; szerencsejáték-automata

slouch csoszog, kullog, vonszolja magát

Slovak *mn, fn* szlovák

Slovakia Szlovákia

Slovene szlovén *[ember, nyelv]*

Slovenia Szlovénia

Slovenian ▼ *mn* szlovén ▼ *fn* szlovén *[nyelv]*

slovenly rendetlen, gondozatlan, trehány

slow ▼ *mn* lassú, vontatott; ~ **motion** lassított (film)felvétel ▼ *ige* (le)lassít, (le)lassul

slowly lassan, nehézkesen

sludge sár, lucsok

sluggish lassú, lomha, rest

slum nyomornegyed, szegénynegyed

slumber ▼ *fn* alvás, szendergés ▼ *ige* alszik, szendereg, szunyókál

slump ▼ *fn gazd* hirtelen visszaesés, pangás, gazdasági válság ▼ *ige gazd* hirtelen nagyot esik *[ár, árfolyam]*

slunk → **slink**

slur ▼ *fn* szégyen(folt), gyalázat ▼ *ige (sg)* átsiklik (vmi felett); becsmérel, gyaláz

slush latyak, hólé

sly alattomos, ravasz, sunyi

smack ▼ *fn* pofon; cuppanós puszi/csók ▼ *ige* cuppant *[szájával],* csettint *[nyelvével];* csattint, csattan

small kis, kicsi, apró; kevés, csekély; ~ **change** aprópénz, váltópénz; ~

talk (báj)csevegés, könynyed társalgás

smallpox himlő

smart okos, ügyes, szellemes; elegáns, divatos

smarten kicsinosít, feldíszít

smash ▼ *fn* összeütközés; *biz* (erős) ütés, *sp* lecsapás *[teniszben]* ▼ *ige* összetör/zúz, tönkretesz, összetörik; *sp* lecsap (labdát) *[teniszben]*

smear ▼ *fn* maszat, szennyfolt; ~ **campaign** rágalomhadjárat ▼ *ige* be/elken, összemaszatol; *átv is* bemocskol, rágalmaz

smell ▼ *fn* szag, illat; szaglás, szimat ▼ *ige* (smelt, smelt) (meg)szagol; érzi (vminek) a szagát/illatát; szaga/illata van

smelly *biz* büdös, rossz szagú

smelt → **smell**

smile ▼ *fn* mosoly ▼ *ige* (*at sy/sg*) (rá)mosolyog (vkire/vmire)

smith kovács

smog szmog, füstköd

smoke ▼ *fn* füst ▼ *ige* füstöl *[pl. kémény]*; elszív *[cigarettát stb.]*, dohányzik; (fel)füstöl *[pl. sonkát]*

smoked füstölt *[étel]*

smoker dohányos

smoking ▼ *mn* dohányzó, füstölő ▼ *fn* dohányzás; (fel)füstölés

smoky füstös

smooth ▼ *mn* sima, bársonyos *[anyag]* ▼ *ige* (el/ki/le)simít, el/ki/lesimul

smother megfojt, elfojt

smoulder hamvad, parázslik

smudge ▼ *fn* (szenny)-folt, pecsét *[ruhán]* ▼ *ige* összemaszatol, bepiszkít, bepiszkolódik

smug önelégült

smuggle csempészik

smuggler csempész

smuggling csempészet, csempészés

snack gyors étkezés, könnyű hideg étel, *kb.* tízórai, uzsonna

snail csiga

snake kígyó

snap ▼ *fn* kattanás, csattanás; fényképfelvétel, pillanatfelvétel ▼ *ige* csattogtat *[fogat]*, csettint; lekap *[vkit/vmit fényképezőgéppel]*

snappy elegáns, divatos; *biz* szellemes, eleven

snapshot fényképfelvétel, pillanatfelvétel

snare ▼ *fn* csapda, hurok *[csapdaként]* ▼ *ige* csapdát állít

snarl ▼ *fn* vicsorgás ▼ *ige* vicsorog

snatch ▼ *fn* (oda)kapás (vmi után); foszlány *[hangé, beszélgetésé]*, töredék ▼ *ige* (*at sg*) kap(kod) (vmi után), megragad, megkaparint

sneak oson, settenkedik

sneaky sunyi

sneer ▼ *fn* vigyor, gúnyos mosoly ▼ *ige* (*at sy/sg*) gunyorosan mosolyog/vigyorog (vkire/vmire)

sneeze ▼ *fn* tüsszentés ▼ *ige* tüsszent

sniff ▼ *fn* szippantás; *átv is* szaglászás ▼ *ige* szippant; (bele)szagol, szaglászik

snigger ▼ *fn* kuncogás ▼ *ige* kuncog

snip ▼ *fn* lemetszés, nyisszantás; lenyisszantott darab; *biz* jó vétel *[olcsón vett minőségi dolog]* ▼ *ige* (le)nyisszant, (le)metsz

sniper orvlövész

snob sznob

snobbery sznobság

snobbish sznob

snooker sznúker *[biliárdjáték]*

snoop ▼ *fn biz* spicli, hekus ▼ *ige* szimatol, szaglászik

snooze ▼ *fn biz* szundítás, szundikálás ▼ *ige* szundít, szundikál

snore ▼ *fn* horkolás ▼ *ige* horkol

snort ▼ *fn* horkantás, fújtatás ▼ *ige* (fel)horkan, fújtat

snout orr *[állaté]*, pofa, ormány

snow ▼ *fn* hó, hóesés ▼ *ige* havazik, esik *[hó]*

snowball hógolyó, hógolyózás

snowdrift hófúvás, hóakadály, hótorlasz

snowdrop hóvirág

snowfall havazás, hóesés; hómennyiség

snowflake hópihe, hópehely

snowman *(tsz* -men) hóember

snowstorm hóvihar

snub pisze *[orr]*

snuff ▼ *fn* tubák ▼ *ige* tubákol, (fel)szippant

so ▼ *hsz* ilyen, olyan, annyira; így, úgy; ~ far eddig, ezidáig; ~ do I én is (így teszek); and ~ on és így tovább ▼ *ksz* tehát

soak ▼ *fn* (be)áztatás, (át)ázás ▼ *ige* (át/be)áztat, átitat, (át)ázik

soaking wet csuromvizes

soap szappan; ~ opera szappanopera

soapy szappanos

soar szárnyal

sob ▼ *fn* zokogás ▼ *ige* zokog

sober józan, higgadt

so-called úgynevezett

soccer labdarúgás, foci, futball

sociable barátságos, barátkozó

social társadalmi, szociális, társas; ~ security

társadalombiztosítás; ~ **worker** szociális munkás

socialism szocializmus

socialist *mn, fn* szocialista

socialise társaságba jár; (*with sy*) összejár (vkivel); szocializál(ódik), társadalomba beilleszt/beilleszkedik

society társadalom; egyesület, társaság

sociologist szociológus

sociology szociológia

sock zokni

socket dugaszolóaljzat, konnektor

soda szóda(víz); *US* (szénsavas) üdítőital

sofa pamlag, dívány

soft puha, lágy; ~ **drink** alkoholmentes üdítő(ital)

soften (meg)puhít, (meg)lágyít, (meg)puhul; (le)halkít, (le)tompít

software szoftver

soggy nedves, át/felázott, nyirkos

soil ▼ *fn* talaj, föld ▼ *ige* (be)szennyez, bepiszkol

soiled piszkos, szennyes, (be)szennyezett

solar *csill* nap-; ~ **eclipse** napfogyatkozás

sold → **sell**

solder (meg)forraszt

soldier katona

sole[1] *mn* egyetlen, egyedüli

sole[2] *fn* talp, cipőtalp

sole[3] *fn* nyelvhal

solemn ünnepélyes, fennkölt

solemnity ünnepélyesség

sol-fa ▼ *fn zene* szolfézs, szolmizálás ▼ *ige* szolmizál

solicit (*sy for sg/sg from sy*) folyamodik (vkihez vmiért)

solicitor ügyvéd

solid szilárd; tömör

solidarity szolidaritás, összetartás

solidify megszilárdít, megszilárdul

solitary magányos, elhagyatott; ~ **confinement** magánzárka

solo ▼ *mn* szóló, egyes ▼ *fn* szóló ▼ *hsz* szólóban, egyedül

soloist szólista

soluble (fel)oldható *[anyag]*; megoldható *[kérdés]*

solution megoldás, megfejtés; (fel)oldás, oldat

solve megold

solvency fizetőképesség

solvent ▼ *mn* fizetőképes ▼ *fn* oldószer

some ▼ *mn* néhány, valamennyi; ~ **Mr Smith** egy bizonyos/valamilyen Kovács úr ▼ *hsz* körülbelül, mintegy

somebody valaki

somehow valahogy(an)

someone valaki

somersault bukfenc, (előre)szaltó

something valami

sometime valamikor, egykor

sometimes néha

somewhat némileg

somewhere valahol, valahová

son (vkinek) a fia, fiú(gyermek)

song dal, ének

son-in-law *(tsz* sons-in-law) vő

sonnet szonett

soon hamarosan, nemsokára, gyorsan, korán; **as ~ as possible** *(röv* a.s.a.p.) amint lehet; ~**er or later** előbb vagy utóbb

soot ▼ *fn* korom ▼ *ige* (be)kormoz

soothe megnyugtat, (le)csillapít

sophisticated kifinomult, finom; bonyolult *[műszer, módszer]*, fejlett

soprano szoprán (hang/énekes)

sorcerer varázsló

sore fájó, fájdalmas, (be)gyulladt; **have° a ~ throat** fáj a torka

sorrow ▼ fn bánat, szomorúság **▼** ige (over sy/sg) bánkódik, búsul (vki/vmi miatt)

sorrowful bánatos, szomorú, bús

sorry sajnálkozó, szomorú; **(I am) ~!** bocsánat!, elnézést!, sajnálom!; **be°/feel° ~** (for sy/sg) sajnál (vkit/vmit)

sort ▼ fn faj(ta), féle **▼** ige kiválogat, osztályoz; **~ out** kiválogat, elintéz, rendbe hoz

SOS röv [save our souls] S. O. S., segélykérő jelzés

so-so ▼ mn biz olyan amilyen, nem túl jó **▼** hsz úgy ahogy, nem túl jól

sought → seek

soul lélek; soul-zene

soulful érzelmes, érzelgős; lélekkel teli, lelkes

sound¹ mn ép, egészséges, sértetlen; teljes, alapos

sound² ▼ fn hang, zaj, hangzás; **~ barrier** hanghatár; **break° the ~ barrier** eléri a hangsebességet **▼** ige megszólaltat; hangoztat, kimond; hangzik

soundproof ▼ mn hangszigetelt **▼** ige hangszigetel

soundtrack filmzene; hangsáv [filmen]

soup leves

sour savanyú; **~ cream** tejföl

source forrás, eredet

south ▼ mn déli; **S~ Africa** Dél-Afrika; **S~ America** Dél-Amerika; **S~ Pole** Déli-sark **▼** fn dél [égtáj] **▼** hsz délre, dél felé

southeast ▼ mn délkele-

ti ▼ *fn* délkelet ▼ *hsz*
délkeletre, délkelet fe-
lé

southern déli

southwest ▼ *mn* délnyu-
gati ▼ *fn* délnyugat ▼
hsz délnyugatra, délnyu-
gat felé

souvenir szuvenír, em-
léktárgy

sovereign ▼ *mn* legfelső,
legfőbb; szuverén, füg-
getlen ▼ *fn* uralkodó,
fejedelem

sovereignty szuvereni-
tás; felségjog

sow[1] *fn* koca

sow[2] *ige* (sowed, sown/
sowed) (magot el)vet,
bevet *[földet]*

sown → **sow**[2]

soya szója(bab)

spa gyógyfürdő

space tér, hely, férőhely;
(világ)űr; szóköz, hely-
köz *[nyomtatott szöveg-
ben];* ~ **capsule** űr-
kabin

spaceman (*tsz* -men) űr-
hajós

spaceship űrhajó

spacesuit űrruha

spacing elosztás *[tér-
ben];* távolság; (betű/
sor/szó)köz

spacious tágas

spade[1] ásó

spade[2] pikk *[kártyaszín]*

Spain Spanyolország

span ▼ *fn* arasz *[22,86
cm];* fesztáv(olság);
(average) life ~ átlag-
életkor ▼ *ige* áthidal

Spaniard spanyol *[em-
ber]*

spaniel spániel

Spanish ▼ *mn* spanyol ▼
fn esz/tsz spanyol *[em-
ber, nyelv]*

spank elfenekel, tenyér-
rel rácsap

spanner villáskulcs, csa-
varkulcs

spare ▼ *mn* tartalék,
pót-; felesleges; ~ **part**
(pót)alkatrész; ~ **time**

szabadidő ▼ *ige* megtakarít, (meg)kímél; nélkülözni tud

spark ▼ *fn* szikra ▼ *ige* gyújt *[motort],* felgyújt *[képzeletet]*

sparkle szikrázik; habzik *[ital]*

sparkler csillagszóró

sparkling szikrázó, ragyogó; pezsgő, habzó *[ital]*

sparrow veréb

sparse ritka, gyér

Spartan spártai, egyszerű

spasm görcs(ös összehúzódás)

spat → spit

spatial térbeli

speak (spoke, spoken) beszél, (ki)mond; beszédet mond/tart; szól, megszólal; ~ up hangosabban beszél, felemeli a hangját

speaker szónok; hangszóró

spear dárda, lándzsa, szigony

special speciális, különleges; **nothing** ~ semmi különös

specialist specialista, szakember, szakorvos

speciality specialitás, különlegesség, sajátosság

specialise (*in sg*) szakosodik (vmire)

specially különlegesen, különösen

species *esz/tsz biol* faj

specific sajátságos, jellegzetes, különleges; specifikus, (meg)határozott

specifically jellegzetesen, különösen, kifejezetten

specification részletezés, részletes leírás

specify részletez, megszab, pontosan meghatároz

specimen példány, minta(darab)

speck petty, folt; (homok/por)szem

speckled pettyes

spectacle látvány(osság), látnivaló

spectacles *tsz* szemüveg

spectacular látványos

spectator néző, szemlélő; **~s** nézőközönség

speculate tűnődik, töpreng, spekulál

speculation tűnődés, feltevés, spekuláció

sped → **speed**

speech beszéd; **~ therapy** logopédia, beszédterápia

speechless szótlan, elnémult, néma

speed ▼ *fn* sebesség; sebesség(fokozat) *[járműé]*; **~ limit** sebességkorlátozás, megengedett (legnagyobb) sebesség ▼ *ige* (sped/speeded, sped/speeded) (fel)gyorsít, (fel)gyorsul; gyorsan hajt,

száguld; **~ up** felgyorsít, felgyorsul

speeding gyorshajtás

speedometer kilométeróra, sebességmérő

speedy gyors, sebes

spell[1] *fn* bűvölet, varázslat

spell[2] *fn* idő(szak); **a hot ~** forróság, forró időszak *[nyáron]*

spell[3] *ige* (spelt/spelled, spelt/spelled) (le)betűz; **how do you ~ it?** hogy írják (helyesen)?

spellbound megbabonázott, megigézett, elbűvölt

spelling helyesírás

spelt → **spell**[3]

spend (spent, spent) (el)költ; (el)tölt *[időt]*

spendthrift költekező, pazarló

spent → **spend**

sphere gömb, golyó; *átv* (működési) kör, (érdek)szféra

spheric(al) gömb alakú, gömbölyű

spice ▼ *fn* fűszer ▼ *ige* (meg)fűszerez

spicy fűszeres, *átv is* pikáns

spider pók

spike hegyes vasrúd *[kerítésen];* stopli *[sportcipőn]*

spill ▼ *fn* kilöttyintés, kiöntés ▼ *ige* (spilt/ spilled, spilt/spilled) kilöttyint, kilöttyen

spilt → **spill**

spin ▼ *fn* forgás, pörgés ▼ *ige* (spun, spun) (meg)forgat, (meg)pörget, forog, pörög; fon; sző

spinach spenót, paraj

spinal *orv* gerinc-

spine gerinc

spineless *átv is* gerinctelen

spinster hajadon, *biz* vénlány

spiral ▼ *mn* spirális; ~

staircase csigalépcső ▼ *fn* spirál, csigavonal

spire (csúcsos) templomtorony

spirit szellem, lélek; kedv; tömény (szeszes) ital; **high** ~**s** *tsz* jókedv; ~**s** röviditalok

spiritual szellemi, lelki

spit[1] ▼ *fn* köpés ▼ *ige* (spat/*US* spit, spat/*US* spit) köp, köpköd

spit[2] *fn* nyárs *[sütéshez]*

spite rosszindulat, rosszakarat; **in** ~ **of sg** (vmi) ellenére

spiteful rosszindulatú

splash ▼ *fn* lubickolás, loccsanás; folt, paca ▼ *ige* be/lefröcsköl; (fel/ ki)fröccsen; pancsol *[vízben]*

spleen *orv* lép

splendid nagyszerű, ragyogó

splint *orv* sín, rögzítőkötés

splinter szilánk *[fáé,*

csonté], szálka, repesz
[bombáé]

split ▼ *mn* meg/szétosztott, (szét)hasított ▼ *fn* (szét)hasadás, (fel/szét)hasítás; (párt)szakadás; hasíték, hasadék, rés ▼ *ige* (split, split) (fel/szét)hasít/repeszt, (fel/szét)hasad/reped; ~ **up** felbomlik, szétválik [*pár*], szétdarabol

splitting hasogató [*fejfájás*]

spoil (spoilt/spoiled, spoilt/spoiled) elront, elkényeztet, elkapat

spoils *tsz* zsákmány

spoilsport *biz* ünneprontó

spoilt → **spoil**

spoke¹ *fn* küllő

spoke² *ige* → **speak**

spoken ▼ *mn* beszélt [*nyelv*], (ki)mondott ▼ *ige* → **speak**

spokesman (*tsz* -men) szóvivő

spokesperson szóvivő

spokeswoman (*tsz* -women) szóvivő [*nő*]

sponge ▼ *fn* szivacs ▼ *ige* szivaccsal letöröl/felitat

spongy szivacsos

sponsor ▼ *fn* szponzor, támogató ▼ *ige* szponzorál, támogat

sponsorship támogatás, szponzorálás

spontaneity spontaneitás, spontán jelleg

spontaneous spontán

spooky kísérteties

spool orsó

spoon ▼ *fn* kanál ▼ *ige* kanalaz

spoon-feed kanállal etet

spoonful kanálnyi

sporadic szórványos

sport sport, sportág

sports; ~ **car** sportautó, sportkocsi; ~ **jacket** sportzakó

sportsman (*tsz* -men) sportember, sportoló

sportswoman (*tsz* -women) sportolónő

spot ▼ *fn* hely, helyszín; pattanás, kiütés, folt; ~ **check** szúrópróba(szerű ellenőrzés) ▼ *ige* bepiszkol, beszennyez; *biz* észrevesz, kiszúr (vkit)

spotless makulátlan, ragyogóan tiszta

spotlight reflektor, fényszóró, reflektorfény

spotted pettyes, foltos

spotty pattanásos

sprain ▼ *fn* ficam, rándulás *[ízületé]* ▼ *ige* kificamít, megrándít

sprang → spring

sprawl ▼ *fn* (el)terpeszkedés ▼ *ige* (szét)terpeszt *[lábat];* (el)terpeszkedik

spray ▼ *fn* permet, spray ▼ *ige* befúj, (be)permetez; befúj *[autót],* dukkóz

spread ▼ *fn* (el)terjedés, (el)terjesztés; kiterjedés; szendvicskrém ▼ *ige* (spread, spread) (el)terjeszt, (el)terjed, (szét)szóródik; kitár *[kart, szárnyat],* kiterít *[terítőt, térképet];* (with sg) (meg)ken *[kenyeret]* (vmivel)

spreadsheet táblázat, *inform* táblázatkezelő program

spring ▼ *fn* tavasz; ugrás; rugó; forrás ▼ *ige* (sprang, sprung) (fel)ugrik; ered, fakad, kinő *[növény];* ~ **up** felpattan *[ültéből]*

springy ruganyos, rugós; rugózott

sprinkle ▼ *fn* (of sg) egy kevés/kicsi (vmiből) ▼ *ige* (meg)hint *[fűszerrel];* (sy/sg with sg) (meg)locsol (vkit/vmit vmivel)

sprinkler locsoló, öntözőgép

sprint ▼ *fn* vágta, *sp* rövidtávfutás ▼ *ige* sprintel, vágtázik, vágtat

sprout ▼ *fn* bimbó, csíra;

brussels ~ kelbimbó ▼ *ige* bimbózik, kicsírázik

sprung → **spring**

spun ▼ *mn* fonott ▼ *ige* → **spin**

spur ▼ *fn* sarkantyú; **on the** ~ **of the moment** a pillanat hevében ▼ *ige* (meg)sarkantyúz, ösztönöz

spurious hamis, ál-

spy ▼ *fn* kém ▼ *ige* (*on sy/sg*) kémkedik (vki/vmi után)

squander (el)pazarol, (el)herdál

square ▼ *mn* négyzet alakú, négyzet-; kiadós *[étel]*; tisztességes, egyenes; ~ **metre** négyzetméter ▼ *fn* négyzet; tér *[négyszög alakú]*; négyzet *[hatvány]* ▼ *hsz* tisztességesen, egyenesen

squash ▼ *fn* tolakodás, tumultus; gyümölcslé, szörp; *sp* fallabda ▼ *ige* kásává/péppé zúz; öszszenyom(ódik), péppé zúz(ódik); tolakodik, furakodik

squat ▼ *mn* tömzsi, zömök ▼ *ige* (le)guggol

squeak ▼ *fn* nyikorgás, nyüszítés, cincogás ▼ *ige* nyikorog, nyüszít, cincog

squeaky nyikorgó, nyüszítő, cincogó

squeal ▼ *fn* visítás ▼ *ige* visít

squeamish émelygős; **feel°** ~ hányingere van

squeeze ▼ *fn* összenyomás; (kifacsart) gyümölcslé ▼ *ige* (össze)nyom, (össze)présel; (ki)facsar *[gyümölcs levét]*; (*sg out of sy*) kicsikar (vkiből vmit); furakodik

squint ▼ *mn* kancsal ▼ *fn* kancsalság ▼ *ige* kancsalít

squire földesúr, földbirtokos

squirrel mókus

stab ▼ *fn* szúrás, döfés ▼

ige (meg/le)szúr, (meg)-
döf

stabilise stabilizál, meg-
szilárdít

stable¹ *mn* stabil, szilárd

stable² *fn* (ló)istálló

stack ▼ *fn* kazal, rakás ▼
ige kazalba rak

stadium stadion

staff személyzet

stag szarvas(bika)

stage ▼ *fn* színpad, emel-
vény; szakasz, fokozat,
stádium ▼ *ige* színpadra
állít *[darabot]*

stagger ▼ *fn* imbolygás,
tántorgás ▼ *ige* imbo-
lyog, tántorog

staggering imbolygó, tán-
torgó; *biz* megdöbben-
tő, elképesztő

stagnate stagnál, pang, áll

stain ▼ *fn* folt; ~ re-
mover folttisztító (szer)
▼ *ige* bepiszkol, *átv is*
foltot ejt

stained glass window
festett üvegablak

stainless steel rozsda-
mentes acél

stair lépcsőfok; ~s *tsz* lép-
cső

staircase lépcsőház

stairway lépcsőház

stake¹ ▼ *fn* karó, pózna
▼ *ige* kicövekel, karóz

stake² ▼ *fn* tét *[szeren-
csejátékban]* ▼ *ige*
(meg)tesz *[tétet]*

stale állott, áporodott *[le-
vegő]*, száraz *[kenyér]*

stalemate patt *[sakk-
ban]*, patthelyzet

stallion csődör

stalls *tsz* zsöllye *[szín-
házban]*

stamina állóképesség, ki-
tartás

stammer ▼ *fn* dadogás,
hebegés-habogás ▼ *ige*
dadog, hebeg-habog

stamp ▼ *fn* bélyeg; pe-
csét, bélyegző ▼ *ige* fel-
bélyegez; lepecsétel;
felülbélyegez; dobbant
[lábával]

stand ▼ *fn* állás, állvány; (el)árusítóhely ▼ *ige* (stood, stood) áll, fel/ megáll; (oda)állít; elvisel, (el)tűr; **can't ~** (*sy/ sg*) ki nem állhat (vkit/ vmit); **~ by** készenlétben áll; **~ down** visszalép

standard ▼ *mn* sztenderd, szabványos; **~ lamp** állólámpa; **~ of living** életszínvonal ▼ *fn* szabvány, minta

stand-by tartalék, segítség

stand-in helyettes, dublőr

standing álló, felállított; állandó

standpoint álláspont

standstill leállás, megállás

stank → **stink**

staple ▼ *fn* fémkapocs ▼ *ige* összekapcsol *[papírlapokat]*, összetűz

stapler tűzőgép

star ▼ *fn* csillag; *[film, pop stb.]* csillag, sztár; **S~s and Stripes** az amerikai lobogó ▼ *ige* főszerepet játszik; **~ring X. Y.** a főszerepben X. Y.

stardom sztárság, hírnév

stare ▼ *fn* bámulás ▼ *ige* (*at sy/sg*) bámul (vkire/ vmire)

starlet *[pl. film]* csillagocska, sztárjelölt

start ▼ *fn* (el)indulás, *sp* rajt, start, kezdés ▼ *ige* (el)kezd, (el/meg)kezdődik; (be/el)indít; (be/ el)indul

starter előétel; önindító *[motorban]*

startle fel/megriaszt; meghökkent, meglep

starvation éhezés, éhínség

starve éhezik, (ki)éheztet

state ▼ *fn* állam; állapot, helyzet ▼ *ige* állít, be/kijelent

stately fenséges, felséges, előkelő; ~ **home** (főúri) kastély *[Angliában]*

statement be/kijelentés, nyilatkozat, állítás, megállapítás; **bank** ~ számlakivonat

statesman (*tsz* -men) államférfi

static statikus, nyugvó; elektrosztatikus

station ▼ *fn* állomás, (rendőr)őrs; *vasút* megálló, pályaudvar; ~ **wagon** *US* kombi ▼ *ige* kat *[csapatokat]* állomásoztat

stationary álló, mozdulatlan

stationer papírkereskedő

stationery írószer, irodaszer, papíráru

statistic(al) statisztikai

statistics *esz* statisztika(tudomány); *tsz* statisztika(i adatok)

statue szobor

stature termet, alak

status státusz, helyzet, állapot; ~ **symbol** státusszimbólum

statute rendelet, törvény

stay ▼ *fn* tartózkodás, ottlét (vhol) ▼ *ige* (ott)marad, tartózkodik (vhol); megszáll *[szállodában stb.]*, lakik *[ideiglenesen]*

steadfast kitartó, állhatatos

steadily szilárdan, kitartóan; állandóan, egyenletesen

steady szilárd, biztos; állhatatos, kitartó; egyenletes, állandó

steak bifsztek, marhapecsenye, (hús)szelet

steal (stole, stolen) (el)lop

stealing lopás

stealthy titokban végrehajtott, titkos

steam ▼ *fn* gőz, pára; ~

engine gőzgép; gőz-
mozdony ▼ *ige* párol,
gőzöl; párolog, gőzölög
steamer pároló *[edény];*
biz gőzhajó
steamroller úthenger,
gőzhenger
steamship gőzhajó
steel acél
steep meredek; *biz* igen/
túl magas, csillagászati
[árak]
steer ▼ *fn US* kormány-
zás, irányítás ▼ *ige* kor-
mányoz, irányít
steering kormányzás, irá-
nyítás; **power** ~ szervo-
kormány; ~ **wheel**
kormány(kerék)
stem ▼ *fn* törzs *[fáé],* szár;
talp *[poháré]; nyelv* szó-
tő ▼ *ige* (*from swhere*)
ered, származik (vhon-
nan)
stencil stencillel sokszo-
rosít, stencilez
step ▼ *fn* lépés; lép-
cső(fok), lépcsősor; ~

by ~ lépésről lépésre,
fokozatosan ▼ *ige* lép,
lépked, lépdel; ~ **up**
fokoz, növel
stepbrother mostohafi-
vér
stepchild (*tsz* -children)
mostohagyermek
stepdaughter mostoha-
leány
stepfather mostohaapa
stepladder kis állólétra
stepmother mostohaanya
stepping stone *átv* ugró-
deszka *[jobb álláshoz]*
stepsister mostohanővér
stepson mostohafiú
stereo ▼ *mn* sztereó ▼ *fn*
hifi-berendezés/torony
stereotype sztereotípia
sterile steril, fertőtlení-
tett; meddő, terméket-
len *[föld, ember]*
sterling sterling
stern[1] *mn* komoly
stern[2] *fn hajó* tat
stew ▼ *fn* ragu, pörkölt,
párolt étel ▼ *ige* pá-

rol(ódik), (lassú tűzön)
fő(z)

steward hajópincér, (légi)
utaskísérő *[férfi];* rende-
ző *[ünnepségé]*

stewardess (légi) utaskí-
sérő *[nő]*

stick ▼ *fn* bot, (séta)-
pálca, gyeplabdaütő,
nyél ▼ *ige* (stuck, stuck)
döf, szúr; (rá/oda)ra-
gaszt, (rá/oda)ragad; el/
megakad, beszorul; **be°/
get° stuck** beszorul, el-
akad; **~ out** kiáll *[felület-
ből];* **~ to** ragaszkodik,
tartja magát (vmihez)

sticker matrica, öntapa-
dós címke

sticking plaster sebta-
pasz

sticky ragadós, nyúlós;
izzadt

stiff merev, kemény; fá-
rasztó, nehéz *[munka]*

stiffen (meg)merevít,
(meg)keményít, meg-
merevedik

still ▼ *mn* nyugodt, moz-
dulatlan; **~ life** csend-
élet ▼ *fn* nyugalom; ál-
lókép ▼ *hsz* még (min-
dig); csendesen, moz-
dulatlanul ▼ *ksz* mind-
azonáltal, ennek elle-
nére, mégis

stimulate stimulál, ser-
kent, ösztönöz

stimuli → stimulus

stimulus *(tsz* stimuli) in-
ger, ösztönzés

sting ▼ *fn* csípés *[rova-
ré],* szúrás; fullánk ▼ *ige*
(stung, stung) (meg)csíp
[rovar], (meg)szúr; ég,
csíp, szúr *[seb, fájda-
lom]*

stingy zsugori, fösvény,
smucig

stink ▼ *fn* bűz ▼ *ige*
(stank/stunk, stunk)
(vmi) büdös; *(of sg)*
bűzlik (vmitől)

stinking büdös, bűzös

stir ▼ *fn* (meg)keverés,
(fel)kavarás; kavaro-

dás, sürgölődés, izgalom ▼ *ige* (meg)kever(get); *átv* felkavar; ~ **up** *átv is* felkavar, (fel)szít

stitch ▼ *fn* öltés, szem *[kötésben]* ▼ *ige* (össze)ölt *[pl. sebet]*, összevarr

stock ▼ *fn* raktár, készlet, (állat)állomány; *gazd* részvény, értékpapír; ~ **exchange** értéktőzsde; ~ **market** értéktőzsde, értékpapírpiac ▼ *ige* raktároz, raktáron tart

stockbroker bróker, tőzsdeügynök

stocking harisnya, térdzokni

stockpile tartalékol, felhalmoz

stocktaking leltárfelvétel, leltár(ozás)

stole → **steal**

stolen → **steal**

stomach ▼ *fn* gyomor, *biz* has ▼ *ige átv is* megemészt, lenyel, eltűr

stone kő; mag *[csonthéjasé]*

stone-deaf teljesen süket

stoneware kőedény

stony köves; kőkemény

stood → **stand**

stool (támlátlan) szék, zsámoly

stoop lehajol, előrehajol

stop ▼ *fn* megállás, megálló(hely) ▼ *ige* megállít, megáll; abbahagy, megszüntet, megszűnik

stopover útmegszakítás

stoppage fennakadás, leállás

stopper dugó, dugasz

stopwatch stopper(óra)

storage tárolás, (el)raktározás; *inform* tár

store ▼ *fn* raktár; készlet; áruház, *US* bolt, üzlet ▼ *ige* (el)raktároz, tárol

storeroom raktár(helyiség)

storey szint, emelet

stork gólya

storm ▼ *fn* vihar; *kat, orv* roham ▼ *ige* megrohamoz

stormy *átv is* viharos

story történet, elbeszélés, mese

storybook mesekönyv

stout ▼ *mn* tömzsi, testes ▼ *fn* (erős) barna sör

stove kályha, tűzhely, kemence

stow megpakol, megrak *[rakománnyal]*

stowaway potyautas

straddle lovaglóülésben ül (vmin), terpeszállásban áll

straight ▼ *mn* egyenes (irányú); becsületes, őszinte ▼ *hsz* egyenesen, közvetlenül; őszintén, nyíltan; *US* tisztán *[hígítás nélkül]*

straighten kiegyenesít, kiegyenesedik; helyrehoz, rendbe rak, rendbe jön

straightforward őszinte, egyenes; egyértelmű

strain ▼ *fn* megerőltetés, erőfeszítés, igénybevétel; *orv* húzódás ▼ *ige* (meg)erőltet; meghúz *[ínt, izmot]*

strained feszült, erőltetett, meghúzódott *[ín, izom]*

strait (tenger)szoros

strand megfeneklik, zátonyra fut; **be°** **~ed** ottragad (vhol)

strange fur(cs)a, különös; idegen, ismeretlen

stranger külföldi, idegen *[ember]*

strangle megfojt, fojtogat

strap ▼ *fn* pánt *[ruhán]*, szíj, heveder ▼ *ige* be/összeszíjaz

strata → **stratum**

strategic stratégiai, hadászati

strategy stratégia, hadászat

stratum (*tsz* strata) réteg
straw szalma; szívószál
strawberry (földi) eper
stray kóbor, elkóborolt
streak sáv, csík, (fény)sugár
stream ▼ *fn* ér, patak; özön(lés), ár(adat), áramlás ▼ *ige* ömlik, folyik, áramlik
streamer lobogó; szerpentin *[papírszalag]*
streamlined áramvonalas, modern
street utca, út
strength erő
strengthen megerősít, megerősödik
strenuous kimerítő, fárasztó
stress ▼ *fn* stressz, feszültség; *nyelv* hangsúly ▼ *ige átv is* hangsúlyoz
stressful stresszes
stretch ▼ *fn* nyúlás, nyújtózkodás, rugalmasság ▼ *ige* (ki)nyújt, nyúlik; (ki)feszít, kifeszül

stretcher hordágy
strict szigorú
strictly szigorúan, pontosan; ~ **speaking** szigorúan véve
stride nagy lépés
strife harc, küzdelem
strike ▼ *fn* sztrájk; csapás, ütés; **go° on** ~ sztrájkba lép ▼ *ige* (struck, struck) (meg)üt; nekiütközik, nekiütődik, be/lecsap; üt *[óra]*; ~ **back** visszavág; ~ **down** lesújt, leüt
striker sztrájkoló; csatár *[futballban]*
striking feltűnő, meglepő
string kötél, madzag, zsinór; húr; (gyöngy)sor; *inform* jelsorozat; ~ **bean** zöldbab; ~**s** vonósok, vonós hangszerek
stringent szigorú, kemény, szoros *[költségvetés]*
strip ▼ *fn* sáv, csík, szalag; sztriptíz; (le)vetkő-

zés; ~ **cartoon** (vidám) képregény *[újság hátoldalán]* ▼ *ige* levetkőztet, levetkőzik; lehámoz, lehánt; *(sy/sg of sg)* megfoszt (vkit/vmit vmitől)

stripe ▼ *fn* csík, sáv, szalag ▼ *ige* csíkoz

striped csíkos

strive (strove, striven) *(for/after sg)* törekszik (vmire); *(against/with sg)* küzd (vmi ellen)

striven → **strive**

stroke ▼ *fn* csapás, ütés, (evező/kar)csapás; simogatás, simítás; (toll)vonás; *orv* agyvérzés, szélütés ▼ *ige* simogat, végigsimít

stroll ▼ *fn* séta ▼ *ige* sétál

strong erős, erőteljes *[kifejezés]*

stronghold erőd

strongroom páncélterem

strove → **strive**

struck → **strike**

structural strukturális, szerkezeti, szervezeti

structure struktúra, szerkezet, szervezet

struggle ▼ *fn* küzdelem, harc ▼ *ige* küzd, harcol

stubble tarló; *biz* borosta

stubborn csökönyös, makacs, konok

stuck ▼ *mn* beragadt, megakadt ▼ *ige* → **stick**

student diák, tanuló

studio stúdió, műterem

studious igyekvő, szorgalmas

study ▼ *fn* tanulás; tanulmány; dolgozószoba ▼ *ige* tanul (vmit), tanulmányoz

stuff ▼ *fn* dolog, anyag, *biz* cucc ▼ *ige* (ki/meg)töm, *gaszt is* (meg)tölt

stuffy dohos, levegőtlen, áporodott

stumble megbotlik; *átv* belebotlik

stun elkábít; *biz* megdöbbent, meglep

stung → sting

stunk → stink

stunning *biz* elképesztő, meglepő

stunt *biz* kaszkadőrmutatvány, kunszt

stupid buta, hülye, ostoba

stupidity butaság, hülyeség, ostobaság

sturdy erős, tartós, strapabíró

stutter dadog

sty *átv is* disznóól

style stílus, mód

stylish divatos

stylist fodrász; divattervező

stylistic stilisztikai, fogalmazási

subconscious tudat alatti

subdivide alcsoportokra oszt/oszlik

subdue leigáz; (le)tompít *[fényt]*

subject ▼ *mn* (*to sg*) kitett, alávetett (vminek), (vmi) alá eső ▼ *fn* téma, tárgy; tantárgy; ál-

lampolgár, alattvaló; *nyelv* alany; ~ **matter** tárgy, téma ▼ *ige* (*sy/sg to sg*) kitesz, alávet (vkit/vmit vminek)

subjective szubjektív

subjunctive *nyelv* kötőmód

sublime magasztos, fenséges

submarine tengeralattjáró

submerge (alá/le)merít, (alá/le)merül; *átv is* eláraszt

submission engedelmesség, behódolás; beadvány, benyújtás

submissive engedelmes, alázatos

submit benyújt, bead, előterjeszt; engedelmeskedik, behódol

subordinate ▼ *mn, fn* alárendelt ▼ *ige* alárendel

subpoena *jog* megidéz *[tanút]*

subscribe aláír *[nevet];* (*to sg*) előfizet (vmire)

subscription aláírás; előfizetés, feliratkozás *[listára]*

subsequent (rá)következő, azutáni

subsequently később, azután

subsidiary kisegítő, tartalék-, segéd-, pót-

subsidise pénzel, (pénzzel) támogat, dotál

subsidy segély, (anyagi) támogatás

substance anyag; lényeg

substantial anyagi; alapvető, lényeges; laktató, kiadós *[étel]*

substantiate igazol, (be)bizonyít

substitute ▼ *fn* helyettes; pótlék, pótszer; *sp* cserejátékos ▼ *ige* helyettesít

substitution helyettesítés, *sp* csere

subterranean föld alatti, *átv* titkos

subtitle felirat *[filmen];* alcím *[könyvé, filmé]*

subtle finom, nüansznyi

subtlety finomság, apró különbség

subtly finoman

subtract kivon *[számot],* levon

subtraction kivonás *[számé],* levonás

suburb külváros, előváros

suburban külvárosi, elővárosi

suburbia külvárosi/elővárosi övezet

subway (gyalogos) aluljáró; *US* metró, földalatti (vasút)

succeed (*in doing sg*) sikerül (vmit megtenni); örökébe lép (vkinek)

succeeding következő, egymást követő

success siker

successful sikeres

succession sorrend, egymásutániság; utódlás, öröklés

successive egymást követő

successor (trón)örökös

succinct rövid, tömör

succulent lédús *[gyümölcs]*, szaftos *[hús]*

succumb (*to sg*) enged (vminek)

such ilyen(fajta), olyan(fajta)

suck ▼ *fn* (ki)szívás, szop(ogat)ás ▼ *ige* (ki)szív, szop(ik)

suction szívás, szívóhatás

sudden hirtelen, gyors

suddenly hirtelen

sue *jog* (be)perel, pereskedik

suffer (*from sg*) szenved (vmitől), elvisel (vmit)

suffering szenvedés

sufficient elég(séges), elegendő

sufficiently eléggé, megfelelő mértékben

suffocate megfojt, megfullad

suffocation megfojtás, (meg)fulladás

sugar cukor; *biz* drágám, aranyom; ~ **beet** cukorrépa; ~ **cane** cukornád

sugary *átv is* édes(kés), cukrozott

suggest javasol, ajánl, tanácsol; utal (vmire)

suggestion javaslat, ajánlat, indítvány

suggestive ösztönző, stimuláló; (*to sg*) utaló (vmire)

suicidal öngyilkosságra hajló

suicide öngyilkosság

suit ▼ *fn* öltöny, kosztüm; (kártya)szín; *jog* per ▼ *ige* (*sy*) megfelel (vkinek), alkalmas; (*sy*) jól áll (vkinek) *[ruha]*

suitability alkalmasság

suitable (*for sg*) megfelelő, alkalmas (vmire)

suitably megfelelően, alkalomhoz illően

suitcase bőrönd

suite (bútor)garnitúra; lakosztály *[szállodában]*; zene szvit

suitor kérő *[házassághoz]*

sulky mogorva, morcos, duzzogó

sullen morcos, mogorva, komor

sulphur kén

sultana mazsola

sultry fülledt, rekkenő *[meleg]*, tikkasztó

sum ▼ *fn* összeg, összegzés ▼ *ige* összead *[számokat]*, összefoglal *[lényeget]*

summarise összegez, öszszefoglal *[lényeget]*

summary összefoglalás, áttekintés

summer nyár; ~ house nyaraló, nyári lak

summertime nyár(idő)

summit (hegy)csúcs, orom; csúcspont

summon *jog* beidéz, magához hívat

summons *jog* (be)idézés *[okmány]*

sun nap *[égitest]*, napfény

sunbathe napozik, napoztat

sunbeam napsugár

sunburn lesülés, leégés *[bőré]*

sunburnt lesült, leégett *[a napon]*

Sunday vasárnap

sundial napóra

sundry ▼ *mn* különféle, különböző ▼ *fn* **sundries** egyéb/vegyes tételek *[listán]*

sunflower napraforgó

sung → **sing**

sunglasses *tsz* napszemüveg

sunk → **sink**

sunlight napfény

sunlit napsütötte, napfényes

sunny napos, napfényes; vidám, derűs

sunrise napkelte
sunset napnyugta
sunshade napernyő *[asztal fölött];* napellenző *[autóban]*
sunshine napsütés, napfény
sunstroke napszúrás
suntan lesülés, barnaság *[naptól];* ~ **oil** napolaj
super ▼ *mn* szuper, klassz ▼ *isz* szuper!, klassz!
superb remek, nagyszerű
superbly nagyszerűen
superfluous felesleges
superhuman emberfeletti
superintendent (fő)felügyelő
superior ▼ *mn* jobb, felsőbb(rendű) ▼ *fn* felettes
superiority felsőbb(rendű)ség, fölény
superlative *nyelv* felsőfok *[mn-é, hsz-é]*
superman *(tsz* -men) felsőbbrendű ember

supermarket ABC, élelmiszerüzlet
supernatural természetfeletti
superpower szuperhatalom, nagyhatalom
supersede pótol, helyettesít; meghalad
supersonic szuperszonikus, hangsebesség feletti
superstition babona
superstitious babonás
supervise felügyel, irányít
supervision felügyelet, irányítás
supervisor felügyelő, ellenőr
supper vacsora
supple *átv is* rugalmas, hajlékony
supplement kiegészítés, pótlás; melléklet *[újságé],* függelék *[könyvé]*
supplementary pót-, kiegészítő
supplier szállító

supply ▼ *fn* ellátás; **supplies** *tsz* ellátmány, utánpótlás; *gazd* kínálat ▼ *ige* (*with sg*) ellát (vmivel), biztosít (vmit); (le)szállít, szolgáltat *[pl. közműveket]*

support ▼ *fn* támogatás, segítség; támasz ▼ *ige* támogat; alátámaszt; szurkol *[csapatnak];* eltart *[családot],* fenntart

suppose feltételez, feltesz; hisz, képzel, gondol

supposed feltételezett, állítólagos; **we were ~ to meet here** itt kellett volna találkoznunk

supposing feltéve, hogy

supposition feltételezés, feltevés

suppress lever *[felkelést],* elnyom, elfojt

suppression elnyomás, elfojtás

supremacy felső(bb)rendűség, fölény

supreme legfőbb, legfelső(bb); **~ court** legfelsőbb bíróság

surcharge túlterhelés; pótdíj

sure biztos, bizonyos

surely bizonyára, biztosan, hogyne

surf szörfözik

surface ▼ *fn* felszín, felület ▼ *ige* felszínre bukkan

surfboard szörfdeszka

surfing szörfözés, hullámlovaglás

surge ▼ *fn átv is* nagy hullám, (hirtelen) felerősödés; *átv* roham ▼ *ige* felerősödik, nekilódul, özönlik

surgeon sebész

surgery sebészet; műtét; rendelő, műtő

surgical sebész(et)i

surly mogorva, zsémbes, goromba

surname vezetéknév

surpass túlszárnyal, meghalad, felülmúl

surplus felesleg, többlet

surprise ▼ *fn* meglepetés, elképedés ▼ *ige* meglep (vkit)

surprisingly meglepő módon

surrealist szürrealista

surrender ▼ *fn* megadás *[háborúban],* fegyverletétel ▼ *ige* megadja magát

surrogate helyettes, pót-; ~ **mother** béranya

surround körülvesz, körülfog, bekerít

surrounding ▼ *mn* környező, körülvevő ▼ *fn* ~s *tsz* környék, környezet

surveillance őrizet, felügyelet, (meg)figyelés

survey ▼ *fn* közvéleménykutatás; vizsgálat, áttekintés; földmérés ▼ *ige* felmér, megvizsgál, áttekint

surveyor földmérő

survival túlélés

survive túlél, életben marad (vki), megmarad (vmi)

survivor túlélő

susceptible (*to sg*) fogékony, érzékeny (vmire)

suspect ▼ *fn* gyanúsított (személy) ▼ *ige* (*of sg*) gyanúsít (vmivel), gyanít (vmit)

suspend felfüggeszt, félbeszakít

suspenders *tsz* harisnyatartó, *US* nadrágtartó

suspense (izgatott) várakozás, feszültség

suspension felfüggesztés

suspicion gyanakvás, gyanú

suspicious gyanús; gyanakvó

suspiciously gyanúsan; gyanakodva, gyanakvóan

sustain (fenn)tart; (el)tűr, (el)szenved

sustainable fenntartható; kibírható, elviselhető

swagger henceg, dicsekszik, hetvenkedik

swallow[1] fn fecske

swallow[2] ▼ fn falat, korty ▼ ige (le)nyel (vmit)

swam → swim

swamp mocsár

swan hattyú

swap ▼ fn csere(ügylet), csere(bere) ▼ ige (for sg) (el)cserél (vmire)

swarm ▼ fn (méh)raj(zás), (nyüzsgő) sokaság, tömeg ▼ ige nyüzsög; (with sg) hemzseg (vmitől); rajzik

sway ▼ fn ring(atóz)ás, himbál(óz)ás, lengés ▼ ige ring(at), himbál(ózik), leng(et)

swear ▼ fn szitok, káromkodás ▼ ige (swore, sworn) (to sg) (meg)esküszik (vmire); szitkozódik, káromkodik

swearword káromkodás, szitok

sweat ▼ fn izzadság, veríték ▼ ige (meg)izzad, (meg)izzaszt

sweater (kötött) pulóver

sweatshirt (sport)pulóver

sweaty (át)izzadt, izzadó

Swede svéd [ember]

Sweden Svédország

Swedish ▼ mn svéd ▼ fn esz/tsz svéd [ember, nyelv]

sweep ▼ fn (fel/ki)söprés; átfésülés [területé]; kéményseprő ▼ ige (swept, swept) (ki/le-) söpör; végigsöpör, végigszáguld (vmin)

sweeping (ki/fel)seprő; elsöprő [lendület], sodró

sweet ▼ mn édes; kedves, aranyos; ~ corn csemege kukorica ▼ fn édesség, desszert

sweeten (meg)édesít

sweetheart kedves(e vkinek)

sweetly édesen, kedvesen

sweetness édesség
[vmié], édes íz; aranyosság, kedvesség

swell ▼ *fn* hullámzás ▼ *ige* (swelled, swollen/ swelled) (fel)duzzaszt; megdagad *[testrész]*; árad *[víz]*

swelling duzzanat *[testen]*, daganat, dudor

sweltering fullasztó *[meleg]*, tikkasztó

swept → sweep

swerve félrerántja a kormányt; csavarodik *[labda]*, megcsavar *[labdát]*

swift fürge, gyors, sebes

swill *átv is* moslék

swim ▼ *fn* úszás ▼ *ige* (swam, swum) úszik

swimmer úszó *[személy]*; úszó *[horgászáshoz]*

swimming ▼ *mn* úszó ▼ *fn* úszás; ~ **costume** fürdőruha; ~ **pool** uszoda; ~ **trunks** *tsz* fürdőnadrág

swimsuit fürdőruha

swindle ▼ *fn* csalás ▼ *ige* becsap (vkit), csal

swine disznó, sertés

swing ▼ *fn* (ki)lengés, lendület; hinta, hintázás; szving *[tánc]* ▼ *ige* lenget, (ki)leng; hintázik, hintáztat

swirl ▼ *fn* örvény(lés) ▼ *ige* örvénylik, kavarog

Swiss ▼ *mn* svájci ▼ *fn* esz/tsz svájci *[ember]*

switch ▼ *fn* kapcsoló; váltás, átállás (vmire) ▼ *ige* kapcsol; (át)vált, átáll (vmire); ~ **off** ki/lekapcsol, leolt; ~ **on** be/felkapcsol

switchboard telefonközpont, kapcsolótábla

Switzerland Svájc

swollen ▼ *mn* meg/feldagadt *[testrész]*, megduzzadt ▼ *ige* → swell

sword kard

swordfish kardhal

swore → swear

sworn ▼ *mn* esküdt, esküt tett ▼ *ige* → **swear**

swum → **swim**

swung → **swing**

sycamore szikomor(fa), hegyi jávor(fa)

syllable szótag

syllabus tanmenet, tanterv

symbol szimbólum, jel(kép)

symbolic(al) szimbolikus, jelképes

symbolise szimbolizál, jelképez

symmetric(al) szimmetrikus

symmetry szimmetria

sympathetic (*to sy*) együttérző (vkivel)

sympathise (*with sg*) együttérez (vkivel)

sympathiser szimpatizáns

sympathy együttérzés

symphony szimfónia

symptom tünet

synagogue zsinagóga

syndicate szindikátus, konzorcium

syndrome szindróma, tünetcsoport

synonym szinonima

synthesis szintézis, öszszegzés

synthetic ▼ *mn* összegző; *vegy* szintetikus ▼ *fn* műanyag

Syria Szíria

Syrian *mn, fn* szír(iai)

syringe fecskendő

syrup szirup, szörp

system rendszer

systematic(al) szisztematikus, módszeres, rendszeres

systematically szisztematikusan, módszeresen, rendszeresen

T

tab tabulátor
table asztal; táblázat; ~ tennis asztalitenisz, pingpong
tablecloth terítő
tablespoon evőkanál
tablet tabletta
tabloid bulvárlap
taboo tabu, tiltott dolog
tacit hallgatólagos
tackle (sg) megküzd *[feladattal]*; sp szerel
tact tapintat
tactful tapintatos
tactical taktikai; *kat* harcászati
tactics *esz* taktika; *kat* harcászat

tactless tapintatlan
tadpole ebihal
tag cédula, címke; *nyelv* ~ question „ugye"-utókérdés
tail farok; írás *[érmén]*
tailor ▼ *fn* szabó ▼ *ige* szab
taint (sg) beszennyez, foltot ejt (vmin)
take (took, taken) (el)vesz, megfog, megszerez, elragad (vmit); használ (vmit), -(o)zik/-(e)zik; (el)visz; él *[lehetőséggel]*; igényel *[kapacitást, időt]*; ~ a shower zuhanyozik
taken → take
take-off felszállás *[repülőgépé]*; paródia
takeover átvétel *[hatalomé]*
tale mese
talent tehetség
talk ▼ *fn* beszélgetés; (kis)előadás, beszéd; *pol* tárgyalás ▼ *ige* beszél(get)

talkative beszédes

tall magas

tambourine csörgődob

tame ▼ *mn* szelíd ▼ *ige* (meg)szelídít

tamper (*with sg*) megpiszkál, megbuherál (vmit)

tampon tampon

tan ▼ *fn* barnaság, (jó) szín *[bőré]* ▼ *ige* lebarnít *[bőrt]*

tangerine mandarin

tangible (meg/ki)tapintható, megfogható

tangle összegubancolódik

tank tartály; *kat* tank

tankard söröskorsó

tanker tartálykocsi; olajszállító hajó

tap¹ *fn* vízcsap

tap² *ige* (finoman) kocogtat, ütöget

tape ▼ *fn* szalag; ~ **recorder** magnó ▼ *ige* (magnó)szalagra rögzít

tapestry hímzett/szőtt mintás textília, falikárpit

tar aszfalt; kátrány

target ▼ *fn* cél ▼ *ige átv is* megcéloz, célba vesz

tariff díjszabás, tarifa; vám

tarmac aszfaltút

tarragon tárkony

tart gyümölcsös sütemény

tartan skót kockás minta/ruha

tartar fogkő

task feladat

taste ▼ *fn* íz; ízlés ▼ *ige* (meg)ízlel, kóstol; (vmilyen) ízű

tasteful ízléses

tasteless íztelen, ízetlen; ízléstelen

tasty jóízű, finom *[étel]*

tattoo ▼ *fn* tetoválás ▼ *ige* tetovál

taught → teach

Taurus Bika *[csillagkép]*

tax ▼ *fn* adó; ~ **evasion** adóelkerülés; ~ **return** adóbevallás ▼ *ige* megadóztat

taxation adózás

taxi taxi

tea tea; ~ **bag** teafilter; ~ **towel** konyharuha

teach (taught, taught) (meg)tanít

teacher tanár

teacup teáscsésze

team csapat

teapot teáskancsó

tear¹ *fn* könny(csepp); ~ **gas** könnygáz

tear² ▼ *fn* szakadás ▼ *ige* (tore, torn) (el/össze)tép

tease ugrat, cukkol

teaspoon kávéskanál

teat csecs; cucli *[cumisüvegen]*

technical műszaki; technikai

technicality részletkérdés

technician technikus

technique technika *[művészé, sportolóé]*

technological technikai

technology technika, technológia

tedious unalmas, fárasztó

teenage tizenéves

teeth → **tooth**

telegram távirat

telegraph távíró(készülék)

telepathy telepátia

telephone ▼ *fn* telefon ▼ *ige* telefonál

telescope teleszkóp

televise közvetít *[televízión]*

television televízió; ~ **set** tévékészülék

tell (told, told) (meg/el)mond; megkülönböztet *[egymástól]*

telling sokatmondó

temper kedély(állapot)

temperament vérmérséklet, temperamentum

temperamental temperamentumos; szeszélyes

temperate visszafogott; mérsékelt *[éghajlat]*

temperature hőmérséklet

tempest vihar

temple templom

tempt csábít, kísértésbe ejt

temptation kísértés

tempting csábító

ten tíz

tenant bérlő

tend; ~ to do (*sg*) jellemzően/általában tesz (vmit), az a tendencia, hogy…

tendency hajlam (vmire); tendencia

tender[1] *mn* lágy, puha; fiatal

tender[2] *fn gazd* ajánlat

tennis tenisz; ~ court teniszpálya

tenor tenor

tense[1] *mn* feszes; feszült *[légkör]*

tense[2] *fn* igeidő

tension feszültség *[szemben álló felek között]*

tent sátor

tentative előzetes, tervezett

tenth tizedik; tized

tenuous *átv* ingatag, gyenge lábakon álló *[érv]*

tenure *jog* birtoklás; *US* véglegesítés *[egyetemi oktatóé]*

term időtartam, időszak; (szak)kifejezés; *okt* félév/harmadév; ~s feltételek

terminal ▼ *mn* gyógyíthatatlan, végstádiumos *[beteg]* ▼ *fn* terminál *[repülőtéren]*; *inform* (számítógép-)terminál

terminate megszüntet, felbont *[szerződést]*; végállomáshoz ér *[jármű]*

terminology terminológia, szakkifejezések

terminus végállomás

terrace terasz

terraced house sorház

terrain terep, terület

terrestrial földi

terrible rettenetes

terribly rettenetesen, rettentően

terrific félelmetesen jó, eszméletlen(ül jó)

terrify megrémít

territorial területi

territory terület

terror rémület; terror

terrorise rettegésben tart

terrorism terrorizmus

terrorist terrorista

tertiary harmadlagos, harmadfokú

test ▼ *fn* vizsgálat, próba, teszt; ~ **tube** kémcső ▼ *ige* (ki)próbál, tesztel; *okt* vizsgáztat

testament bizonyság; végrendelet; *vall* **Old T~** Ószövetség; **New T~** Újszövetség

testify bizonyít; tanúvallomást tesz

testimony tanúvallomás

text szöveg

textbook tankönyv

textile szövet, textil

Thames Temze *[folyó]*

than mint *[hasonlításban]*

thank ▼ *fn* kösz(i)! ▼ *ige* megköszön; ~ **you!** köszönöm szépen!

thankful hálás

thankless hálátlan *[feladat]*

that ▼ *nm* (*tsz* those) az *[mutató nm]*; aki, amely *[vonatkozó nm]* ▼ *ksz* hogy

thatch zsúp(tető), nádfedél

the a(z)

theatre színház

theatrical szín(ház)i

theft lopás

their (az ő ...) -(j)uk/ -(j)ük

theirs az övék

them őket, azokat; nekik

theme téma; ~ **park** vidámpark

themselves (ők/saját) maguk(at/nak)

then ▼ *mn* akkori ▼ *hsz* akkor; aztán

theology hittudomány

theoretic(al) elméleti

theory elmélet

therapy kezelés(sorozat), terápia

there ott; oda

thereby ezáltal, azáltal

therefore ezért, ennélfogva

thermal termál-

thermometer hőmérő

thermostat hő(fok)szabályozó, termosztát

thesaurus szinonimaszótár

these → this

theses → thesis

thesis (*tsz* theses) állítás, feltételezés; *okt* (doktori) értekezés

they ők, azok

thick vastag; nehéz felfogású

thicken vastagít; *gaszt* (be)sűrít

thief (*tsz* thieves) tolvaj

thieves → thief

thigh comb

thimble gyűszű

thin vékony; sovány

thing dolog

think (thought, thought) gondol (vmit); vél, hisz; gondolkodik

thinker gondolkodó

third harmadik; harmad; **T~ World** a harmadik világ *[a fejlődő országok]*

third-rate harmadrendű

thirst *átv is* szomj

thirsty szomjas

thirteen tizenhárom

thirteenth tizenharmadik; tizenharmad

thirtieth harmincadik; harmincad

thirty harminc

this ▼ *mn* (*tsz* these) ez a(z) (vmi), ezen (vmi) ▼ *nm* ez

thistle bogáncs

thorn tüske, tövis

thorough alapos

thoroughbred telivér *[ló]*

those → that

though bár

thought ▼ *fn* gondolat ▼ *ige* → think

thoughtful figyelmes

thousand ezer

thousandth ezredik; ezred

thrash üt; megver, le-
győz; hánykolódik

thread cérna; *átv is* fonál

threat fenyegetés

threaten (meg)fenyeget

three három

three-dimensional há-
romdimenziós, térbeli

threshold küszöb

threw → throw

thrifty takarékos

thrill ▼ *fn* izgalom, bor-
zongás ▼ *ige* megbor-
zongat

thriller thriller *[hátbor-
zongató film/könyv]*

thrive (thrived/throve,
thrived) *átv* virágzik

throat torok

throb ▼ *fn* dobogás, lük-
tetés ▼ *ige* dobog, lüktet

throne trón

through keresztül, át; vé-
gig

throughout mindenütt,
keresztül-kasul; (véges)-
végig

throve → thrive

throw ▼ *fn* dobás ▼ *ige*
(threw, thrown) dob;
dobál

thrown → throw

thrush rigó

thrust ▼ *fn* lökés; döfés ▼
ige (thrust, thrust) lök

thud (tompa) puffanás

thumb hüvelykujj

thump ▼ *fn* ütés; puffanás
▼ *ige* *(sy)* behúz (vki-
nek); puffan; lüktet, ver

thunder mennydörgés

thunderbolt dörgés-vil-
lámllás

thunderstorm vihar

Thursday csütörtök

thus így

thyme kakukkfű

tick ▼ *fn* pipa *[kipipálás-
kor]* ▼ *ige* ketyeg

ticket (belépő/menet)jegy

tickle (meg)csiklandoz

ticklish csiklandós

tide árapály

tidy ▼ *mn* rendes; *biz* csi-
nos (kis) *[összeg]* ▼ *ige*
rendbe rak, rendezget

tie ▼ *fn* nyakkendő; *pol* kapcsolat *[országok között]; sp* döntetlen ▼ *ige* (meg)köt; *átv* (le)köt

tier szint, réteg

tiger tigris

tight ▼ *mn* szoros, feszes ▼ *hsz* szorosan, erősen

tighten szorosabbra vesz, szorít rajta; megfeszül, megszorul

tight-fisted *biz* szűkmarkú

tights *tsz* harisnyanadrág

tile ▼ *fn* csempe; tetőcserép, zsindely ▼ *ige* csempéz; cseréppel fed *[tetőt]*

till[1] *fn* pénztárgép

till[2] *elölj* -ig *[időben]*

tilt (meg)billen(t)

timber fa(anyag); gerenda

time ▼ *fn* idő; -szor/ -szer/-ször; **four ~s** négyszer; **~ bomb** *átv is* időzített bomba ▼ *ige* időzít

timely időszerű

timer időkapcsoló

timetable ▼ *fn* menetrend; órarend ▼ *ige* órarendbe beiktat/betervez

timid félénk

timing időzítés

tin bádog; konzerv(doboz)

tinker (meg)bütyköl, szerel

tint (szín)árnyalat

tinted színezett

tiny (ici)pici, apró

tip[1] *fn* csúcs(a), hegy(e) (vminek)

tip[2] ▼ *fn* borravaló; tanács, tipp; szemétdomb ▼ *ige* kiborít, kiönt; felbukik; borravalót ad

tipsy (kissé) becsípett

tiptoe ▼ *fn* lábujjhegy ▼ *ige* lábujjhegyen jár

tire[1] *fn* gumiabroncs

tire[2] *ige* elfáraszt

tired fáradt

tiresome idegesítő, fárasztó

tiring fárasztó, kimerítő

tissue papírzsebkendő; *biol is* szövet

title cím

to ▼ *elölj [fn előtt]* -ba, -be; -nak, -nek; -hoz, -hez, -höz; -ig ▼ *elölj [fn ign előtt]* -ni (vmit); azért, hogy …-jon/-jen/ -jön (vmit)

toad varangyosbéka

toast pirítós; pohárköszöntő

toaster kenyérpirító

tobacco dohány

toboggan ▼ *fn* bob *[szánkó]* ▼ *ige* bobszánkózik

today ma

toddler *[1-2 éves]* kisgyerek

toe lábujj

toffee vajkaramella

together együtt

toil ▼ *fn* kemény munka ▼ *ige* keményen dolgozik, robotol

toilet vécé

token ▼ *mn* jelképes, szimbolikus ▼ *fn* jelkép; játékpénz, zseton

told → **tell**

tolerable tűrhető, elviselhető

tolerance tűrőképesség; *pol is* tolerancia, türelem

tolerant toleráns

tolerate eltűr, megtűr

toll¹ *fn* vám; *US* útdíj; *esz* áldozatai (vminek); **death** ~ *esz* halálos áldozatok

toll² *ige* harangozik; zúg *[harang]*

tomato *növ* paradicsom

tomb sír

tombstone sírkő

tomcat kandúr

tomorrow holnap

ton tonna

tone hangszín; színárnyalat

tone-deaf botfülű

tongue nyelv

tongue-twister nyelvtörő

tonic tonik

tonight ma éjjel/este

tonsil mandula

too túl(zottan); is

took → take

tool szerszám; *inform* eszköz

tooth (*tsz* teeth) fog

toothache fogfájás

toothbrush fogkefe

toothpaste fogkrém

toothpick fogpiszkáló

top ▼ *mn* (a leg)felső; csúcs-; ~ secret szigorúan titkos ▼ *fn* felső része/teteje (vminek); ~ hat cilinder

topic téma

topical aktuális

topography domborzat

torch fáklya; zseblámpa

tore → tear

torment ▼ *fn* gyötrelem, gyötr(őd)és, kín(zás) ▼ *ige* (meg)kínoz, (meg)gyötör

torn → tear

tornado tornádó

torpedo ▼ *fn kat* torpedó ▼ *ige átv is* megtorpedóz

torrent özön

tortoise szárazföldi teknős

torture ▼ *fn* kínzás ▼ *ige* (meg)kínoz

Tory *mn, fn* tory *[konzervatív párti]*

toss (fel)dob

tot kisgyerek

total ▼ *mn* összes; teljes ▼ *fn* (vég)összeg

totally teljesen

touch ▼ *fn* érintés; a ~ (*of sg*) egy hangyányi, egy csipet (vmi); be° in ~ kapcsolatban van (vkivel) ▼ *ige* (meg)érint; meghat

touchdown földetérés *[repülőgépé]*

touching megható

touchy sértődős

tough kemény, erős

toughen (meg/be)keményít; (meg)keményedik

tour ▼ *fn* utazás; megtekintés(e), (kör)bejárás(a vminek); turné ▼ *ige* turnézik; bejár *[vidéket]*, körutazást tesz

tourism turisztika; idegenforgalom

tourist turista

tournament bajnokság

tousled zilált *[haj]*

tow vontat

towards (vmi/vki) felé; (vmi/vki) iránt

towel törülköző

tower ▼ *fn* torony; ~ **block** toronyház ▼ *ige* tornyosul

town város; ~ **hall** városháza

toxic mérgező

toy játék(szer)

trace ▼ *fn* nyom ▼ *ige* lekövet, nyomára bukkan

track ▼ *fn* (láb)nyom; ösvény; sínpár; szám *[hang CD-n]; sp* (verseny)pálya ▼ *ige* (nyomon) követ

tracksuit szabadidőruha

traction húzás, feszítés

tractor traktor

trade ▼ *fn* mesterség, ipar; kereskedelem; ~(s) **union** szakszervezet ▼ *ige* elad; kereskedik

tradition hagyomány

traditional hagyományos

traffic forgalom; ~ **jam** forgalmi dugó; ~ **lights** *tsz* közlekedési (jelző)lámpa; ~ **warden** közterület-felügyelő

tragedy tragédia

tragic tragikus, végzetes

trail ▼ *fn* nyom ▼ *ige* nyomon követ

trailer[1] pótkocsi

trailer[2] filmelőzetes

train[1] *fn* vonat

train[2] *ige okt* képez; *sp* edz

trained szakképzett, képesített

trainee gyakornok, (be)tanuló

trainer *sp* edző; edzőcipő

training *okt* képzés; *sp* edzés

trait jellemvonás

traitor áruló

tram villamos

tramp csavargó

tranquil nyugodt

tranquilliser nyugtató- (szer)

transaction *gazd* ügylet, tranzakció

transcript átirat, leirat *[magnóról]*

transfer ▼ *fn* áthelyezés; átszállás *[másik járműre]*; *jog* átruházás; *gazd* átutalás ▼ *ige* áthelyez; átszáll *[másik járműre]*; *jog* átruház; *gazd* átutal

transform átalakít; átalakul

transformation átalakítás; átalakulás

transformer transzformátor

transfuse átömleszt *[vért]*

transient múló, futó, átmeneti

transistor tranzisztor

transit átutazás, (át)szállítás

transition *átv* átmenet

transitive *nyelv* tárgyas

translate (le)fordít

translation fordítás

translator (mű)fordító

transmission továbbadás; *távk* adás; *gépk* sebességváltó

transmit továbbad, átad; *távk* ad, sugároz

transmitter átadó; *távk* jeltovábbító, adó(készülék)

transparency írásvetítő fólia; átlátszóság; *átv* átláthatóság, áttekinthetőség

transparent átlátszó; *átv* átlátható

transplant ▼ *fn orv is* átültetés ▼ *ige orv is* átültet

transport ▼ *fn* szállítás ▼ *ige* szállít

transportation szállítás

trap ▼ *fn* csapda ▼ *ige* csapdába ejt

trash lom, kacat; *US* szemét

trauma *pszich* megrázkódtatás

travel ▼ *fn* utazás; ~ **agency** utazási iroda ▼ *ige* utazik; *fiz* halad, terjed

tray tálca

treacherous (élet)veszélyes

tread (trod, trodden/ trod) (rá)tapos, (rá)lép

treason árulás

treasure ▼ *fn* kincs ▼ *ige* (nagy) becsben tart

treasurer pénztáros *[közösségé]*

treasury kincstár

treat (*sy/sg*) bánik (vkivel/vmivel); megvendégel, jól tart (vkit); *orv* kezel

treatment bánásmód; kezelés

treaty szerződés

treble ▼ *mn* háromszor(os); *zene* szoprán ▼ *ige* (meg)háromszoroz(ódik)

tree fa; *inform* fa-diagram

trellis rács(ozat)

tremble (meg)remeg

tremendous hatalmas, óriási

tremor *orv* reszketés, remegés; *geol* rengés

trend irányzat

trendy divatos, menő

trespass ▼ *fn* birtokháborítás ▼ *ige* tilosba/ magánterületre téved

trial próba; megpróbáltatás; *jog* per

triangle háromszög; *zene* triangulum

tribe törzs

tribute kegyelet, tiszteletadás, tisztelgés *[halott előtt]*

trick ▼ *fn* (csel)fogás, trükk; mutatvány ▼ *ige* becsap

trickle csörgedez, csurog, legurul *[könnycsepp]*

tricky becsapós, nem (is) olyan egyszerű

tricycle tricikli

trifle (apró) semmiség; gyümölcstorta vanília-öntettel; **a** ~ (egy) csöppet, (egy) hangyányit

trigger ▼ *fn* elsütő billentyű, ravasz *[fegyveré];* kiváltó ok ▼ *ige* okoz, kirobbant, kivált

trilogy trilógia

trim levág, körülvág, trimmel

trip ▼ *fn* kirándulás ▼ *ige* elgáncsol; megbotlik

tripe pacal

triple ▼ *mn* hármas, háromszoros ▼ *ige* (meg)-háromszoroz(ódik)

tripod foto/videoállvány *[három lábú]*

triumph ▼ *fn* győzelem ▼ *ige* győzedelmeskedik

triumphant győztes, győzedelmes; dicsőséges

trivial jelentéktelen; egyszerű, primitív

trod → tread

trodden → tread

trolley bevásárlókocsi; zsúrkocsi; betegszállító kocsi *[kórházban]*

troop csapat

trophy trófea

tropical trópusi

trot ▼ *fn* ügetés ▼ *ige* üget

trouble ▼ *fn* baj ▼ *ige* nyugtalanít; kellemetlenséget okoz (vkinek)

troublemaker bajkeverő

troubleshooting *US* hibaelhárítás

troublesome gondot okozó; bonyodalmas, körülményes

trousers *tsz* nadrág

trout pisztráng

truant iskolakerülő

truce fegyverszünet

truck teherautó; tehervagon

true igaz(i)

trump ▼ *fn* ját adu ▼ *ige* aduval üt

trumpet trombita

trunk fatörzs; törzs *[testrész]*, torzó; ormány *[elefánté];* **swimming ~s** *tsz* úszónadrág

trust ▼ *fn* bizalom; *gazd* közalapítvány ▼ *ige* (*in sy*) (meg)bízik (vkiben); (*sg*) remél (vmit); (*to sg*) bízik (vmiben)

trustworthy megbízható

truth igazság

try ▼ *fn* próbálkozás ▼ *ige* kipróbál; megpróbál; *jog* bíróság elé állít

T-shirt póló

tub (fürdő)kád

tube cső; metró

tuck betűr *[ruhát];* betakar *[ágyban]*

Tuesday kedd

tuft csomó *[haj, fű]*

tug ▼ *fn* (meg)rántás ▼ *ige* (meg)ránt

tuition tanítás; **~ fee** tandíj

tulip tulipán

tumble ▼ *fn* **~ dryer** ruhaszárító gép ▼ *ige* (le)zuhan; elesik, a földre zuhan

tumbler pohár

tumult ricsaj, zsivaj; kavarodás

tuna tonhal

tune ▼ *fn* dallam ▼ *ige zene* (fel)hangol *[hangszert];* *elektr* (be)hangol *[rádiót, tévét];* *műsz* beállít *[gépet]*

tuner állomáskereső *[gomb];* (erősítő nélküli) rádióvevő, tuner

tunnel alagút

turban turbán

turbine turbina

turbulence zavar; légörvény

turbulent viharos, zűrzavaros

tureen levesestál

turf gyeptégla

Turkey Törökország

turkey pulyka

Turkish ▼ *mn* török ▼ *fn* esz/tsz török *[ember, nyelv]*

turmoil zűrzavar, kavarodás

turn ▼ *fn* fordulat; **it's your ~!** te jössz! ▼ *ige* (el)forgat, (el)fordít; forog, fordul; változtat (vmit vmivé); **~ on/off** be/kikapcsol

turning point fordulópont

turnip tarlórépa

turnout *esz* létszám

turnover *gazd* (éves) forgalom

turntable *US* lemezjátszó

turpentine terpentin

turquoise türkizkék *[színű]*

turtle tengeri teknőc

tusk agyar

tutor ▼ *fn okt* tutor, magántanár ▼ *ige* tanít

tutorial *okt* különóra; *inform* oktatóprogram

tuxedo *US* szmoking

TV *röv [television]* televízió, tévé

twelfth tizenkettedik; tizenketted

twelve tizenkettő, tizenkét

twentieth huszadik; huszad

twenty húsz

twice kétszer

twig gally

twilight (alkonyi) szürkület

twin ▼ *mn* iker-; kettős ▼ *fn* iker; **T~s** Ikrek *[csillagkép]*

twine madzag, kötél

twinkle ragyog *[csillag]*

twist ▼ *fn* csavar(od)ás; tviszt ▼ *ige* kicsavar; kificamít; csavarodik

two kettő, két

two-faced kétarcú, kétszínű

twofold ▼ *mn* kétszeres ▼ *hsz* kétszeresen

two-way kétirányú

tycoon iparmágnás

type ▼ *fn* típus ▼ *ige* (író)-
gépel
typeface betűtípus
typewriter írógép
typhoon tájfun
typical tipikus

typist gépíró(nő)
typographer nyomdász
typography tipográfia
tyrant zsarnok
tyranny zsarnokság
tyre gumiabroncs

U

U-bend 180 fokos kanyar/fordulat
udder tőgy *[tehéné]*
UFO *röv [unidentified flying object]* ufó *[azonosítatlan repülő tárgy]*
uglify elcsúfít
ugliness rondaság, csúnyaság
ugly ronda, csúnya
UK *röv [United Kingdom]* Egyesült Királyság
ulcer fekély
ultimate végső, utolsó
ultimately végül (is), végtére (is)
ultraviolet ibolyántúli *[sugárzás]*, ultraibolya

umbilical cord köldökzsinór
umbrella esernyő; védőernyő; *kat* légvédelem
umpire *sp* bíró, játékvezető
UN *röv [United Nations]* ENSZ *[Egyesült Nemzetek Szervezete]*
unable képtelen
unacceptable elfogadhatatlan
unaccompanied kísérő nélküli, *zene* kíséret nélküli
unaccustomed (*to sg*) járatlan *[személy]* (vmiben), nem szokott hozzá (vmihez)
unaffected természetes, nem színlelt
unafraid (*of sg*) nem félő (vmitől)
unanimity egyhangúság *[szavazásé]*, vélemények egyezése
unanimous egyhangú, egybehangzó

unannounced be nem jelentett, bejelentetlen

unanswerable megválaszolhatatlan *[kérdés]*

unanswered megválaszolatlan *[kérdés],* viszonzatlan *[érzelem]*

unapproachable megközelíthetetlen

unarmed fegyvertelen

unasked kéretlen, hívatlan

unassuming szerény, igénytelen

unattached egyedülálló, facér; *(to sg)* nem kötött (vmihez)

unattainable megközelíthetetlen, elérhetetlen

unattractive nem vonzó, nem szép

unauthorised illetéktelen, jogosulatlan

unavailable nem elérhető, nem beszerezhető

unavoidable elkerülhetetlen

unaware *(of sg)* tudatában nem levő (vminek), vmiről nem tudó

unbalanced kiegyensúlyozatlan, (lelki) egyensúlyát vesztett

unbearable elviselhetetlen, kibírhatatlan

unbeatable legyőzhetetlen, (meg)verhetetlen

unbeaten veretlen *[játékos, csapat],* megdöntetlen *[rekord]*

unbelievable hihetetlen

unbias(s)ed elfogulatlan, pártatlan

unborn (még) meg nem született, megvalósulatlan *[terv]*

unbreakable (el)törhetetlen

unbroken ép, sértetlen *[edény];* megszakítatlan, zavartalan *[csend]*

unbuckle ki/lecsatol *[övet, cipőt]*

unbutton kigombol

uncertain bizonytalan, meghatározatlan

uncertainty bizonytalanság, kétség

unchanged változatlan, ugyanolyan

unchecked akadálytalan, ellenőrizetlen

uncivilised civilizálatlan, műveletlen

uncle nagybáty, *biz* bácsi *[megszólításban]*

uncomfortable kényelmetlen, kellemetlen

uncommon szokatlan, ritka

uncompromising hajthatatlan, meg nem alkuvó

unconditional feltétel nélküli, feltétlen

unconscious öntudatlan *[ember]*, tudattalan

unconsciousness öntudatlanság, eszméletlenség

unconstitutional alkotmányellenes

uncontrollable fegyelmezhetetlen *[gyerek]*, irányíthatatlan *[ország]*

unconventional nem hagyományos, szokatlan

unconvincing nem meggyőző *[érv]*

uncork felnyit *[üveget]*, dugót kihúz *[üvegből]*

uncountable megszámlálhatatlan

uncouth faragatlan, durva

uncover (*sy/sg*) felfed, leleplez (vkit/vmit); megmutatkozik, láthatóvá válik

uncut levágatlan *[fű]*; megszegetlen *[kenyér]*; csiszolatlan *[drágakő]*; vágatlan, cenzúrázatlan *[film, könyv]*

undecided eldöntetlen *[ügy]*, határozatlan *[ember]*

undeniable (le)tagadhatatlan, kétségbevonhatatlan

under alatt, alá

underage kiskorú

undercarriage futómű *[repülőgépé]*

undercharge nem eléggé tölt fel *[akkumulátort]*

underclothes *tsz* alsónemű, alsóruha

undercoat kiskabát *[nagykabát alatt hordott]*

undercover titkos, álcázott

underdeveloped elmaradott, fejletlen *[ország, régió]*

underdone (meg)sületlen, félig nyers *[étel]*

underestimate alábecsül, lebecsül

underfed alultáplált

underfoot láb/talp alatt

undergo (underwent, undergone) *átv* átesik *[műtéten]*, aláveti magát (vminek)

undergone → **undergo**

undergraduate hallgató *[egyetemi, főiskolai]*

underground ▼ *mn* föld alatti; *pol* földalatti *[mozgalom]; műv* újhullámos, underground ▼ *fn* metró, földalatti; *műv* underground irányzat ▼ *hsz* föld alatt; illegalitásban, titokban

undergrowth bozót, aljnövényzet

underline aláhúz, *átv* kiemel

undermine aláás

underneath lent, alul

underpants *tsz* alsónadrág

underpass aluljáró

underpay rosszul fizet (vkit)

underprivileged hátrányos helyzetű

underrate lebecsül, alábecsül

undershirt *US* (atléta)trikó, alsóing

understand (understood, understood) (meg)ért

understandable érthető, világos

understanding ▼ *mn* megértő ▼ *fn* értelem, megértés

understatement *átv* enyhe kifejezés

understood → **understand**

undertake (undertook, undertaken) (*sg*) belekezd (vmibe); (magára) vállal *[felelősséget stb.]*

undertaken → **undertake**

undertaker temetkezési vállalkozó

undertaking vállalkozás, vállalat; ígéret, kötelezettség

undertook → **undertake**

undervalue alulértékel, lebecsül

underwater víz alatti

underwear alsónemű, alsóruházat

underwent → **undergo**

underworld az alvilág; túlvilág

underwrite (underwrote, underwritten) kezességet/jótállást vállal

underwriter jótállást vállaló személy, kezes

underwritten → **underwrite**

underwrote → **underwrite**

undesirable nem kívánatos

undetected észrevétlen

undid → **undo**

undisciplined fegyelmezetlen

undiscriminating disztingválni képtelen *[személy]*

undisputed vitathatatlan, vitán felül álló

undisturbed nyugodt, zavartalan

undo (undid, undone) kibont, kioldoz *[csomót]*

undone ▼ *mn* kioldódott, kibomlott *[csomó]*; elvégzetlen *[munka]* ▼ *ige* → **undo**

undoubted kétségtelen, vitathatatlan

undress levetkőztet; levetkőzik

undue túlzott, indokolatlan

unduely túlzottan, indokolatlanul

unearth ki/előás

unearthly nem evilági/földi, mennyei

uneasy kényelmetlen *[érzés]*, nyugtalan

uneducated tanulatlan, műveletlen

unemployed munkanélküli

unemployment munkanélküliség

unending vég nélküli, szüntelen

unequal egyenlőtlen, aránytalan

uneven göröngyös, egyenetlen

uneventful eseménytelen

unexpected váratlan

unexpectedly váratlanul

unexplored ismeretlen, felderítetlen

unfair igazságtalan, tisztességtelen

unfairness igazságtalanság, tisztességtelenség

unfaithful hűtlen, illojális

unfamiliar ismeretlen, idegen

unfashionable nem divatos, divatjamúlt

unfasten kinyit, kikapcsol *[csatot, övet]*; kinyílik, eloldódik

unfavourable kedvezőtlen, előnytelen

unfeeling érzéketlen, könyörtelen

unfinished befejezetlen

unfit *(for sg)* nem alkalmas (vmire); nem fitt, rossz formában van

unfold szétnyit, szétbont; kibontakozik, szem elé tárul

unforeseen váratlan, előre nem látott

unforgettable emlékezetes, feledhetetlen

unforgiving engesztelhetetlen, kérlelhetetlen

unfortunate szerencsétlen, peches

unfortunately sajnos

unfounded megalapozatlan, alaptalan

unfriendly barátságtalan, rideg

unfurnished bútorozatlan

ungainly esetlen, suta

ungodly istenkáromló, istentelen; *biz* szörnyű, lehetetlen *[időpont]*

ungrammatical nyelvtanilag helytelen/hibás

ungrateful hálátlan

unhappiness boldogtalanság

unhappy boldogtalan

unharmed baj nélkül, bántatlan(ul)

unhealthy egészségtelen, beteges

unheard-of soha nem hallott, hallatlan

unhurt sértetlen, baj nélkül

unidentified azonosítatlan, ismeretlen

unification egyesítés, egyesülés

uniform ▼ *mn* egyforma, (meg)egyező ▼ *fn* egyenruha

uniformity egyformaság, egyöntetűség

unify egyesít

unilateral egyoldalú

unimaginable elképzelhetetlen

unimportant jelentéktelen, nem fontos

uninhabitable lakhatatlan

uninhabited lakatlan

unintelligible érthetetlen

unintentional önkéntelen, nem szándékos

uninteresting érdektelen, unalmas

uninviting nem vonzó *[hely]*, nem étvágygerjesztő *[étel]*

union szakszervezet; egyesítés, egyesülés

unique egyedi, egyedülálló

unison *zene, átv* összhang(zás), egyetértés

unit egység; lecke, fejezet *[tankönyvben]; kat* alakulat, egység

unite (*with sy/sg*) egyesít; egyesül (vkivel/vmivel)

united egysített, egyesült; U~ **Kingdom** Egyesült Királyság *[Nagy-Britannia és Észak-Írország];* U~ **Nations (Organization)** *tsz* ENSZ, Egyesült Nemzetek Szervezete; U~ **States (of America)** Amerikai Egyesült Államok

unitedly egységesen

unity egység(esség)

universal univerzális, egyetemes

universe világ(egyetem)

university (tudomány)egyetem

unjust igazságtalan, méltánytalan

unjustified indokolatlan

unkempt fésületlen

unkind barátságtalan, rideg

unkindness barátságtalanság, ridegség

unknown ismeretlen

unlawful törvénytelen

unless hacsak nem, kivéve ha

unlike ▼ *mn* más, eltérő ▼ *elölj* vmivel szemben/ellentétben

unlikelihood valószínűtlenség

unlikely valószínűtlen, nem valószínű

unlimited határtalan, korlátlan

unlined béleletlen *[ruha];* (meg)vonalazatlan *[lap, füzet]*

unload kirak, kirakodik *[árut]*

unlock kinyit *[kulccsal]*

unlucky szerencsétlen, peches

unmarried hajadon, nőtlen

unmentionable ki/elmondhatatlan, megnevezhetetlen

unmistakable félreérthetetlen, összetéveszthetetlen

unnatural természetellenes, nem természetes

unnecessary felesleges, szükségtelen

unnerve elbátortalanít, megingat

unnoticed észrevétlen

unobtrusive nem feltűnő *[hely]*, szerény *[ember]*

unofficial nem hivatalos, félhivatalos *[hír stb.]*

unorthodox újszerű, szokatlan *[gondolkodásmód]*

unpack kicsomagol

unparalleled páratlan, példa nélküli

unpleasant kellemetlen, bántó *[hang]*

unplug kihúzza (vminek) a dugóját (a konnektorból)

unpopular népszerűtlen

unpopularity népszerűtlenség

unprecedented példátlan, példa nélkül álló

unpredictable megjósolhatatlan, kiszámíthatatlan

unprepared (fel)készületlen

unproductive eredménytelen, improduktív

unprofessional szakszerűtlen, nem szakszerű

unprofitable eredménytelen, hasznot nem hozó

unpublished kiadatlan *[mű]*, nyilvánosságra nem hozott

unqualified képzetlen, (szak)képzettség nélküli; fenntartás nélküli, feltétlen

unquestionable vitathatatlan, kétségbevonhatatlan

unravel *átv is* kibogoz; megoldódik *[csomó, rejtély]*

unreal valószerűtlen, irreális

unrealistic valószínűtlen, irreális

unreasonable ésszerűtlen, esztelen; túlzott, mértéktelen

unrecognisable felismerhetetlen

unrelated össze nem függő, rokonságban nem álló

unreliable megbízhatatlan

unrest nyugtalanság, elégedetlenség

unrestricted korlátozatlan, korlátlan

unrivalled utolérhetetlen, páratlan

unroll ki/legöngyöl [zászlót, vmilyen tekercset]; letekeredik

unruly engedetlen, rakoncátlan

unsafe kockázatos, veszélyes

unsaid kimondatlan, ki nem mondott

unsatisfactory nem kielégítő, elégtelen [dolgozat]

unsatisfied elégedetlen, kielégítetlen

unsavoury rossz, kellemetlen [íz, szag]

unscrew meglazít, kicsavar

unscrupulous gátlástalan, lelkiismeretlen

unselfish nagylelkű, önzetlen

unsettled változékony, bizonytalan; kifizetetlen, rendezetlen [számla]

unshaken rendületlen

unshaven borotválatlan

unskilled szakképzetlen, tapasztalatlan

unsocial túl késői, nem emberi [időpont]

unsolved megoldatlan [probléma], megfejtetlen [rejtély]

unspeakable kimondhatatlan, leírhatatlan

unstable ingatag, labilis

unsteady ingatag, bizonytalan

unsuccessful sikertelen, eredménytelen

unsuitable (*for sg*) alkalmatlan, nem megfelelő (vmilyen célra)

unsure (*about sg*) határozatlan, bizonytalan (vmi felől/vmiben)

unsympathetic közönyös, nem együttérző

unthinkable elgondolhatatlan, elképzelhetetlen

untidy rendetlen *[lakás, szoba]*, ápolatlan *[ember]*

untie kibont, kioldoz *[csomót, nyakkendőt]*; kibomlik *[csomó]*

until -ig *[időben]*

untimely korai, idő előtti

untoward kellemetlen, kínos *[esemény, viselkedés]*

untranslatable lefordíthatatlan

untrue hamis, valótlan; (*to sy*) hűtlen (vkihez)

unused (fel)használatlan, üres *[épület]*

unusual különös, szokatlan

unveil *átv is* leleplez

unwanted felesleges, nem kívánt

unwary gondatlan, elővigyázatlan

unwelcome nem szívesen látott *[vendég]*

unwell rosszul

unwilling húzódozó, vonakodó

unwind (unwound, unwound) leteker, lecsavar; letekeredik, lecsavarodik; lazít

unwise ostoba, esztelen

unwitting akaratlan, nem szándékos

unworthy (*of sg*) nem méltó, méltatlan (vmire)

unwound → **unwind**

unwrap kicsomagol, kibont; kibomlik *[csomagolás]*

unwritten íratlan

up ▼ *hsz* fel(felé); fent; közel, oda ▼ *elölj* vmin felfelé

upbringing neveltetés, felnevelés *[gyereké]*

update ▼ *fn* frissítés; korszerűbb verzió *[szoftveré]* ▼ *ige* korszerűsít, felfrissít

upgrade ▼ *fn* előrelépés, előléptetés; *inform* feljavított változat ▼ *ige* előléptet (vkit); feljavít

upheaval kavarodás, felfordulás

upheld → **uphold**

uphill ▼ *mn* (hegynek) felfelé haladó; nehéz, fárasztó ▼ *hsz* hegynek fel(felé)

uphold (upheld, upheld) fenntart *[kapcsolatot]*; jóváhagy, megerősít *[döntést]*

upholsterer kárpitos

upholstery kárpit, kárpitozás

upkeep üzemeltetés, fenntartás

upon -on/-en/-ön, -ra/-re

upper felső

uppermost legfelső, legmagasabb

upright ▼ *mn* függőleges; *átv* egyenes, őszinte ▼ *hsz* függőlegesen; *átv* egyenesen, őszintén

uprising lázadás, felkelés

uproar lárma, zsivaj

uproot gyökerestül kitép *[növényt]*, *átv* gyökerestül kiirt *[eszmét stb.]*

upset ▼ *mn* ideges, izgatott *[ember]* ▼ *fn* izgatottság, zűrzavar; kavargó gyomor ▼ *ige* (upset, upset) felborít *[kocsit]*; felkavar, felizgat

upshot következmény, eredmény

upside-down fejjel lefelé, felfordítva

upstairs ▼ *mn* emeleti ▼

hsz fel (az emeletre), fent (az emeleten)

upstart ▼ *mn* felkapaszkodott, feltörekvő ▼ *fn* újgazdag, jöttment

upstream árral szemben, folyásirány ellen

uptight (*about sg*) feszült, ideges (vmi miatt)

up-to-date *biz* modern, naprakész

upward felfelé

uranium urán, uránium

urban városi

urbanization (el)városiasítás, (el)városiasodás, urbanizáció

urchin *biz* csirkefogó, csibész

urge ▼ *fn* kényszer, ösztönzés ▼ *ige* ösztönöz, buzdít

urgency sürgősség

urgent sürgős *[eset]*

urinate vizel

urine vizelet

urn urna, hamvveder

us bennünket, minket; nekünk; mi

US *röv [United States (of America)]* USA *[(Amerikai) Egyesült Államok]*

USA *röv [United States of America]* USA *[Amerikai Egyesült Államok]*

usage használat, szóhasználat

use ▼ *fn* használat, felhasználás; haszon, hasznosság ▼ *ige* használ, felhasznál

used ▼ *mn* használt *[nem új]*, felhasznált; használatban levő, használatos; hozzászokott ▼ *segédige* ~ **to do sg** szokása volt/szokott csinálni vmit

useful hasznos

usefulness hasznosság

useless használhatatlan, haszontalan

user felhasználó, használó

user-friendly *inform* felhasználóbarát

usher ▼ *fn* jegyszedő ▼
ige bevezet, helyére kísér *[színházban, moziban]*

usherette jegyszedőnő

USSR *röv, tört [Union of Soviet Socialist Republics]* Szovjetunió

usual szokásos, megszokott

usually általában, rendszerint

utensil (háztartási) eszköz, szerszám

uterus *orv* (anya)méh

utility használhatóság, hasznosság

utilise hasznosít, felhasznál

utmost ▼ *mn* legvégső; legnagyobb ▼ *fn* a lehető legtöbb

utter[1] *mn* végső, teljes

utter[2] *ige* kiejt *[szót]*, kimond

V

vacancy megüresedett állás; üresedés, kiadó szoba/szobák

vacant üres *[állás]*; szabad, kiadó *[szoba]*

vacate felszabadít, kiürít *[szobát]*

vacation vakáció, szabadság

vaccinate (*sy*) beolt, oltást ad (vkinek)

vaccination (*for sg*) oltás (vmi ellen)

vaccine vakcina, oltóanyag

vacillate habozik; inog

vacuum ▼ *fn* vákuum, űr ▼ *ige* (ki)porszívóz

vague határozatlan *[elképzelés]*, pontatlan *[fogalom]*

vaguely határozatlanul, pontatlanul

vain hasztalan, hiábavaló; hiú *[ember, ábránd]*

valiant merész, bátor

valid érvényes, hatályos

validate érvényesít

validity érvényesség, hatály(osság)

valley völgy

valuable ▼ *mn* értékes, drága ▼ *fn* ~s értéktárgyak, értékek

valuation (fel)becslés, (fel)értékelés *[vagyontárgyé]*

value ▼ *fn* érték ▼ *ige* (*sy/sg*) (fel)becsül, (fel)értékel; nagyra tart, méltányol (vkit/vmit)

valve szelep; *orv* (szív)billentyű

van furgon, kisteherautó

vandal *biz* vandál, barbár

vandalise vandál módon tönkretesz, megrongál

vandalism vandalizmus, értelmetlen pusztítás

vanguard élcsapat, élgárda

vanilla vanília

vanish elenyészik, eltűnik *[hirtelen];* szertefoszlik

vanishing eltűnés, ködé válás

vanity önteltség, hiúság

vantage point kilátó

vaporiser párologtató

variable változó, változtatható

variance változékonyság; **at ~ (with sy)** nézeteltérésben (vkivel)

variant ▼ *mn* különböző, eltérő ▼ *fn* variáns, változat

variation variáció

varicose visszeres

varied sokféle, változatos

variety változatosság; fajta, változat; varieté

various több, számos; különböző, különféle

varnish ▼ *fn* lakk, politúr ▼ *ige* (be)lakkoz *[pl. körmöt],* fényez

varnishing lakkozás, politúrozás

vary módosít, (meg)változtat; (meg)változik; *(from sg)* különbözik, eltér (vmitől)

vase váza

vast hatalmas, óriási

VAT *röv [value-added tax]* hozzáadottérték-adó, áfa

Vatican Vatikán

vault[1] *fn* boltív, boltozat; páncélterem *[bankban]*

vault[2] ▼ *fn sp* ugrás ▼ *ige* átugrik *[akadályt]*

VCR *röv [video cassette recorder]* videomagnó

veal borjúhús

veer ▼ *fn* fordulat, fordulás ▼ *ige* elfordul, irányt változtat

vegan laktovegetariánus

vegetable ▼ *mn* növényi (eredetű), zöldség- ▼ *fn*

zöldség; ~s zöldségfélék, főzelékfélék

vegetarian vegetariánus

vegetate nő, tenyészik *[növény]; biz* vegetál, tengődik

vegetation növényzet; *biz* vegetálás, tengődés

vehemence hevesség, hév

vehement vehemens, heves

vehicle jármű; *átv* közvetítő/továbbító közeg/médium

veil fátyol, lepel

vein véna, ér; adottság, tehetség

velocity sebesség, gyorsaság

velvet ▼ *mn* bársony(ból készült) ▼ *fn* bársony

vending machine (árusító) automata

vendor árus; (árusító) automata

veneer ▼ *fn* furnér, furnérozás ▼ *ige* furnéroz

venerable tisztelendő, tiszteletre méltó

venereal disease nemi (úton terjedő) betegség

vengeance bosszú

venison szarvashús, őzhús

venom méreg *[állaté]*

ventilate (ki)szellőztet

ventilation szellőzés, szellőztetés

ventilator ventilátor, szellőző

ventriloquism hasbeszélés

ventriloquist hasbeszélő

venture ▼ *fn* (üzleti) vállalkozás ▼ *ige* megkockáztat, megreszkíroz; (ki)merészkedik (vhová)

venue helyszín

veranda(h) tornác, veranda

verb ige

verbal szóbeli; igei

verbally (élő)szóban

verbatim ▼ *mn* szó szerinti ▼ *hsz* szóról szóra, szó szerint

verbose szószátyár, bőbeszédű

verdict (bírósági) ítélet

verge perem, szél

verification megerősítés *[állításé]*, ellenőrzés

verify megerősít *[állítást]*, igazol

vernacular köznyelv, népnyelv

versatile sokoldalú

versatility sokoldalúság

verse vers; versszak

version verzió, változat

versus ellen, kontra

vertebra (*tsz* vertebrae) csigolya

vertebrae → **vertebra**

vertebrate ▼ *mn* gerinces *[állat]* ▼ *fn* gerinces

vertical *mn, fn* függőleges

verve lelkesedés, hév

very ▼ *mn* az a bizonyos, maga az a ▼ *hsz* nagyon

vessel hajó; edény

vest trikó, atléta; *US* mellény

vestige maradvány, nyom

vet *biz* állatorvos

veteran *mn, fn* veterán

veto ▼ *fn* vétó, tiltakozás ▼ *ige* megvétóz

vex ingerel, zaklat

vexed ingerült, bosszús

VHF *röv [very high frequency]* URH *[ultrarövidhullám]*

via át, keresztül (vmin)

viability megvalósíthatóság *[tervé]*; életképesség *[csecsemőé]*

viable megvalósítható *[terv stb.]*; életképes *[csecsemő]*

viaduct völgyhíd, viadukt

vibrant vibráló, rezgő

vibrate (meg)rezegtet; rezeg, remeg

vibration rezgés, remegés

vicar plébános, lelkész *[anglikán]*

vicarage parókia, paplak

vice[1] *fn* vétek, bűn; (jellem)hiba; ~ **squad** erkölcsrendészet

vice[2] *összet* al-, helyettes

viceroy alkirály

vicinity környék, szomszédság

vicious rosszindulatú; *biz* erős *[szél, támadás];* ~ **circle** ördögi kör

victim áldozat

victor győző, győztes

victorious győzedelmes, győztes

victory győzelem

video ▼ *fn* videofilm, videomagnó; *összet* video- ▼ *ige* videóra felvesz

Vienna Bécs

view ▼ *fn* látvány, kilátás (vhonnan); (lát)kép *[tájról];* vélemény, nézet ▼ *ige* megtekint, (meg)néz; tart/tekint (vmilyennek)

viewer (tévé)néző

viewpoint szempont, nézőpont

vigil virrasztás

vigorous élénk, élettel teli

vigorously élénken, életerősen

vile alávaló, aljas; *biz* pocsék, vacak

villa villa *[ház],* nyaraló

village falu, község

villager falusi (ember)

villain a rossz, negatív hős *[színdarabban, regényben];* *biz* gazfickó, semmirekellő *[gyerek]*

vindicate megvéd, igazol

vindictive haragtartó, bosszúálló

vine szőlőtő(ke); inda, kúszónövény

vinegar ecet

vineyard szőlő(skert)

vintage szüret; szőlő/bortermés; évjárat

vinyl hanglemez; *vegy* PVC, vinil

viola brácsa, mélyhegedű

violate megsért, megszeg *[szerződést, törvényt]*

violation megsértés, megszegés *[törvényé, szerződésé]*

violence erőszak; hév, hevesség

violent erőszakos *[ember];* heves, erős *[szél, vihar]*

violet ▼ *mn* ibolyaszínű ▼ *fn* ibolya

violin hegedű

violinist hegedűművész, hegedűs

VIP *röv [very important person]* nagyon fontos személy(iség)

viper vipera

virgin ▼ *mn* szűz, érintetlen; meg nem művelt *[föld]* ▼ *fn* szűz

Virgo Szűz *[csillagkép]*

virile férfias, férfi-

virtual gyakorlatilag (el)-mondható, lényegében megtörtént; *inform* látszólagos, virtuális; ~ **reality** *inform* virtuális valóság

virtually gyakorlatilag, tulajdonképpen

virtue erény

virtuous erényes

virus vírus

visa vízum

viscous tapadós, ragadós

visibility láthatóság; látási viszonyok *[meteorológiában]*

visible *átv is* (szemmel) látható

vision látás; vízió, látomás

visionary látnok

visit ▼ *fn* látogatás, vizit; tartózkodás (vhol) ▼ *ige* meglátogat (vkit); ellátogat (vhová); látogatást tesz

visiting hours *tsz* látogatási idő *[kórházban]*

visitor látogató, turista

visor (szem)ellenző *[sapkán, bukósisakon]*, napellenző *[autóban]*

visual látási, vizuális; ~ **aid** szemléltetőeszköz

visualise elképzel; megjelenít; láthatóvá válik

vital életbevágó, létfontosságú

vitality elevenség, élénkség

vitamin vitamin

vivacious eleven, élénk

vivacity elevenség, élénkség

vivid élénk *[szín, kép]*, (élet)erős

vividly élénken, életszerűen

vivisection élveboncolás

vixen nőstény róka

vocabulary szókincs, szókészlet

vocal vokális, hanggal kapcsolatos

vocation hivatás

vocational hivatási; szakmai

vociferous zajos, hangos

vogue divat

voice ▼ *fn* hang; *zene* szólam ▼ *ige* kimond, hangoztat

void ▼ *mn* üres; *jog* érvénytelen, semmis ▼ *ige* *jog* érvénytelenít *[szerződést]*

volatile illó *[olaj]*, illékony

volcano vulkán, tűzhányó

volition akarat, akarás

volleyball röplabda

volt *fiz* volt

voltage feszültség *[áramé]*

volume hangerő; térfogat; (nagy) mennyiség; kötet *[könyvé]*

voluntarily önszántából, önként

voluntary önkéntes; szándékos

volunteer ▼ *fn* önként jelentkező, önkéntes ▼ *ige* ajánlkozik, önként jelentkezik

voluptuous érzéki, buja

vomit ▼ *fn* hányás ▼ *ige* (ki)hány; *átv* okád *[pl. füstöt, tüzet]*, ont

voracious mohó, falánk

vortex örvény, *átv* kavargás

vote ▼ *fn* szavazat, voks; szavazás; szavazati jog ▼ *ige* (meg)szavaz; szavaz

voter szavazó, választó(polgár)

voucher bon, (vásárlási) utalvány

vow ▼ *fn* eskü, fogadalom ▼ *ige* megesküszik (vmire), megfogad (vmit)

vowel magánhangzó

voyage ▼ *fn* hajóút, tengeri utazás ▼ *ige* utazást tesz, utazik *[hajón]*

vulgar trágár, vulgáris

vulgarian közönséges

vulgarity trágárság, közönségesség; trágár megjegyzés

vulnerable sebezhető, *átv* gyenge *[pontja vkinek/vminek]*

vulture keselyű

W

wad ▼ *fn* (rongy/vatta)csomó; egy köteg *[pénz]* ▼ *ige* összegyúr *[galacsinná]*

waddle ▼ *fn* tipegés, totyogás ▼ *ige* tipeg, totyog

wade ▼ *fn* átkelés *[gázlón]*, átgázolás ▼ *ige* átgázol *[vízen]*; gázol *[vízben]*

wafer ostya

waffle¹ *fn* gofri

waffle² *biz* ▼ *fn* mellébeszélés, süketelés ▼ *ige* mellébeszél, süketel

waft ▼ *fn* (szél)fuvallat ▼ *ige* lobogtat, fúj *[vmit a szél]*; lobog, sodródik

wag ▼ *fn* (fark)csóválás, mozgatás ▼ *ige* csóvál, mozgat *[végtagot]*

wage munkabér, kereset

wager fogad *[vmire v. vmiben]*

wag(g)on szekér; tehervagon; *US* kombi(autó)

wail ▼ *fn* siránkozás, sírás *[csecsemőé]* ▼ *ige* elpanaszol, elsír (vmit); (*over sg*) siránkozik (vmi miatt); üvölt, süvít *[szél]*

waist derék

waistband övszalag *[szoknyán]*

waistcoat mellény

waistline derékbőség, derékvonal

wait ▼ *fn* várakozás, várás ▼ *ige* (*for sy/sg*) vár (vkire/vmire)

waiter pincér, felszolgáló

waiting vár(akoz)ás; ~ **list** várólista; ~ **room** váróterem

waitress pincérnő

waive (*sg*) lemond (vmiről), felad (vmit)

wake ▼ *fn* virrasztás ▼ *ige* (woke, woken) (fel)kelt, (fel)ébreszt; (fel)ébred

wakeful álmatlan; éber

Wales Wales

walk ▼ *fn* séta, járás; sétány, gyalogút ▼ *ige* megy, jár, sétál; sétáltat

walker sétáló, gyalogló; járókeret

walkie-talkie hordozható adó-vevő

walking; ~ shoes *tsz* turistacipő/bakancs; ~ stick sétabot

walkout *US* sztrájk, munkabeszüntetés

walkway *US* sétány [parkban], járda

wall ▼ *fn* fal ▼ *ige* befalaz, körbefalaz

wallet pénztárca, levéltárca

wallop elver (vkit); *sp* erősen üt [labdát]

wallpaper ▼ *fn* tapéta ▼ *ige* (ki)tapétáz

walnut dió, diófa

walrus rozmár

waltz ▼ *fn* keringő ▼ *ige* keringőzik

wand pálca, bot

wander ▼ *fn* kóborlás, vándorlás ▼ *ige* kóborol, vándorol; (*from sg*) letér, *átv* eltér (vmitől)

wanderer csavargó, kóborló

wane ▼ *fn* fogyás ▼ *ige* csökken, fogy

want ▼ *fn* szükséglet, hiány ▼ *ige* akar, kíván

wanted körözött [személy]

wanton ▼ *mn* féktelen, szertelen; bolondos, könnyelmű; indokolatlan, oktalan; buja, szemérmetlen ▼ *ige* bolondozik, pajzánkodik

war ▼ *fn* háború, harc ▼ *ige* átv háborúzik, harcol

ward ▼ *fn* (kórházi) osztály, kórterem; választókerület; *[gyámság alatt álló]* védenc, gyámolt ▼ *ige* ~ **off** (*sg*) távol tart (vmit), védekezik (vmi ellen)

warden igazgató *[intézményé];* gondnok *[ingatlané]*

warder börtönőr

wardrobe gardrób, ruhásszekrény

warehouse ▼ *fn* (áru)raktár; nagykereskedés, raktáráruház ▼ *ige* (*sg*) raktároz (vmit), raktárba tesz

wares árucikkek, áruk

warfare hadviselés

warily körültekintően, óvatosan

wariness körültekintés, óvatosság

warlike háborús, harcias

warm ▼ *mn* meleg ▼ *ige* (fel)melegít; *átv is* (fel)melegedik; *biz* fel-

élénkül, felenged *[társaságban]*

warm-hearted melegszívű

warming felmelegedés, felmelegítés

warmly melegen, lelkesen

warmth meleg(ség), hév

warn figyelmeztet, óva int

warning figyelmeztetés, intés; felszólítás

warp ▼ *fn* (el)görbülés, vetemedés *[faanyagé]* ▼ *ige* elhajlít, meggörbít; meghajlik, megvetemedik

warrant ▼ *fn* garancia, jótállás; kezes; fel/meghatalmazás ▼ *ige* (*sg*) garantál (vmit), jótáll (vmiért)

warranty garancia, szavatosság

warrior harcos, katona

Warsaw Varsó

warship hadihajó

wart szemölcs, bibircsók

wartime *mn, fn* háborús (időszak)

wary körültekintő, óvatos

was → be

wash ▼ *fn* mosás, mos(ako)dás; (arc)lemosó, kozmetikum ▼ *ige* (el/ki/le/meg)mos; (meg)mosdik

washable mosható *[ruha]*

washbasin mosdókagyló, mosdótál

washbowl *US* lavór, mosdótál

washer mosógép *[háztartási]*; autómosó; *műsz* alátét, tömítőgyűrű

washhouse mosókonyha

washing mosás; szennyes; mosott ruha; ~ machine mosógép; ~ powder mosópor

washing-up (el)mosogatás; ~ liquid mosogatószer

washroom *US* illemhely, mosdó

wasp darázs

wastage pazarlás, pocsékolás; hulladék, veszteség

waste ▼ *mn* selejtes, hulladék; parlag, puszta ▼ *fn* pocsékolás, pazarlás; hulladék, selejt; szennyvíz; ~ disposal unit konyhai hulladékaprító, „konyhamalac” ▼ *ige* (el)pocsékol, (el)pazarol

wasteful tékozló, pazarló

watch ▼ *fn* (kar)óra; őr(ség) ▼ *ige* néz; (meg)figyel; figyel, vigyáz

watchdog házőrző kutya

watchful óvatos, éber

watchmaker órás(mester)

watchman (*tsz* -men) őr(szem)

water ▼ *fn* víz; ~ lily tündérrózsa ▼ *ige* (meg)öntöz *[növényt]*; (meg)itat *[állatot]*; vizez, hígít *[italt]*; megnedvesedik, könnyezik;

nyáladzik *[száj],* folyik
a nyála

waterfall vízesés

watering can locsoló-
kanna, öntözőkanna

watermark vízjel

watermelon görögdinnye

waterproof ▼ *mn* vízhat-
lan, vízálló ▼ *fn* vízhat-
lan kabát/ruha ▼ *ige*
vízhatlanná tesz, víz-
hatlanít

watershed *átv is* vízvá-
lasztó (vonal)

water-skiing vízisí(zés)

watertight vízhatlan

waterway vízi út

waterworks vízművek

watery esős; vizes, gyen-
ge *[kávé];* könnybe lá-
badt, könnyező *[sze-
mek]*

watt watt

wave ▼ *fn* hullám;
int(eget)és ▼ *ige* lenget
[kezet], lobogtat *[zász-
lót];* int(eget); lobog,
leng

wavelength hullámhossz

waver meginog, ingado-
zik

wavy hullámos *[haj]*

wax ▼ *fn* viasz ▼ *ige* via-
szol, gyantáz *[szőrtele-
nít]*

way út(vonal); irány; tá-
volság; mód(szer)

wayward csökönyös,
akaratos; szeszélyes

we mi *[személyes nm]*

weak gyenge

weaken (el)gyengít,
(el)gyengül

weakness gyengeség;
gyengéje (vkinek)

wealth vagyon, gazdag-
ság

wealthy vagyonos, jómó-
dú

weapon fegyver

wear ▼ *fn* viselet, divat;
kopás, használat ▼ *ige*
(wore, worn) visel,
hord *[ruhát];* elkopik

weariness fáradtság, ki-
merültség

weary ▼ *mn* fárasztó
[dolog], fáradt *[ember]*
▼ *ige* elfáraszt; elfárad

weasel menyét

weather idő(járás); ~
forecast időjárás-jelen-
tés

weathercock szélkakas

weave (wove, woven)
sző, fon

weaver takács

web (pók)háló; háló-
(zat); **world-wide** ~
inform világháló

wed (wedded/wed,
wedded/wed) (*sy*) fele-
ségül vesz (vkit), egy-
bekel (vkivel); összead
[jegyespárt]

wedding esküvő; ~ **day**
esküvő napja; házassá-
gi évforduló; ~ **ring**
jegygyűrű

wedge ▼ *fn* szelet *[kör
alakú dologból, pl. sajt-
ból, tortából]*; *átv is* ék
▼ *ige* (ki)ékel

Wednesday szerda

weed ▼ *fn* gyom, gaz ▼
ige (ki)gyomlál

week hét *[naptári]*

weekday munkanap,
hétköznap

weekend *mn, fn* hétvégi,
hétvége

weekly ▼ *mn* heti ▼ *fn*
hetilap ▼ *hsz* hetente

weep ▼ *fn* sírás ▼ *ige*
(wept, wept) könnye-
zik, sír; (*for/over sy/sg*)
megsirat (vkit/vmit)

weigh (le)mér *[súlyra]*;
nyom *[súlyra vmeny-
nyit]*; *átv* mérlegel

weight (test)súly; befo-
lyás

weighty súlyos, nehéz

weird különös, fur(cs)a;
természetfeletti, kísér-
teties

welcome ▼ *mn* szívesen
látott *[vendég]* ▼ *fn* fo-
gadtatás ▼ *ige* üdvözöl;
szívesen lát

weld hegeszt; összeforr

welfare (nép)jólét

well¹ *hsz* (*kfok* better, *ffok* best) jól

well² *fn* kút, forrás

well³ *isz* hát, nos, lássuk csak

well-behaved jó magaviseletű, illedelmes

well-being jólét, jó egészség

well-groomed jól öltözött, ápolt

well-known híres, neves

well-mannered jól nevelt, illedelmes

well-meaning jó szándékú, jóindulatú

well-off tehetős, gazdag

well-read tájékozott, olvasott

well-to-do vagyonos, jómódú

well-wisher jóakaró

Welsh ▼ *mn* walesi ▼ *fn* esz/tsz walesi *[ember, nyelv]*

Welshman (*tsz* -men) walesi *[férfi]*

wept → weep

were → be

west ▼ *mn* nyugati; ~ **Indies** Közép-amerikai szigetek *[Bahama szk. és Antillák]* ▼ *fn* nyugat ▼ *hsz* nyugatra

westerly nyugati *[szél]*

western ▼ *mn* nyugati ▼ *fn* western(film)

westerner nyugati ember

wet ▼ *mn* nedves, vizes ▼ *fn* nedvesség, esős idő ▼ *ige* (wet/wetted, wet/wetted) megnedvesít, benedvesedik

whale bálna

wharf (*tsz* wharves) rakpart, móló

wharves → wharf

what ▼ *nm* mi(csoda)?, mit?; ami; milyen? ▼ *isz* mi(csoda)?

whatever ▼ *mn* bármilyen, akármilyen ▼ *nm* bármi(t), akármi(t)

wheat búza

wheel ▼ *fn* kerék ▼ *ige* gördít, gördül

wheelbarrow talicska

wheelchair tolókocsi, tolószék

wheeze ▼ *fn* zihálás ▼ *ige* zihál

when ▼ *nm* mikor?, amikor ▼ *ksz* mialatt; pedig; (feltéve) ha, amikor

whenever bármikor, akármikor

where hol?, hová?; ahol, ahová

whereabouts ▼ *fn tsz* tartózkodási hely, hollét ▼ *hsz* (nagyjából) hol?, (körülbelül) merre?

whereas míg, ezzel szemben; habár, noha

wherever akárhol, bárhol; akárhová, bárhová

whether vajon, -e

which melyik?, melyiket?; amely(et), amelyek(et)

whichever bármelyik(et), akármelyik(et)

while ▼ *fn* kis időtartam

▼ *ksz* mialatt, amíg; ellenben, míg

whim hóbort, szeszély

whimsical hóbortos, szeszélyes

whine ▼ *fn* nyafogás, nyüszítés ▼ *ige* nyafog, nyüszít

whip ▼ *fn* ostor, korbács; tojáshab ▼ *ige* (meg)korbácsol, ostoroz; felver, felverődik *[hab]*

whirl ▼ *fn* forgás, örvény(lés) ▼ *ige* felkavar *[port];* kavarog, pörög

whirlpool örvény

whirlwind forgószél

whirr ▼ *fn* búgás, zúgás *[gépé]* ▼ *ige* zümmög, zúg *[gép]*

whisk ▼ *fn* legyintés; habverő ▼ *ige* felver *[habot],* csapkod

whiskers *tsz* bajusz *[állaté]*

whisper ▼ *fn* suttogás, susogás ▼ *ige* odasúg (vmit), suttog

whistle ▼ *fn* fütty(szó), fütyülés; síp(szó) ▼ *ige* (el)fütyül; sípol; sivít

white ▼ *mn* fehér; ~ **coffee** tejeskávé; ~ **lie** füllentés, kegyes hazugság ▼ *fn* fehér szín, fehér ember; fehérje *[tojásé, szemé];* világos *[sakkban]*

whiten (ki)fehérít; kifehéredik

whitener fehérítő

whiteness fehérség, sápadtság

whitewash ▼ *fn* meszelés, mész(festék) ▼ *ige* kimeszel *[falat, szobát]*

Whitsun pünkösd

who ki(csoda)?, kik?, kit?, kiket?; aki(k), akit, akiket

whodun(n)it *biz* krimi

whoever bárki(t), akárki(t)

whole ▼ *mn* teljes, egész; ép ▼ *fn* az egész

wholehearted szívből jövő, őszinte

wholemeal korpás, teljes őrlésű lisztből készült

wholesale ▼ *mn* nagybani *[kereskedelem]* ▼ *fn* nagykereskedelem

wholesaler nagykereskedő

wholesome egészséges *[étel]*

wholewheat teljes kiőrlésű búza

wholly teljesen, egészen

whom kit?, kinek?

whooping cough szamárköhögés

whose ki(k)é?, kinek a(z)

why ▼ *hsz* miért?, amiért ▼ *isz* nini, nocsak; nos

wick kanóc

wicked rosszindulatú, gonosz

wide ▼ *mn* széles, tág(as) ▼ *hsz* szélesen; ~ **open** szélesre tárt *[ajtó],* tágra nyílt *[szem, száj]*

wide-awake éber, teljesen ébren levő

widely széles körben

widen kiszélesít, kibővít; kiszélesedik, kitágul

widespread (széles körben) elterjedt

widow özvegy(asszony)

widower özvegyember

width szélesség, bőség *[ruháé]*

wife *(tsz* wives) feleség

wig paróka

wiggle ▼ *fn* kígyózás, ide-oda mozgás ▼ *ige* kígyózik, tekergőzik

wild ▼ *mn* vad, heves ▼ *fn* vadon; ~s *tsz* vadon, pusztaság ▼ *hsz* vadul, féktelenül

wilderness vadon

wildlife vadvilág

wildly vadul, féktelenül

wildness vadság, féktelenség

will ▼ *fn* akarat, hajlandóság; végrendelet, végakarat ▼ *ige* akar ▼ *segédige* (would) fog *[tenni vmit]*

willing *(to do sg)* kész, hajlandó (vmire)

willingly készségesen

willingness hajlandóság, készség(esség)

willow fűzfa

win (won, won) (el/meg)nyer, győz; elnyer *[ösztöndíjat],* szerez *[barátot]*

wind¹ ▼ *fn* szél, szellő; ~ **instrument** fúvós hangszer ▼ *ige* szellőztet; kifullaszt

wind² *ige* (wound, wound) (fel)teker, (fel)csavar; kanyarog *[út],* kígyózik

winder (óra)felhúzó; ablakfelhúzó kar *[autóban];* csigalépcső

winding ▼ *mn* kanyargó(s) ▼ *fn* kanyargás

windmill szélmalom

window ablak; ~ **cleaner** ablaktisztító

window-shopping kirakatnézegetés

windowsill ablakpárkány

windpipe légcső
windscreen szélvédő
windshield *US* szélvédő
windswept szeles *[hely]*, szélborzolta *[haj]*
windy szeles
wine bor; ~ **cellar** borospince; ~ **glass** borospohár; ~ **list** borlap *[étteremben]*
wing szárny; ~**s** kulisszák *[színházban]*, színfalak
wink ▼ *fn* hunyorítás, kacsintás ▼ *ige* (rá)hunyorít, hunyorgat, kacsint
winner győztes, nyertes
winning ▼ *mn* nyerő, győztes; megnyerő, vonzó ▼ *fn* ~**s** *tsz* pénznyeremény
winter tél
wint(e)ry télies, *átv is* fagyos
wipe ▼ *fn* törlés ▼ *ige* (meg)töröl, (le)töröl
wire ▼ *fn* drót, kábel; táv-

irat ▼ *ige* (össze)drótoz; táviratozik, megsürgönyöz
wireless ▼ *mn* vezeték/drót nélküli ▼ *fn* rádió, drótnélküli távíró
wiring (villany)vezeték, drót
wiry sprőd, drótszerű *[haj]*
wisdom bölcsesség, okosság; ~ **tooth** bölcsességfog
wise bölcs, okos
wisely bölcsen, okosan
wish ▼ *fn* óhaj, kívánság ▼ *ige* kíván, akar
wishful vágyakozó, sóvár(gó)
wit szellem(esség), ész
witch boszorkány, banya
witchcraft varázslat, boszorkányság
with -val/-vel; -nál/-nél
withdraw (withdrew, withdrawn) kivesz, felvesz *[pénzt]*; visszavon; visszalép, visszavonul

withdrawal (pénz)kivét; visszavonás; visszalépés, visszavonulás; ~ symptoms *orv* elvonási tünetek

withdrawn → withdraw

withdrew → withdraw

wither (el)sorvaszt; elsorvad, elszárad, elhervad

withering hervasztó, lesújtó *[pillantás];* elszáradó

withheld → withhold

withhold (withheld, withheld) visszafog (vkit), visszatart *[adatot, pénzt]*

within ▼ *hsz* benn, belül ▼ *elölj* vmin belül

without ▼ *hsz* kívül, kint ▼ *elölj* nélkül

withstand (withstood, withstood) *(sg)* ellenáll (vminek), (ki)bír (vmit)

withstood → withstand

witness ▼ *fn* tanú ▼ *ige* tanúsít, tanúskodik; (szem)tanúja (vminek)

witticism elmés/szellemes megjegyzés, aranyköpés

witty szellemes, elmés

wives → wife

wizard varázsló, mágus

woe baj, bánat

woeful szomorú, bánatos; szánalomra méltó, szánalmas

woke → wake

woken → wake

wolf ▼ *fn (tsz* wolves) farkas ▼ *ige* felfal

wolves → wolf

woman *(tsz* women) nő, asszony

womb (anya)méh

women → woman

-women → -woman

won → win

wonder ▼ *fn* csoda, csodálat ▼ *ige* szeretné tudni, kíváncsi, hogy; csodálkozik, ámul

wonderful csodálatos, csodás

woo *(sy)* udvarol (vkinek)

wood fa(anyag), tűzifa; ~(s) erdő

wooden fából készült, fa-; kifejezéstelen, merev *[arc]*

woodland erdőség

woodpecker harkály, fakopáncs

woodwork famunka, asztalosmunka

woody fás, erdős

wool gyapjú, gyapjúfonal

word ▼ *fn* szó; üzenet; ~s *tsz* szöveg *[dalé]* ▼ *ige* (meg)szövegez, megfogalmaz

wording szövegezés, (meg)-fogalmazás

wordy szószátyár, bőbeszédű

wore → wear

work ▼ *fn* munka; mű; ~s *tsz* üzem, gyár(telep) ▼ *ige* dolgozik; üzemel, működik; működtet, üzemeltet

workable megvalósítható, keresztülvihető *[terv]*

worker dolgozó, munkás

workman (*tsz* -men) (kétkezi) munkás

workmanship szakmai tudás, mesterségbeli felkészültség

workshop műhely

world világ, föld

world-wide világszerte/ az egész világon elterjedt

worm giliszta, féreg

worn ▼ *mn* (el/meg)kopott, elnyűtt ▼ *ige* → wear

worried aggódó, gondterhelt

worry ▼ *fn* gond, aggodalom ▼ *ige* nyugtalanít, aggaszt; (*about/over sy/ sg*) nyugtalankodik, aggódik (vki/vmi miatt)

worrying aggasztó, nyugtalanító

worse ▼ *mn* rosszabb; → **bad** ▼ *hsz* rosszabbul; → **badly**

worship ▼ *fn* istentisztelet; imádás ▼ *ige* imád, imádkozik *[vallásosan]*

worst ▼ *mn* legrosszabb;
→ **bad** ▼ *hsz* legrosszabbul; → **badly**

worth ▼ *mn* be° ~ ér
(vmit/vmennyit) ▼ *fn*
érték

worthless haszontalan,
értéktelen

worthy (*of sg*) érdemes,
méltó (vmire)

would -na/-ne *[segédige
feltételes alakokhoz];*
fog *[tenni vmit];* → **will**

would-be leendő, reménybeli

wound¹ ▼ *fn* seb(esülés),
sebhely ▼ *ige* megsebez, megsebesít

wound² → **wind²**

wove → **weave**

woven → **weave**

wrap ▼ *fn* sál, pongyola
▼ *ige* beburkol, becsomagol

wrapper csomagolás,
csomagolóanyag

wrapping csomagolás

wreath koszorú

wreck ▼ *fn* roncs ▼ *ige*
hajótörést szenved; *átv*
tönkretesz

wrench villáskulcs, csavarkulcs

wrestle ▼ *fn* birkózás ▼
ige (meg)birkózik

wrestler birkózó

wrestling birkózás

wretched nyomorult,
szerencsétlen *[ember];*
pocsék, rossz *[pl. időjárás]*

wrinkle ▼ *fn* ránc ▼ *ige*
(össze)ráncol(ódik)

wrist csukló

wristwatch karóra

writ *[bírósági]* idézés

write (wrote, written)
(meg)ír, leír

write-off leírás *[veszteségé];* totálkáros autó

writer író

writhe ▼ *fn* vonaglás ▼
ige vonaglik

writing írás(mű), mű
[íróé]; ~ **paper** írólap,
írópapír

written ▼ *mn* írott, írásos *[pl. engedély]* ▼ *ige* → **write**

wrong ▼ *mn* rossz, helytelen ▼ *fn* rossz (tett), tévedés ▼ *hsz* rosszul, helytelenül

wrongful törvénytelen, jogtalan

wrongly jogtalanul, törvénytelenül; helytelenül, rosszul

wrote → **write**

wrought megmunkált, kidolgozott

wry *átv* savanyú *[arc]*, fanyar *[mosoly, humor]*

X

Xmas *röv [Christmas]* karácsony

X-ray ▼ *mn* röntgen- ▼ *fn* röntgenfelvétel ▼ *ige* megröntgenez

xylophone xilofon

Y

yacht ▼ *fn* jacht ▼ *ige* vitorlázik, jachttal hajózik

yachting vitorlázás, vitorlássport

yachtsman (*tsz* -men) vitorlázó *[ember],* jachtozó

yank gyorsan mozog; *US* (meg)ránt, rángat

Yankee *biz* jenki *[egyesült államokbeli ember]*

yard[1] yard *[91,4 cm]*

yard[2] telep

yardstick *biz, átv* mérce, rőf

yarn fonal; *biz* történet

yawn ▼ *fn* ásítás ▼ *ige* ásít; *átv* tátong *[barlang, szakadék]*

yawning ásító, ásítozó; *átv* tátongó *[barlang, szakadék]*

yeah *biz* ja *[igen]*

year év; évfolyam *[iskolában]*

yearly ▼ *mn* éves, év(enként)i ▼ *hsz* évenként, évente (egyszer)

yearn (*for/after sg*) sóvárog, vágyik (vmire)

yearning ▼ *mn* sóvárgó, epedő ▼ *fn* sóvárgás, epekedés

yeast élesztő

yell ▼ *fn* kiáltás, sikoltás ▼ *ige* ordít, üvölt; (fel)ordít, (fel)sikolt

yellow ▼ *mn* sárga ▼ *fn* sárga szín ▼ *ige* megsárgít; megsárgul

yellowish sárgás

yelp ▼ *fn* vakkantás, csaholás ▼ *ige* ugat, csahol

yeoman (*tsz* -men) *tört* kisgazda

yes igen

yesterday tegnap

yet ▼ *hsz* még; már ▼ *ksz* mégis

yew tiszafa

yield ▼ *fn* hozam, hozadék ▼ *ige* hoz, terem; *gépk (to sy/sg)* elsőbbséget ad, enged (vkinek/vminek)

yoke ▼ *fn* iga, járom ▼ *ige* igába fog *[állatot]*

yolk tojássárgája

you ön(t), maga; önnek, magának; az ember *[általános alany]*

young ifjú, fiatal

youngster gyerek; *biz* fiatal, ifjú

your (az ön v. a maga) -(j)a, (az önök v. a maguk) -a, a te -d; *[általános alanyként]* az ember ...-je

yours az öné(i), a magáé(i), a tie(i)d

yourself (ön)maga, (ön)magad

yourselves (ők) maguk, (ti) magatok

youth fiatalkor, ifjúság; fiatalember, ifjú; ~ **hostel** ifjúsági szálló

youthful fiatalos; fiatalkori

Yugoslav *mn, fn* jugoszláv

Yugoslavia Jugoszlávia

yuppie *pejor* ifjú újgazdag, juppi

Z

zany *biz* bolondos, őrült

zap *biz* sutty!, huss! *[gyors mozgás érzékeltetésére]*

zeal igyekezet, hév

zealot fanatikus rajongó

zealous lelkes, buzgó

zebra *áll* zebra; ~ crossing gyalogátkelőhely, zebra

zenith tetőpont, csúcspont *[karrieré stb.]*

zero nulla, zéró; *átv* semmi

zest öröm, élvezet; zamat, aroma

zigzag ▼ *mn* cikcakkos, zegzugos ▼ *hsz* cikcakkosan, zegzugosan ▼ *ige* cikcakkban halad, cikázik

zinc cink

zip ▼ *fn biz* erő, lendület; *inform* zip-tömörítés ▼ *ige inform* tömörít *[fájlt]*

zipper cipzár

zodiac *csill* állatöv, zodiákus

zone zóna, övezet; *földr* égöv

zoo állatkert

zoologist zoológus, állattantudós

zoology zoológia, állattan

zoom ▼ *fn* közeli felvétel *[fényképen, filmen]*, nagyítás *[számítógépen]* ▼ *ige* süvít, repeszt *[gyorsan mozog]*; közelít *[fényképezőgéppel, kamerával]*

zucchini cukkini

RÖVIDÍTÉSEK

áll	állattan	*hsz*	határozószó
ált	általában	*inform*	informatika
átv	átvitt értelemben	*irod*	irodalmi,
bány	bányászat		választékos
biol	biológia	*isz*	indulatszó
biz	bizalmas	*ját*	játékok
	szóhasználat	*jog*	jogtudomány
csill	csillagászat	*kat*	katonaság
elektr	elektronika	*kb.*	körülbelül
épít	építészet	*kém*	kémia
esz	egyes szám	*közl*	közlekedés
fényk	fényképészet	*ksz*	kötőszó
fil	filozófia	*mat*	matematika
film	filmművészet	*mezőg*	mezőgazdaság
fiz	fizika	*mn*	melléknév
fn	főnév	*msz*	mondatszó
földr	földrajzi név	*műsz*	műszaki
gazd	gazdaság		kifejezés
geol	geológia	*műv*	művészet
gépk	gépkocsizás	*nm*	névmás
hajó	hajózás	*növ*	növénytan
hiv	hivatalos nyelven	*nu*	névutó